Immersion

De la science au Parlement

DU MÊME AUTEUR

Avec Baudoin, *Ballade pour un bébé robot*, Gallimard, 2018.

Avec Karol Beffa, *Les Coulisses de la création*, Flammarion, 2015 ; Champs, 2017.

Les mathématiques sont la poésie des sciences, L'Arbre de Diane, 2015 ; Champs, 2018 (illustrations d'Étienne Lecroart).

Avec Baudoin, *Les Rêveurs lunaires : quatre génies qui ont changé l'histoire*, Gallimard-Grasset, 2015.

Avec Vincent Moncorgé et Jean-Philippe Uzan, *La Maison des mathématiques*, Le Cherche Midi, 2014.

Avec Bartabas, *Comment conjuguer passion et création*, Favre, 2014.

Théorème vivant, Grasset, 2012 ; Le Livre de poche, 2013.

Avec Pierre Cartier, Jean Dhombres et Gérard Heinzmann, *Mathématiques en liberté*, La Ville Brûle, 2012.

Cédric Villani

Immersion

De la science au Parlement

Flammarion

© Flammarion, 2019.
ISBN : 978-2-0814-4513-0

Introduction

Le 7 mai 2017, au soir de l'élection d'Emmanuel Macron, je me suis lancé dans la campagne législative sous les couleurs de la République en marche. Cinq semaines plus tard, je siégeais à l'Assemblée nationale parmi les trois cent quatorze députés Marcheurs, pour la plupart nouveaux en politique, formant le groupe le plus singulier de l'histoire de la Ve République. Jeune, varié, féminisé au point d'être quasiment paritaire, ce groupe inclassable allait donner tant de grain à moudre aux commentateurs.

Participer à ce grand chamboulement national, cela a aussi été un grand chamboulement personnel. En un an de mandat, j'ai apporté mon vote à plusieurs dizaines de lois, présenté deux rapports au Parlement et deux autres au gouvernement, coprésidé cinquante réunions parlementaires, effectué des voyages dans une vingtaine de pays et au total consacré plus de trois mille heures au service de l'État.

Mais surtout, cela a été un changement d'ambiance, d'environnement, de vie.

Je pourrais égrener un bilan, revenir sur les conclusions de mes rapports, reprendre quelques-uns des discours que j'ai été amené à prononcer par centaines en un an. Dans ce témoignage je m'efforcerai plutôt de répondre à une autre question – à LA question que l'on me pose sans relâche depuis un an, quasiment tous les jours : « Alors, c'est comment, la vie politique ? »

Si vous cherchez des ragots savoureux, des confidences du Président, de petits secrets internes à ma formation politique, alors vous pouvez tout de suite reposer ce livre, il n'est pas fait pour vous. Ce n'est pas mon genre de divulguer des confidences… et je suis sûr que d'autres s'en chargeront très bien !

Mais si vous voulez savoir ce que l'on ressent quand on se jette dans le grand bain sans y avoir été préparé, quand on tâche de mettre son expertise au service de la société, quand on découvre les rouages complexes de la machine étatique, alors vous trouverez peut-être de l'intérêt à cet ouvrage. Certains lecteurs y verront des points communs avec le savoureux *Manuel de survie à l'Assemblée nationale* de Jean-Jacques Urvoas et Magali Alexandre (Odile Jacob, 2012), d'autres y chercheront des similitudes avec *Un Huron à l'Assemblée nationale*, de Laurent Wauquiez (éd. Privé, 2006). Mais je crois que le contexte, le regard, le style en sont bien différents.

Il y a une autre question que l'on me pose sans cesse : « Vous avez encore le temps de faire de la recherche ? » La réponse est non, pas du tout. J'ai cru pendant quelques mois que je pourrais conserver une partie de mes activités universitaires, mais c'était une illusion : la vie politique, incroyablement prenante, m'a forcé à mettre de côté bien des projets qui me tenaient à cœur.

Et pourtant, si c'était à refaire, je le referais pareillement, tant j'ai pu constater par moi-même à quel point un scientifique peut être utile à l'organisation politique, et à quel point on peut apprendre dans ces fonctions.

On prête à Benjamin Franklin l'adage selon lequel la démocratie ne vaut rien si les citoyens ne sont pas instruits. Il me semble que cela est plus d'actualité que jamais, à l'heure où la démocratie est mise en péril, à travers le monde, par les rumeurs organisées en système. L'instruction concerne aussi les institutions politiques, qui sont si mal comprises ; et si ce témoignage peut contribuer à mieux les faire connaître, j'en serai fier.

Dans un précédent ouvrage, j'ai raconté la vie de chercheur en quête d'une nouvelle découverte ; et il est arrivé plus d'une fois que l'on me dise : « C'est grâce à votre livre que je me suis réconcilié avec les mathématiques », ou : « C'est en vous lisant que j'ai décidé de passer mon CAPES », ou encore : « Ma fille rêve de vivre de telles aventures », et rien ne m'a davantage fait plaisir. Ce livre-ci aura pleinement atteint son but s'il peut donner à quelques novices l'envie de se lancer en politique avec leur histoire particulière.

Si cet ouvrage s'intitule *Immersion*, c'est bien sûr parce qu'il décrit une immersion brusque dans un nouvel environnement, celui des institutions politiques (dans le même registre, j'avais d'abord songé à *Plongeon*). Mais avec un peu de malice, on peut aussi y voir un second sens : en géométrie, la notion d'immersion (ou plus rigoureusement, immersion isométrique) désigne une opération par laquelle on « transporte » un objet géométrique, sans changer sa nature intrinsèque, au cœur d'une nouvelle géométrie ambiante. La théorie des plongements et des immersions, que j'ai enseignée à l'université de Lyon, est d'ailleurs un sujet d'une extraordinaire richesse, où s'illustrèrent certains des plus grands mathématiciens du XXe siècle, comme John Nash ou Misha Gromov. Et c'est, après tout, une bonne métaphore pour le thème de cet ouvrage : que s'est-il passé quand je me suis retrouvé plongé dans ce nouvel environnement que constituait la politique, en m'efforçant de m'adapter sans pour autant changer mon identité ?

La seconde partie du texte, centrée sur des convictions politiques, est le prolongement de la première, bâtie autour de l'expérience nouvelle. Mais cette seconde partie peut aussi se lire indépendamment de la première.

Comme toutes mes œuvres, celle-ci a été nourrie d'interactions avec les autres. Dans son sujet d'abord, puisqu'elle est riche de situations et discussions vécues avec mes compagnons d'aventure en politique. Mais aussi dans sa forme, puisqu'elle a été relue avec grand soin par une dizaine de proches d'horizons très variés, ainsi que par mes éditrices. Leurs milliers de remarques et suggestions n'ont pas peu contribué à améliorer ce manuscrit dans lequel j'ai mis tout mon cœur.

Ce livre est dédié, avec admiration, à mes ancêtres grecs qui, il y a presque trois cent cinquante ans, fuirent le Péloponnèse au nom de la liberté et naviguèrent jusqu'à la Corse où ils ne firent rien moins que fonder une ville. Mon voyage personnel en politique aura été moins dangereux, moins dramatique, mais il s'inscrit aussi dans des temps troublés et il se fait aussi avec le soutien bienveillant de toute une petite société, que je ne remercierai jamais assez.

Partie I

EXPÉRIMENTATION

Paris, le 21 juin 2018, 15 h 55.

La table ronde sur l'agriculture augmentée captive un auditorium bien rempli. Avec des collègues issus du monde politique, agricole, entrepreneurial, réunis à l'occasion de ces « AgriDataDays », je tâche d'apporter mon grain de sel. J'évoque mon rapport sur l'intelligence artificielle, la nécessité des grands jeux de données, les enjeux environnementaux, la difficile confiance entre acteurs du sujet. « Tout est data », vrai ou faux ? Croisement des espèces, croisement des données, on peut faire un parallèle ? Le débat bat son plein.

Mais au regard impérieux de la jeune femme aux longs cheveux clairs, tout au fond de la salle, je comprends qu'il faut vraiment y aller maintenant. À la première occasion, je prends congé de la table ronde, tente une dernière phrase galvanisante et salue tout le monde. Fourre mes affaires dans le lourd sac à dos qui provoque souvent des regards perplexes. Récupère un autre sac à dos, encore plus lourd, ainsi qu'un superbe makila basque, sorti tout exprès pour l'occasion.

Anne-Lise, c'est le nom de mon attachée parlementaire, m'escorte sereinement jusqu'à l'extérieur du bâtiment. Une autre attachée parlementaire nous rejoint au volant de sa petite voiture : Zineb. Toujours élégante, tout en longueur, Zineb a opté pour un bel ensemble rouge ; elle peste contre les embouteillages sans perdre son éternel sourire. Tout le monde en voiture !

Anne-Lise monte à l'avant, je m'étale sur la banquette arrière, et tâche de me changer. C'est moins glamour que Superman dans sa cabine téléphonique, on fait ce qu'on peut. Je retire le costume trois pièces, enfile un short et un T-shirt pendant que les jeunes femmes à l'avant commentent gaiement le périple qui s'annonce et les complications d'organisation.

Coup de téléphone de David, pour l'équipe essonnienne : « Mais où vous êtes ? Vous avez passé le périph ou pas encore ? Mais qu'est-ce que vous foutez les filles ? Vous l'amenez, oui ou non ? Tout le monde l'attend !

— Mais oui, t'inquiète, ça va bien se passer, on arrive ! »

… Ouf, nous y voici. Bienvenue à Verrières-le-Buisson, au point le plus au nord de ma circonscription électorale !

On se gare, j'émerge avec ma tenue de marcheur – vêtements courts, bonnes chaussures de marche qui se sont usées sur tous les continents. Mon sac à dos contient habits de rechange et sac de couchage. À la main, le fameux makila, au pommeau gravée d'une araignée, offert par les équipes de l'Institut Henri-Poincaré. Et sur le chef, un chapeau à larges bords estampillé ALMA, souvenir d'un séjour dans un lieu magique entre tous, le plus haut observatoire astronomique du monde, dans le désert d'Atacama au Chili, à cinq mille mètres d'altitude.

Ça fait plaisir de voir ce monde ! Ils sont venus, ils sont tous là… il y a des militants Marcheurs du coin, des sympathisants, une journaliste du *Parisien*.

Un petit air de campagne électorale ? Peut-être.

D'ailleurs, David a enfilé le T-shirt de campagne bleu que nous avions fait imprimer, avec l'inscription « Marchons ensemble vers le progrès ! »

C'est parti pour la première étape de mon Circo'Tour ! Pendant trois jours je vais arpenter toute ma circonscription à pied, à la rencontre des citoyens… Ne dit-on pas que nous sommes des Marcheurs ? « Venez marcher avec votre député pour échanger librement », disaient les affichettes que nous avons distribuées largement, « pendant une minute, une heure ou une journée ».

Marcher et parler, parler et marcher, c'est le programme de ces trois jours.

Démarrage sur les chapeaux de roue. Toutes ces questions ! Douces et dures, curieuses, surprenantes, agressives parfois.

Parmi les personnes rencontrées, il y en a qui connaissent les moindres détails du fonctionnement des commissions, et d'autres qui sont incapables de citer les noms de deux ministres !

C'est l'occasion d'expliquer le rôle des parlementaires et de parler de politique.

Il y a cette question qui prend un relief tout particulier aujourd'hui :

— Alors, POURQUOI vous vous êtes lancé ?

Ah… ce n'est pas allé de soi.

Tout en répondant, me revient le fil du début de l'aventure. Plus compliqué que ce que j'ai le temps de raconter dans ces échanges ; plus compliqué que je ne l'ai dit aux journalistes…

Chapitre 1

Voyage intérieur

Ce n'était pas prévu que je me lance dans l'arène politique nationale.

Pourtant, quand la question se pose en 2016, j'aurais bien des raisons de me lancer !

Depuis 2010, j'ai milité pour la construction européenne au sein du think tank EuropaNova, dont la ligne proeuropéenne correspond si bien à mes convictions et à mon expérience personnelle. Aux côtés de Guillaume Klossa, Cynthia Fleury et bien d'autres, j'ai publié des tribunes, donné des discours, organisé des événements pour le débat européen ; tout particulièrement cette belle conférence internationale, EUROPA, à Paris en 2013, dans laquelle je me suis beaucoup investi pour réunir un somptueux plateau d'invités venus de toute l'Europe, sur des thématiques variées.

En tant que scientifique, j'ai fait partie des promotions de Jeunes Leaders franco-américains, de Jeunes Leaders européens, et j'ai été proche du programme des Jeunes Leaders franco-chinois… Cela m'a donné l'occasion de sympathiser avec bien des jeunes politiques, qui s'appelaient Édouard Philippe, Matthias Fekl ou encore Julien Aubert. Je m'y suis déjà convaincu que mon expérience de scientifique pouvait apporter à la vie politique.

En 2013, j'ai rencontré Emmanuel Macron, précisément dans le cadre de mon militantisme européen, et nous avons bien accroché. Si je devais soutenir un candidat à la présidentielle, ce serait lui, sans hésiter. Non seulement pour l'amour de l'Europe, mais aussi pour la ligne « ni droite ni gauche », un slogan que j'ai moi-même brandi pendant des années, par refus viscéral des cases, bien avant En marche. Même quand j'ai soutenu des candidats marqués à gauche, comme aux municipales de 2014, j'ai obstinément refusé de me déclarer de gauche ou de droite, préférant citer le beau texte du chanteur Henri Tachan, *Ni gauche ni centre ni droite.*

Le discours développé par Emmanuel Macron pendant cette campagne en 2016 comprend un appel aux talents, à celles et ceux qui ne sont pas des habitués de la politique mais qui pourront faire profiter la vie publique de leurs compétences propres, sans avoir besoin de passer à la lessiveuse de la politique. Cela fait écho aux actions que j'ai menées pendant des années, au service de la politique scientifique en France, en Europe, en Afrique... la démarche me convient parfaitement !

Au fur et à mesure que la campagne se déroule, le choix est de plus en plus clair : parmi les forces en présence, parmi les visions qui se dégagent, il n'y en a qu'une à qui je confierais le pays, en particulier pour la ligne européenne.

Mais quand Stéphane Séjourné, le conseiller politique du candidat Macron, m'appelle pour me proposer de me lancer dans les législatives, je décline. Deux fois !

Parce qu'en face des arguments pour, il y a des arguments contre qui pèsent fort.

Pour commencer, j'ai des projets en cours, tout simplement ! Depuis 2011, j'ai accompagné la conception et la gestation de la Maison des Mathématiques, qui commence seulement à être sur rails, pour une émergence prévue en 2020. Cette Maison, c'est LE gros projet de mon mandat de directeur de l'Institut Henri-Poincaré, avec la modernisation de l'Institut lui-même. Doublement des surfaces par rénovation et annexion d'un bâtiment scientifique historique, création d'un espace muséal interactif, afin de montrer à tous et toutes la grande aventure mathématique intégrée dans notre culture et notre histoire. La Maison doit être le point de rencontre unique au monde entre la recherche mathématique internationale, la pédagogie et l'univers de la haute technologie numérique.

Pour donner ses chances à ce projet, il a fallu fonder un laboratoire d'excellence, créer un fonds de dotation, rassembler les énergies, faire du travail d'influence, car sécuriser deux mille cinq cents mètres carrés au cœur de Paris, cela demande des relais jusqu'à l'Élysée... Il a fallu dénicher quelques dizaines de millions auprès de différentes instances publiques – Université Pierre-et-Marie-Curie, Grand Emprunt, Ville de Paris, Région Île-de-France, État, CNRS. Il a fallu glaner le soutien de dizaines d'acteurs privés. J'y ai dépensé des trésors d'énergie et des milliers d'heures de réunion, je ne vais quand même pas l'abandonner maintenant pour une incursion hasardeuse en politique !

Pire ! Si je m'engage pour un candidat et que ce candidat perd, est-ce que l'Institut Poincaré, très majoritairement financé par le public, ne va pas en souffrir ? Nos statuts disent que l'Institut ne soutient aucune force politique, certes, mais quand j'interviendrai en public, comment ferai-je bien la part entre l'engagement personnel et celui de mon institution ? Quand la presse présentera les positions politiques personnelles du directeur de l'Institut, est-ce que les tutelles ne vont pas se fâcher de l'ambiguïté ? Est-ce que cela ne compromettra pas tout le projet ?

J'ai aussi des réserves liées à mes activités scientifiques. Ma trajectoire professionnelle est déjà bien atypique ; mes collègues sont restés bienveillants, mais ils ont eu parfois bien du mal à me suivre. Depuis des années je n'ai pu animer ou suivre de séminaire régulier, je n'ai même plus le temps d'avoir des élèves. Un nouvel engagement politique ne va pas améliorer les choses.

Les raisons personnelles ne sont pas moins fortes. Je me suis plongé dans le travail ces dernières années plus que de raison, et ma vie privée en a souffert. Déjà en deux périodes, j'ai bien cru que j'allais mourir d'épuisement, littéralement, comme cela est arrivé à quelques personnes que j'ai connues. Maintenant ce n'est plus si dramatique, mais j'ai encore une liste d'engagements longue comme le bras. Est-ce bien le moment de se donner un nouveau défi ? Alors que je n'ai aucune idée de ce qu'est une campagne, une communication politique ?

Et il y a la confiance ! Les scientifiques et leurs institutions ont des taux de confiance extraordinaires, et le CNRS est peut-être la marque la plus respectée en France, ou peu s'en faut. *A contrario*, les politiques ont une image détestable – dans l'inconscient collectif, ils sont associés à la corruption, à l'hypocrisie, à l'intérêt personnel. Les chanteurs d'hier comme Catherine Ribeiro, ceux d'aujourd'hui comme Maître Gims ou Orelsan, ont la partition facile à dénoncer leurs mensonges. La parole des scientifiques est réputée libre et celle des politiques enfermée. Est-ce que je veux vraiment passer d'un monde à l'autre ? Mon image en prendra forcément un coup. Certains établissements scolaires ont nommé une salle, voire un bâtiment, en mon honneur, à coup sûr ils vont devoir les rebaptiser pour éviter les controverses.

Il y a aussi la question de mon utilité – car dans tout projet personnel on tâche de faire la combinaison entre ce que l'on aspire à faire et ce que l'on sait faire le mieux. Est-ce qu'un engagement politique de ma part rendra service à la société ? Ne serai-je pas plus utile en restant directement impliqué dans les sciences ?

Et pour couronner le tout, ma députée, la socialiste Maud Olivier, a la confiance du monde scientifique et m'a déjà proposé d'être son suppléant aux élections ! J'ai botté en touche, mais ma propre candidature ne serait-elle pas interprétée comme une trahison ?

Oui, de fortes raisons pour ne pas m'engager. Et pourtant une sensation désagréable de frustration, doublée d'une inquiétude grandissante.

Au fur et à mesure que la campagne présidentielle se déroule, j'assiste, médusé, comme la France entière, à un jeu de trônes chaotique, exacerbé par les révélations médiatiques, plein de complots et de revirements. Et vient le moment où je ressens vraiment l'angoisse, la boule au ventre, tel un môme dans la salle d'attente du médecin – que va-t-il advenir de mon pays ?

Je multiplie les marques de soutien au candidat Macron ; je participe aux meetings de campagne de Lyon, de Londres, je publie quelques tribunes. Cela me vaut déjà de recevoir un abondant courrier… pas toujours bienveillant. Il y a des mots d'injures, certains signés et d'autres anonymes. Pour un politique c'est anodin, mais pour moi qui me suis toujours tenu à l'écart des controverses c'est une toute nouvelle expérience.

Je passe en revue les programmes des candidats en matière d'enseignement supérieur et de recherche. Celui des Insoumis, plein d'ambition mais irrigué par une volonté centralisatrice anachronique, m'effraie suffisamment pour que je commette une tribune assassine avec quelques collègues scientifiques. Cela me vaut encore quelques dures critiques de mes pairs. La confusion est à son paroxysme ; je continue à faire de mon mieux pour soutenir le candidat En marche, tout en commençant à y laisser des plumes. Et je ne suis toujours pas prêt à me lancer dans la bataille à titre personnel avec un acte aussi fort qu'une candidature aux législatives.

Il faudra un coup de pouce du destin pour que je me jette à l'eau.

Dimanche 9 avril 2017, une date étrange et clé dans ma vie. Ce soir-là, un article de presse annonce que je suis candidat à l'investiture En marche pour les législatives. Mais je suis le mieux placé pour savoir que c'est du vent. Une *fake news* ! En fait, c'est la reprise (pourquoi maintenant ?) d'une rumeur qui avait déjà couru il y a quelques mois. À l'époque, cela n'avait pas eu beaucoup d'écho, mais entre-temps le contexte a changé avec l'exacerbation de la campagne.

Je mentionne l'article à Stéphane Séjourné, qui me demande si je souhaite faire publier un démenti. Je décline catégoriquement : nous sommes à deux semaines à peine de l'élection, les sondages sont si serrés, la tension si forte que le moindre doute sur l'engagement des Marcheurs peut être délétère, qui sait. Donc silence ! Peut-être juste demander le retrait de l'article ?

Retrait… ne même pas y songer. Lundi 10 avril, la nouvelle est reprise par de nombreux médias, sans aucune vérification bien sûr. Impossible d'arrêter la rumeur !

Ce matin du 10 avril, je coupe mon téléphone portable pour ne pas avoir à répondre aux questions des journalistes ; à l'Institut Poincaré, je mets seulement dans la confidence mes deux plus proches collaborateurs. « L'engagement aux législatives, il faut que je vous dise, ne m'en veuillez pas si je ne vous ai pas mis au courant, je l'ai appris par la presse. Confidentialité absolue, s'il vous plaît. »

… Et je file à la Maison des Métallos, où l'on enregistre un générique pour un cycle de conférences en DVD, avec l'artiste Gwen et ma productrice Cassia. De quoi s'occuper l'esprit.

Le téléphone est coupé, mais pas mon courriel. Dans la loge des artistes, je consulte avec étonnement ma boîte aux lettres. Marcheurs, non Marcheurs, ils sont un bon petit nombre à me féliciter pour ma candidature, et même à offrir spontanément leur aide pour la campagne.

Ils ne le savent pas, mais c'est leur enthousiasme qui m'a décidé à reconsidérer les choses.

Dans l'après-midi, je file en Suisse afin de participer à une réunion du Conseil scientifique de la Commission européenne. Bien commode pour ne pas répondre aux questions !

Mais le lendemain, par courriel, je consulte Jean-Pierre Bourguignon, un ami sûr : de tous les scientifiques français, c'est sans doute le plus engagé au niveau européen, et l'un de ceux qui s'y connaissent le mieux en politique. Nous avons aussi travaillé ensemble, depuis presque dix ans, à de grands projets d'administration et de politique scientifique. « Me présenter aux législatives, qu'en penses-tu ? »

Réponse sans ambages : « N'Y VA PAS. » Il étaie son conseil d'un long argumentaire.

La science m'a entraîné à avoir l'esprit de contradiction. Dans ma petite chambre d'hôtel à Genève, en lisant et relisant le message de Jean-Pierre, je me demande quelles en sont les bonnes et les mauvaises raisons, je réévalue les pour et les contre.

Une nuit de sommeil aide à disséquer tout cela.

Le lendemain, ma décision est prise. Je peux réfuter tous les arguments. Et j'y vais. Désolé Jean-Pierre !

Quelques jours plus tard, accompagné de Guillaume Klossa, je participe, à Bercy, au dernier grand meeting du candidat Macron avant le premier tour de l'élection. Parmi les innombrables soutiens présents, il y a Jean-Paul Delevoye ; ce colosse au regard doux, ancien président du CESE, est le responsable des investitures pour En marche. Jean-Paul et moi nous connaissons depuis des années et avons beaucoup de respect mutuel. Il me broie chaleureusement la main en me disant d'un air désolé : « Je sais que vous ne voulez pas vous présenter, et je comprends vos raisons. » À quoi je réponds : « J'ai changé d'avis, maintenant je suis candidat. » Son visage se métamorphose, et, je le jure, il y a un peu d'eau dans ses yeux quand il se penche vers moi pour me dire : « Mais ça c'est très important, c'est magnifique, c'est très important ! »

Des mois plus tard, quand nous prendrons le temps d'un café ensemble, il me demandera si je ne regrette pas… ce à quoi je répondrai : « Bien au contraire, heureusement que je l'ai fait. »

Étrange baptême du feu pour une entrée en politique, où une imprécision journalistique aura joué un rôle clé ! Mais après tout, il n'est pas si rare que l'on prenne de bonnes décisions sur la base de mauvaises raisons. En tant que chercheur, il m'est arrivé plus d'une fois de faire une belle découverte en partant d'un raisonnement erroné, comme cela a été le cas dans les aventures que j'ai connues avec mon complice Clément Mouhot sur l'amortissement Landau. L'histoire des sciences a d'ailleurs enregistré son lot de magistrales péripéties de la sorte…

Et si je n'avais pas suivi avec confiance quelques hasards du destin, je ne serais jamais devenu un expert du transport optimal, je n'aurais jamais résolu la conjecture de Cercignani, je n'aurais jamais décroché la médaille Fields, je n'aurais jamais écrit mon *Théorème vivant*, je n'aurais jamais collaboré avec l'artiste Edmond Baudoin… Il faut parfois faire confiance au hasard, je le répète sur tous les tons aux jeunes en quête de conseils !

Mais il y a plus que cela : le doute aura été salutaire, la contradiction m'aura permis d'éprouver mes arguments, de bien comprendre pourquoi je me lance, et de ne le faire qu'après avoir reçu un soutien personnel. L'engagement politique, c'est quand un idéal abstrait rencontre la dure réalité, et j'ai été obligé d'affronter cette rencontre avant même de me lancer en campagne. La politique, c'est aussi quand une femme ou un homme rencontre le tissu humain des citoyens, et j'ai eu l'occasion de cette rencontre dès le tout début.

Quoi qu'il en soit, ce fameux 17 avril 2017 à Bercy, je contemple avec émerveillement les panneaux EUROPE brandis frénétiquement par les supporteurs du candidat Macron. Je me fais la réflexion que depuis plusieurs décennies en France, aucune personnalité politique n'a réussi à faire résonner aussi fort l'idée européenne. Et je suis sûr de mon choix.

J'ai franchi une étape cruciale, celle que nombre d'engagés en politique reconnaîtront comme l'une des plus importantes : le voyage intérieur, la barrière psychologique.

Ce n'était pas prévu que je me lance en politique, mais je vais le faire à fond.

Une conversation électronique

Ce petit échange de courriels entre scientifiques, édité a minima, éclairera sur quelques raisons qui retiennent les scientifiques de se lancer en politique.

Date : Tue, 11 Apr 2017 14 :02 :48 +0200
From : Cedric Villani cedric.villani@ihp.fr
To : Jean Pierre BOURGUIGNON jpb@ihes.fr
Subject : Re : Discours à Rome / CONSEILS

Cher Jean-Pierre, suite à notre dernier message,

Ce n'était pas du tout dans mes plans, mais j'envisage sérieusement de me présenter aux législatives en marque de soutien au mouvement Macron (contrairement à ce que tu as peut-être lu dans la presse, la décision n'est pas actée mais en cours de discussion – merci de garder cela pour toi).

J'ai conscience qu'il y a des difficultés inhérentes, dont celle de faire une campagne en un temps très contraint, et celle de faire campagne contre

Maud Olivier pour qui j'ai beaucoup de respect ; cependant l'attente est très forte du côté d'En marche qui traverse une phase délicate, a besoin d'un engagement très fort de la « société civile » pour combler les attentes qui ont été placées en ce mouvement, et a besoin d'une représentation parlementaire pour être crédible.

J'ai conscience aussi que c'est pour moi un engagement pour des responsabilités importantes (avec mobilité réduite, etc.), d'un autre côté il est bon que des mathématiciens s'y lancent, et Henri Cartan ne s'était-il pas présenté (aux européennes il est vrai) ?

Tes commentaires francs seront plus que bienvenus,

Bien à toi,

Cédric

Date : Tue, 11 Apr 2017 18 :16 :02 +0200
From : Jean Pierre BOURGUIGNON jpb@ihes.fr
To : Cedric Villani cedric.villani@ihp.fr
Subject : Re : Discours à Rome / CONSEILS

Cher Cédric,

Merci pour ton courriel et ta confiance.

En fait j'avais été informé du fait que du côté d'En marche cette éventualité était examinée par XXX, que je rencontre régulièrement dans le cadre de son mandat.

Comme tu me demandes d'être franc, je te donne donc mon avis très directement.

Je pense que c'est une mauvaise idée pour trois raisons :

1. Cela va dévaloriser ta parole (d'où tu parles, ta parole n'est pas contestable ; en te lançant dans l'arène strictement politique, donc en perdant rapidement ta légitimité, tu devras subir les coups tordus de la politique et la contestation de principe) ; ce que tu diras sera forcément interprété comme une parole de convenance et, pour avoir côtoyé Jean-Yves Le Déaut et Pierre Cohen d'un peu près pendant la période où ils menaient la mission parlementaire que leur avait confiée Lionel Jospin, cela consomme une énorme quantité d'énergie en permanence parce que le discours est toujours interprété comme convenu ;

2. Tu vas t'user à une quantité de choses très prenantes et inévitables de la vie parlementaire : des visites de terrain à faire sans discontinuer si on veut honorer son mandat (et je suis sûr que tu aurais à cœur de faire cela) à des batailles incessantes avec beaucoup de personnes dont le seul objectif est d'empêcher des choses de se faire et pas du tout de construire quelque chose, alors que c'est précisément ce à quoi tu consacres ta vie ; XXX formulait cela en disant qu'« il va s'ennuyer comme un rat mort après quelques mois de folie » ; je craindrais même que cela puisse mettre en cause l'aboutissement de ton projet exceptionnel d'extension de l'Institut Henri-Poincaré car tous les coups pourraient devenir permis pour dénigrer l'entreprise ;

3. Les personnes en charge d'En marche devraient avoir conscience qu'il y a de bien meilleures façons d'utiliser tes multiples compétences et visions et surtout ton poids médiatique pour la dure bataille d'opinion qu'il leur faudra livrer (si l'issue est bien celle que nous espérons) que de te faire élire dans une circonscription où cela ne va pas être simple et en te mettant à dos des personnes qui sont parmi les élus qui font leur travail avec soin […].

Je garde évidemment tout cela pour moi.

La comparaison avec Henri Cartan ne me semble pas pertinente car il se mettait en avant pour une cause qu'il fallait être visionnaire pour défendre à l'époque, en sachant que le risque que cela affecte son travail professionnel dans la durée était très faible. Ce ne serait pas le cas dans le cas où tu siégerais à l'Assemblée nationale.

Bon courage pour tout et bien à toi,

Jean-Pierre

Date : Tue, 18 Apr 2017 08 :27 :14 +0200
From : Cedric Villani cedric.villani@ihp.fr
To : Jean Pierre BOURGUIGNON jpb@ihes.fr
Subject : Re : Discours à Rome / CONSEILS

Cher Jean-Pierre,

Je suis désolé de ne pas t'avoir recontacté plus tôt.

Le meeting d'Emmanuel Macron hier était exceptionnel, avec un discours d'une très grande qualité.

Concernant les législatives, je te remercie pour ta réponse franche et j'ai eu le temps de m'approprier tes arguments ; après une première phase d'inquiétude, ils ont fini par renforcer ma conviction.

Premièrement, je pense que je n'ai plus droit aux demi-mesures : la progression fulgurante de Jean-Luc Mélenchon ces derniers jours diminue encore la probabilité de victoire d'Emmanuel Macron ; au rythme où cela va, dans les analyses « Big Data » que j'évoquais, Mélenchon passera devant Macron avant la fin de la semaine. Dans cette dernière ligne droite, un engagement complet pour le mouvement est la seule attitude digne, le péril pour la France et l'Europe est trop grand. Maintenant que l'idée de ma candidature a déjà largement fuité (pas de mon fait), une dérobade serait, à n'en pas douter, exploitée par les adversaires pour critiquer la construction d'En marche.

Deuxièmement, je pense que, de façon générale, on ne peut pas critiquer les pratiques du monde politique (haine, attaques, petitesse) si l'on ne participe pas soi-même à le renouveler. Voilà des années que j'appelle de mes vœux l'implication accrue de la société civile dans la politique, si je dédaigne une occasion comme celle-ci, qui vient avec tous les prérequis (projet très européen, cherchant à dépasser les clivages, mené par quelqu'un que j'estime personnellement), je ne serai pas vraiment honnête intellectuellement.

Troisièmement, cela me fera du bien d'aller sur le terrain et de prendre bien mieux conscience des difficultés des uns et des autres ; cela me rendra plus légitime dans le débat public, et sera une expérience personnellement enrichissante. Pas une partie de plaisir, certes, mais il ne faut jamais dédaigner le travail de terrain. Je retrouve, à vrai dire, dans les appréhensions que tu exprimes, un peu celles que j'avais dû affronter au moment de décider de candidater à l'Institut Henri-Poincaré. Certains collègues m'avaient d'ailleurs bien mis en garde contre le terrible ennui qui m'attendait à ce poste !

Quatrièmement, le pire qui puisse m'arriver est de perdre l'élection, ce qui sera un petit coup à ma fierté, mais vite oublié après tout. Et si c'est le cas, ce sera, j'ose l'espérer, parce qu'une candidature valable aura été opposée à la mienne.

Reste un risque à bien envisager pour l'Institut Henri-Poincaré, mais je crois que le projet maintenant est si bien avancé à tous points de vue, avec un très fort soutien de la Ville de Paris, que je pourrai le défendre. Je n'imagine pas l'équipe de la Ville changer de point de vue, alors même que quantité de membres de l'équipe Hidalgo ont rejoint la campagne Macron.

Au-delà de la déception que te cause peut-être ma réponse, sache que tes objections franches ont beaucoup aidé à clarifier ma pensée, ce qui aura été très utile.

Nous aurons l'occasion d'en reparler bientôt.

(Note que pour l'instant ma candidature n'est toujours pas officielle.)

Bien à toi,

Cédric

21 juin 2018, milieu d'après-midi.

La petite bande continue son cheminement à travers Verrières-le-Buisson tout en discutant.

Complaintes d'un citoyen persuadé d'être victime de persécutions ; j'écoute avec attention.

Passage devant une salle culturelle, on commente la programmation, les habitués évoquent le rôle qu'elle a pu avoir dans la cohésion locale.

Dans un café, on prend un verre rapide avec monsieur le maire, l'occasion d'évoquer les grands événements de la commune.

Rencontre avec une association à la recherche d'un terrain pour construire une maison de santé orientée vers le handicap.

Les militants apportent leur contribution. On fait une bonne équipe, quand même ! Je jette un coup d'œil autour de moi et songe que je ne connaissais, au moment de me lancer, AUCUNE des personnes qui m'accompagnent aujourd'hui.

Tiens, voici Florence Noirot : Marcheuse de la première heure, c'est l'une des fiertés de notre mouvement local. Dévouée, très pro, dotée d'une conscience aiguë de l'intérêt public. C'est l'une des quelques personnes avec qui j'ai pu discuter très tôt de la campagne législative.

Florence et moi, nous habitons à quelques minutes l'un de l'autre, mais notre premier rendez-vous, c'était au téléphone, à cinq mille kilomètres de distance… Tu parles de préparatifs de campagne inhabituels, quand même !

Chapitre 2

Préparatifs

Tout projet est marqué par la matrice dans laquelle il a été conçu. Fin avril 2017, au moment où je décide de franchir le pas, je sais que je n'ai que quelques semaines pour me préparer. Mais je suis persuadé que cette période contribuera à donner du sens à ma candidature, marquera mon futur, peut-être.

Il faut le dire : sur le plan strictement politique, je n'ai guère d'atouts en ma possession. Excepté celui de ma propre commune, je ne peux nommer aucun maire de ma circonscription, non plus que le président du département. J'ai beau habiter ici depuis des années, je ne connais aucun dossier politique local. J'ai participé à une seule réunion de comité local, ce qui m'a permis de connaître à peine une demi-douzaine de militants de ma circonscription ; et au moins deux d'entre eux auraient bien aimé être investis à ma place, avec beaucoup plus d'expérience à faire valoir… Voilà une semaine seulement que je me suis inscrit sur Telegram, la messagerie cryptée qu'utilisent les Marcheurs. Je ne suis même pas officiellement membre du mouvement !

J'ai bien fait comprendre que j'étais pressenti pour l'investiture, et les collègues militants ont lu les annonces… mais il n'y a rien d'officiel, et un revirement n'est jamais à exclure. D'abord, c'est quoi, ce « matheux » sans expérience politique ?

Et comme si cela ne faisait pas assez de handicaps, je vais maintenant aggraver mon cas en allant passer deux semaines à Vancouver ! Je ne serai même pas là pour le premier tour de la présidentielle ! Bien sûr, j'ai fait faire une procuration de vote… mais quand même, en disparaissant juste avant le point culminant de la campagne, on croirait que je cherche les ennuis.

Pourtant, ce voyage à Vancouver, prévu de longue date, me sera très utile, j'en suis convaincu. À la fois pour faire de beaux adieux à ma vie universitaire, et pour me mettre dans un état d'esprit approprié.

Pour se préparer à un nouveau rôle, il faut bien partir de quelque chose ou de quelqu'un. Au comité En marche j'ai fait la connaissance d'une militante incroyablement énergique, et je l'ai choisie pour être ma future suppléante dans le cas où mon investiture se confirmerait. Elle a déjà de l'expérience politique – pas tout à fait les mêmes sensibilités que moi, mais la complémentarité est une bonne chose et nous avons déjà réfléchi à la façon de mettre cela en avant. En tout cas elle a un jugement sûr, et à distance, elle me passe quelques bons conseils d'organisation et quelques références. C'est un point de départ.

Il m'est impossible de le deviner, mais cette militante débordant d'énergie ne sera jamais ma suppléante : finalement investie et élue dans la circonscription voisine, elle fera un début de carrière fulgurant, au point d'être considérée comme l'une des révélations politiques de 2017. Son nom : Amélie de Montchalin.

Outre les coordonnées d'Amélie, j'ai aussi récupéré les numéros de téléphone de tous les responsables de comités locaux de ma circonscription et d'un soutien au Sénat. C'est le moment d'engager les discussions avec tout ce petit monde, de prendre les premiers contacts et d'écouter leurs conseils et souhaits.

Alors pendant deux semaines, je me lèverai tous les jours entre 3 heures et 5 heures du matin, et passerai deux bonnes heures quotidiennes au téléphone avec eux. Le décalage horaire joue en ma faveur : à 3 heures du matin à Vancouver, il est midi en France. Et quand l'après-midi français touche à sa fin, je suis prêt à commencer ma journée à Vancouver, loin de la politique.

Qu'elles ont été riches, ces journées canadiennes !

31

Elles ont commencé par une semaine à la conférence TED 2017 : simple participant, je savourais les exposés et discutais avec tout le monde.

À TED Vancouver, on bavarde avec Al Gore, on croise Richard Branson dans les toilettes, on écoute Elon Musk et ses nouveaux délires de vitesse, on éclate de rire aux blagues de geek assumé de Linus Torvalds, on tombe par inadvertance sur les fondateurs de Google ou Uber, on se retrouve à échanger des idées avec Íngrid Betancourt. Et on croise aussi des intellectuels originaux, des leaders religieux, des journalistes qui risquent leur vie, des comiques hilarants, des milliardaires en quête de sens, des startupers qui tentent de vous convaincre que leur innovation va révolutionner le monde, des chercheurs passionnants, des personnes déchirées par un drame et pourtant rayonnantes. Tout un monde inspirant !

Tout en engrangeant autant d'informations que possible, je me pose la même question que l'an dernier : pourquoi si peu de Français ? Certes, le modèle économique n'est pas exempt de critiques... mais quand même, c'est la plus chic fabrique de l'avenir, et les Français la snoberaient !? Alors qu'ils ont mis un point d'honneur, pendant des siècles, à ÊTRE la fabrique de l'avenir ? Et à explorer le monde entier, à l'embrasser, même au plus fort de la Révolution française et du plus grand chaos interne jamais vu ? Si les Français ne sont pas présents dans les grands rendez-vous internationaux, ils louperont des innovations, des conversations qui peuvent tout changer.

Lors de la précédente édition de TED, j'ai assisté à une démonstration en avant-première de la nouvelle technologie de réalité augmentée de Microsoft, les Holo-Lens, et j'ai sympathisé avec Alex Kipman, l'ingénieur en charge de leur développement. De retour en France, j'ai dit aux troupes de l'Institut Henri-Poincaré : « Les gars, on se lance dans la réalité augmentée. Avec ce que j'ai vu, on va créer une nouvelle forme de médiation scientifique ! » C'est maintenant, en 2018, le projet Holo-Math, qui implique de nombreux partenaires privés, a fait l'objet de démonstrations sur trois continents et sera, j'en suis convaincu, l'un des fleurons de la Maison des Mathématiques quand elle ouvrira. Et c'est une rencontre imprévue qui a déclenché tout cela.

Aujourd'hui, cette nouvelle conférence aussi est une mine d'informations et de rencontres. Je ne le sais pas encore, mais certaines me seront fort utiles dans ma vie politique.

La professeure Noriko Arai, créatrice du fascinant projet visant à faire réussir un robot à l'examen d'entrée de l'Université de Tokyo : dans un peu moins d'un an je la ferai inviter à l'Élysée, fière dans son kimono traditionnel, pour participer à une discussion sur l'intelligence artificielle autour du nouveau chef de l'État français.

L'ancienne « quant » rebelle et mathématicienne, Cathy O'Neil, avec sa flamboyante chevelure bleue, sentinelle contre les dérives de l'intelligence artificielle : elle aussi acceptera d'être de la partie à l'Élysée.

L'activiste Rutger Bregman, fervent avocat du revenu universel : son exposé sera précieux pour contribuer à forger mon opinion sur ce sujet qui n'a pas fini d'occuper les politiques.

Le jeune startuper Alexandre Cadain, familier de la Silicon Valley : bientôt je pourrai l'auditionner pour un rapport au Parlement sur les transports ultrarapides dont l'idée a été ravivée par le projet Hyperloop parrainé par Elon Musk.

Et que dire du pouvoir inspirant d'Íngrid Betancourt, dont l'énergie indomptable contraste avec la tranquille sérénité qu'elle affiche !

La réflexion politique doit être ouverte sur le monde et sur son actualité, j'en suis persuadé.

Les exposés et les échanges n'apportent pas que des informations et des émotions : ils permettent aussi de sentir des tendances. Ainsi en 2017 je suis marqué, et presque choqué, par la quantité d'interventions invitant les participants à se méfier de la technologie, à réserver du temps pour leur humanité, à ne pas se laisser dévorer. Pourtant cette grand-messe est le dernier endroit où j'aurais attendu le technoscepticisme ! À Vancouver je comprends que le vent est en train de tourner et que l'opinion publique, en particulier américaine, commence à découvrir la méfiance à l'égard du progrès qui était jusqu'à récemment l'apanage de l'Europe.

Ma deuxième semaine à Vancouver se tient au Peter Wall Institute, avec de belles personnes comme les Canadiens Brett Finlay, microbiologiste et joueur de jazz magnifique, ou Corey Cerovsek, violoniste. Ex-enfant prodige, entré à l'université à douze ans, Corey est maintenant un musicien internationalement reconnu. Contact facile, cheveux frisés attachés en chignon, il est devenu nomade en réaction à l'élection de Donald Trump ; il squatte chez des amis, dans des hôtels, chez des copines. C'est bon de croiser des personnalités libres dans son genre.

Ajoutez à cela une grande discussion avec un compositeur hollywoodien, voisin de dîner de gala ; une visite de la start-up 1QBit, sur le thème du calcul quantique, de l'optimisation et de l'intelligence artificielle ; un saut à Seattle pour visiter la Bill Gates Foundation et le département de mathématique d'Amazon, qui a DOUBLÉ de taille chaque année depuis cinq ans. Tant de choses à explorer et apprendre !

De quoi me faire regretter ma décision de m'engager en politique ? Non, c'est même le contraire. Les conférences que je donne moi-même – pour experts à Seattle et Vancouver, pour le grand public au Peter Wall Institute – sont de grands succès, et amènent leur lot d'autographes et de selfies, mais j'y ressens aussi, avec plus de force que jamais, le besoin de me RENOUVELER pour ne pas passer le restant de ma vie en conférences suivies de selfies.

En sus, le premier tour de la présidentielle, avec la qualification d'Emmanuel Macron, a renforcé de manière extraordinaire ma motivation.

Alors je continue, chaque matin, de me lever avant l'aurore et de préparer mon entrée en politique. Je lis le guide du candidat aux législatives (on ne peut pas dire que ce soit très compliqué), je téléphone longuement à des responsables (ça, ça l'est davantage), je publie trois tribunes en dix jours.

Et mine de rien, je recrute ! La publicité autour de ma candidature m'a permis de reprendre contact avec Thomas Friang, un jeune proeuropéen déterminé ayant déjà une bonne expérience politique, que j'ai connu il y a quelques années à EuropaNova. Thomas est tout prêt à se rendre disponible pour être mon directeur de campagne ; il ne connaît pas ma circonscription, mais il s'y plongera avec détermination, et ce sera précieux de travailler avec quelqu'un en qui j'ai toute confiance.

Au sujet de mon suppléant, il y a du remaniement dans l'air. Amélie se prépare à faire campagne dans la circonscription voisine, et un nouveau candidat s'est manifesté pour me soutenir et pour occuper cette fonction : son nom est Baptiste Fournier, il est passé par Terra Nova, a fait du cabinet ministériel, c'est un social démocrate. Qu'il soit suppléant ou pas, l'expérience de Baptiste sera précieuse et on peut dessiner un embryon de stratégie. À cinq mille kilomètres de distance, une toile commence à se tisser.

Vendredi 5 mai 2017. Dernier dîner à Vancouver avec mon grand copain Nassif Ghoussoub – un mathématicien libano-canadien né au Bénin, inclassable, fondateur d'instituts multiples, agitateur politique à ses heures, qui a tant d'histoires à raconter.

J'ai un vrai vague à l'âme et je fais part à Nassif de mon impression de vivre mon dernier soir d'universitaire ; il me répond que c'est peut-être le bon moment pour changer de voie. Comme pour me convaincre moi-même, je lui montre une citation que j'ai photographiée dans les locaux de 1QBit : « *If not me, who ? If not now, when ?* »

Nassif m'exhorte à ne pas prêter attention à ce que l'on dira de moi, et à écrire un livre qui « aura de la hauteur ». Hum, facile à dire, mon ami !

Puis il m'emmène à Kitsilano Beach admirer la magnifique Vancouver. De cette plage en pente ultra-douce, autrefois envahie par les hippies, on aperçoit les montagnes où j'ai eu l'occasion de faire de sacrées randonnées ; la baie où les surfeurs sont à l'abri des vagues océanes ; la Skyline que mon voisin compositeur de l'autre soir avait tentée, dans le temps, de transformer en mélodie chaotique. On admire le coucher de soleil sur la « Rio du nord »… et on se dit au revoir.

De retour au Peter Wall Institute of Advanced Studies, je prends mon temps pour me promener seul dans la cour intérieure, près du superbe bassin avec son bateau naufragé, en proie à une vraie mélancolie, comme un adieu au luxe des universités nord-américaines qui m'ont cajolé tant de fois. Il aurait été si facile de prendre un poste doré ici, avec au moins cinq fois mon salaire français et aucune critique. J'aurais fait cela juste pour quelques années, avant de rentrer en France avec un bon magot…

Eh bien non ! C'est maintenant qu'il faut rentrer dans la vie française, avec tout le bazar de sa politique, pour participer à ce qui s'annonce comme un moment unique.

Peut-être que rien ne marchera ?

Pour me rassurer je pense aux seules choses qui peuvent m'emplir totalement : quelques ouvrages que j'ai écrits, quelques démonstrations que j'ai découvertes, quelques humains dont l'estime m'est plus chère que tout.

Quand l'horloge affiche un joli 22 h 22, c'est le moment propice pour l'extinction des feux, avec l'un de mes morceaux fétiches : « *Those were the days* », musique de circonstance !

Réveil en sursaut à 1 h 40 du matin : j'ai très distinctement entendu toquer, deux coups, à la porte de ma chambre. Pourtant il n'y a rien ni personne. Il faut croire que je me fais mon cinéma !

Alors en avant : je me prépare avec grand soin, et commence à travailler en attendant le taxi qui me ramènera à l'aéroport, direction la France et ma nouvelle vie.

***

Un projet singulier

En 2011, Noriko Arai, chercheuse à l'Université de Tokyo en intelligence artificielle (IA), réfléchit aux capacités des robots et des humains.

Pour l'instant, les IA se sont avérées étonnantes pour dépasser les humains dans divers jeux, y compris des jeux de culture, comme le Jeopardy. Mais le Jeopardy est basé sur des connaissances encyclopédiques et des questions assez stéréotypées… Peut-on imaginer, à l'opposé, qu'une IA puisse passer un concours qui symbolise l'intelligence ? Pourquoi pas le concours d'entrée d'une grande université ?

Elle en parle autour d'elle, à ses étudiants, à ses collègues. Pensez-vous qu'on puisse, en dix ans, entraîner une IA pour passer le concours d'entrée d'une grande université ? 85 % de ses étudiants pensent que c'est impossible.

Mais si c'est impossible, ce serait bien de savoir pourquoi. D'identifier les points de blocage et les succès. Et cela devrait aussi aider pour le grand défi du futur qu'est la bonne compréhension de l'interaction homme-IA.

C'était parti pour le Todai Robot Project ! Du nom de Todai, la prestigieuse Université de Tokyo.

Pour entrer à Todai, vous aurez à passer tout un ensemble d'épreuves. Mathématique, sciences expérimentales, sciences humaines, anglais… Il y a des questions à choix multiples, et on peut vous demander un essai sur n'importe quel sujet. En plus des connaissances, il faut comprendre, réfléchir, imaginer. Mais aucune IA ne sait comprendre, réfléchir ou imaginer au sens où nous l'entendons. Tout ce qu'elle sait faire, c'est chercher, optimiser, connecter, comparer.

Rien de très impressionnant si le robot se débrouille bien aux questions à choix multiples : ne dit-on pas que ces tests sont bons pour des automates ?

Mais ce qui est incroyable, c'est que l'on puisse aussi l'entraîner à écrire des essais. Considérez l'énoncé suivant : « Discutez du développement et du déclin du commerce maritime en Asie de l'Est et du Sud-Est au XVIIᵉ siècle, en prenant en compte les politiques commerciales des pays de l'Est et du Sud-Est asiatique, et les activités des puissances européennes dans la région. » Torobo-kun, le robot développé par l'équipe de Noriko, a découpé l'énoncé en petits motifs, a passé Wikipedia et d'autres corpus historiques au crible pour y trouver des phrases apparentées. Et, sans y comprendre goutte, a composé et écrit avec son petit bras mécanique un essai qui était meilleur que la majorité des essais des étudiants !

L'épreuve de mathématique posait d'autres défis. L'équipe de Noriko a réussi à programmer un solveur qui décompose les problèmes de niveau lycée, les analyse formellement, et explore à travers un gigantesque arbre des possibles, pour en fournir une preuve complète. Preuve faite pour les algorithmes, impossible à comprendre même des mathématiciens… mais preuve exacte, qui lui permet de faire mieux que 99 % des candidats !

L'anglais… plus difficile. Même après avoir appris plus de quinze milliards de phrases en anglais, et même en bénéficiant des techniques les plus avancées du monde en IA, Torobo-kun n'a pas réussi à dissimuler son manque flagrant de compréhension, échouant sur certains tests qu'un enfant saurait résoudre.

Pas de chance, Todai lui était barrée !

Mais tout de même… Torobo-kun a réussi les examens pour entrer dans plus de 60 % des universités japonaises ! Il fait déjà partie des 20 % meilleurs étudiants du Japon…

En méditant sur ces résultats, Noriko a été profondément choquée. Pas vraiment par la haute performance de son robot : elle savait que derrière, il n'y avait aucune véritable intelligence, juste un art de la reproduction et des connexions. Mais bien davantage par les piètres performances des humains !

En approfondissant, elle s'est rendu compte que même dans un pays comme le Japon, haut placé dans les classements PISA, les étudiants font des contresens incroyables, se figent devant un texte à comprendre, rédigent des réponses stéréotypées, recopient la manne Internet sans rien y comprendre. Comment faire vivre l'esprit critique dans cet océan d'informations, au rythme intenable du monde moderne ? Si les capacités humaines de compréhension déclinent, comment serons-nous prêts à exploiter les machines ? Comment adapter notre système scolaire à la nouvelle donne ?

C'est la curiosité pure, au départ, qui a poussé Noriko dans son grand projet. Mais ses conclusions et ses questions vont bien au-delà de la curiosité. Et elles ne la concernent pas seulement elle, mais toute personne ayant à cœur l'éducation des jeunes générations.

En 2018 Noriko travaille sur un projet éducatif : ses logiciels permettront de tester efficacement le niveau de lecture des enfants. Réunis à l'ambassade de France au Japon, nous sommes convenus de faire de la France son premier terrain d'expérimentation hors Japon. Noriko pense que le monde est en train de s'écrouler par populisme généralisé, et qu'il est urgent d'éduquer les populations… pour tenter de préserver notre futur.

Toujours le 21 juin 2018.

L'après-midi est bien avancé quand on arrive au magnifique centre-ville historique de Verrières-le-Buisson.

Les parapluies multicolores qui recouvraient la rue principale ont disparu : c'était une œuvre d'art temporaire. Fabien, notre photographe de campagne, en avait fait un superbe cliché.

J'espère qu'ils reviendront, ces parapluies… On avait l'impression qu'ils étaient là depuis toujours !

Et je m'en souviens d'autant mieux qu'ils sont associés à un souvenir fort : c'est ici, au cours d'une rencontre sur le terrain, que j'ai reçu le coup de fil du QG me confirmant que j'étais officiellement investi.

Nouvelles rencontres, nouvelles questions.

« Ce n'est pas trop dur, de faire campagne quand on n'a aucune expérience ? »

Ah, c'est sûr, cela n'a pas été de tout repos. Rétrospectivement, on a l'impression que les « Marcheurs » ont eu la vie simple, mais quand on y repense…

Chapitre 3

CAMPAGNE POUR TOUT LE MONDE

Le système d'élections législatives français est tout simple : vous pouvez vous présenter dans la circonscription de votre choix, et vous le faites en votre nom propre. Bien sûr, vous devez obtenir l'investiture d'un mouvement si vous souhaitez être le candidat officiel, ou la candidate officielle, de ce mouvement dans cette circonscription.

Chaque candidat doit être accompagné d'un candidat suppléant : en cas d'élection, le rôle du suppléant sera de remplacer le député si ce dernier passe de l'Assemblée au gouvernement[1], ou de vie à trépas, et seulement dans l'un de ces deux cas.

Parlons maintenant du scrutin proprement dit. Si un candidat rassemble plus de 50 % des suffrages exprimés au premier tour, et que cela représente au moins un quart des électeurs inscrits, il est élu. Dans le cas contraire, si plus de deux candidats ont obtenu au moins 1/8 des voix des électeurs inscrits, alors ils peuvent se maintenir au second tour s'ils le souhaitent. Dans tous les autres cas, seuls les deux candidats qui ont reçu le plus de suffrages peuvent se maintenir. Et au second tour, que le meilleur gagne !

Cette simplicité ne doit pas cacher la très grande singularité du système français. D'abord, ce système dit uninominal (on vote

---

1. Ou dans une autre institution politique de plus haut niveau national : Conseil constitutionnel, Défenseur des droits.

pour une personne et non pour une liste) majoritaire (on ne garde que celui ou celle qui à la fin obtient la majorité) est devenu très rare dans les démocraties modernes : en Europe, il n'y a que nous et la Grande-Bretagne [1] à le pratiquer ! Toutes les autres démocraties européennes incorporent une forte dose de désignation « à la proportionnelle », c'est-à-dire en utilisant le nombre de voix exprimées à l'échelle de la nation (ou du Land, ou d'une région) pour calculer le nombre de représentants élus.

Le scrutin majoritaire apporte en pratique une forte prime au mouvement majoritaire et aide donc à dégager des majorités conséquentes, ce qui rend plus facile et plus stable le gouvernement par un unique parti. Il limite aussi les possibilités d'évolution de la vie politique : ce n'est pas un hasard si le scrutin majoritaire est souvent associé à une opposition bipolaire forte et stable qui voit deux grandes formations politiques s'affronter. La France, les États-Unis et la Grande-Bretagne sont des cas typiques, même si les nuances y sont importantes.

Mais là où la France est encore plus singulière, c'est dans son calendrier législatif : depuis 2001 le mandat des députés est calé sur celui du Président, et leur élection a lieu dans la foulée de l'élection présidentielle. Cela permet d'éviter (sauf dissolution de l'Assemblée, ou empêchement du Président, ou bizarrerie politique incompréhensible) les cohabitations. Cela donne aussi un avantage considérable à la formation politique présidentielle : d'abord parce qu'il y a d'ordinaire, à la suite de l'élection, un saut de popularité pour le Président, et que sa formation en profite. Mais aussi parce que quantité d'électeurs n'ont pas envie de se retrouver d'entrée de jeu avec un Président fragilisé et préfèrent jouer le jeu des institutions en votant aux législatives de façon cohérente avec la présidentielle.

Le système peut sembler intellectuellement critiquable, reflétant mal la diversité... mais il a l'avantage de la clarté. Les pays

---

1. Avec encore plus de rigueur que nous, car il n'y a qu'un tour en Grande-Bretagne...

qui souffrent de la multiplication des partis (le Brésil est un cas d'école) regardent notre mode d'élection avec envie !

En mai 2017, au lancement de la campagne législative, nous, les candidats pressentis de La République en marche, aux côtés de nos alliés du Modem, nous savons tout cela. Le système politique joue en notre faveur. Mais cela ne suffit pas à nous rassurer : la campagne ne s'annonce pas simple. Il y a contre nous bien des personnalités politiques confirmées, et les partis qui les soutiennent, même s'ils ont été défaillants pour l'élection présidentielle, ont pour eux une expérience considérable. Bien des rivaux sont en campagne depuis six mois, certains depuis des années !

Et le processus d'investiture de notre formation est redoutablement complexe ; il a pris du retard, ce qui écourtera d'autant plus notre campagne. Sans compter que des contestations locales entre la stratégie nationale et les dynamiques de terrain commencent à apparaître.

Dans ma propre circonscription, je suis bien conscient de ces problèmes : outre la députée sortante, socialiste, j'ai une autre adversaire, Républicaine, très soutenue par son parti. Elle sillonne le terrain depuis trois ans et prépare déjà un meeting avec l'une des plus grandes figures de la droite française.

Mais avant même de songer à ces adversaires, il faut faire le travail en interne et, déjà là, c'est très délicat.

Pour ce qui est de la construction d'un programme local, tout est à faire. Identifier les priorités, organiser les débats, comprendre comment articuler le programme national aux enjeux de notre circonscription.

Et pour ce qui est de l'équipe de campagne, il faut rassembler alors que je n'ai jamais pris la parole.

La majorité des militants locaux me découvrent et se demandent d'où je tire ma légitimité. Pas de mon expérience politique, c'est le moins que l'on puisse dire. Pas de ma spécialité : les mathématiciens ne sont-ils pas des inadaptés aux affaires de ce monde ? Pas non plus par mon acharnement sur le terrain : certes, j'ai rédigé quelques tribunes, participé à des émissions, mais au cours de l'année écoulée ils ne m'ont jamais vu coller d'affiches, distribuer de tracts ou participer à des réunions locales. Qu'est-ce qu'ils pensent, exactement, au QG ? La méfiance est de mise !

Le premier soir, quelques heures après la victoire présidentielle, quand je rentre de la célébration parisienne avec Thomas et Baptiste, je ressens bien à Orsay cette ambiance où se mêlent des sentiments chaleureux et glaciaux. La fête ne se prête guère à une grande explication, mais on ne pourra pas y couper !

De fait, dès le lendemain, les critiques naissent sur la boucle Telegram dédiée ; derrière la correction de la forme on sent la tension vive.

Pourquoi n'ai-je pas été présenté en bonne et due forme ? Quel est mon programme local ? Pourquoi venir avec un directeur de campagne parachuté sans connaissance de la circo ? Pourquoi ce choix de suppléant pressenti sans concertation ? Et d'abord pourquoi pas une suppléante ?

Réaction immédiate souhaitée. Urgence ! Il faut trouver le bon équilibre dans les discussions internes – répondre rapidement, certes, pour éviter que la controverse enfle, mais ne pas non plus donner de grain à moudre à la controverse.

Pour son travail de directeur de campagne, Thomas doit commencer fort. Il désamorce, joue la carte de l'humour, passe des heures à réfléchir aux questions de communication locale. Il s'installe chez moi et se consacre à plein temps à la mission que je lui ai confiée. Un matelas posé dans mon salon : ce sera sa chambre à coucher pendant l'essentiel du mois qui vient ! Le chat de la maison, qui gâche quelques-unes de ses premières nuits, deviendra son grand copain, et lui permettra quelques belles vannes sur Telegram.

Quarante-huit heures à peine après l'élection présidentielle, le 9 mai marque un tournant.

Au dîner organisé en l'honneur de la fête de l'Europe, de nombreux militants de la circonscription ont été invités, toutes origines confondues – disons 20 % rompus à la politique, 80 % de novices enthousiasmés par l'aventure En marche. Dans la grande salle à l'étage que la Brasserie Val-Fleury nous a réservée, nous sommes trois, Thomas, Baptiste et moi, à faire face à tout ce monde avide d'explications.

Devant ce public exigeant, pendant toute la soirée, je me livre à un exercice de présentation en règle. Qui je suis et pourquoi j'entre dans la bataille ; quelle est mon expérience ; quels gages puis-je donner aux électeurs de gauche, aux électeurs de droite ; quelle stratégie ?

Je passe du temps sur mon parcours et l'expérience que j'y ai acquise, sur les projets que j'ai menés sur le long terme ; sur ma légitimité à incarner cette circonscription où j'habite depuis des années, et dont les problèmes fondamentaux, en particulier sur l'enseignement supérieur et la recherche, rejoignent mes intérêts propres. J'insiste sur l'efficacité et la ténacité dont j'ai dû faire preuve pour faire progresser l'Institut Henri-Poincaré. J'évoque mon appartenance à l'Académie pontificale comme indice de ma capacité à faire vivre les sciences dans le dialogue avec les religions. Je défends le choix d'un directeur de campagne qui est un proche : cela me permettra d'entrer en confiance dans ce monde inconnu ; c'est aussi l'occasion pour Thomas de présenter son parcours et ses idéaux politiques. Nous donnons notre vision de l'organisation de la campagne. Ouf ! On croirait une audition parlementaire ! Sauf que c'est le postulant au Parlement qui est auditionné par des militants…

On ne le répétera jamais assez : dans tous les projets, les questions les plus délicates sont les questions humaines. Et comme l'a dit Sun Tzu sur tous les tons, avant de se lancer en bataille, il faut bien connaître l'ennemi, mais aussi bien se connaître soi-même. Ce soir-là, chez les Marcheurs de la cinquième circonscription de l'Essonne, on a fait un pas considérable pour se connaître soi-même et pour résoudre nos questions humaines internes. On va pouvoir commencer à se concentrer sur la campagne !

Comment ça se passe, une campagne législative ?

D'abord il y a toute une partie technique : déclarer un suppléant, un mandataire financier, faire ouvrir un compte en banque dédié, bien suivre les règles (très strictes !) sur l'éligibilité des dépenses, sur les dons, sur le plafond financier, sur les justificatifs… Attention aux détails, qui vont jusqu'au graphisme de l'affiche (interdit d'utiliser les couleurs du drapeau tricolore). Il faut encore s'y prendre à temps pour imprimer son programme, ses bulletins, et tout transférer en temps et heure aux services préfectoraux. Juste de la rigueur, rien de sorcier !

Ensuite, pour le fond, il n'y a que trois grands principes.

Le premier, c'est d'aller à la rencontre de sa circonscription, encore et encore sur le terrain. Comme on nous le dit à En marche, une heure de réunion, c'est une heure qui aurait pu être plus utilement passée à rencontrer. Alors, en avant pour faire le tour des marchés, des cérémonies, des fêtes, des rues commerçantes…

Le second, comme dans toute élection, c'est de mettre en avant ce que l'on peut apporter. Alors, je parle de mon expérience ; je tourne des vidéos pour expliquer en quoi il sera utile d'avoir une expérience de scientifique à l'Assemblée nationale, pourquoi il est utile qu'au moins quelques élus aient une telle expérience.

Et le troisième principe, c'est de faire le lien entre le programme national et les enjeux locaux. Cette notion de lien entre national et local est en fait LE fil directeur de la fonction de député ; elle fait à la fois son intérêt et sa complexité. Alors c'est parti pour l'organisation de groupes de travail et de débats sur les enjeux clés de la circonscription !

Une campagne, c'est un plein-temps. Mais si vous avez un peu de marge, vous pouvez aussi renforcer l'image de cohésion nationale en allant prêter main-forte à d'autres candidats : dans cette campagne, je rendrai visite à une demi-douzaine d'entre eux.

Au niveau national, la séquence politique de démarrage se passe comme dans un rêve. Les premiers pas du nouveau Président en politique extérieure – confrontation avec Donald Trump, avec Vladimir Poutine – sont remarquables. Et la composition du gouvernement n'est pas en reste ! Il y a de la droite, de la gauche, des Européens convaincus, et des experts : l'affiche tient toutes ses promesses. Le climat national est excellent et cela se sent sur le terrain.

Au niveau local, les premiers débats attirent du monde, et on réunit de beaux plateaux de discussion. On met en avant le mot de progrès, qui me tient à cœur plus que tout ; on programme aussi bien des réunions de campagne que des débats thématiques en présence d'experts reconnus. Nous les appelons « forums du progrès » et ce sont des occasions pour puiser des invités dans les réseaux de mes vies antérieures. Des experts comme Gérard Feldzer, ex-pilote, grand innovateur et spécialiste des transports, ou Noëlle Lenoir, ancienne ministre et Européenne convaincue, ou Jean-Luc Beylat, patron de Nokia Bell Labs et grand nom de l'innovation française, ou encore la très inspirante Nabila Aghanim, astrophysicienne issue de l'immigration.

Assez rapidement, les grands enjeux du territoire se structurent et s'intègrent au programme. Les transports arrivent en première position, de très loin ! Puis il y a, dans le désordre, le cadre de vie, l'hôpital, l'agriculture, l'éducation à tous les niveaux…

Je suis impressionné de découvrir toute la rancœur, toutes les frustrations, toutes les inquiétudes face à ces sujets. Certes, comme les autres, j'ai moi aussi maudit le manque de fiabilité de la ligne B du RER, que j'ai d'ailleurs brocardée dans un ouvrage. Certes, comme les autres, j'ai connu des attentes interminables aux urgences et senti la tension du corps médical autour de moi. Certes, comme les autres, j'ai vu avec inquiétude les travaux sur le plateau de Saclay piétiner. Mais là, débat après débat, je découvre que tout est encore bien plus complexe, et par bien des côtés plus effrayant, que ce dont j'avais conscience. Ma détermination en sort renforcée.

Une superbe occasion se présente pour le local de campagne quand un sympathisant nous propose un appartement à louer, bien situé et très confortable. Nous y serons à l'aise pour recevoir. On confie la décoration à l'équipe. Des impressions « En marche » pour l'extérieur, laissant passer la lumière du jour. Des affiches de campagne, des cartes de la circonscription, et, au-dessus du distributeur de boissons chaudes, une inscription en lettres capitales « PARCE QUE LE CAFÉ... C'EST NOTRE PROJEEEET !!!!! »

David Saussol, responsable de groupe, expérimenté en politique, a déjà noué des liens précieux avec quantité de responsables locaux. Que ce soit sur le terrain ou dans nos bureaux, les rendez-vous se multiplient avec les associations, les élus, les institutions, de la gendarmerie au milieu hospitalier en passant par l'enseignement.

C'est drôle, il y a des gens que je connais depuis longtemps, que je découvre sous un jour nouveau. Claude, Salah : depuis des années l'un prend soin de mes cheveux, l'autre de mes oreilles et de ma gorge ; nous avions l'habitude de parler de tout et de rien, et les voilà engagés à mes côtés pour une aventure toute nouvelle, comme une renaissance.

Dans les réunions publiques, je me présente avec mon suppléant Baptiste, puis nous commentons l'actualité politique, avant de répondre avec grand soin à toutes les questions de l'audience. Cet exercice, maintes fois répété, nous permet de nous affirmer rapidement en matière de parole publique et de communion avec la circonscription.

Bien sûr, il y a eu des complications à surmonter...

La tête que fait Thomas quand il apprend que je ne conduis plus depuis dix ans ! Pour gérer les déplacements, on recrute dans notre réseau un chauffeur qui se trouve être aussi un photographe de classe mondiale, Fabien Rouire.

Au fait, je n'ai jamais eu ni page Facebook ni compte Twitter... c'est le moment de les ouvrir, tout de suite ! On tâtonne un peu pour trouver le ton et la procédure et, comme pour le reste, on apprendra en marchant.

Pendant ce mois je progresse rapidement. J'écoute et j'écoute encore les doléances et les espoirs. J'apprends à me mettre en avant, à parler, à aller à la rencontre de tout le monde, sans retenue.

Un sketch humoristique populaire dit que le politique « passe 80 % de son temps à serrer des mains… » C'est un petit peu exagéré, mais je serre et serre des mains. Et je me mets, sans m'en rendre compte, à saluer partout, de plus en plus fort.

Je me souviens de mes jeunes années, quand j'étais un écolier si timide… Un jour, lycéen en stage dans une entreprise, j'ai croisé deux employés et je les ai salués d'une voix si fluette qu'ils n'ont rien entendu. L'un m'a apostrophé d'une voix de stentor : « On a le droit de dire bonjour ! »

Tiens, s'ils me croisaient aujourd'hui, non seulement je leur dirais bonjour sur un ton retentissant, mais j'irais aussi leur serrer la main avec un grand sourire… Ils se demanderaient peut-être d'où je sors.

Et ce journaliste qui avait fait mon portrait dans la presse locale, après mes succès au baccalauréat, me décrivant comme un « monument humain à la gloire de la timidité » (*sic*), s'il me revoyait, il serait curieux de savoir quelle potion magique on m'a administrée.

Tout en me mettant en avant, je découvre ma circonscription. On a beau croire qu'on connaît son coin parce que l'on y habite… il reste tant de choses à apprendre ! Je prends des notes frénétiquement au fur et à mesure des rencontres. Je change ma routine : moi qui avais l'habitude de tout noter sur mon ordinateur, je passe au carnet, plus passe-partout, que l'on peut utiliser en pleine rue, assis ou debout, n'importe où.

J'apprends aussi à encaisser les attaques. Certains dans le camp adverse ne s'embarrassent pas de principes : on dessine des oreilles de Mickey sur mes affiches, on se moque de mon costume, on m'apostrophe bruyamment sur les marchés, on me nargue en s'enquérant si mes frais de campagne sont insuffisants pour payer un coiffeur, on me demande pourquoi je ne suis pas resté aux États-Unis.

On me dit perdu dans mes rêves, incapable d'organiser quoi que ce soit (bah, j'aurais bien aimé voir mes détracteurs aux manettes de l'Institut Poincaré !). On me dit aussi imbu de moi-même et narcissique (là, ils marquent peut-être un point… mais même si c'était vrai, je crois que parmi les politiques je ne serais pas le seul !).

On fait courir le bruit que je vais « me barrer » aussitôt élu, pour prendre un poste dans une grande université étrangère ; que je suis une marionnette dans les mains de mon suppléant.

On lance aussi une rumeur selon laquelle j'ai gagné des millions dans un conseil d'administration. Une enquête aurait même été ouverte sur moi !

On dit encore que je suis hors sol, que les affaires politiques sont trop terre à terre pour moi. Dans un meeting organisé par ma principale adversaire, un ancien ministre déclare même que je suis visiblement inadapté pour être député, et que je devrais me contenter de faire ce que je sais faire le mieux, de la recherche mathématique.

Ils ne le savent pas, mais il n'y a rien qui m'exaspère plus que de me faire mettre dans une case ; ce genre de remarques renforce ma détermination et me fait redoubler d'efforts.

Les vieux briscards de la politique diront qu'il n'y a dans ces attaques rien de bien méchant, que j'ai été globalement épargné par rapport à ceux qui doivent se payer des pièges organisés en bonne et due forme, ou des campagnes massives de dénigrement. C'est vrai… mais c'est quand même un stress permanent, à se demander sans cesse qui est en train de vous insulter sur un réseau social ou de faire courir une rumeur sur vous. Mon sommeil se détériore, je perds du poids, je perds des cheveux. Et je n'ose pas vous avouer le nombre de caries qui sont en train d'apparaître dans ma mâchoire, comme j'en aurai l'amère surprise au prochain contrôle chez le dentiste !

Mais finalement on s'y fait, on apprend à faire de la communication. Laisser de côté les rumeurs qui ne prendront pas. Démentir quand c'est nécessaire. Publier tout pour éviter les accusations de conflit d'intérêts. Le QG veille sur nous, appelant de temps à autre pour donner des conseils quand survient un risque qui nous a peut-être échappé.

L'organisation progresse, avec son lot de belles énergies qui se révèlent, mais aussi de complications logistiques et d'incidents diplomatiques. Thomas se transforme en standard téléphonique et s'efforce de tout canaliser.

On enchaîne les médias locaux et nationaux. Cela me sera reproché, on parlera du candidat de Paris, du candidat média. Critiques infondées : député, c'est un mandat national implanté dans un territoire, il est donc normal que la campagne utilise les médias locaux et nationaux !

Il y eut de beaux moments et des moments compliqués.

Moment de surprise quand, sorti en avance du séminaire de préparation au Quai Branly, je me retrouve, sans l'avoir anticipé, face à une nuée de micros. C'est donc ça la communication politique ?

Moment d'émotion de mon premier débat contradictoire en public, après avoir passé presque une nuit avec Thomas et Baptiste à disséquer le programme présidentiel.

Moment magnifique de ma première rencontre avec des jeunes de la commune populaire des Ulis. Ces footballeurs en herbe, qui suivent de très loin la politique, comment vont-ils réagir à mon égard ? Seront-ils interloqués par mon costume, mes manières, mon ambition ? La rencontre se passe à merveille, sous le regard attentif de la maire, je suis heureux.

Moment d'effroi quand je me fais piéger par un média : après m'avoir longuement interrogé sur ma liberté de vote, ils publient mon interview sous le tweet *Je pourrais être un frondeur.* Aaaah ! Thomas, quelle est la bonne réponse à ça !? Pas d'hésitation : un tweet assassin. Ce sera le premier de ma vie. Il ne faut pas lésiner et on y va : *Titre racoleur et faux. Solidarité et liberté ne s'opposent pas.* Après quelque hésitation, le média supprime son premier message. Ouf !

Moment de joie lors de la première interview vraiment réussie, au *Figaro* ; Thomas me prend dans ses bras !

Moment de fierté lors du bouclage de nos documents de campagne : affiche, clip, programme. On l'a fait ! La rédaction du programme, tout particulièrement, est un exercice salutaire qui permet de prouver, à soi comme aux autres, que l'on a bien fait la synthèse et assimilé les enjeux importants.

Moment d'incrédulité, juste après le bouclage, quand on découvre qu'on a oublié d'insérer ne serait-ce qu'une image du nouveau Président dans tous les documents de campagne – n'est-ce pas le premier conseil de communication de campagne, pour tirer avantage de sa popularité ? Mais tant pis, c'est comme ça, on avance !

Moment de stress considérable quand on se rend compte qu'on a failli laisser passer la date limite pour l'envoi du matériel à la préfecture ! À quelques heures près, j'aurais pu n'avoir aucun bulletin le jour du vote.

Moment honteux quand je me fais dominer dans un débat télévisé où je n'ai pas su trouver le bon ton face à des gens plus agressifs et plus expérimentés que moi.

Moment de chance quand on me demande dans une interview, sur le mode de l'examen d'entrée, si je connais la différence entre un projet de loi et une proposition de loi – et qu'il se trouve qu'on en a parlé avec Thomas la veille.

Moment d'énervement quand on se rend compte que l'idée écologiste de Thomas de ne pas envoyer aux électeurs, avec la profession de foi et en amont du scrutin, une copie du bulletin de vote, ne passe pas du tout, mais alors pas du tout – les uns croient au complot, les autres au mépris, les coups de fil pleuvent au standard.

Moment d'exaspération quand on ne comprend pas ce qu'il est advenu des programmes que l'on a fait distribuer par une entreprise : reçus, pas reçus ? Le ton monte dans l'équipe (« Pourquoi ne pas les avoir fait "boîter" par des militants ? — Il valait mieux réserver les militants pour des choses plus malignes ! »). Il faut calmer les esprits.

Moment difficile quand je me fais prendre à partie par des agriculteurs en colère dans une réunion publique sur les transports.

Je découvre cette sensation que les politiques connaissent bien, de devoir payer pour les décisions des autres, sur des dossiers qu'ils commencent à peine à maîtriser.

Moments magnifiques passés à refaire le monde ensemble, entre militants, dans des soirées de brainstorming et des journées de tractage, à imaginer la suite de notre engagement.

Et l'un des plus beaux moments, complètement inattendu... Ce matin-là, dans le village de Vauhallan, après un rendez-vous avec le maire, je retrouve une journaliste du *Monde*, Manon Rescan, pour une interview. Alors que nous cherchons un endroit pour discuter à notre aise, je me fais aborder par un habitant. « Je vous reconnais, je vous ai vu à la télévision ! Ça me fait plaisir de vous voir ! Écoutez, je suis pas de votre chapelle, moi je vote Marine, hein. Mais c'est bien, ce que vous faites. J'espère que vous allez réussir ! Vous cherchez un café ? Bah, venez plutôt chez moi, je vous invite ! » Et le voilà qui m'installe dans sa cuisine pour mon interview, me présente son épouse, m'offre le thé avec beaucoup de classe. Et une fois l'interview finie, le couple me conduit en voiture vers mon prochain meeting, dans le village d'à côté ! Si je cherchais une preuve de la capacité de mon profil à séduire au-delà de ma famille politique, je ne pouvais en rêver de meilleure.

Au-delà de ces moments privilégiés, l'équipe de campagne fournit un travail continu, en lien avec les citoyens, en lien avec les responsables de comités locaux, en lien avec le QG. Le local de campagne accueille du monde en permanence, on s'y échange des piles d'affiches et de T-shirts, on y trie des dossiers. Un trio de filles de choc a été recruté – Candice, Juliette, Clarisse : vissées à leurs portables sur leur bureau réservé, elles déminent les problèmes, travaillent sur la communication, s'occupent des réseaux sociaux.

En deux à trois semaines, c'est toute une organisation motivée qui s'est mise en place ; je suis fier d'eux comme ils sont fiers de moi.

La communication commence à faire son effet au niveau national comme au niveau local, l'affiche du scientifique mettant sa compétence au service de la politique est accueillie avec bien-veillance. Je l'ai senti dans le regard des gens, dans l'abondance des interpellations. Comme cette fois où je monte dans un taxi hélé à Paris, et que celui-ci, très naturellement, me dit : « Bonjour monsieur Villani, où puis-je vous mener ? »

Et l'échéance arrive si vite !

On le sait bien, toute manifestation de campagne est interdite le dernier jour ; c'est donc la veille qui est la plus risquée pour les coups fourrés de dernière minute ; si l'on se fait dézinguer par une fausse nouvelle, on ne pourra pas répliquer. Les anciens ont nombre d'histoires horribles à raconter en la matière, et après tout c'est ce qui est arrivé dans la campagne présidentielle avec les « MacronLeaks ».

Alors il est lourd, ce samedi 10 juin… Clarisse a mis ses pein-tures de guerre, littéralement ; elle est tout occupée à chasser pour mon compte sur les réseaux sociaux. Le ton monte et les injures finissent par voler entre adversaires désincarnés pendant que je fais les cent pas dans le QG.

Vient le début de soirée et l'annonce de l'arrêt officiel de la campagne. Fin d'une expérience extraordinaire.

On a beau savoir que la dynamique nationale est favorable, que la campagne a été réussie, il reste vingt-quatre heures pour gam-berger.

En ce 11 juin, jour du premier tour, je fais la tournée républi-caine des bureaux de vote avec Baptiste. Toute la journée, on suit l'évolution du taux de participation : ce n'est pas qu'une manie de militant, c'est un enjeu pour comprendre le vote, un enjeu de la vie publique aussi. En effet, le taux de participation aux élec-tions législatives en France est devenu extrêmement faible, parmi les pires d'Europe, ce qui pose un formidable défi démocratique.

Une fois tous les bureaux de vote passés en revue, je rentre chez moi : c'est absolument seul que je me prépare à passer l'épreuve du feu.

L'attente n'est pas longue : bientôt arrivent sur Telegram les premières remontées, confidentielles, des bureaux de vote.

Trente minutes après le début du dépouillement, le doute n'est plus permis.

La tendance est si bonne que l'on n'est pas loin de l'élection au premier tour.

Au démarrage de la campagne, je n'aurais jamais, jamais imaginé une telle issue. Ma principale adversaire est anéantie et l'admet très honnêtement, élégante dans la défaite.

L'accueil que je reçois au QG de campagne, ce soir-là, compte parmi les moments que je me rappellerai toute ma vie. Mes enfants accourant à ma rencontre, et tous les militants heureux de trinquer…

Quelques heures plus tard, quand je vais à Paris sur les plateaux des émissions politiques, le score n'est pas encore complètement affiné mais le doute n'est pas permis. Ce sera finalement un résultat de 47,5 % ! Et j'arrive même majoritaire dans plusieurs communes réputées bien ancrées à droite. Avec un tel score au premier tour, le second est joué d'avance.

Et globalement en France, nous faisons aussi un carton plein, ou presque. Notre élection restera à coup sûr comme un cas d'école du « fait majoritaire ».

Ce premier tour du 11 juin 2017 est l'un des événements politiques les plus violents que j'aie jamais vu – des politiques chevronnés se faisant éjecter sans ménagement, un ancien conseiller de l'Élysée insultant ses électeurs en direct sur un plateau télévisé. Pour la première fois dans les émissions politiques, la carte des résultats du premier tour n'est pas un panaché de nuances de rouge et de bleu, c'est un océan de violet, rehaussé de orange, le tout entrecoupé de quelques îlots multicolores. Le second tour peut encore livrer quelques surprises ici et là, mais l'issue nationale ne fait aucun doute. C'est la désintégration de l'opposition droite-gauche qui était la marque de la Ve République depuis soixante ans.

Au profit d'un OPNI (objet politique non identifié) qui s'appelle En marche !

Un courriel

Il y a la campagne vécue par le candidat, celle que vit son équipe, et celle que voit le monde extérieur. Le courriel qui suit, écrit par un militant dans la nuit du 9 au 10 mai 2017, fournira un éclairage sur le démarrage de la campagne tel qu'il a pu être vécu par l'équipe.

Cédric, Thomas,

Je tenais à vous faire mon feedback « à chaud » après cette soirée à la Brasserie Val-Fleury.

Ce feedback est très personnel mais aussi, sur certains points, partagé avec certains de mes « petits collègues ». […]

Je vais essayer de faire court, même si cela ne va pas être facile car nous avons vécu sans vous deux depuis neuf mois… et maintenant vous voilà… pour un nouveau challenge !!!

Je voulais tout d'abord vous féliciter tous les deux, car cette épreuve du feu était loin d'être gagnée d'avance. *In fine*, cette soirée s'est, globalement, très bien passée :

— Cédric (Le candidat) : un challenge t'attendait. Même si certains pouvaient te considérer comme un OVNI avant de te connaître (un médaillé Fields, c'est forcément un gars hors sol, limite « autiste »), et d'autres comme un PARACHUTÉ du QG dans un monde qui leur appartient de droit, tu as su montrer une grande capacité d'écoute tout en croisant le regard de chacun. Ta sémantique a été simple et compréhensible par tous, tout en restant percutante et pointue avec des mots forts. Aujourd'hui, tu as laissé une première marque. (Je ne parle pas d'hier soir qui a laissé un ressenti plutôt neutre… Mais, en même temps, certains avaient quelque peu savonné la planche !!!) Tu as aussi su désamorcer quelques « bombinettes » telles que la parité, ton suppléant, ton marquage « scientifique internationalement »… Un vrai talent de rassembleur, convainquant sur le fond et la forme (chantiers, groupe de travail)… Ne te reste cependant qu'à prouver qui tu es sur le terrain et que tes paroles ne sont pas que… des paroles… Et mobiliser les troupes derrière toi !!!

— Thomas (Le responsable de campagne) : Tu étais attendu au tournant. Au cas où tu ne le savais pas, un short t'avait déjà été taillé avant même que tu n'entres dans l'arène. D'autres voulaient ta place, tu as été parachuté dans un endroit que tu ne connais pas. Tes premiers mails assez directifs ne t'ont pas forcément aidé et ont apporté du bois au bûcher qui t'était préparé. Et là, je te tire mon chapeau : tu as eu l'intelligence (et/ou l'expérience politique et humaine) de rester humble, presque trop effacé au départ, n'offrant aucune aspérité sur laquelle t'attaquer. Quand, après un long moment, tu as présenté ton expérience, ton vécu et tes motivations… tout cela porté sur l'humain, l'associatif et ta relation toute particulière avec Cédric (tu as couché avec son chat quand même) mais aussi ta force de proposition basée sur une longue expérience… cela t'a donné une certaine crédibilité !!! […]

*

Un portrait

En complément du texte précédent, voici un regard extérieur sur la campagne, sous la forme d'un extrait d'article paru dans le journal en ligne Mediapart.

[…] Après le déjeuner […] le mathématicien candidat poursuit sa campagne sur le terrain. En l'occurrence, le terrain de sport : Villani assiste à la 13ᵉ édition de la Gif Cup, un tournoi international de football réservé aux joueurs âgés de moins de 12 ans au 1ᵉʳ janvier. Malgré leur jeune âge, les joueurs sont impressionnants de maîtrise et de savoir-faire. Les recruteurs des grands clubs en sont bien conscients : un véritable mercato des jeunes joueurs se tient en marge du tournoi. Mais Villani s'intéresse surtout à la dimension positive de la rencontre qui réunit des jeunes de tous les pays européens. L'organisateur explique comment les enfants réussissent à communiquer entre toutes les nationalités, au-delà des barrières de la langue, parce que « sur un stade, on est tous égaux ». Enthousiaste, l'homme à l'araignée s'enflamme : « L'Europe, c'est des gamins qui jouent au foot ensemble ! » Simpliste ? La formule est sincère dans la bouche de Villani. Quand on lui demande pourquoi, mathématicien comblé par la réussite et les honneurs, il a voulu s'engager en politique, sa première réponse fait référence à son engagement européen. […]

Cela fait un bon moment que le mathématicien a quitté la tour d'ivoire de la recherche pure. En 2009, il devient directeur du prestigieux Institut Henri-Poincaré, organisme de recherches mathématiques, à Paris. Villani a succédé au mathématicien Michel Broué, dont il a suivi les cours d'algèbre pendant ses études. À la tête de l'IHP, Villani se révèle un redoutable négociateur qui ne ménage pas sa peine pour obtenir l'appui des acteurs concernés. […]

S'il aime être au cœur de l'action, le mathématicien ne dédaigne pas d'être au centre de l'attention. Notre homme cherche la lumière. Sur les marchés, il a le chic pour se planter en plein soleil et, en plein passage, pour se lancer dans une longue discussion avec un citoyen du cru. Surnommé par ses détracteurs « la Lady Gaga des mathématiques », Cédric Villani n'est pas à l'abri d'un certain narcissisme.

Il n'appartient pas, pour autant, à la catégorie des égocentriques, de ceux qui pensent que le monde tourne autour de leur personne. L'homme à l'araignée est un excentrique, et il ne s'agit pas de sa seule apparence. En mécanique, un excentrique est un dispositif qui transforme un mouvement de rotation en va-et-vient, telle la manivelle des locomotives à vapeur. En somme, un moyen de faire avancer ce qui tournait en rond.

Encore faut-il avancer pour aller vers quelque part. Cédric Villani en est-il capable, sur le terrain politique ? Il semble, du moins, savoir où il veut aller, et a déjà défini les chantiers auxquels il s'attaquera s'il est élu. Le premier, crucial pour les habitants de la région, est celui de la mobilité et des transports. […]

Dimanche 21 mai, à la fête champêtre de Saint-Aubin, Cédric Villani gagne, au jeu de chamboultout, une boîte de pâte à prout (sorte de pâte à modeler qui, convenablement malaxée, produit le bruit évoqué par son nom). Et passe un long moment à discuter avec le maire de la commune, qui joue un rôle clé dans l'aménagement du plateau. Studieusement, le mathématicien écoute l'édile, prend des notes sur un bloc. Il a prévu de rencontrer tous les autres maires, de discuter avec tout le monde, y compris ceux qui ne sont pas d'accord avec lui. Avec ardeur, patience et méthode, l'araignée Villani tisse sa toile.

Michel de Pracontal, 30 mai 2017

21 juin 2018, en début de soirée.

En traversant la forêt de Verrières-le-Buisson par la route de la Princesse, toute la petite troupe se sent pousser des ailes. Cela fait du bien, une marche en forêt, surtout après un début de semaine surchargé.

Quelques pitreries sont de mise. Je montre l'exemple en allant me réfugier dans une cabane en bois de fortune, construite par des scouts, peut-être.

— Mais quel gamin, celui-là !

— Bah de toute façon on voit bien à l'Assemblée nationale, vous êtes comme des gamins, souvent.

— Ah ben ça c'est sûr, suffit de voir les QAG…

— Vous croyez pas si bien dire !

Oui, l'Assemblée nationale, parfois c'est très sérieux, et parfois cela ressemble à une grande assemblée de gamins.

Et la rentrée à l'Assemblée, quand j'y repense maintenant, j'ai l'impression que c'était la rentrée des classes.

Juste en cent fois plus compliqué.

Chapitre 4

INSTALLATION

— Comment vous allez faire pour apprendre la fonction de député ?

Que de fois on nous a posé cette question pendant la campagne !

— C'est comme pour tout. On combinera les manuels, les conseils des anciens, et ce qu'on apprendra sur le tas.

C'était vrai, mais cela allait quand même être rock'n'roll.

Quelques jours après l'élection, c'était la rentrée. Une rentrée des classes pour 577 grands élèves, avec quand même 1/4 de « redoublants » qui connaissent la musique.

Sur les 577, il n'y en avait qu'une poignée qui m'était familière. En fait, de tout l'Hémicycle, il n'y avait que deux députés de la majorité que j'avais côtoyés avant 2017 : Gilles Le Gendre, qui avait milité avec moi dans l'association Musaïques, et plus superficiellement Bruno Bonnell, qui avait siégé avec moi dans un jury d'innovation.

Et en cette rentrée, je me sentais très fier de mon groupe. Grâce à lui, l'Assemblée nationale se retrouvait d'un coup bien plus jeune, bien plus féminisée, bien plus haute en couleur. Le Parlement doit être un lieu de diversité et nous y contribuons vraiment !

Pour connaître tous mes nouveaux camarades, il allait falloir du temps… Un an après, il nous arrivait encore parfois entre nous de nous dire : « Mais qui c'est celui-là, déjà ? ! » quand l'un de nos condisciples prenait la parole dans l'Hémicycle.

Le jour de la rentrée, j'ai découvert les grands locaux. L'Assemblée nationale, j'y étais déjà passé en une ou deux occasions, en tant que scientifique, mais là c'était autre chose !

En traversant le gigantesque jardin à la française, en parcourant les pièces richement décorées, en jaugeant la hauteur des plafonds, j'ai admiré les tapisseries, les sculptures, les bustes des grands anciens.

Et je me suis demandé comment j'allais pouvoir habiter des lieux aussi vastes, aussi majestueux, comment je pourrais simplement être à la hauteur.

En guise de bienvenue, il y a toute une procédure administrative à suivre, un véritable petit parcours du combattant pour me préparer à mon mandat. Compte courriel, compte en banque, photo de député, carte de réduction des transports en commun, nouvelle mutuelle...

Je ressors de cette première journée avec un petit « kit » comportant broche, écharpe et badge. La broche des députés, en forme de baromètre : personnellement je ne la porte jamais, pas plus que je ne porte la Légion d'honneur ou la broche de l'Académie des sciences. L'écharpe tricolore d'élu : je l'oublie souvent, mais en théorie je dois la porter dans toutes les manifestations officielles, avec le rouge près du cou. Le badge de l'Assemblée tient aussi lieu de passe et de clé : il est très bien sous mon gilet, et bien qu'il soit invisible j'en suis si fier que je le porte presque en toutes circonstances, même à l'étranger, quitte à faire sourire mes collaborateurs.

Je rencontre des camarades, ici et là, au gré des formalités de rentrée, dans les bureaux administratifs, dans les cours. Mais je dois avouer que je suis un peu perdu !

Les caméras de télévision sont là, et je suis suivi comme l'un des députés de la rentrée.

Cette publicité va arriver dans l'œil d'un ex-candidat à la présidentielle nommé Jean-Luc Mélenchon... Dans le feu de la rentrée de son propre groupe, il se laisse entraîner à une attaque déplacée envers le « matheux ».

Je traite le problème publiquement avec humour. Bonne pioche. La polémique est instantanément désamorcée et la réplique est l'occasion de mon premier buzz post-élection : préparée en dix minutes, elle me vaut presque autant de couverture média que toute la campagne, et la presse commente la victoire rhétorique du « matheux » sur le politique. Un journaliste en fait même une petite fabulette à la La Fontaine, qui finit par le vers sublime : « En cherchant le blessant, on finit comme un gland. » « JLM » reconnaît son erreur et vient s'excuser très humblement à la première occasion. Sans rancune ! Ouf, le conflit que l'on me présentait comme redoutable est évité…

Peu de temps après, Matthieu Orphelin publie sur son compte Twitter une photographie de nous deux, hilares :

Petit débriefing (plutôt sympa d'ailleurs) entre @VillaniCedric et @JLMelenchon pour clore l'affaire dite du « matheux » ;) #directAN

Fin de l'affaire, en effet.

Mais au-delà de cet épisode plutôt cocasse, ce sont les complications techniques qui dominent ces premières semaines de rentrée. Elles se multiplient et forment vite un kaléidoscope si complexe que l'on ne sait par quel bout les prendre.

Les premiers plateaux télé commencent, où bien des choses me passent au-dessus de la tête. En particulier avec le positionnement des Constructifs… Sont-ils avec l'opposition ou avec la majorité ? Il faut un peu de temps pour comprendre leur position tout en équilibre précaire. Ou du moins avoir l'impression de comprendre.

Nouvelle polémique médiatique, bien plus insaisissable que l'échange avec JLM ; cette fois cela tourne autour d'une vieille interview sur les inégalités à l'école, dans laquelle j'ai eu une expression maladroite. Aujourd'hui on me le fait payer. Sorties du contexte, deux de mes phrases peuvent laisser entendre du mépris envers l'immigration. Thomas réécoute tout avec attention et fait du beau travail pour éviter les erreurs d'interprétation et désamorcer la polémique.

L'attribution des bureaux est toute une affaire ; avant qu'elle soit résolue, il faudra faire sans.

Quel défi d'organiser l'Assemblée, alors qu'on ne sait même pas comment elle fonctionne. Comment permettre à chacun de trouver sa place ?

Et pour commencer, chaque député doit être membre d'une et d'une seule des huit commissions permanentes... Le groupe doit se débrouiller pour nous répartir dans ces commissions, en tenant compte de tous les souhaits contradictoires et sachant que certaines commissions sont plus populaires que d'autres.

Au sein du groupe, ce n'est que le début d'un enchaînement d'élections et désignations, où l'on ne connaît à vrai dire ni les candidats ni les fonctions...

Pas le temps pour des explications, il faut se lancer !

Élection du président de groupe.

Élection du président de l'Assemblée.

Élections des présidents de six commissions, dans une ambiance chaotique où les pronostics sont renversés, où la simultanéité des scrutins et l'impératif de parité se combinent de façon complexe.

Élections de quatre vice-présidents et quatre porte-parole.

Élections des « whips » (responsables du groupe majoritaire de la commission) de huit commissions.

Élections de deux questeurs.

On m'assigne une commission : conformément à mon souhait, ce sera la commission des lois. Me voici commissaire !

Avec de nouveaux patrons... ou en l'occurrence, de nouvelles patronnes. En tant que commissaire aux lois, je siégerai sous l'autorité de la présidente Yaël Braun-Pivet, qui a déjoué les pronostics pour se faire élire. En tant que commissaire du groupe majoritaire, je rendrai des comptes à une toute jeune « whip », Naïma Moutchou.

On m'assigne un bureau : dans le bâtiment principal, sans rien de notable, si ce n'est que c'est l'ancien bureau de Manuel Valls.

« Il est maudit, ce bureau ! » me dit un député socialiste. Chouette.

On m'assigne aussi une place en Hémicycle : en plein milieu, ce qui me convient parfaitement. N'ai-pas toujours voulu être « ni à gauche, ni à droite » ?

Mais seulement, c'est étroit. Pas beaucoup de place pour les jambes, ni pour mes gros sacs, il va falloir réduire leur volume. Pas pratique pour l'ordinateur non plus, surtout pour mon vieux Mac Book rafistolé.

Mes voisins désignés sont chaleureux et tous bien plus jeunes que les standards habituels de l'Assemblée : Barbara Pompili, députée de la Somme, bien connue pour sa sensibilité écologiste ; Nadia Hai, volubile et souriante députée des Yvelines ; Lénaïck Adam, qui à vingt-cinq ans à peine est le premier élu bushinengue (descendant d'esclave) de Guyane. Derrière leurs abords sympathiques, ils ont tous leur caractère bien trempé et ne s'en laissent conter par personne.

Et si j'élargis un tout petit peu le cercle des voisins, des profils si variés ! La diversité promise est vraiment là : Jean-René Cazeneuve, cadre supérieur de Bouygues devenu président de la délégation aux collectivités territoriales ; Mireille Clapot, ingénieure, engagée dans les partenariats économiques et l'humanitaire ; Anne-Christine Lang, professeur et grande connaisseuse de l'éducation ; Laetitia Saint-Paul, officier d'état-major ; Séverine Gipson, ex-maire de la petite commune normande de Foucrainville (73 habitants !)…

J'intègre des groupes d'étude sur des sujets qui me tiennent à cœur : autisme, Exposition universelle, bien-être animal.

Comme on pouvait s'y attendre, je suis également retenu pour l'Office parlementaire d'évaluation des choix scientifiques et technologiques (OPECST). Je décide de me présenter pour en prendre la présidence.

À peine élu, alors que le programme s'annonce bien chargé, j'apprends que les locaux de l'OPECST viennent d'être complètement inondés et sont inutilisables… Tant pis, je serai un président nomade !

Le café Le Bourbon, à deux pas, deviendra donc mon deuxième bureau. Mais, le plus important, c'est que je fais connaissance avec la qualité remarquable des administrateurs de l'OPECST.

Je découvre aussi ce que l'Assemblée a de pire, et dans ce hit-parade il y a l'emploi du temps.

L'emploi du temps de l'Assemblée nationale, on n'y comprend rien !

Certaines informations viennent sur une feuille verte, d'autres sur une feuille blanche. Certaines réunions viennent du groupe, et d'autres de divers secrétariats.

Les boucles Telegram se multiplient et c'est vite l'inflation d'informations.

Les réunions se chevauchent et sont incompatibles. Réunions de groupe, de commission, d'audition, de sous-groupe, en Hémicycle.

Arrive rapidement le moment où il faut, pour bien faire le travail, être à trois endroits différents en même temps. Ce genre de situation se répétera régulièrement.

Je perds pied et loupe des engagements.

Un matin, en recevant un SMS, je découvre que j'ai oublié d'annuler ma participation à un colloque de théorie de l'information à Aix-la-Chapelle et que l'on attend mon exposé dans un quart d'heure…

L'élection des questeurs, et plus précisément celle du questeur de l'opposition, donne lieu à un chaos extraordinaire. Fureur du groupe Les Républicains, démissions et élections improvisées de nouveaux vice-présidents, longues tractations incompréhensibles entrecoupées de concertations éclair. Pour la première fois je fais connaissance avec ce rythme très spécial de la vie politique, en alternance de longues attentes et d'urgences irrépressibles.

Pendant ce temps il faut aussi boucler la campagne.

Les comptes de campagne, c'est une gymnastique extraordinairement pointilleuse !

Ma mandataire financière et mon directeur de campagne sont tous deux admirables… mais le courant ne passe plus du tout entre eux ! Les engueulades se multiplient, de plus en plus sérieuses, et vient le moment où je me demande sérieusement si les comptes de campagne vont être bouclés.

Quelle honte si je suis rendu inéligible pour gestion pas assez rigoureuse !

Quelques jours à me morfondre, tout en affichant une parfaite décontraction quand les médias demandent si tout va bien (ou tentent de vous faire dire publiquement que c'est un scandale si vous n'avez pas encore de bureau).

Quant à la circonscription, elle a déjà l'impression que je la délaisse ! Le député, à peine élu, nous a déjà oubliés alors qu'on a fait une si belle campagne ensemble ! Il faut faire des pots avec les équipes, avec les militants, prendre des rendez-vous en tête à tête avec tous les chefs de comité.

Et le travail parlementaire commence déjà, alors qu'on n'a même pas eu le temps de comprendre les enjeux.

La langue des textes de loi est incompréhensible à qui n'est pas habitué. Mais il faut travailler tout de suite pour faire passer les premiers. On est à pied d'œuvre chaque nuit ou presque.

Fatigue, confusion, frustration.

Les allers-retours entre Paris et l'Essonne se multiplient.

Quand je pense à ma naïveté passée quant à l'organisation du temps… Il est juste impossible d'être présent à tous les rendez-vous, c'est déjà beau d'en assurer la moitié.

On apprend le rythme de parole, le rituel, les précautions oratoires de l'Assemblée.

Les chefs de groupe, expérimentés et éloquents, sont impressionnants. Quand le chef de groupe communiste, André Chassaigne, s'emporte contre nous, c'est… intimidant.

Se dire qu'on est filmés en permanence dans cet Hémicycle ! Prendre la parole est toute une affaire.

La loi Confiance donne lieu à d'interminables discussions sur le statut du député. Démarrage sur les chapeaux de roue !

Sur le plan de la vie familiale… je dirai juste que c'est l'une des pires périodes de ma vie qui commence.

Les premières demandes d'explication se multiplient en circonscription, où certains débats sont obscurs, où l'on est avide de changements à commenter.

Je transporte tous les dossiers chez moi pour les lire, puis les rapporte à l'Assemblée, et ainsi de suite.

C'est si lourd que je contracte une tendinite abominable…

… Aggravée, ne riez pas, par les serrages de main incessants !

Cette tendinite m'en fera baver pendant bien huit mois, et parfois si durement que je me poserai sérieusement la question de me mettre le bras droit en écharpe. (Ensuite je me le suis effectivement cassé, de sorte que la question ne se posait plus !)

Ah… n'oublions pas le casse-tête de la gestion des ressources humaines.

Vous vous croyiez député, et il faut jouer au directeur des ressources humaines, pour des fiches de poste que vous ne comprenez pas.

Quels collaborateurs recruter, parmi les dizaines de candidats ?

Le « crédit collaborateurs » est très limité, il y aurait tant de postes à pourvoir mais vous ne pouvez en payer qu'une poignée.

Alors il est naturel d'accorder la priorité à votre équipe de campagne…

Et c'est bien souvent une erreur ! Mais je tombe dans le panneau comme tant d'autres avant moi.

Ma relation de candidat à directeur de campagne était très forte et affective, un brin fusionnelle ; mais celle de député à collaborateur c'est une affaire différente, qui requiert d'autres qualités. Nos rapports se dégradent de jour en jour. On s'accroche sur les comptes de campagne, sur la stratégie de communication, sur la stratégie parlementaire, sur des broutilles.

Les collègues sont de bon conseil : « Écoute ton cœur, un collaborateur parlementaire est tellement précieux que tu ne dois travailler qu'avec des gens avec qui la confiance n'a aucune ombre. »

Avec Thomas, après un peu d'épanchement d'émotion, on finit par décider de rompre ; il le fallait pour notre bien à tous deux. Il restera à temps partiel quelques mois, puis reprendra toute sa liberté. Et on restera en contact, sous une autre forme.

Ce ne sera pas le seul remaniement. Il faudra encore recruter, licencier, tâtonner, changer la répartition des rôles, jusqu'à trouver enfin la bonne dynamique d'équipe.

Tout en mettant cette équipe parlementaire sur pied, il faut aussi que je fasse mes adieux aux autres équipes, celles qui m'ont accompagné dans mes fonctions de directeur ou d'expert scientifique.

Je démissionne de bien des comités, en prenant soin d'organiser chaque fois un pot, de siéger une dernière fois, de trouver des successeurs quand c'est possible.

À l'Institut Henri-Poincaré, après un intérim de plusieurs mois, une collègue mathématicienne en qui j'ai toute confiance est élue à ma succession.

Et la soirée de départ organisée est pleine d'énergie et d'affection : à l'image de ce que j'ai tâché d'insuffler huit années durant pour cette belle institution.

Le rapport de la redoutée Commission nationale des comptes de campagne et des financements politiques (CNCCFP) finit par arriver ; toutes mes dépenses de campagne, tous mes relevés ont été passés au peigne fin et confrontés aux textes légaux.

Globalement ça va... mais la Commission doute de l'éligibilité de certains frais au remboursement, il faut se replonger une dernière fois dans les comptes pour expliquer et argumenter.

Restent finalement 1 800 euros rejetés ; ceux-là seront pour ma poche. Par rapport aux quelque 50 000 euros de frais de campagne (moitié dons individuels, moitié subvention publique), ce n'est pas grand-chose.

Ouf ! Me voici confirmé dans mes habits neufs de parlementaire.

Pendant quelque temps je caresse l'espoir de garder un petit pied universitaire, ce que mes collègues de l'Université Lyon 1 verraient d'un bon œil.

Mais cela se heurte à l'emploi du temps plus envahissant que prévu, et à la loi qui interdit (qui sait pourquoi) à un universitaire de se faire payer moins qu'un demi-salaire.

Tant pis, ce sera pas de salaire du tout, mais je garde mon titre et mon affiliation universitaire. Après tout, professeur, c'est ma vie.

Maintenant que j'ai dit au revoir à mes anciennes responsabilités, je peux me consacrer aux nouvelles. Et résoudre le kaléidoscope de problèmes, l'un après l'autre, jusqu'à être complètement installé.

Soir du 21 juin 2018, arrivée à Bièvres.

On a bien marché aujourd'hui ! Et en entrant dans le parc, on a même pu grimper à la grande toile d'araignée.

En ce soir de Fête de la Musique, nous avons rendez-vous dans la salle des fêtes.

Quelques dizaines de spectateurs écoutent un concert de la chorale amateur de la ville : grande majorité de femmes, et beaucoup de retraitées. Normal, Bièvres est très prisée pour les retraites, grâce à son superbe environnement.

Ce sont surtout de grands tubes des années quatre-vingt revisités. Il y a des chansons ambitieuses, on sent qu'il y a du travail derrière !

La maire de Bièvres, Anne Pelletier, m'accueille à bras ouverts. Indépendante, marquée à droite sans avoir sa carte dans les partis traditionnels, elle a défendu nos couleurs aux sénatoriales et elle n'est pas passée loin de l'élection.

Aujourd'hui pas de politique nationale, c'est de la vie quotidienne de Bièvres qu'elle parle. Et d'abord de la chorale et des efforts méritoires de son animateur.

— Cédric, tu voudras bien prendre la parole à la fin du concert ?

— Bien sûr Anne. Mon boulot c'est de parler, dès que l'occasion se présente. La parole c'est le liant de la société ! J'improviserai un petit discours.

— Super.

C'est vrai que maintenant, l'improvisation, c'est le pain quotidien. Harangues, présentations, débats publics... souvent plusieurs fois dans la même journée.

Je peux faire le fier, mais la première fois que j'ai dû prendre la parole à l'Assemblée, ça ne s'est pas passé aussi facilement.

Mais alors pas du tout !

Chapitre 5

PREMIÈRE PRISE DE PAROLE

La première prise de parole publique en Hémicycle, tenant en main la hampe du micro : un moment d'émotion, un rite initiatique, et l'impression que le monde entier vous observe. Quand on a un minimum de bouteille, c'est presque une banalité que d'intervenir dans cette salle consacrée aux débats ; mais pour les novices, la sensation est épique.

Il s'est trouvé que ma première fois a eu lieu dans un contexte très spécial et lourdement piégé : la discussion du « verrou de Bercy ».

Le verrou de Bercy réglemente les poursuites judiciaires en matière de fraude fiscale ; c'est un vieux serpent de mer en politique, mais j'avoue sans honte que, comme beaucoup de mes collègues, je n'en avais pas entendu parler, ou seulement d'une oreille distraite, avant mon élection.

Or le 20 juillet 2017, le verrou s'invite en commission des lois, au cours de l'examen du projet de la loi Confiance.

Rappelez-vous : ce projet de loi, qui faisait partie de l'accord passé entre Emmanuel Macron et François Bayrou durant la campagne présidentielle, avait été initié en réaction à ce que la presse appelait l'« affaire Fillon ». Il s'agissait en particulier d'étendre les critères d'inéligibilité en fonction du casier judiciaire, d'interdire l'emploi par le député de ses parents directs en tant qu'assistants parlementaires, de mettre fin à la pratique de la « réserve parlementaire » (cette somme d'argent que chaque député ou sénateur pouvait affecter à des collectivités ou à des associations à sa guise).

Ce n'était pas la première loi destinée à améliorer la transparence et la confiance en la vie politique : la création de la Haute Autorité pour la transparence de la vie publique, les lois Sapin et Sapin 2 contre la corruption, étaient déjà passées par là, entre autres, avec plusieurs avancées capitales. Mais cette nouvelle loi Confiance venait aussi avec son lot de polémiques violentes, tout particulièrement sur la réserve parlementaire.

Bien sûr la « loi Confiance » n'était pas son vrai nom. Au fur et à mesure de la navette parlementaire, elle a pris différentes appellations : initialement dénommée « Loi rétablissant la confiance dans l'action publique », elle devint « Loi pour la régulation de la vie publique », puis « Loi pour la confiance dans la vie politique », etc. Mais appelons-la « loi Confiance » pour simplifier. Pour être au rendez-vous politique, elle demandait un examen très rapide, avant la coupure de l'été.

C'est le Sénat qui, juste après la mise en place du gouvernement, a commencé l'examen de la loi en devenir, présentée par François Bayrou, alors garde des Sceaux.

Or le Sénat a saisi l'occasion pour y introduire, contre l'avis du gouvernement, une mesure qu'il avait déjà tenté d'imposer à plusieurs reprises ces dernières années : un adoucissement du « verrou de Bercy ». Juste un article parmi une quantité, mais il allait faire couler beaucoup d'encre.

Une fois ses travaux accomplis, le Sénat passe le relais à la commission des lois de l'Assemblée nationale. Si l'on excepte la très brève loi de prorogation de l'état d'urgence, c'est notre premier examen de projet de loi dans cette nouvelle mandature. Une sorte de baptême du feu !

Nous n'avons que quelques jours d'expérience, c'est difficile ! Nous connaissons à peine nos sujets, et les députés de l'opposition, plus expérimentés, nous pilonnent. Bienvenue à l'Assemblée nationale ! Avec le recul, je comprends qu'ils auraient pu être encore plus durs… mais il y a quand même une part de bizutage, et à l'époque cela nous paraît extrêmement violent. La rapporteure-présidente, bouleversée, commet une bévue très commentée en tenant près du micro ouvert de son voisin des propos qui auraient dû rester confidentiels. Rien de méchant… mais les réseaux sociaux vont s'en donner à cœur joie pour nous marteler.

Quand la discussion en vient au fameux verrou, il faut choisir parmi un éventail de possibilités. Allons-nous maintenir la version du Sénat, ou rétablir le verrou de Bercy dans son entièreté ? Ou au contraire, comme le proposent les Insoumis, aller plus loin encore dans sa démolition ?

Les explications entre experts du sujet nous laissent médusés. Jean-Luc Warsmann, du groupe Constructifs, ancien président de la commission des lois, évoque un dispositif qui ne marche pas si mal qu'on le dit, qui a été récemment amélioré, et affirme qu'il n'y a pas de raison de l'abolir. La très respectée magistrate Laurence Vichnievsky, du Modem, qui se fait déjà remarquer pour son franc-parler, ne l'entend pas de cette oreille : elle estime qu'il est temps de « redonner au juge son indépendance » et recommande de s'aligner avec le Sénat. Et le vieux briscard Charles de Courson, député UDI hyper expert en questions financières, râleur comme pas un, nous parle du verrou de Bercy comme d'un dragon qu'il tente de terrasser depuis vingt-cinq ans.

À un profane qui n'a pas eu le temps de réfléchir en avance sur le sujet, la discussion est hors d'atteinte. Il faut avoir conscience de l'hermétisme des textes d'amendements que l'on discute. Par exemple la proposition des Insoumis dit exactement ceci :

RÉGULATION DE LA VIE PUBLIQUE (N° 98)

AMENDEMENT N° CL35

(présenté par…..)

ARTICLE 1er TER

Rédiger ainsi cet article :

« I. – L'article 1741A du code général des impôts est abrogé.

II. – L'article L. 228 du livre des procédures fiscales est abrogé.

III. – Au troisième alinéa de l'article 9-1 du code de procédure pénale, le mot "douze" est remplacé par le mot "vingt-cinq". »

C'est de la langue d'amendement ! L'exposé sommaire qui suit donne des explications, mais si l'on ne connaît pas déjà le sujet, cela n'aide pas tant que cela :

« Cet amendement supprime la Commission des infractions fiscales, plus connue sous le nom de "verrou de Bercy", afin de séparer la justice fiscale du pouvoir exécutif, retirant par là même au ministère de l'Économie et des Finances le pouvoir discrétionnaire d'épargner un fraudeur. [...] »

Que faire dans une telle situation ? On écoute les experts parler et on tâche de se forger une opinion. Et la « whip », comme c'est son rôle, nous donne la position officielle : comme le souhaite le gouvernement, on vote pour le retour intégral du verrou de Bercy. Mais la commission est hésitante, les députés sont peu enclins à voter sans comprendre.

Pour ma part je préfère m'abstenir, espérant naïvement que personne ne le remarquera... mais le vote est si serré que le président de séance, le nouveau député Stéphane Mazars, avocat aveyronnais, en est réduit à organiser un « assis-debout », procédure rarissime où les députés se lèvent pour le vote de façon à faciliter le décompte. Cette fois je me lève pour suivre la position du gouvernement. Et l'amendement passe à une voix près ! Ce qui montre que je n'étais pas le seul à hésiter dans la majorité.

Les collègues Insoumis, taquins, ne manqueront pas de faire savoir que j'ai viré de bord en cours de vote. Bizutage encore. Désolé les amis, on essaie de faire au mieux dans le brouillard !

Le soir même les articles politiques commentent : « Les députés rétablissent le verrou de Bercy. » Je pourrais me réjouir de ce que ma voix a eu un impact... mais franchement, dans ces conditions, ce n'est pas glorieux.

De toute façon, le passage en commission n'est qu'une étape dans la navette, et quelques jours plus tard le projet de loi va revenir en discussion pour le vrai jeu, le passage en séance publique, en Hémicycle. Pour préparer cette séance, on se retrouve entre commissaires aux lois de La République en marche : comme je suis motivé pour approfondir le sujet et que j'ai pris des notes (pas vaillantes, mais qui font bonne impression à l'époque), notre vice-présidente Coralie Dubost m'encourage à préparer une intervention publique. On met au point notre position : on maintiendra pour l'heure le verrou de Bercy, mais on renverra à une mission parlementaire pour étudier de possibles évolutions. C'est une stratégie classique pour botter en touche... en l'occurrence, c'est aussi une position sincère, car nous ressentons vraiment le besoin d'en savoir plus.

Pendant le week-end, notre collègue Laetitia Avia nous offre un beau cadeau : un dossier de quelques pages sur le verrou de Bercy, compilé en peu de temps par son assistant parlementaire – il faut dire qu'il a fait un stage à Bercy. En fait on apprendra vite à apprécier l'efficacité de Laetitia à fournir des informations fiables sur les questions légales.

Alors je passe mon dimanche soir à potasser. Je relis le compte rendu des débats, je recoupe avec la note passée par Laetitia, et je découvre qu'elle suggère une vraie suppression du verrou. Je fouille Internet à la recherche d'informations, je comprends qu'il y a des divergences de vues sur l'efficacité du système actuel, des modifications récentes pas encore bien évaluées, des détails subtils dans la rédaction des amendements.

À 1 heure du matin je publie quelques explications synthétiques sur la boucle Telegram. À 4 heures du matin j'ajoute une vraie question technique.

Cédric : *Dans les adts 303-306 la formulation de l'aménagement (pas suppression) du « verrou » est un peu plus prudente que dans la version du Sénat... Yaël je me demande si cela change ta position sur le fond ?*

Pas de réponse mais cela marque une étape : je comprends maintenant de quoi il est question.

Il est plus que temps de vous donner des explications maintenant : que dit-il, finalement, ce fameux verrou ?

Hérité de principes de la Révolution française, plusieurs fois revu par la jurisprudence, explicitement inscrit dans la loi depuis 1920, ce mécanisme accorde le monopole du déclenchement des poursuites judiciaires à l'administration fiscale (que l'on désigne communément, de nos jours, par « Bercy [1] »). Autrement dit, si un juge soupçonne, pour une raison ou une autre, qu'Untel a fraudé le fisc, il ne peut lancer d'enquête judiciaire contre lui que si le ministère (l'administration) donne son feu vert. En revanche, si l'administration découvre une fraude, elle peut choisir de mettre le fraudeur à l'amende (sanction administrative) ou de transmettre les dossiers à une commission administrative *ad hoc*, dite Commission des infractions fiscales (CIF), qui décidera de l'opportunité d'engager une procédure judiciaire en sus de la procédure administrative.

On comprend bien le sens de la métaphore du verrou : l'administration a le pouvoir de verrouiller un dossier aux yeux de la justice. Le verrou est passé sous les feux de l'actualité en 2012, quand Jérôme Cahuzac, alors ministre du Budget, s'est fait dénoncer pour fraude fiscale : le verrou lui donnait alors, en théorie, le pouvoir de décider lui-même de barrer l'enquête.

Si on laisse de côté de tels cas extrêmes, les partisans du verrou de Bercy avancent que l'administration fiscale est la plus à même d'apprécier la complexité des situations et de détecter les fraudes ; que ce mécanisme est plus rapide et efficace que l'instruction judiciaire ; et que la justice serait inondée sous les dossiers si on lui transmettait tous les cas de fraude.

Les détracteurs du mécanisme, *a contrario*, dénoncent le verrou comme une atteinte au principe de la séparation des pouvoirs, contestent son efficacité et mettent en avant les montants faramineux de la fraude fiscale soupçonnée en France. Et surtout, ils dénoncent un moyen pour le pouvoir de protéger les gros fraudeurs puissants contre l'infamie des poursuites judiciaires.

---

1. En hommage à l'adresse du ministère de l'Économie et des Finances, situé depuis 1987 quai de Bercy.

Comme le dit de Courson : « L'administration s'arrange directement avec les gros et moyens poissons, et n'envoie à la CIF que les petits poissons. »

Le Conseil constitutionnel a bien sûr été consulté sur le verrou de Bercy : il a conclu que ce mécanisme était conforme à la Constitution, même s'il semble violer le principe de séparation des pouvoirs. C'est un avis complexe, qui ne repose pas seulement sur l'examen de grands principes, mais fait un large usage d'interprétations consacrées par la jurisprudence. Soutien du bout des lèvres, juge de Courson, décidé à ne faire aucun quartier au verrou.

Et voilà déjà trois fois que le Sénat, malgré sa réputation de conservatisme, a proposé de supprimer ce verrou. Ou plutôt de le desserrer ! Car on peut toujours le réformer, le décliner en plusieurs variantes, plus ou moins contraignantes.

Au fur et à mesure que je m'informe, les recoins obscurs du problème s'éclairent. C'est comme pour tout le reste : que ce soit le plus pointu des problèmes de physique mathématique ou le plus aride des dispositifs légaux, quand vous plongez dans un sujet, il devient subtil à vos yeux, parfois passionnant, et plein de ramifications.

Mais une intervention en Hémicycle sur un amendement, en procédure de débat standard, ne laisse guère de temps pour les détails et subtilités : au bout de deux minutes (pas trois minutes, pas deux minutes trente), vous vous ferez, sauf exception, couper la parole par le président de séance. Il faut être concis et clair, et une première intervention, ça se prépare, ça se répète !

Mardi 25 juillet, je suis prêt à m'exprimer, mon brouillon rédigé, chrono à deux minutes !

Entre-temps la nervosité a grandi sur le sujet. Les échos dans la presse, les demandes d'explications des nouveaux députés, les critiques portées par les uns ou les autres dans tous les groupes politiques : tout cela laisse craindre que le verrou ne soit à nouveau abîmé en Hémicycle, contre l'avis du gouvernement.

En aparté, certains députés de la majorité proposent de donner des gages en modifiant la composition de la CIF ; d'autres sont d'avis de suivre le Modem, qui comme le Sénat prône un allégement du verrou ; quelques rares autres veulent aller plus loin ; et la majorité, pour parler franchement, est paumée. Pourquoi doit-on aller si vite ? Le Premier ministre, qui a bien d'autres chats à fouetter, n'a pas donné de consigne. Tous les groupes sauf le nôtre sont prêts à adopter *a minima* la position du Sénat : alliance inédite. Pour ma part je me rangerai sans état d'âme à la position de la présidente de la commission des lois, qui plaidera pour la création d'une mission parlementaire. On ne peut pas faire les choses dans la précipitation.

Ça commence. Sous la présidence de Carole Bureau-Bonnard, vice-présidente de l'Assemblée, et présidente de cette séance, on examine les uns après les autres les amendements de la journée.

Les sujets défilent, les prises de parole s'enchaînent dans la mécanique bien codifiée du débat parlementaire. Simultanément, ça défile sur les boucles Telegram. Commentaires, applaudissements silencieux, smileys moqueurs, félicitations, questions, recrutement d'intervenants. Qui peut intervenir sur le verrou de Bercy ? Je confirme que j'ai travaillé le sujet et que je suis prêt… OK, vas-y Cédric !

Encore quelques amendements et on aborde le fameux dispositif. À la gauche de l'Hémicycle, Alexis Corbière, Fabien Roussel, Éric Coquerel défendent une suppression dure.

Au fur et à mesure que la discussion progresse, je me sens nerveux comme un étudiant qui va passer un oral !

Professeur d'université, directeur d'institut, organisateur de conférences scientifiques, expert en questions rentre-dedans dans les séminaires internationaux, conférencier TED, je ne suis pourtant pas un novice en prise de parole publique.

Mais en cet après-midi du 25 juillet 2017, dans le cadre solennel de l'Hémicycle, avec ses imposantes statues et tapisseries grandioses, avec la présidente qui distribue la parole selon un rituel bien établi, avec la vidéo qui enregistre tout en continu, j'ai juste LE TRAC !

On me l'a déjà expliqué, et je l'ai déjà vu de nombreuses fois à l'œuvre, mais avec l'émotion je ne sais plus quand exactement je dois demander la parole et intervenir. Je vais chercher refuge auprès d'un député expérimenté… de Courson !

Il ne sait pas trop quel point de vue je vais défendre, mais il est tout prêt à me donner un coup de main. « Attends la mise en discussion après les avis de la rapporteure et du gouvernement… Lève la main bien haut, tu peux claquer des doigts, tu peux lever le pouce pour indiquer un soutien ou le baisser pour annoncer une intervention contre… »

La discussion continue et mon cœur bat. Attention, trouver le bon moment après la discussion… Vaut-il mieux intervenir après cette première vague d'amendements, ou la suivante ?

Mais la discussion dégénère !

André Chassaigne à gauche, Philippe Gosselin à droite, s'énervent… Les communistes et les Insoumis entrent en ébullition et réclament un vote immédiat. En face, Patrick Hetzel et Xavier Breton continuent à égrener les arguments.

La protestation enfle envers la présidente de séance.

Il faut avoir travaillé un minimum le dossier pour comprendre de quoi il s'agit. Sur la demi-douzaine d'amendements qui sont en discussion pour réformer le verrou de Bercy, il y a deux options bien distinctes. L'une, radicale, prônée très à gauche, est la suppression franche du dispositif. Une autre n'en est en fait qu'un aménagement. L'une et l'autre option ont leurs variantes. Mais les sujets sont liés, et tous les exposés des motifs indiquent imperturbablement que l'« objectif est de supprimer le verrou de Bercy », de sorte qu'à un œil non exercé tous ces textes peuvent paraître vaguement équivalents. Ce qui est sûr, c'est que les modifications proposées s'excluent mutuellement : si l'on en accepte une, la logique veut que l'on rejette les autres. Le service de la séance a donc décidé, au préalable, que tous ces amendements seraient discutés d'abord (principe de la discussion commune), et que l'on voterait seulement ensuite. Alors que l'opposition de gauche souhaite que l'on examine d'abord la version dure des amendements, puis que l'on vote et que l'on examine seulement ensuite, si besoin, la version plus modérée – version de repli, selon le langage habituel de l'Assemblée.

Les ténors s'enflamment. Jean-Luc Mélenchon, André Chassaigne, Philippe Gosselin... cognent la présidence, réexpliquent la procédure. On vote d'abord le principal, et ensuite seulement on discutera du repli. Ça suffit maintenant, l'amateurisme, l'apprentissage est fini ! Insupportable, ce principe de la « présidence infaillible » ! Comment oublier que la présentation même des débats a un rôle politique ! Sacha Houlié vole courageusement à la défense de la présidente, sous les moqueries des Républicains.

Déstabilisée, Carole tente de faire bonne figure, aidée par les conseils des administrateurs. C'est la façon traditionnelle de mener les débats, argumente-t-elle. Mais les vieux roublards sentent l'odeur du sang et redoublent leurs assauts.

On n'a rien compris ! Cela n'a jamais été la pratique ! C'est une nouvelle tradition : une tradition en marche ! Le renouveau ! On n'y comprend rien ! Suspension de séance !

Face à ce bizutage, Carole craque. Elle disparaît et nous nous retrouvons sans présidence. Moment de confusion. L'audience est partagée entre hilarité, perplexité et consternation ; tout le monde se lève et discute, ne sachant s'il faut rester ou sortir. Et moi, je me dis lâchement que finalement je n'ai pas eu à intervenir, c'est presque confortable.

Ce soir-là nous ne reverrons pas Carole[1]. Après un quart d'heure, c'est le président François de Rugy lui-même qui revient mener les débats. Il a de l'expérience et ne s'en laissera conter par personne. Il reprend les débats, justifie la position de la présidente de séance : une discussion commune permet d'écouter tous les

---

1. Qu'on se rassure, on l'a vite revue en Hémicycle et elle est devenue une excellente présidente de séance, parfaitement rompue à l'exercice !

arguments, alors que si l'on avait voté d'abord sur le principal, les positions de repli n'auraient pas été entendues. (C'est un peu tiré par les cheveux, car en fait les amendements radicaux n'avaient aucune chance d'être adoptés…) Mais il annonce aussitôt qu'exceptionnellement, on séparera les discussions : façon de céder sans désavouer la précédente présidente de séance.

Invitée à donner son avis, la rapporteure propose le maintien du verrou, et nous invite donc à voter contre tous les amendements, tout en encourageant la mise en place d'une mission d'information sur le sujet. Joël Giraud, le rapporteur général du budget, connu pour sa truculence, se fait très sérieux quand il abonde dans le même sens. La ministre, Nicole Belloubet, ancienne du Conseil constitutionnel, fait de même avec ses phrases bien articulées et ses arguments tirés au cordeau.

Tollé à droite et à gauche de l'Hémicycle.

« C'est ce que l'on fait quand on veut enterrer un sujet ! » « Vous repoussez toujours ! » « Comme d'habitude ! » « Enterrement de première classe ! »

Une douzaine de mains se lèvent, visiblement pour discuter de tous les amendements à la fois. De Rugy annonce qu'exceptionnellement il prendra douze, et même treize prises de parole, alors que le règlement de l'Assemblée nationale n'en donne que six puisque trois amendements ont été présentés.

Et moi ? Je suis comme paralysé au moment de lever le bras. Est-ce bien la peine d'intervenir, après une telle confusion ?

Les prises de parole commencent. Woerth, Obono, Coquerel, Chassaigne, Dupont-Aignant, Tourret, Untermaier…

André Chassaigne, le président du groupe communiste, tonne. Quand un journal écrit que quelqu'un tonne, d'habitude c'est une figure de style et en fait la personne en question a peut-être juste fait un commentaire négatif avec un haussement d'épaules. Mais Chassaigne, lui, tonne pour de vrai, c'est un ouragan aux accents chantants du Sud qui s'abat sur l'Assemblée à chacune de ses interventions. « Mais nous en avons des sacs et des sacs, des études ! »

Pendant ce temps Coralie se tourne vers moi avec un regard insistant. Le message est clair : « Allez, vas-y ! »

Je lève le bras le plus haut que je peux. Le président note les inscrits.

Les interventions continuent... Cariou, Vigier, Avia, Vichnievsky, de Courson...

Il m'a oublié ou quoi ? Je relève le bras encore plus haut qu'avant.

De Rugy hoche la tête, l'air de dire : « Ah non, il y a déjà eu assez d'interventions ».

J'insiste du regard, avec une mimique qui veut dire : « François, s'il te plaît ! »

De Rugy souffle mais fait signe d'accepter : « Bon, d'aaaccord... »

Et après quelques minutes, j'entends les mots fatidiques : « La parole est à monsieur Villani. » Je serai le dix-septième et dernier orateur de cette série.

Je me lève, j'empoigne le micro, pour la première fois depuis mon élection.

Voix un brin tremblante.

« Merci Monsieur le président. Madame la ministre, chers collègues,

(Il y a toujours un peu de formalisme dans ces interventions.)

Juste quelques remarques pour insister sur la subtilité de ce verrou.

On entend dire ici et là que les choses sont simples, mais dès qu'on commence à travailler un peu on voit à quel point c'est complexe.

(Silence très attentif de la salle qui se demande si le « matheux » va sortir quelque chose d'inattendu.)

On a parlé d'atteinte à la séparation des pouvoirs, cela a été examiné par le Conseil constitutionnel, décision 2016, dans un avis fort délicat qui a fait appel à des auditions en bonne et due forme, une référence à la jurisprudence, et se concentrant sur un bout de phrase de quatre mots, « à peine d'irrecevabilité ». Bout de phrase que le Sénat a d'ailleurs proposé de supprimer, sans qu'une étude particulière de l'impact de cette suppression ait été faite.

(Ça c'est de la vraie discussion des lois : chaque mot compte, parfois on s'empoigne longuement sur le choix de celui-ci ou celui-là, et cela peut effectivement avoir un impact !)

On a parlé d'efficacité. Il y a eu des batailles de chiffres, et en commission des lois, nous avons vu un échange de vues fort divergentes sur ce sujet entre des collègues respectés, Monsieur Warsmann d'un côté, Monsieur de Courson d'autre part et Madame Vichnievsky aussi. Et puis nous avons entendu tout à l'heure l'avis du rapporteur général du budget.

(Je trébuche encore un peu sur les mots.)

Et permettez-moi de supposer que ce n'est pas si simple que cela.

(« Ce n'est pas si simple que cela » – voilà surtout mon message !)

Maintenant, pour ce qui est de l'impact et de l'action politique : on a parlé de l'évolution, de changer de système. Est-ce que vous avez bien remarqué la façon dont les différents amendements étaient présentés dans la feuille qui nous était proposée ?

(L'élocution est trop traînante, je vais me faire rattraper par le temps !)

Et on doit bien... je ne trouve pas si surprenant qu'il y ait eu de la confusion tout à l'heure. Les amendements sont très différents. Il y a effectivement d'un côté les amendements des collègues de la France Insoumise et de la Gauche républicaine et démocrate...

(Le député communiste Sébastien Jumel interjette « Et communiste ! »)

... qui proposent une vraie suppression du verrou de Bercy.

(« C'est vrai ! » interjettent les Insoumis.)

De l'autre côté une proposition beaucoup plus prudente, celle du Sénat, avec ou sans le fameux bout de phrase fatidique, « à peine d'irrecevabilité », qui ne fait qu'aménager le verrou mais qui le maintient. Cependant tous les exposés sommaires parlent de supprimer le verrou de Bercy et cela a été abondamment commenté dans la presse !

(J'arrive presque à 2 minutes, aaah...)

Mes chers collègues...

(De Rugy tape sur son micro : il est temps de conclure.)

… si nous votons la disposition du Sénat, comment allons-nous expliquer à nos concitoyens que sous couvert de supprimer le verrou de Bercy nous l'avons en fait maintenu et simplement aménagé, et que nous faisons cela en sus dans un texte de loi qui ne porte pas sur les finances, mais au titre de l'inéligibilité.

(Cette fois j'ai vraiment dépassé, de Rugy me dit : « Veuillez conclure, Monsieur Villani. »)

Je pense qu'il y a lieu de soutenir la position de la commission…

La position de mettre en place une commission et d'être éclairé. Je vous remercie. »

Soulagement. On se sent libéré après sa première fois !

C'était la dernière intervention de la discussion… ça y est, on vote sur les amendements radicaux. Chacun est de retour à son pupitre pour appuyer sur le bouton au moment fatidique.

Les amendements de suppression du verrou sont facilement rejetés.

Et maintenant on relance la discussion sur les amendements de repli.

Cette fois c'est tous les groupes contre En marche. Gosselin, Jumel, Marleix, Diard, Hetzel, Di Filippo, de Courson : tollé général. Une mission a toujours été la façon d'enterrer un sujet ! Vous n'aurez pas l'unanimité ! Le verrou est bien fermé ! Ce n'est pas le verrou de Bercy, c'est le verrou d'En marche !

Suspense pour le vote… C'est maintenant que l'on va voir si mon intervention a pu convaincre.

Et c'est un rejet, encore, mais cette fois à une très courte majorité – 153 à 133, avec 15 abstentions. C'est la plus courte majorité depuis l'installation de la nouvelle mandature !

Les collègues sont nerveux de voir que même notre groupe s'est fracturé sur ce vote. Mon intervention n'a pas entraîné une adhésion sans bornes, c'est le moins que l'on puisse dire… mais peut-être a-t-elle contribué à assurer le rejet, dans un vote qui n'était visiblement pas acquis d'avance.

Si tous les groupes sont déçus, le Modem l'est encore plus : ce sont nos alliés et nous avons voté contre leur proposition. Je reçois ma petite part de critiques : décevant, arguments spécieux. Hypocrite ? J'assume ma position, tout soulagé d'avoir bouclé ma prise de parole.

*

La suite ? Est-ce qu'on l'a enterré, le débat sur ce fameux verrou ?

Pas du tout.

La mission parlementaire a bien eu lieu, comme promis. Impliquant tous les groupes parlementaires, elle s'est tenue début 2018. Le Républicain Éric Diard, méridional à grande gueule et grand cœur, l'a présidée avec impartialité et bonne humeur. Ma collègue République en marche Émilie Cariou, élue de la Meuse, en était rapporteur : derrière sa discrétion et son humilité, c'est une personnalité de fer, rigoureuse, hypercompétente en matière de fiscalité et de finances internationales, formée dans les cabinets ministériels et à la Commission européenne.

Auditions, comparaisons internationales, voyages, étude systémique : la mission s'est donné les moyens de la réussite. Son analyse a été plus vaste et profonde que toutes les autres. Émilie a fait la synthèse du débat en proposant de nouveaux critères, objectifs, de transmission systématique au parquet des dossiers de fraude les plus importants, et de nouveaux mécanismes de collaboration entre les autorités administratives et judiciaires. Ses conclusions ont été endossées par l'intégralité des groupes parlementaires de l'Assemblée, depuis Les Républicains jusqu'aux Insoumis.

En septembre 2018, la discussion a pu se tenir à nouveau, cette fois dans le cadre qui convenait : une loi dédiée à la fraude fiscale. Le projet initial ne comprenait pas la suppression du verrou de Bercy, mais Émilie, à force de conviction, a pu obtenir l'adhésion du gouvernement.

Au moment où nous examinions les conclusions avec le ministre des Finances, le rapporteur général du budget a rappelé : « Ah, le débat sur le verrou de Bercy… Je me souviens de l'intervention de Cédric ! » Moi aussi, et comment !

Le 19 septembre 2018, les députés ont voté à nouveau sur la suppression du verrou. Cette fois c'était l'unanimité : 112 voix à 0 (et 5 abstentions). Et cette suppression allait bien plus loin que la proposition qui avait fait débat à l'été. En bref nous avons tout gagné à monter cette mission : un vote plus légitime, plus instruit, plus en profondeur, et unanime. Tout le contraire d'un enterrement.

Rétrospectivement, je ne regrette pas un mot de ma première intervention. C'était ma goutte personnelle dans la potion. Juste une goutte, là où d'autres ont versé un verre entier ; mais une goutte prudente qui, mélangée avec d'autres gouttes plus radicales, plus impétueuses ou plus informées, a aidé à aller dans le bon sens.

Et après cela, les prochaines prises de parole seraient beaucoup plus faciles !

22 juin 2018, Bièvres.

Réveil matinal. La soirée d'hier a été fort animée… après la chorale, on est allés dans un bar, danser la Fête de la Musique une partie de la nuit.

Mais maintenant c'est une grosse journée de marche qui s'annonce, on va traverser tout le plateau de Saclay !

Petit-déjeuner avec Philippe Baud, le militant qui m'a hébergé pour la nuit, et sa compagne, c'est l'occasion de revenir sur cette année singulière.

On parle politique, souvenirs, babioles.

— T'as pas chômé cette année, avec la mission intelligence artificielle.

— Ouais, mais c'était l'occasion de rencontrer quantité de monde, et de voyager partout…

— L'innovation, le numérique ce sont mes sujets favoris, tu sais. J'espère bien qu'on pourra les porter dans la campagne des européennes. Ça et les relations avec l'Afrique.

— Tu sais que moi aussi j'ai passé beaucoup de temps sur les relations avec l'Afrique ? D'ailleurs un élève que j'ai encadré au Cameroun va venir ici pour faire de l'apprentissage automatique.

— Ici, sur le plateau de Saclay ?

— Oui, au master MVA ! Un bosseur inouï, jusqu'à s'en rendre malade. Je l'ai connu en enseignant à Limbe.

— Mais tu sais, Cédric, on devrait avoir des filières réservées pour former les étudiants africains. L'Afrique a un tel besoin de formation.

— Des filières réservées, ça fait des années que je le dis… Tiens, tu peux me resserrer le bracelet ?

— Je vais m'en occuper. C'est un bracelet brésilien ?

— Mexicain. Je suis allé là-bas aussi pour parler coopération internationale et intelligence artificielle…

— Ils sont bons en maths au Mexique ?

— Bonne école de géométrie et systèmes dynamiques. Très beau centre de recherche à Guanajuato. Et c'est bon aussi à l'UNAM, la grande université de Mexico. J'y ai déjà fait des exposés dans le passé. Ces quantités de jeunes étudiants dynamiques… j'avais été impressionné par la proportion de filles.

— La richesse du Sud, et il faut l'éduquer sans la piller.

— À l'UNAM j'ai aussi rencontré un mathématicien original, Arroyo, il travaille sur ce qu'on appelle les nœuds sauvages, c'est de la topologie, et il a collaboré avec un artiste français, Othoniel, pour des œuvres d'art contemporain complètement singulières, des sortes de bracelets de perles illuminés de jeux de reflets…

— Belle collaboration entre mathématique et art.

— On m'a commandé un petit article là-dessus. Souvent, les progrès, c'est quand un savoir technique nouveau rencontre un savoir-faire traditionnel. Et la clé, c'est de faire dialoguer les experts. En intelligence artificielle, c'est la clé, sans aucun doute.

— Aujourd'hui aussi, tu vas avoir ton lot de dialogues. Mais l'intelligence artificielle ça ne parlera qu'à une minorité des gens que tu vas croiser.

— Ah ben, il faudrait déjà qu'ils aient tous fait un petit peu d'algo à l'école, c'est pas si dur et ça change tout. C'était dans mon autre mission, tiens, sur l'enseignement mathématique…

Chapitre 6

EN MISSION(S)

18 juillet 2017. Le soir, à l'hôtel Matignon, le Président Emmanuel Macron rend une visite impromptue aux députés de la majorité. Pour beaucoup d'entre nous, c'est la première fois que nous le revoyons en chair et en os après la fièvre des législatives. Quand je me trouve près de lui, il me glisse quelques mots énigmatiques : « On a pensé à quelque chose pour toi… tu verras. »

C'était le prélude à ma première mission – ma première spécialisation.

*

À l'Assemblée nationale, chacun, chacune doit trouver sa place et ses domaines de prédilection. L'idée d'une Assemblée de généralistes, capables de donner leur avis autorisé sur tous les sujets, est aussi absurde que celle d'un gouvernement dont les ministres seraient interchangeables. À l'opposé, une Assemblée de spécialistes, chacun occupé à son sujet sans prêter attention aux autres, serait un désastre : l'Assemblée est le lieu du débat public. Le tout est de trouver le bon équilibre entre les deux extrêmes.

La première spécialisation des députés, c'est la commission à laquelle ils sont rattachés. Lois, Finances, Affaires sociales, Affaires économiques, Développement durable et aménagement du territoire, Affaires étrangères, Défense, Culture et éducation :

huit catégories, toutes fort vastes, qui dessinent une première nuance.

Les domaines de compétence, l'activité, les cultures de travail varient grandement d'une commission à l'autre. Aux Lois, on examine une pléthore de sujets variés, tous plus polémiques les uns que les autres. C'est ma commission et je la trouve passionnante ! Aux Finances, on se répartit les sujets dans une ambiance de groupe de travail d'une extrême rigueur. À la Défense, au Développement durable, on avoue que l'on manque de textes à débattre après le vote du budget. Mais il y a bien d'autres choses à faire en commission que débattre des textes : missions d'information, auditions, débats...

Ensuite il y a tous les groupements thématiques : délégations, offices extraparlementaires, groupes d'étude, groupes d'amitié parlementaires... L'Assemblée, de l'intérieur, est bien plus structurée qu'il n'y paraît.

Outre l'appartenance à tel ou tel groupement, un moyen très efficace pour gagner en compétence, c'est d'être rapporteur d'une loi. Rapporteur, rapporteure : votre mission consiste à travailler la matière de la loi en discussion, jusqu'à être capable d'en justifier les moindres détails, de donner un avis argumenté sur tous les amendements, de faire le lien entre toutes les contributions et le gouvernement. Vous avez le privilège de déposer des amendements après la date limite, et le président de séance vous demande toujours votre avis avant un vote.

Même avec l'aide des administrateurs de l'Assemblée, le rôle de rapporteur sur une loi complexe est une tâche titanesque, et une véritable performance physique, de nos jours, tant l'examen peut se transformer en un marathon. Au fur et à mesure des heures passées à parler, de jour comme de nuit, le rapporteur s'étiole, verdit... le vote final est une délivrance ! D'ailleurs, l'un de mes souvenirs photographiques préférés de cette première année de mandat est le cliché que j'ai pris de la rapporteure du projet de loi Asile/immigration, Élise Fajgeles, tout à la fin du dernier débat : en sportive triomphante, radieuse sur le sol de marbre et le velours rouge de l'Hémicycle. Élise avait accompli un exploit physique et intellectuel, et son travail exigeant et conciliant avait été salué même parmi les adversaires de la loi.

Ajoutons, pour être plus exact, que sur un texte donné il y a d'ordinaire plusieurs collègues qui travaillent d'arrache-pied : outre le rapporteur, qui répond publiquement, il y a les responsables de texte, souvent un par groupe parlementaire, qui, outre leur propre expression, agissent discrètement pour recenser les demandes de prises de parole, tenir à jour les positions de leur groupe, donner des explications complémentaires en off, préparer des négociations en coulisses.

Enfin il y a une troisième façon de se spécialiser, c'est la mission parlementaire. Parfois c'est un rapport que vous faites en sus de votre activité législative habituelle, au sein d'une équipe (parfois seulement deux membres, mais parfois aussi trente) dont la composition associe majorité et opposition ; ces missions peuvent être mandatées par une commission permanente, ou par la Conférence des présidents, l'organe qui préside aux destinées de l'Assemblée. Parfois c'est un rôle de rapporteur dans une commission d'enquête, comme celle, extrêmement médiatisée, qui est intervenue dans le cadre de l'« affaire Benalla ». Et parfois vous êtes intronisé par le gouvernement dans un statut spécial, qui vous laisse les coudées plus franches, celui de « parlementaire en mission auprès du gouvernement ». Pendant une période maximale de six mois, vous êtes alors dégagé de vos obligations parlementaires classiques, et vous pouvez vous consacrer, avec le soutien du gouvernement, à instruire un rapport. Certaines de ces missions servent à préparer une loi : ainsi la mission d'Aurélien Taché sur l'intégration a nourri la loi sur l'asile et l'immigration. Mais d'autres missions ont pour but de conseiller l'action gouvernementale, sans que ce soit nécessairement par le biais d'une loi. Quel que soit l'objet, le rapport est une extraordinaire opportunité de progresser sur le sujet, tant il est vrai que la meilleure façon d'apprendre consiste à enseigner.

Comment cela se passe en pratique, une mission auprès du gouvernement ? D'abord, une lettre de cadrage sera préparée pour préciser le périmètre de la question qui vous est posée, les moyens mis à votre disposition et la durée indicative qui vous est accordée. Ne pas se faire trop d'illusions sur l'ampleur du soutien gouvernemental – et si la mission est compliquée, les ministères se renverront la balle pour savoir qui doit vous financer. Bien garder en tête la date limite de six mois : si vous la dépassez, vous perdez votre siège de député ! Enfin, comme c'est un rapport au gouvernement, le gouvernement a la priorité dans la communication des conclusions du rapport. Et pour le reste, vous avez carte blanche.

Peu de temps après mon élection, j'ai eu la chance de me voir confier une de ces missions auprès du gouvernement : sur le thème de l'intelligence artificielle. Cela a été l'événement le plus prenant et le plus passionnant de ma première année. Certes, c'était une mission à haut contenu scientifique, mais elle allait bien au-delà ; et la porter en tant que politique m'a permis d'aller bien plus loin dans ces autres aspects que si je l'avais effectuée en tant que « simple » scientifique.

Quand la mission m'a été attribuée, à l'automne, cela n'a pas été une surprise si énorme. J'avais déjà évoqué, dans ma campagne, l'importance de l'intelligence artificielle et l'intérêt de recruter des députés qui puissent plancher sur ce thème. Le Premier ministre y a fait allusion dans son discours de politique générale. Les discussions avec Mounir Mahjoubi, secrétaire d'État au Numérique, et avec Cédric O, conseiller du Président et du Premier ministre chargé de l'Économie numérique, ont permis de faire rapidement décanter une première feuille de route.

Et puis il faut dire que l'IA, comme on l'appelle, prenait un malin plaisir à se réinviter partout, y compris dans mon propre univers.

Le sujet m'avait passionné quand j'étais adolescent, dévorant les chroniques du mathématicien essayiste Douglas Hofstadter. Les recherches d'Alan Turing, les spéculations sur l'origine de la conscience, le mystérieux langage de programmation Lisp, l'ambition de mettre le raisonnement humain en algorithme : on trouvait tout cela sous la plume de Hofstadter. Pour un projet de maîtrise, j'avais retrouvé un peu de ce frisson en travaillant sur un programme en Lisp de reconnaissance automatique de rythme d'une mélodie.

Cependant, dans ma carrière professionnelle, j'avais finalement pris une route scientifique très différente. De la physique mathématique, pleine d'analyse et de probabilité : rien à voir avec l'IA, ni de près ni de loin. Du moins le croyais-je.

Le développement fulgurant de ce sujet dans les années 2000 m'avait forcé à l'aborder dans des conférences publiques tant la demande grandissait. Mais quel choc quand, à partir de 2015, je m'étais retrouvé invité, en tant que chercheur, dans des conférences d'IA, puis cité dans des articles de recherche du domaine ! Sans crier gare, certains de mes concepts mathématiques préférés – répondant aux doux noms de dualité de Kantorovitch ou distance de Wasserstein – s'étaient invités dans la trousse à outils des chercheurs en IA. Alors, n'était-il pas naturel que le sujet revienne aussi dans ma vie politique ?

En fait, l'avènement de l'IA a dû être un choc encore plus grand dans la sphère politique. Il y a dix ans, une stratégie nationale en IA était simple : laisser un peu d'argent de poche aux chercheurs pour qu'ils s'amusent avec. Mais maintenant les choses sont bien différentes : chaque nation influente se demande combien de MILLIARDS mettre sur la table et quels leviers utiliser pour faciliter son développement et conjurer le spectre de la dégringolade économique par ringardisation.

L'IA, il y a quelques années, n'avait guère de résultats ; aujourd'hui elle établit des diagnostics automatiques, aide à découvrir de nouvelles thérapies, assiste les agriculteurs dans leur travail quotidien, réalise des traductions en un clin d'œil, fignole des publicités ciblées, aide à créer de nouvelles œuvres d'art. Pour la mobilité, le véhicule autonome est attendu comme un élément fondamental à la fois du désengorgement et de la transition énergétique, en conjonction avec le passage à la mobilité électrique partagée.

Dans tous les domaines, on attend de potentielles révolutions, même s'il est bien difficile de prédire à quelle échéance elles adviendront réellement !

Pour cet enjeu international, les rapports ont déjà fleuri au moment où l'on me confie la mission. La France en a produit un sous l'impulsion d'Axelle Lemaire. Les États-Unis, la Grande-Bretagne, la Chine ont aussi leurs rapports, et leur stratégie se précise. Les grands cabinets internationaux multiplient les notes. Réaliser quelque chose d'original sera un défi !

L'urgence est grande, on parle de l'inaptitude de l'Europe à faire face aux deux géants que sont les États-Unis d'Amérique et la Chine ; la presse économique est déjà en train de mettre en scène ce face-à-face du XXIᵉ siècle.

Pour réussir cette mission, il ne faut pas hésiter à passer du temps sur le casting. Qui va m'accompagner ? Une bonne partie de l'équipe se présente spontanément, alléchée par cette perspective. C'est d'abord le secrétaire général du Conseil national du numérique, Yann Bonnet, qui se propose. Jeune ingénieur compétent et enthousiaste, il entraînera avec lui trois autres administrateurs du Conseil : Charly Berthet, Thomas Levin, Anne-Charlotte Cornut. À eux quatre ils apportent des compétences en ingénierie, droit, sciences sociales, mais aussi en art de la mise en relation et de la synthèse...

Il manque un regard plus spécialisé pour compléter le groupe... Un thésard serait un choix classique : à fond dans son sujet, taillable et corvéable à merci ; mais en me renseignant dans la communauté française de l'IA, je tombe sur une bien meilleure option. Et finalement je recrute Marc Schoenauer, l'un des experts français les plus seniors et les plus reconnus en la matière. Marc est directeur d'équipe Inria, chercheur à temps plein : c'est son institution qui financera sa participation à la mission. À l'aise dans les sujets tant théoriques qu'industriels, Marc est en outre épaulé par son épouse, Michèle Sebag, l'une des grandes figures de l'informatique théorique en France. Recrue inestimable ! Pendant six mois, Marc et moi travaillerons dans une confiance totale pour garantir la qualité de la mission. *First class hires first class, second class hires third class* : si vous avez pour ambition d'être au top, recrutez quelqu'un qui est au top pour vous accompagner, sans craindre qu'il ou elle ne vous éclipse.

Cerise sur le gâteau, la Direction générale de l'armement met à ma disposition un jeune ingénieur polytechnicien, Bertrand Rondepierre, expert en plateformes informatiques et très à l'aise sur les applications industrielles de l'IA. Maintenant nous sommes prêts !

Un atout majeur de ma petite équipe est sa pluridisciplinarité : il en faut pour aborder l'IA, que ce soit pour la faire ou pour l'étudier ! Et dans notre pays où les spécialités sont bien cloisonnées par des barrières invisibles, ce n'est pas si facile. Un collègue israélien m'a dit un jour des paroles marquantes à ce sujet : « En France, vous avez une école de mathématique extraordinaire, bien plus puissante que la nôtre ; une école de biomédecine extraordinaire aussi ; mais quand il s'agit de faire collaborer les deux, nous sommes bien meilleurs que vous. » On pourrait adapter cela à bien des domaines. Mais dans notre composition d'équipe, nous avons su éviter l'écueil du cloisonnement, et cela rejaillira sur la qualité de notre travail.

La réunion de lancement de la mission, au café Le Bourbon, est l'occasion de se mettre d'accord sur les points importants. Méthode de travail, grands thèmes et périmètre de la mission, premières listes d'auditions à programmer, secrétariat, calendrier, répartition des rôles, relations avec le gouvernement...

C'est parti pour six mois de mission qui resteront, pour toute l'équipe, comme une période enchantée.

Nos travaux se tiendront dans un bel écrin, à quelques minutes de l'Assemblée nationale, dans une salle de l'hôtel de Broglie, éphémère havre du secrétariat d'État au Numérique.

Des auditions de personnes concernées comme s'il en pleuvait ; le plus souvent à la douzaine, par thèmes, et avec une dose de contradictoire dès que l'angle du jour s'y prête. C'est la contrainte de temps qui impose de faire ainsi, mais en fait c'est bien mieux que la formule traditionnelle où chaque acteur présente longuement son point de vue sans se faire contredire !

Et pas d'enregistrements, afin de favoriser les contributions franches, directes et informelles.

Industrie, emploi, recherche, médecine, environnement... tout y passe, avec une mention spéciale pour la joyeuse audition sur les femmes et l'IA : nous avons mis un point d'honneur, malgré la sous-représentation des femmes dans le sujet, à rassembler une vaste table ronde 100 % féminine.

Dans les auditions interviennent des experts en IA, mais aussi des entrepreneurs, des politiques, des artistes, des philosophes, des intellectuels, des responsables d'innovation dans tous les secteurs.

Il y a, bien sûr, de longs échanges avec les institutions : Commission nationale informatique et liberté, Conseil d'État, Conseil constitutionnel, Comité consultatif national d'éthique...

Des échanges avec le gouvernement, avec quasiment tous les ministères en fait. Car tous sont concernés ! Avec les Transports, pour anticiper la mobilité autonome. Avec la Défense, sur l'organisation de la recherche en la matière. Avec l'Environnement, car les nouvelles technologies joueront un rôle précieux dans sa défense. Avec l'Emploi, car il faudra des expérimentations, des observatoires, des formations, la refonte aussi de certains métiers « classiques » qui avaient perdu leur attrait.

Des échanges avec le Parlement : nous organisons en interne des ateliers pour sensibiliser et faire participer les collègues.

Des échanges avec l'Élysée : Cédric O et Thierry Coulhon, également conseiller du Président, s'imposent rapidement comme des interlocuteurs de confiance, à qui j'envoie notes et rencontres ; Alexis Kohler, le puissant secrétaire général de l'Élysée, reçoit deux fois, longuement, une délégation de la mission, pour préparer son atterrissage concret.

Des échanges avec les citoyens : tables rondes et débats, mais aussi une grande consultation en ligne, qui permettra de mettre en valeur quelques excellentes contributions ; les participants les plus pertinents seront invités à l'Assemblée pour faire valoir leur point de vue en direct.

Des échanges avec le reste du monde : en fonction des opportunités, des missions sont organisées aux États-Unis, en Allemagne, en Belgique, en Italie, en Grande-Bretagne, en Israël, au Portugal, en Suisse, au Mexique, en Chine. La plupart sont des missions éclair : ainsi, je passe seulement une douzaine d'heures en Israël, avec un programme de rencontres bétonné, à Tel Aviv comme à Haïfa, grâce au zèle de mes contacts sur place.

Des échanges avec les médias : le gouvernement demande un rapport public à mi-parcours, mais donne aussi son accord pour des communications régulières avant même la conclusion du rapport, voyant tout l'intérêt que cela peut avoir. La procédure n'est pas classique, mais elle est très profitable : la presse multiplie les dossiers spéciaux, le débat public est bien alimenté, les journalistes s'investissent et font des progrès rapides, les attentes montent, le travail de la mission est bien mis à contribution et nos recommandations convergent d'autant mieux.

Et en six mois, aucune dispute dans l'équipe, à l'unique exception du sujet piégé des « drones tueurs », expression dont personne ne sait vraiment le sens !

Au fur et à mesure des missions, des thèmes récurrents se dessinent, des questions à arbitrer se précisent. Le triptyque experts/calculateurs/données est le cœur de la compétition mondiale acharnée. Le triptyque technique/éthique/gouvernance revient en creux comme un leitmotiv dans la résolution de problèmes. Les comparaisons internationales, la géopolitique, les stratégies économiques et les particularités des sociétés s'invitent. On fait des estimations financières selon plusieurs méthodes différentes, avec au passage un coup de pouce de la part de plusieurs grands cabinets d'experts. On passe les études au scanner par dizaines.

Une sortie collective dans le très inspirant « The Camp », hôtel à idées construit sous l'impulsion du visionnaire et regretté entrepreneur Frédéric Chevalier, est l'occasion de dessiner la première ébauche de plan. Trop lourd, trop long... tout est à reprendre.

On fait le point sur le Règlement général de protection des données qui va bientôt être en vigueur en Europe. On prône la création de laboratoires de recherche interdisciplinaires, de plate-formes sectorielles de données largement partagées, d'architectures de calcul haute performance, d'un comité d'éthique de l'IA, d'un laboratoire de l'emploi augmenté. On identifie quatre secteurs dans lesquels l'État doit investir en politique industrielle de l'IA : mobilité, santé, environnement, défense. On cherche à délimiter le partage des rôles entre puissance publique et acteurs privés : à l'autorité commune d'organiser la mise à disposition des données, les règles du jeu, la concurrence ; quant à l'exploitation, la collecte, la mise en place des services, tout cela pourra être soumis à compétition pour garantir la bonne qualité de service et la mise à jour. Et la responsabilité doit rester à la puissance publique et à l'humain !

Peu à peu les parties s'organisent, les paragraphes se perfectionnent. On travaille l'iconographie. On sollicite de petites histoires pour illustrer les différents cas de figure. On rédige des annexes sur des sujets qui nous tiennent à cœur.

Un projet qui marche bien, c'est un projet qui s'impose à ses concepteurs ; vous ne le maîtrisez plus, c'est lui qui vous maîtrise. Il occupe vos pensées, et vous vous retrouvez dans cet état de « flot » où votre cerveau est tout entier occupé à le construire. Tout cela, nous le sentons collectivement au fur et à mesure que la date limite approche.

La rédaction de la petite préface marque la fin du processus. Notre bébé est prêt à être reproduit, présenté publiquement, et nous en sommes très fiers.

Notre rapport sur l'IA n'essuiera que très peu de critiques (et il en sera tenu compte), il sera salué, commenté, lu avec attention sur plusieurs continents. Et incontestablement, il a son originalité.

Dans mes conférences sur le processus créatif, j'aime bien insister sur sept ingrédients clés, et tous ont été présents dans la création de notre rapport : la documentation (qui n'a cessé de couler à flots sur le sujet), la motivation (qui n'a jamais fait défaut à notre petite équipe), l'environnement humain (fourni par les quantités de personnes qui ont bien voulu nous faire part de leur point de vue), les échanges (à l'occasion de missions de reconnaissance spéciales), les contraintes (et par-dessus tout la contrainte de temps !), le duo d'incubation/illumination (qui s'est dégagé des auditions) et la chance, qui nous a souri plus d'une fois.

Les contraintes temporelles ont été fortes, les délais serrés : d'autant plus que, à peine engagé dans le cœur de la mission IA, j'ai accepté une seconde mission – cette fois pour l'Éducation nationale !

En partie à cause des résultats catastrophiques des écoliers français aux évaluations internationales, en partie à cause du buzz de la méthode de Singapour, en partie du fait de l'influence des sciences cognitives, le ministre de l'Éducation nationale, Jean-Michel Blanquer, me propose, tout début octobre, de prendre la tête d'un rapport sur l'enseignement mathématique en France. Sujet hyper sensible : la France est la fière patrie de tant de grands mathématiciens, de Pascal et Fermat à Grothendieck et Serre, en passant par Galois et Poincaré ; elle a reçu plus de récompenses internationales en mathématique, par rapport à sa population, que n'importe quel autre pays ; elle a plus d'influence en mathématique que dans n'importe quelle autre discipline académique. Et pourtant nos écoliers sont en perdition ! Qu'est-ce que cela augure de l'avenir ? Comment ne pas m'emparer d'un sujet si important !

Mais des missions, on peut en faire deux à la fois !? Je ne savais pas, rien ne l'interdit. Alors allons-y !

Il fallait voir la tête de mon équipe, déjà bien occupée par le rapport sur l'IA, quand je leur ai annoncé qu'on allait en faire un deuxième « en même temps »…

Ce nouveau rapport se fera en tandem avec Charles Torossian, un mathématicien que j'ai côtoyé il y a plus de deux décennies déjà à l'École normale supérieure, avant qu'il ne prenne le chemin de l'Éducation nationale ; aujourd'hui il officie en tant qu'inspecteur général.

L'enseignement mathématique, cela éveille les passions. Au-delà des centaines d'auditions, nous recevons plus de mille contributions spontanées !

Je croyais connaître le sujet et son état de déréliction… mais au fur et à mesure, je découvre combien j'étais naïf. Charles et moi sommes sidérés par certaines constatations, par d'horribles anecdotes. C'est presque avec terreur que nous réalisons l'inexistence du réseau local d'encadrants et d'experts qui pourraient permettre de remonter la pente. La situation est bien plus grave que nous n'en avions conscience ; pour autant, il ne faut mettre personne sur le banc des accusés. C'est l'État qui est responsable de l'éducation nationale, c'est donc lui qui est à blâmer si cette dernière a perdu pied dans les deux dernières décennies.

C'est aussi avec étonnement que nous voyons les conclusions se détacher d'elles-mêmes au fur et à mesure des auditions, dans un consensus inattendu. Les programmes, les méthodes, le matériel ? Tout cela est important, mais presque tous les acteurs nous répondent en chœur que la réparation de la formation des enseignants, que ce soit la formation initiale ou la formation continue, est LA priorité des priorités.

D'autres thèmes reviennent aussi : la nature même du cours de mathématique, tout en équilibres subtils ; la richesse du secteur périscolaire, de tout ce qui accompagne l'enseignement ; l'importance stratégique du primaire.

Des mesures se dégagent : encouragements des échanges entre enseignants, mise en place d'une expérimentation pour une formation déconcentrée, création de laboratoires de mathématique mélangeant enseignants et universitaires, recrutement de référents dans les circonscriptions éducatives, lutte contre les stéréotypes de genre au moment de la formation des enseignants, mise en place de cours différenciés, recadrage d'une licence pluridisciplinaire pour apprentis enseignants, dès après le baccalauréat, tests de méthodes explicites, expérimentations de logiciels, apprentissage du sens des quatre opérations dès le cours préparatoire, soutien aux clubs et concours de jeux mathématiques et apparentés – bridge, échecs, magie, clowns, etc.

La rédaction du rapport est répartie entre toute l'équipe que nous avons constituée (en tout dix-sept personnes expertes à des titres variés, recrutées un peu partout en France), puis passée à la moulinette par Charles, après quoi nous consacrons de longues heures à revoir les détails. Ce rapport aussi sera lu soigneusement, non seulement en France mais également à l'étranger, de l'Italie à la Russie, tant le problème de l'éducation mathématique est partout d'actualité aujourd'hui.

Jamais deux sans trois : un troisième engagement viendra s'inviter sur mon bureau au même moment. Cette fois ce n'était pas une nouvelle commande, mais un engagement ancien qui revenait : la tragique affaire Maurice Audin.

Maurice Audin, c'est ce jeune mathématicien communiste, militant de l'Algérie indépendante, dénoncé et arrêté par l'armée française en 1957 à Alger, disparu sans avoir revu sa famille. Pendant des décennies, l'État dira à Mme Audin que son mari s'est évadé. Mais personne n'est dupe : il est bien mort en détention, après avoir été torturé. Comme tant d'autres !

Le militantisme généreux de Maurice Audin, son origine européenne, en font un symbole, en France comme en Algérie. Des intellectuels, des militants, des journalistes interpellent l'État pour réclamer la vérité. Le journaliste Henri Alleg, lui-même torturé, témoigne ; l'historien Pierre Vidal-Naquet lui consacre un ouvrage ; le mathématicien Laurent Schwartz organise la cérémonie de soutenance de thèse d'Audin, en l'absence du candidat, qui attire une foule considérable.

C'est le début de toute une chaîne humaine qui, à travers les décennies, se relaie pour exiger la vérité – pour la famille, mais aussi au nom de tous les disparus d'une guerre qui reste vivace dans notre mémoire collective.

Mon parcours de mathématicien a croisé la mémoire de Maurice Audin en bien des occasions.

D'abord par mes contacts personnels avec ses deux enfants, Michèle et Pierre, eux-mêmes mathématiciens. Pierre, vulgarisateur de talent, a exercé au Palais de la Découverte ; nous nous sommes refilé bien des astuces de médiation mathématique. Michèle, experte en systèmes dynamiques et en histoire des sciences, est aussi écrivaine ; nous nous sommes retrouvés dans des colloques scientifiques aussi bien qu'à l'occasion de séances de dédicaces.

Ensuite par mes fonctions. Mon prédécesseur à l'Institut Henri-Poincaré, Michel Broué, était déjà farouchement engagé dans le combat pour la mémoire de Maurice Audin. Pour ma part, j'ai accepté de laisser l'Institut reprendre l'organisation du prix Maurice-Audin, prix de mathématique franco-algérien, dont j'ai assuré pendant trois ans la présidence du jury.

Ajoutons enfin que l'Algérie est un pays qui m'est cher, que mes parents y sont nés, que j'y ai donné quantité de conférences, et que j'ai pu y mesurer par moi-même à quel point le nom de Maurice Audin y résonne fortement !

Voilà comment je me suis retrouvé en première ligne sur ce dossier, déjà dans ma vie de mathématicien, militant pour la reconnaissance de la responsabilité de l'État français. Pas pour accuser, ni pour se morfondre, mais pour soulager la famille, pour avancer dans les relations franco-algériennes, pour mieux penser au futur sans le poids du passé.

En 2014 j'avais eu l'occasion de lire publiquement la communication de François Hollande, qui pour la première fois reconnaissait que Maurice Audin n'était pas mort en détention et acceptait de lancer un important travail de fouille dans les archives. Mais ce n'était pas suffisant.

Quelques jours avant son décès, j'ai promis à Roland Rappaport, l'éternellement jeune avocat de la famille Audin, que je continuerais à porter la revendication. Même promesse solennelle à Gérard Tronel, l'infatigable résurrecteur du prix Maurice-Audin, qui avait tant fait pour inscrire cette récompense dans la vision d'une coopération scientifique mutuellement bénéfique à la France et à l'Algérie. Je me suis engagé auprès de suffisamment de vivants et de morts pour la famille Audin ; et je n'ai pas l'habitude de briser mes engagements. Il était inévitable que je reprenne, en tant que politique, le flambeau de ce que j'avais entamé en tant que mathématicien.

Alors c'est reparti. Le rythme est moins soutenu, mais le dossier doit se traiter avec rigueur : requêtes, discussions, voyages en Algérie, tables rondes, tribunes. Échanges réguliers avec Sylvain Fort, plume et conseiller d'Emmanuel Macron. Discussions avec les historiens, en particulier Sylvie Thénault et Benjamin Stora. Une interview dans *L'Humanité* entraîne de la publicité et amène de nouveaux témoignages. Mon collègue communiste Sébastien Jumel me propose une conférence de presse commune : j'accepte sur-le-champ, sans me soucier de notre appartenance à des groupes politiques différents, car c'est un combat qui dépasse les clivages – et car Maurice Audin n'aurait pas compris que j'aie ne serait-ce qu'une seconde d'hésitation à ce sujet. La conférence de presse à son tour amène une tribune dans *The Conversation*, que je publie le jour anniversaire de la disparition d'Audin. Les communiqués se multiplient, l'association Maurice Audin se tient prête, la famille s'impatiente… le bruit se répand.

Pendant ce temps l'équipe présidentielle, bien décidée à clore ce dossier, organise la rédaction d'une déclaration solennelle. Les échanges réguliers avec les uns et les autres me montrent que la chose est prise de manière exemplaire : l'Élysée organise la concertation entre les historiens, les militaires et la famille Audin, prenant soin de faire valider les points délicats chaque fois que c'est nécessaire, tout en conservant une totale confidentialité sur le texte. Pour la première fois depuis des décennies, l'État progresse vraiment sur ce dossier emblématique.

Intelligence artificielle, enseignement mathématique, Maurice Audin : trois dossiers auxquels j'ai pu me consacrer pleinement au cours de cette première année de mandat. Même si tous ont un lien avec la mathématique, ce n'est pas tant ma compétence dans ce domaine qui m'a aidé à les aborder, que la possibilité de m'appuyer sur mes réseaux scientifiques, et plus que tout la confiance que m'ont accordée les différentes communautés concernées.

La conclusion de chacun de ces dossiers est l'occasion d'une orgie médiatique, où les interventions s'enchaînent sans discontinuer. Moment spécial, éphémère, où il faut préparer ses messages simplement et les répéter à l'envi, faire attention à toutes les polémiques et rectifier le tir si nécessaire. Tout se joue en vingt-quatre heures !

La mission mathématique est la première à atterrir. Conférence de presse à trois avec Charles Torossian et Jean-Michel Blanquer ; le ministre s'engage à mettre en œuvre toutes nos propositions sur la formation, sur les équilibres des cours de mathématique, sur le domaine périscolaire. La couverture médiatique est bonne, même si la presse ne retient qu'un très petit nombre de nos propositions, et pas dans l'ordre dans lequel je les aurais mises… c'est bien quand même ! Nous avons commis quelques erreurs protocolaires et nous ne les répéterons pas. Quelque temps après, Charles est nommé coordinateur national de la stratégie mathématique : le redressement peut commencer.

En octobre 2018, Charles fait un point d'étape. À travers la France, pas moins de cent cinquante lycées se sont lancés dans la création des laboratoires de mathématique, pour lesquels un alias électronique dédié a d'ailleurs été créé. Plus de sept cents référents locaux ont été recrutés dans les académies. Toutes les académies se lancent dans des plans de formation de dix-huit jours sur deux ans, qui seront complétés par des plans de formation de six jours par la Direction générale de l'enseignement scolaire. Des centaines de clubs périmathématiques sont en voie de recensement, et un plan se dessine pour soutenir la diversité des initiatives, qui s'avère encore plus grande qu'on ne le croyait. Ce qui est en cours s'annonce comme le plus ample mouvement de rénovation de l'enseignement de la discipline depuis trois décennies.

En sus de la question mathématique, nous avons aidé le ministre à trancher un débat qui empoisonnait notre système depuis de longues années : la place de l'enseignement de l'informatique à l'école. Après notre rapport, il est acquis que cet enseignement doit être axé sur l'algorithmique, et commencer dès le cours préparatoire. Nos amis anglo-saxons le font déjà, et en France il y a eu des expériences concluantes : l'heure n'est plus à l'hésitation ! Après des décennies de blocage idéologique, nous allons pouvoir faire entrer notre enseignement dans le XXIᵉ siècle.

Pour moi la mission ne s'arrête pas là. La mise en œuvre doit être accompagnée jusque sur le terrain. Alors que Charles sillonne inlassablement la France (au moins deux visites par académie, pour haranguer les troupes, vérifier comment se passe le recrutement, prendre le pouls de l'administration locale, dissiper les malentendus, répondre aux contestations…), je l'accompagne dans plusieurs déplacements – Rodez, Marseille, Mayotte –, rencontre les autorités avec lui, anime des tables rondes, donne des conférences pour lycéens et enseignants. Si le changement s'effectue dans la durée, il faut, autant que possible, l'accompagner.

Et les autres missions ?

La mission IA vient à terme deux mois après la mission enseignement mathématique. Ce sera un événement en fanfare, au Collège de France. Colloque international avec une douzaine d'intervenants français et étrangers mondialement reconnus, participation d'une demi-douzaine de ministres, discours de la ministre de la Recherche allemande, du commissaire européen, du Président français. Beaucoup d'adrénaline, et une fierté immense pour l'équipe. Le Président ne s'est pas contenté d'un discours : la veille de l'événement, il a reçu à l'Élysée tous les participants au colloque et a échangé en direct avec eux pendant trois heures. Les experts venus des États-Unis, d'Israël, d'Australie ne s'attendaient pas à avoir cet accès direct à un chef d'État… et le lendemain, le rédacteur en chef de *Wired* a été tout autant soufflé de voir ledit chef d'État donner, sans se faire aider d'aucun conseiller, une interview magistrale sur le sujet.

Dans les mois qui ont suivi, quand j'ai pu discuter de cette séquence avec des collègues étrangers, ils me disaient souvent :

« Où l'avez-vous trouvé, votre Président ? » ; ou encore : « Vous en avez de la chance, en France, d'avoir un si bon contact entre science et politique. » Et pour ma part, je me réjouissais d'avoir sauté le pas.

Et bien sûr, le plus important : le plan IA a commencé à se dérouler, suivant de très près nos préconisations. Bien sûr, il y a eu un moment de flottement après le rapport – n'est-ce pas toujours le cas ? Mais les choses ne furent pas si longues à s'enclencher : nomination d'un coordinateur interministériel, mise en place d'instituts interdisciplinaires, création de formations, montage de plateformes sectorielles, politique industrielle… Aujourd'hui la mise en œuvre du rapport IA est symbolisée par une soixantaine de lignes sur un grand tableau Excel coloré que le coordinateur, Bertrand Pailhès, tient à jour en fonction de l'état d'avancement des différentes actions.

Le rapport a été lu et relu, et pas qu'en France : l'Allemagne n'en a pas fait mystère, elle s'en est largement inspirée pour mettre au point sa stratégie ; l'Union européenne a fait de même ; mais le rapport a été attentivement examiné aussi en Asie et en Amérique. Et depuis lors, peu de jours se sont passés sans que je ne parle d'IA. À Paris et dans les territoires, y compris des territoires ruraux (pas question de réserver l'IA aux citadins, bien au contraire) ; en France et à l'étranger ; de Hong Kong à Nuremberg, de San Francisco au Vatican, devant des étudiants, enfants, enseignants, chercheurs, ambassadeurs, entrepreneurs, journalistes, fonctionnaires, prêtres, simples curieux. S'il est un sujet dont il faut parler, c'est bien celui-là !

En novembre 2018 à Tokyo, le représentant du ministère allemand de la recherche me remerciait publiquement, au nom de la France, pour avoir lancé un plan stratégique tôt, pour avoir stimulé l'Allemagne sur ce sujet. Il faut dire que les signes d'urgence se multiplient ! À la même époque, une vedette de la Silicon Valley me disait qu'un capital-risqueur d'aujourd'hui mettra, spontanément, 2/3 de sa mise en Chine et 1/3 aux USA… où est l'Europe ? L'entreprise chinoise d'éducation par l'IA, Squirrel AI, a vu ses effectifs multipliés par cent en un an, pendant que nous sommes juste en train de recenser nos forces en la matière. Et la métropole de Tianjin a annoncé un investissement de 15 milliards de dollars sur l'IA, soit dix fois plus que l'investissement public de toute la France. La riposte européenne doit être rapide, ambitieuse et coordonnée ! Mais l'union ne se fera pas d'elle-même, c'est pourquoi, tout au long de l'automne 2018, j'ai multiplié les contacts avec des responsables européens, et en particulier allemands – politiques, scientifiques, entrepreneurs. Cette mission-là aussi continue…

Que dire de l'affaire Audin ? Pour moi, c'est sans doute le plus beau souvenir de tout ce début de mandat.

Elle a franchi une première étape début 2018, quand Emmanuel Macron m'a autorisé à faire part, dans un colloque à la mémoire de Gérard Tronel, de sa conviction personnelle que Maurice Audin avait été tué par l'armée française.

Elle a surtout franchi une étape décisive en septembre 2018, quand la déclaration solennelle du Président est arrivée à maturation.

Le 7 septembre, pendant un trajet en voiture – de Rodez à Toulouse, d'une conférence à l'autre –, Sylvain Fort me lit au téléphone l'intégralité du texte. Version courte, version longue. Je reste ébahi : absolument tout y est, les revendications de l'association Maurice Audin, les messages des historiens, les mots justes pour toutes les douleurs. À travers le cas Audin, le Président reconnaît les souffrances de tous les disparus, dans tous les camps. Il dénonce clairement ce qui était inacceptable et rend hommage à tous ceux qui ont agi avec courage et droiture. Le texte est un petit bijou, et chaque fois que je me ferai interpeller sur cette action, je pourrai toujours dire : « Lisez la déclaration du Président ! »

Quelques minutes après, j'appelle Pierre Audin, le fils de Maurice, pour évoquer la déclaration. Il prononce ces paroles, à peine croyables pour qui connaît son caractère intransigeant : « Je ne vois pas ce que j'aurais pu demander de plus à un Président. »

Le 13 septembre, au petit matin, je me dirige en taxi vers le studio de France Inter où Léa Salamé va m'interroger sur l'affaire Audin et l'annonce que le Président fera dans l'après-midi. Sur le trajet, je surveille Twitter : arrive enfin la couverture que j'attendais, celle de *L'Humanité*. J'ai été plusieurs fois en contact avec la journaliste pendant les derniers mois et il n'y a pas de surprise sur le contenu. Mais quand je vois la couverture, la photo d'Audin en noir et blanc, pleine page, avec le simple mot « ENFIN », je me mets à pleurer.

L'après-midi, c'est la visite au domicile de la famille Audin. Nous nous retrouvons dans le métro, en petit groupe – les historiennes Raphaëlle Branche et Sylvie Thénault, la journaliste Nathalie Funès. Pacifiquement assiégé par les journalistes, le domicile a été sécurisé.

On monte quelques étages, on arrive dans l'appartement de la veuve de Maurice, à Bagnolet. Nous y retrouvons Josette, Michèle et Pierre Audin, et une petite poignée de proches. Maud Vergnol, de *L'Humanité*, est également présente. Le réalisateur François Demerliac, qui suit la famille depuis longtemps, y a installé son matériel : avec la photographe de l'Élysée, c'est le seul objectif autorisé à opérer. Benjamin Stora et Sébastien Jumel nous rejoindront. À peine deux journalistes ont la permission d'assister à la visite – et encore, il faut que je serve de négociateur avec la famille tant leur besoin de se sentir en confiance avec chacun est fort.

Les gâteaux maghrébins maison, apportés par une amie, sont là : l'accueil sera simple mais de grande qualité.

Du coin de la fenêtre, on surveille les journalistes : quand ils s'affolent, on comprend que le Président approche avec une petite escorte. Le Groupement de sécurité du président de la République investit les lieux.

Pour laisser le Président en tête à tête avec la famille Audin, on s'entasse dans la cuisine. Trois historiens, deux députés et deux journalistes qui discutent joyeusement… un peu trop joyeusement ! Deux fois la sécurité nous rappelle à l'ordre quand nous sommes trop bruyants, on a le sentiment d'être des enfants pas très sages, consignés dans leur chambre. Mais consignés ou pas, on a le sentiment de vivre un moment historique et on repense aux années, aux décennies d'efforts qu'il a fallu pour en arriver là.

Puis le cercle a été ouvert plus largement et nous avons rejoint le salon où Josette Audin était assise auprès d'Emmanuel Macron.

De toutes les cérémonies officielles auxquelles j'ai pu assister, celle-ci était la plus singulière !

D'abord par le contraste entre le si modeste appartement de Bagnolet et le prestige des personnes qui s'y trouvaient – le président de la République, avec son chef d'état-major, et sa photographe officielle.

Ensuite parce que dans ce décor, la personne au centre de toutes les attentions, celle autour de laquelle tout le monde faisait cercle, ce n'était pas le Président, mais Josette Audin, frêle et forte. Parlant doucement, visiblement heureuse, elle portait sur ses épaules le poids de soixante ans de combat.

Singulière aussi par l'ambiance d'union sacrée qui régnait. Jumel, tenace critique du gouvernement, a ce soir félicité chaleureusement Emmanuel Macron et, dans les jours qui ont suivi, multiplié les louanges au sujet du geste du Président.

Singulière enfin par la simplicité des échanges. Pas de discours écrits, mais une conversation, où les langues se sont déliées, où tous et toutes ont contribué et dit ce qui leur semblait le plus important.

Ce jour-là, la famille Audin était soulagée. Cela faisait plus de soixante ans (SOIXANTE ans !) que le mathématicien Laurent Schwartz avait interpellé l'État en demandant des nouvelles de Maurice Audin. Emmanuel Macron n'était pas encore né, c'est à lui que reviendrait d'apporter officiellement ces nouvelles.

Le Président reste longuement, et prend congé. À Josette qui lui dit : « Je vous remercie », il répond : « C'est plutôt à moi de m'excuser. » Au nom de l'État qui a mis si longtemps à reconnaître la vérité historique.

Fin de l'entrevue. Les médias sont en effervescence. De temps en temps, je passe le téléphone soit à Pierre Audin, soit à Michèle

Audin, qui l'accueille d'un : « Ah, ça fait bien vingt minutes que je n'ai pas eu d'interview. » Un duplex est organisé dans une chambre. Jusqu'au soir, je vais croiser Pierre Audin sur les plateaux de télévision.

Le lendemain, 14 septembre, c'était la Fête de l'Huma. J'y participais pour la troisième fois. Même atmosphère d'union sacrée ; l'occasion de faire un discours devant une foule nombreuse rassemblée pour l'inauguration de la rue Maurice-Audin.

Bien sûr, c'était un moment d'exception. Quelques heures plus tard, les débats véhéments avaient repris, sur la politique économique, sur la politique du gouvernement, sur les complications de la France en 2018.

Mais restait la sensation d'avoir eu, deux jours durant, la chance de pouvoir m'extraire de toute cette toile des complications de la politique au quotidien, pour me retrouver embarqué dans un bout d'Histoire. Et le sentiment d'avoir accompli ma part de ces missions.

Accompli, bien sûr c'est un raccourci. Aujourd'hui encore, il ne se passe guère de jour sans que j'intervienne sur l'un de ces sujets de prédilection. Discussions, conférences publiques, interactions avec les ministères, rendez-vous… Mon périple en Algérie fin 2018 – Béjaia, Oran, Alger – incarnait toutes ces facettes à la fois : placé sous le signe d'un hommage à Maurice Audin, il était l'occasion de conférences sur l'aventure de la recherche scientifique, sur la place des scientifiques dans la culture, sur l'enseignement mathématique moderne, sur l'intelligence artificielle.

Une vraie mission ne s'interrompt jamais, elle évolue constamment.

Discours de remise

Mon discours au président de la République, à l'occasion de la conclusion de la mission IA (31 mars 2018).

Monsieur le Président, Mesdames et Messieurs les ministres, Monsieur le Commissaire, Monsieur l'administrateur général du Collège de France – cher Alain –, chers collègues universitaires et parlementaires, chers collègues et amis,

C'est avec émotion et fierté que je remets officiellement aujourd'hui ce rapport, commandé par le Premier ministre Édouard Philippe. Ce rapport porte sur la stratégie française en intelligence artificielle, mais c'est un sujet qui concerne aussi l'Europe, et qu'il faut aborder avec le recul mondial, comme l'a bien montré le brillant colloque international de cette matinée.

Ce rapport est le fruit d'un travail de longue haleine – six mois, et ce n'était pas trop !

Ce rapport est le fruit d'un travail de synthèse qui s'est nourri des rapports de France IA, de l'OPECST, de la CNIL, du Conseil d'orientation pour l'emploi, du groupe de travail entre Académie de médecine et Académie des sciences.

Ce rapport est le fruit d'un travail d'équipe avec, à mes côtés, Marc Schoenauer, Yann Bonnet, Charly Berthet, Anne-Charlotte Cornut, François Levin et Bertrand Rondepierre – une équipe de rêve comprenant des compétences en recherche informatique, science des données, apprentissage automatique, philosophie, droit, sciences humaines et sociales… la combinaison de talents qui demain permettra d'aborder les sujets multiformes de l'intelligence artificielle, ou IA !

Car l'IA s'invite dans tous les sujets et les transforme. C'est de la science et de la technologie, mais c'est aussi tout le reste – économie, formation, éthique, valeurs, projet de société, lutte contre les discriminations et pour l'inclusion, pour l'amélioration de notre bien-être et de notre environnement.

C'est pourquoi, au fur et à mesure de notre mission, la liste de contributions s'est allongée et diversifiée : quatre cent cinquante personnes auditionnées en France et à l'étranger, des déplacements à Palo Alto, Londres, Lisbonne, Bruxelles, Haïfa et Tel Aviv, Ratisbonne, Berlin, Zurich, Beijing, Bologne, sans compter Montréal qui est venu à nous lors de la visite du Premier ministre Couillard. Ajoutez à cela une consultation publique à laquelle plus de mille six cents personnes ont participé, une comparaison internationale de la Direction générale du travail, un rapport de France Stratégie, rendu public aujourd'hui. Des contributions de mes collègues députés Éric Bothorel et Paula Forteza sur les données, un énorme travail de ma collègue Valéria Faure-Muntian. Et des think tanks et clubs de réflexion politique, à Paris et en région. Quel enthousiasme !

Toute cette riche information, il fallait l'ordonner, lui donner du sens : c'est-à-dire tout à la fois proposer des axes d'action pour la puissance publique, rechercher la signification derrière les obscurs algorithmes et les mystérieuses évolutions technologiques, et expliquer à tous, car l'IA est l'affaire de toute la société.

Ce rapport aborde successivement la politique économique et de données, la recherche, l'emploi et la formation, l'inclusion, l'environnement, l'éthique, avec des accents sur l'éducation, la santé, la mobilité, l'agriculture, la défense.

Plutôt que de tout passer en revue, je souhaite insister sur trois axes qui traversent tous les chapitres : expérimentation, partage et souveraineté.

Je commence par l'expérimentation, car le sujet, développé au départ par l'amour de la curiosité, progresse encore et toujours par l'expérimentation. Pour nous approprier l'IA, il nous faudra de la recherche fondamentale et appliquée, interdisciplinaire, que nous devrons soutenir de toute urgence. C'est aussi l'expérimentation en matière de société et de travail, et de réglementation, qui nous permettra d'aborder en confiance les bouleversements à venir en la matière.

Je continue par le partage. Partage des connaissances à la base du progrès scientifique et technologique, partage international comme le colloque de ce matin, avec son brassage de visions. Partage d'expérience entre France et étranger, public et privé, contacts interdisciplinaires, cursus multi-spécialités, dialogue entre sciences dites dures et dites humaines, renforcement d'actions internationales. Partage entre experts et citoyens, partage des bienfaits pour que l'IA ne profite pas qu'aux *happy few*. Partage de l'action, pour que ce ne soit pas une toute petite minorité qui continue à faire l'IA. Actions incitatives pour la diversité, pour l'inclusion, et pour chasser les biais de nos algorithmes. Mais aussi partage des données au bénéfice commun : une nouvelle forme de solidarité, avec un rôle majeur de l'État pour susciter un partage, partout où il sera utile à la collectivité et au bien public.

Je termine par la souveraineté. La souveraineté, cela ne veut pas dire dominer le monde, mais ne pas se laisser imposer des choses que l'on ne souhaite pas. Protéger nos citoyens par la loi et les règles, comme le Règlement général de protection des données. Se doter d'infrastructures de stockage et calcul en Europe. Donner à notre nation l'expertise qui convient pour agir et influencer. Avoir des moyens économiques et des ressources humaines à la hauteur. Décider des secteurs que l'on favorise, décider aussi des valeurs que nous inscrirons dans les algorithmes. Ne pas se laisser imposer des résultats algorithmiques sans les comprendre ou leur faire aveuglément confiance. Mettre en place un comité éthique indépendant et des contrôles systématiques.

Expérimentation, partage, souveraineté : trois thèmes où l'État aura un rôle crucial à jouer. L'État français, mais aussi l'Europe, tant il est vrai que la France ne pourra pas tenir son rang sans le soutien de l'Europe, et entre autres de l'Allemagne.

Monsieur le Président, c'est un grand honneur que de voir la stratégie en intelligence artificielle annoncée en même temps que la remise du rapport : preuve que vous savez vous saisir sans attendre de ce sujet qui contribuera à façonner le XXIe siècle, pour sonner le réveil de la France, et de l'Europe.

22 juin 2018, fin de matinée.

Après le réveil, on est montés sur le plateau de Saclay ; une photo un peu emphatique me montre à la conquête du plateau, dans un nimbe de lumière, avec à la main le livre de Martine Debiesse sur les « Terres précieuses ».

On a traversé Vauhallan, si authentique, avec sa beauté mystérieuse. Au bar-tabac, on a tenu de grandes discussions avec le chaleureux propriétaire. On a parlé des évolutions en cours, des rachats de tabacs, de la crise de vocations, des investissements chinois qui se multiplient dans ce secteur.

Le patron est une institution, cela fait des décennies qu'il officie ici. Quand il prendra sa retraite, qui le remplacera ?

Le bar-tabac, c'est un endroit central, c'est le lieu où tout le village discute. Faut-il le conserver tel qu'on l'a connu depuis toujours ou presque ? Ou changer les règles pour insuffler davantage de vie publique ?

— Il faut trouver le nouveau modèle, c'est comme l'Assemblée. On ne peut pas fonctionner sur les mêmes règles que l'on avait il y a cent ans !

— Ah oui mais dites-moi, je veux pas vous faire offense, mais ce qu'on voit à la télé de l'Assemblée ça n'a pas l'air vraiment moderne ?

— Ça a son charme. J'ai été au Bundestag allemand, c'est plus moderne en apparence, mais je préfère mon

Assemblée nationale. Pour autant, faut que ça bouge, et ça va bouger, dans son fonctionnement.

— Vous allez changer les règles de parole ?

— C'est plus profond, ça concerne aussi des mécanismes que vous ne voyez pas encore à la télévision. Sur la partie que j'ai prise en charge, l'Office parlementaire scientifique, je vous jure que c'est en mutation. On est en train de revoir tous les processus pour être bien en phase avec le monde moderne.

— Faudra qu'on vienne visiter, un de ces jours !

Chapitre 7

RESTRUCTURATION

Si certains députés prennent un sujet de fond à bras-le-corps, d'autres s'occupent de l'outil même qu'est l'Assemblée nationale. Ce sont en particulier le président de l'Assemblée, assisté des vice-présidents et secrétaires ; les présidents de commissions ; et le collège des trois questeurs, responsable des décisions administratives.

Quand elle arrive à l'Assemblée, en juin 2017, la nouvelle promotion entend bien changer les choses, et bien des collègues se lancent, avec un enthousiasme quasi juvénile, dans la rénovation institutionnelle.

Il n'y a jamais eu autant de jeunesse au Parlement ; beaucoup n'ont pas trente ans, et cela se sent. Avec mes quarante-quatre ans, je serais passé il y a peu pour un jeunot, mais aujourd'hui je suis plus âgé que la moyenne au sein du groupe majoritaire !

Pour la première fois, des députés novices accèdent à des fonctions qui leur auraient été impitoyablement barrées auparavant : président de commission, questeur... C'est comme si l'on avait refait, à petite échelle, notre abolition des privilèges !

Le nouveau président, François de Rugy, fait la chasse à quelques avantages archaïques et installe une série de groupes de travail transpartisans sur le fonctionnement de l'Assemblée.

À la questure, Florian Bachelier et Laurianne Rossi se lancent dans un énergique toilettage des processus. C'est par exemple à Florian que l'on doit un nouvel arrangement pour l'hébergement des députés qui ne sont ni parisiens, ni logés à l'Assemblée : auparavant on leur payait une chambre d'hôtel trois nuits par semaine ; désormais on leur fournira un complément de loyer. Plus convivial pour les députés, moins cher pour la collectivité.

C'est à un autre chantier que je vais avoir l'occasion de m'atteler : la rénovation de l'Office parlementaire scientifique, ou plus précisément, selon l'interminable désignation officielle, Office parlementaire d'évaluation des choix scientifiques et technologiques (OPECST, à prononcer OPEXT).

Né dans les années quatre-vingt pour fournir aux députés et sénateurs une expertise technologique sur le sujet clé du nucléaire, l'OPECST se veut le trait d'union entre la sphère des experts scientifiques et celle des parlementaires. Bien pensé, il a été à l'origine de plusieurs lois importantes sur des dossiers à la fois hautement technologiques et hautement politiques.

Mais en 2017, cet organe stratégique est en bien petite forme. Ses effectifs et son budget ont fondu ; au Sénat il est passé tout prêt de la mort clinique. Voilà longtemps que ses excellents rapports sont peu sollicités (comme le remarque Guy Carcassonne dans son fameux commentaire de la Constitution) et encore moins lus. Au cours des dernières années, il a été porté à bout de bras par un très petit noyau de parlementaires dévoués jusqu'au sacerdoce : Claude Birraux, Bruno Sido, Jean-Yves Le Déaut, Catherine Procaccia… Plus personne, ou presque, ne songe à l'OPECST comme à un vecteur de prestige politique. Et pourtant, à l'heure où les sujets scientifiques complexes s'invitent comme rarement dans la politique internationale, le Parlement a plus besoin que jamais d'un outil scientifique dynamique et influent.

La situation n'est pas reluisante, mais c'est une configuration idéale pour qui veut se retrousser les manches, et cette situation me rappelle tout à fait l'Institut Henri-Poincaré au début de mon mandat de directeur : plein de prestige, mais aux abois en termes de moyens et d'influence. La ressemblance est d'autant plus forte que dans un cas comme dans l'autre, j'ai commencé par connaître l'institution en siégeant dans son conseil scientifique.

Mes collègues m'accordent leur confiance, et je suis élu président de l'OPECST avec une large majorité. C'est le moment de lancer le processus de restructuration.

Pour commencer, l'humain. L'OPECST compte dix-huit députés et dix-huit sénateurs. Certains d'entre eux ont une bonne familiarité avec le monde scientifique ; la vague En marche en a apporté plus que d'ordinaire. Il faudra mettre leur détermination à profit. Des collègues comme Jean-Luc Fugit, Valéria Faure-Muntian, Huguette Tiegna, Émilie Cariou ou encore Jean-François Eliaou vont multiplier les engagements.

À côté des élus, il y a les administrateurs de l'OPECST : une ressource précieuse. On a beaucoup glosé, l'année passée, sur les excellents salaires des administrateurs du Parlement, et on a eu raison d'ouvrir le sujet. Mais pour compléter le tableau, il faut aussi parler de la qualité de leur travail ; et ceux que j'ai côtoyés à l'OPECST forment certainement l'administration la plus compétente avec laquelle j'aie jamais collaboré. Leur tâche est exigeante : un administrateur de l'Assemblée nationale doit savoir, au débotté, préparer un dossier en urgence, rédiger le discours d'un parlementaire, finaliser un rapport, tout en restant politiquement neutre et parfaitement invisible. Les administrateurs de l'OPECST ont en outre une passion pour les sciences et les technologies, leur concours sera majeur.

En prime, le chef de l'administration de l'OPECST est une perle rare : Philippe Dautry. Formé en physique et chimie et en économie et gestion publique, il a exercé divers métiers, dont celui de secrétaire général de l'Agence française de lutte contre le dopage, ou celui de journaliste scientifique, spécialisé dans les biographies de savants ayant eu un engagement politique – les Joliot-Curie, Perrin ou Langevin... Était-ce prémonitoire ? En tout cas, il a fini par intégrer les services de l'Assemblée nationale. Pendant des années, il s'est occupé de questions budgétaires, de fiscalité, de contrôle des finances publiques, il connaît bien les rouages du Parlement. Infiniment doux, un brin d'inquiétude en permanence dans le regard, Philippe ne se désarçonne jamais, ne s'énerve jamais, et remarque tout ce qu'il y a à remarquer. Grand serviteur de l'État, il est tout entier dévoué à l'institution. Nous sommes arrivés pile en même temps à la gouvernance de l'OPECST, moi du côté politique et lui du côté administratif ; coïncidence remarquable qu'il va falloir exploiter.

Premières étapes pour un bon départ.

Prise de rendez-vous individuels avec toute l'administration : pratique standard en entreprise, mais pas du tout dans les codes de l'Assemblée.

Définition d'un rythme de réunion soutenu : « Nous pourrions nous réunir chaque semaine ? — Euh, monsieur le président, la tradition est plutôt de prévoir une ou deux réunions statutaires chaque mois. — Désolé, j'insiste : une réunion par semaine. »

Pas de locaux ? On va en chercher de nouveaux : pas trop loin, pas trop chers, pas trop étroits. Dans cet arrondissement chic, ce ne sera pas facile, mais on y arrivera. Et en attendant, on se débrouillera.

Réunion du Conseil scientifique : il faut définir des idées de thèmes, et un programme de travail pour l'année.

Distribution des tâches aux collègues : Émilie Cariou, députée de la Meuse, prendra le nucléaire, qui est un sujet majeur dans sa circonscription. Huguette Tiegna, députée du Lot, qui a fait une thèse sur la technologie de l'industrie éolienne, sera à sa place dans les sujets de transition énergétique. Thomas Gassilloud, député du Rhône, ex-entrepreneur dans la haute technologie, sera un excellent référent sur le thème du numérique, conjointement avec Didier Baichère, venant également d'une entreprise de ce secteur. Anne Genetet, députée des Français d'Asie, médecin, prendra en charge l'intégrité scientifique. Philippe Bolo, député de Maine-et-Loire, pourra suivre les dossiers agricoles puisque c'était son métier. Et dans l'opposition ? Patrick Hetzel, député du Bas-Rhin, ancien recteur, ancien directeur général de l'Enseignement supérieur, est tout désigné pour suivre la politique scientifique française. Julien Aubert, député du Vaucluse, sera régulièrement consulté sur l'énergie puisqu'il a beaucoup travaillé sur ce thème dans la précédente législature. Dans le fil de ses compétences universitaires, Jean-Luc Fugit sera sollicité sur des sujets variés : pollution, déchets, espace... Loïc Prudhomme, député de Gironde, qui a travaillé à l'INRA, accepte d'être référent sur le bâtiment.

Avec Philippe Dautry, nous travaillons à rédiger une note de synthèse sur l'OPECST : façon de présenter l'institution à l'extérieur, de lui faire de la publicité, mais aussi un moyen pour nous de bien nous approprier le sujet. Comparaisons internationales, place dans le paysage institutionnel français, budget, stratégie.

Pour collecter des regards variés, on pioche où l'on peut : au sein du réseau de Philippe, dans l'expérience des anciens, parmi les contacts que j'ai gardés du Conseil scientifique de la Commission européenne. J'ai plusieurs longues discussions en vidéoconférence avec Sir Peter Gluckman, le Chief Science Officer de Nouvelle-Zélande, reconnu comme une autorité internationale sur les contacts entre science et politique.

Au cours de ce travail, nous prenons conscience d'une singularité française. Au-delà des moyens qui ne sont pas au niveau de l'ambition française, notre Office a un problème de structure : c'est le seul à n'incorporer aucun spécialiste. Certes, certains députés sont scientifiques de formation ; certes, nous avons un Conseil scientifique extérieur fait de scientifiques reconnus ; certes, les administrateurs sont intéressés par les sciences, ont parfois une formation initiale scientifique et ont acquis un niveau remarquable sur certains sujets ; mais quand même, ce serait bien d'avoir quelques scientifiques professionnels à temps plein pour compléter notre expertise et faciliter la communication entre les sphères scientifique et politique.

D'un autre côté, l'équipe précédente nous fait remarquer que l'option opposée du tout-spécialiste, pratiquée par exemple par notre homologue européen, le STOA, ou par le POST britannique, n'est pas à recommander : les experts y font les rapports et les signent, mais la légitimité populaire et démocratique n'y est pas. Cette option fait également l'impasse sur la clé de tous les dispositifs science-société, à savoir l'interface entre scientifiques et politiques, et la façon dont les derniers s'approprient l'expertise des premiers, la combinant au regard politique pour déterminer l'action.

Un plan émerge. D'abord, on va impliquer davantage certains membres du Conseil scientifique, en fonction des sujets. Ensuite, on va retisser les liens avec les Académies (des sciences, de technologie, de médecine), qui après tout ont été fondées au XVIIe siècle pour conseiller les politiques. Enfin, aux côtés des députés, des administrateurs et du Conseil scientifique, on va recruter de jeunes experts, docteurs en sciences, qui seront personnels de l'OPECST avec pour mission d'enrichir et de faciliter l'expertise. Cela n'a l'air de rien, mais ce n'est pas si facile pour une Assemblée qui a l'habitude de n'embaucher que des généralistes : il va falloir réaliser quelques acrobaties administratives.

Pour le mode de fonctionnement aussi, on concocte un plan d'amélioration. Diversifier les thèmes. Investir le temps court. Mobiliser des réseaux. Reprendre la revendication du précédent président, Jean-Yves Le Déaut, pour la transformation de l'OPECST en une commission permanente... C'est une démarche complexe, car elle nécessite au préalable rien de moins qu'un changement de la Constitution !

Une évolution que nous avions oublié de prendre en compte vient bouleverser l'agenda. Il se trouve que les élections législatives et sénatoriales ont lieu presque en même temps. Or la tradition veut que l'Assemblée et le Sénat alternent la présidence de l'OPECST. C'est ainsi que, à peine deux mois après mon élection, la tradition recommande que je rende ma présidence au profit du Sénat, et plus particulièrement du sénateur et ancien ministre Gérard Longuet.

Situation paradoxale : dans l'histoire de l'OPECST, je suis le seul à être membre de l'Académie des sciences, et je vais pourtant en être le président le plus éphémère ?

Une inquiétude point au Sénat. On se demande si, avec mon assurance de Marcheur, je ne vais pas juste refuser cette situation choquante qui n'est que le résultat d'une contingence de calendrier et d'un usage non écrit.

Mais je décide de jouer le jeu pleinement, démissionne de mon mandat en jeu et laisse Gérard Longuet se présenter seul à l'élection, ne gardant pour moi que le poste (non rémunéré) de « premier vice-président ». Soulagement au Sénat, petit émoi sur les réseaux sociaux, et on peut reprendre le travail.

Avec du recul, je vois que j'ai bien fait d'accepter la tradition. La coopération avec le Sénat a été fructueuse, fidèle à l'esprit des pères fondateurs de l'OPECST. Le nouveau président a repris à son compte le rythme et l'esprit des réformes, a su présider de façon collégiale ; et j'ai pu apprécier sa maîtrise de certains dossiers et son expérience politique. Après une courte période d'observation, Gérard Longuet et moi-même nous sommes entendus à ravir. Notre étrange tandem à l'OPECST est l'une des belles expériences inattendues que m'a apportées l'Assemblée nationale.

Et parmi les collègues du Sénat, quelques briscards expérimentés comme Bruno Sido et Catherine Procaccia, mais aussi quelques nouveaux comme Stéphane Piednoir, Laure Darcos, Ronan Le Gleut, Florence Lassarade, Angèle Préville ou Roland Courteau vont mettre énergie et rigueur dans la tâche.

Quant à l'administration, elle joue le jeu ; les administrateurs, secrétaires, comptables, sont prêts à revoir leurs habitudes, sous l'autorité de Philippe, pour améliorer encore la qualité de service de l'OPECST. Ils s'appellent Daniel, Mihael, Bruno, Muriel, Nathalie, Marie-Noëlle, Claire, rejoints par Sandrine et Florence ; ils travaillent aussi avec leurs homologues du Sénat, Vincent, Bénédicte, Medhi, Cédric, Catherine, Sophie : vous ne verrez jamais leurs noms sur les rapports et les productions de l'OPECST, mais sans leur travail assidu il ne sortirait pas grand-chose de notre belle institution.

Après un an de travail dans la nouvelle mandature, l'OPECST est heureux de vous présenter son bilan, tant sur le fond que sur la réforme structurelle.

Des dizaines d'auditions menées sur des sujets divers : bioéthique, compteur Linky, algorithmes publics, électrohypersensibilité, sécurité nucléaire, recherche nucléaire, engagement des femmes en sciences, intégrité scientifique, intelligence artificielle, norme 5G, expérimentation animale… Auditions longues et contradictoires, faisant la part belle aux corps intermédiaires, conçues pour faire émerger des visions d'ensemble, pour la plupart retransmises sur Internet, avec une innovation démocratique : la possibilité pour les spectateurs de transmettre des questions qui sont modérées par le secrétariat, synthétisées par des parlementaires et abordées en direct par les experts. Autre innovation, certaines de ces auditions étaient jointes ; en particulier plusieurs ont été coorganisées avec la commission des affaires économiques, sur des thématiques d'innovation.

Au-delà de la fonction d'information, l'audition a parfois été un puissant levier d'action. Ainsi notre audition sur le système d'admission post-bac (APB), et plus généralement sur les algorithmes publics tels que ceux qui président à l'orientation des bacheliers, assez dure pour la représentante du ministère, a contribué à la rigueur du processus Parcoursup, en mettant sur la table les craintes de bien des parties prenantes. J'en ai tiré une tribune tranchante, parue dans *Le Monde* sous le titre « Admission post-bac : ce qui a buggé ce n'est pas le logiciel, mais l'État ». En sous-titre : « Pour le député LRM, les pouvoirs publics devront tirer les leçons des déboires du logiciel d'admission post-bac. À l'avenir, il leur faudra prendre leurs responsabilités dans la mise en œuvre des algorithmes. » Tribune sans concession, qui insiste sur ce que l'on évitait de dire concernant APB : les défauts de transmission entre ministère et équipe de programmeurs, les malentendus avec les étudiants, la perversion de l'algorithme par la communication aux filières universitaires d'informations qui auraient dû leur rester cachées, le manque de rigueur dans l'architecture humaine entourant l'algorithme. Cette tribune sera exploitée dans les argumentaires de l'opposition comme du gouvernement : c'est peut-être le signe d'une bonne analyse ? De ce cheminement je tirerai aussi un amendement inscrit dans la loi introduisant Parcoursup. Et des échanges réguliers avec le ministère, afin de contrôler (privilège du Parlement !) que toutes les précautions sont mises en œuvre pour éviter l'accident industriel dans la mise en œuvre du nouvel algorithme !

Les auditions ont été complétées par des visites de terrain, dans des laboratoires : campus EDF de recherche sur l'énergie, laboratoire de police judiciaire, site de construction d'éoliennes, CEA… précieuses pour apprécier les forces vives scientifiques de la nation.

En ce qui concerne les relations avec les autres institutions liant science et société, le principe des rendez-vous réguliers avec les Académies a été acté. Un premier petit-déjeuner thématique a été organisé : il concerne la programmation pluriannuelle de l'énergie, et les parlementaires comme les scientifiques y ont eu beaucoup à dire. En outre les Académies ont été mises à contribution de façon importante sur plusieurs dossiers déjà, tels que le transport magnétique à très grande vitesse (« Hyperloop »), l'impression 3D ou encore la politique de rénovation énergétique des bâtiments.

La prise de vitesse a été notre leitmotiv cette année. Prenant exemple sur le système britannique, nous avons lancé une nouvelle série de rapports : au lieu de ne produire que des documents de trois cents pages réalisés en six à dix-huit mois, nous visons des notes de quatre pages réalisées en quatre à huit semaines. Objets connectés, stockage profond du carbone, *blockchain*, rénovation thermique, Hyperloop, impression 3D : la série est bien lancée, et continuera avec des thèmes tels que technologies d'information quantique, vaccination, exploration spatiale, décarbonation de la mobilité… Chacune de ces notes est accompagnée d'une communication sous la forme d'une petite vidéo des parlementaires responsables.

Pour les rapports de plus grande ampleur, nous les avons conservés, mais là aussi nous avons travaillé dans le sens de la modernité et de la rapidité. Ainsi, un rapport complet sur les technologies de *blockchain* a été rédigé en un temps historiquement bref.

Et pour ce qui est de l'équipe, deux brillantes jeunes femmes scientifiques, Sarah et Mathilde, ont été embauchées pour constituer l'avant-garde de notre nouvelle série de recrutements. Avec déjà bien du pain sur la planche ! Et quantité de sujets à travailler en parallèle, de rapports à fournir pour les collègues, d'auditions à mener. Bienvenue !

Ah, il faut reconnaître que pour l'administration de l'Assemblée, cette évolution n'a pas été si facile... Je vous l'avais dit : l'Assemblée ne reconnaît que les généralistes, alors comment intégrer des expertes ? Après quelque temps de perplexité, la questure rend son verdict : on va les recruter comme mes collaboratrices, en augmentant mon crédit en proportion, tout en sachant et en annonçant bien qu'elles travailleront pour le bien commun. On aurait pu songer à une évolution plus franche, mais on ne va pas bouder son plaisir de voir la vénérable institution proposer des solutions. Et, comme le disent mes collègues questeurs, Florian Bachelier et Laurianne Rossi : c'est juste une situation de transition, l'essentiel c'est d'avancer !

Sur la *blockchain*, sur la rénovation thermique, sur l'étude de l'impact des modes de scrutin à l'Assemblée nationale, sur les scénarios de décarbonation de la mobilité, nous avons pu nous insérer dans des stratégies du gouvernement ou dans des missions portées par d'autres députés, réalisant ainsi pleinement notre mission d'instruire les dossiers scientifiques au service du politique. Ce qui n'est possible que si l'on va vite ! Parallèlement, un travail systématique d'information des groupes d'étude a commencé : notre gain d'efficacité ne sera utile que si les collègues savent qu'ils peuvent se reposer dessus.

Constatant que certains sujets demandent de mobiliser d'importantes ressources scientifiques que nous ne pouvions mettre en œuvre en interne, nous avons aussi réalisé deux expériences en commandant des études auxiliaires à des organismes extérieurs. La première était une étude de l'influence des modes de scrutin législatifs sur la représentation démocratique : c'est moi qui en ai pris la responsabilité, mais je me suis appuyé sur des simulations numériques lourdes et complexes réalisées tout exprès par des experts en sciences du scrutin et sciences politiques, universitaires et chercheurs du CNRS. La deuxième était une étude réalisée par le CEA et l'Institut français du pétrole et des énergies nouvelles (IFPEN) afin de servir la mission d'Huguette Tiegna et Stéphane Piednoir sur les scénarios de transition vers la mobilité automobile sans énergies fossiles. Ces expériences, pour lesquelles l'administration de l'Assemblée et celle du Sénat nous ont donné leur aval, préfigurent un fonctionnement moderne dans lequel le Parlement pourra, je l'espère, faire appel à la meilleure expertise scientifique pour effectuer des choix politiques en pleine connaissance de cause.

J'allais oublier : nous avons retrouvé des locaux. Cela n'a pas été simple d'identifier des bureaux disponibles, d'organiser des visites, de négocier les conditions avec les propriétaires, avec la questure, d'évaluer le potentiel des opportunités en fonction de la surface, de la proximité, de la localisation. Mais à la fin nous avons été relogés dans des locaux propres et fonctionnels, très lumineux, juste en face de l'hôtel de Lassay. Nous qui étions auparavant relégués en sous-sol, nous voici au sommet, sous les toits, avec deux étages disponibles. De bien meilleures conditions de travail pour nous et nos successeurs.

Interconnexion, présence publique, rapidité, modernité, expertise, communication : sur toutes ces cases nous avons pu gagner, et nous allons encore gagner. Au début de la seconde année de la mandature, la tâche reste immense, mais la restructuration de l'OPECST est bien engagée !

Un discours

Pour ses trois cent cinquante ans, l'Académie des sciences m'a proposé de prendre la parole publiquement pour évoquer l'histoire mathématique de cette auguste institution depuis sa fondation en 1666 : voici quelques extraits du discours que j'ai prononcé sous la Coupole en cette occasion solennelle. Le futur se prépare avec la bonne connaissance du passé, et en mathématique nous regardons loin vers le futur et loin vers le passé. Notre histoire passée s'est beaucoup écrite avec l'aide de la mathématique, notre histoire future le fera encore davantage.

Mathématique : comprendre et prédire

[...] L'invention du calcul différentiel [au XVIIe siècle] était une révolution sans précédent, en ce qu'elle permettait de mettre en équation toutes sortes de problèmes physiques fondés sur des tendances et variations. Albert Einstein lui-même n'a-t-il pas déclaré que c'était le pas le plus important jamais accompli en physique ?

Un célèbre exemple est celui de la stabilité du système solaire : connaissant les équations du mouvement des astres, peut-on prévoir que le système solaire restera tel que nous le connaissons ou, au contraire, sera-t-il ravagé par un cataclysme majeur comme la collision de deux planètes ? Grâce aux équations différentielles et à la loi de Newton – la somme des forces gravitationnelles équivaut à la masse fois l'accélération –, le problème peut maintenant se formuler en mathématique. À partir de là, tout ira très vite. Il s'est écoulé quatre-vingt-dix générations depuis que Thalès et ses disciples ont rêvé de mathématiser les mouvements des planètes ; mais après la découverte des équations différentielles, il suffira de moins de douze générations pour que l'on puisse envoyer un être humain sur la Lune, et encore deux de plus pour qu'une machine puisse se poser sur une comète et nous transmettre une moisson d'informations. Le chemin, cependant, a été semé d'obstacles et de rebondissements, et a impliqué les efforts parallèles de scientifiques toujours plus nombreux.

[...] L'un après l'autre, les problèmes tombèrent dans l'escarcelle de ce qui peut se poser en mathématique. Au XVIIIe siècle, Euler, Bernoulli et d'Alembert se lancent à la conquête des insaisissables fluides ; il faudra presque un siècle avant que s'imposent les équations de Navier et Stokes. Avec Condorcet, ce sont les votes et systèmes de décision, avec Laplace les fluctuations statistiques des événements aléatoires, avec Monge la résolution de problèmes opérationnels tels que le déplacement et réarrangement de matière au moindre coût, avec Sophie Germain ce sont les oscillations des membranes, avec Fourier la propagation de la chaleur. Comme le dit le slogan de Fourier : « *Et ignem regunt numeri* » – même le feu est régi par des nombres, par des équations.

Pour gagner en efficacité, la discipline doit aussi perfectionner sa structure propre et ses outils : tout au long du XIXe siècle se succèdent les refondations conceptuelles. [...] On redéfinit l'analyse, l'algèbre, le concept même de nombre ; on fonde la géométrie non euclidienne, la topologie, la notion d'ensemble. La théorie des fonctions complexes permet de systématiser la recherche de solutions, et en même temps on utilise l'algèbre pour démontrer que certains problèmes ne sont pas résolubles. Avec sa théorie des systèmes dynamiques, Henri Poincaré introduit un vaste programme d'étude qualitative des solutions des équations différentielles qui éclaire d'un jour nouveau la mécanique de Newton.

Le début du XXe siècle connut aussi son cortège de révolutions. La théorie de la mesure et celle des probabilités furent refondées par Borel, Baire, Lebesgue et Kolmogorov. La physique statistique, la mécanique quantique et même la finance reçurent toutes leur traitement mathématique personnalisé. Mais le plus étonnant de ces ouragans scientifiques se leva dans la logique, interrogeant les fondements même de la discipline – qu'est-ce qu'un raisonnement ? qu'est-ce qu'une preuve ? quels sont les problèmes qui ont une solution et ceux qui n'en ont pas ? Et qu'est-ce que cela veut dire, $1 + 1 = 2$? Source des *Principia Mathematica* de Russell et Whitehead (dont un volume de près de quatre cents pages se conclut effectivement par la preuve de $1 + 1 = 2$!), et de travaux de Hilbert, Church, Gödel et d'autres, ces abîmes de perplexité aideront finalement Von Neumann, Turing et Shannon à imaginer les ordinateurs, machines logiques capables de réaliser n'importe quelle opération mathématique. Il est notable que l'une des premières motivations de ces pionniers de l'informatique était l'étude systématique des équations différentielles, un sujet décidément universel.

Il est impossible ici de rendre justice au développement mathématique du XXe siècle, qui fut peut-être le plus riche de tous. [...] Les mathématiciens se comptent maintenant en centaines de milliers, fonctionnant en systèmes de recherche hautement organisés, publiant plus que jamais, et sans doute trop, dans des centaines de revues spécialisées, le plus souvent en collaboration ; ils se retrouvent à travers le monde dans un incessant ballet de colloques et courriels. Le rôle des mathématiciens dans l'industrie est reconnu ; ils se sont fait encenser et vilipender, et à l'occasion traiter de criminels. Si le temps de l'artisanat de Newton et ses collègues est bien loin, leurs questions sont toujours parmi nous, de même que le désir irrésistible de comprendre et prédire les phénomènes, parfois couronné de succès, parfois tenu en échec.

Ainsi, à la question posée par Newton, « Le système solaire est-il stable ? », après trois cent cinquante ans de travaux – et l'introduction de l'algèbre linéaire, des systèmes dynamiques, du calcul des probabilités, de la théorie du chaos, des systèmes hamiltoniens perturbés, des schémas symplectiques, et les contributions de monstres sacrés comme Laplace, Lagrange, Poincaré et Kolmogorov –, à cette question nous pouvons finalement répondre avec assurance « peut-être » !

Un « peut-être » qui n'est pas honteux, car il est quantifiable en probabilité, et car on sait que l'on ne peut faire mieux : le sort de l'univers à long terme est régi par un calcul de probabilités, à moins d'avoir accès à une précision infinie inatteignable. Finalement, on a retrouvé dans le problème de Newton ces deux monstres conceptuels que sont le hasard et l'infini. Les thèmes de la prédiction et de l'imprédictibilité s'entrecroisent dans cette longue histoire comme dans un grand roman, avec son lot de rebonds ironiques. Ainsi, quand Gauss parvient à retrouver l'orbite perdue de l'astéroïde Cerès, puis à maîtriser celle de sa petite sœur Vesta, le monde semble si prédictible ; mais quelque deux siècles plus tard, notre confrère Jacques Laskar démontrera l'effet déstabilisant qu'ont Cerès et Vesta sur l'ensemble du système solaire, interdisant toute prédiction au-delà de soixante millions d'années. Quant à la mesure du temps, le programme initié par Huygens a tant progressé, au gré des opportunités scientifiques, que les meilleures horloges modernes ne varieraient pas d'une seconde en un milliard d'années.

Mais surtout, les battements du cœur, le temps qu'il fera dans une semaine, les influx électriques au sein de nos neurones, la croissance d'une tumeur ou d'une rumeur, tout cela et bien plus a été mis en équations pour être compris et prédit. Ainsi, la mathématique est fière de participer, en bonne entente avec bien d'autres sciences, à certaines des grandes aventures technologiques de notre temps, à travers des algorithmes qui alimentent le cœur artificiel développé par notre confrère Alain Carpentier, qui coordonnent les sources d'électricité dans les grilles intelligentes, ou encore qui analysent les mesures des détecteurs d'ondes gravitationnelles. Ce grand brassage de disciplines, plus actif que jamais, est à l'image de celui que l'on retrouve dans notre Académie, et plus généralement dans notre monde.

22 juin 2018.

Arrivée à la Ferme de Charles, bel établissement spécialisé dans l'élevage bio des poulets.

Le jeune patron, Charles Monville, nous fait visiter son territoire : c'est toute une mécanique que d'élever les poulets, dans plusieurs enclos.

Le bien-être animal est l'un des sujets pour lesquels je me suis engagé à l'Assemblée nationale. Durant le débat parlementaire sur le sujet, j'ai plaidé, avec mon collègue Loïc Dombreval et un ensemble d'élus de tous les bords politiques, pour plus de transparence dans les abattoirs et pour une meilleure prise en compte du bien-être animal dans l'élevage et l'abattage. Pour l'instant notre action n'a eu qu'un faible impact, mais nous remettrons cela. Et voir les poulets courir dans les champs, aujourd'hui c'est un soulagement.

Quelle discipline dans cette ferme. L'agriculture, c'est une horlogerie complexe, l'agriculture bio encore plus. On se lève tôt et on ne prend presque pas de vacances. On doit respecter les processus, toujours.

Quand Charles a voulu se lancer dans la carrière, « Manu » Vandame, l'intransigeant agriculteur bio du plateau, un dur de dur, a cherché à le décourager. Histoire de mettre sa volonté à l'épreuve.

Mais Charles n'avait aucune hésitation. Il avait connu l'échec scolaire, la déprime, l'agriculture c'était maintenant le sens de sa vie, son rêve. Rien ne pouvait l'arrêter, et malgré les difficultés il n'a jamais regretté.

Charles nous parle des règlements complexes, des normes qui lui ont imposé de refaire ses installations plusieurs fois.

— Et les lois ! J'imagine que c'est compliqué de faire les lois.

— Ah oui, c'est compliqué. Encore plus que cela.

Dans la mécanique agricole, si on loupe une étape le produit est raté. La mécanique des lois n'est pas moins complexe et ne pardonne pas plus.

Chapitre 8

LA MÉCANIQUE PARLEMENTAIRE

Un peu d'éducation civique appliquée.

Comme on l'apprend à l'école, c'est au Parlement que sont votées les lois.

C'est vrai, mais en pratique, les lois sont surtout élaborées dans les ministères… et le Parlement s'occupe principalement de les corriger, compléter, remanier, à coups d'amendements, qui sont des propositions de modifications. Les discussions se font par des votes au Parlement, mais aussi par des négociations, officielles ou officieuses, entre le gouvernement et certains députés (rapporteur, responsable du texte, petit groupe déterminé à peser…). Finalement, il est bien difficile de distinguer objectivement quelle est la part de l'exécutif et quelle est celle du législatif : après avoir vu le système de près j'aurais envie de dire que la loi est élaborée aux 3/4 par l'exécutif et à 1/4 par le Parlement.

En pratique, il est donc difficile d'affirmer qu'il y a séparation des pouvoirs ; mais c'est ainsi que depuis soixante ans tourne la Ve République. L'excellente révision de 2008, voulue par Nicolas Sarkozy et acquise de haute lutte à deux voix près, a renforcé les pouvoirs du Parlement ; mais la domination de l'exécutif sur le législatif reste une réalité indiscutable. Les constitutionnalistes (et les députés) discutent encore pour savoir s'il faut considérer la France comme un régime parlementaire ou semi-parlementaire.

Mais que ce soit 1/4, ou plus, ou moins, l'influence du pouvoir législatif n'est en aucun cas négligeable : on voit régulièrement des modifications importantes des lois se faire par l'action du Parlement. J'ai eu l'occasion de le constater dans le cadre de la loi asile-immigration : tout un volet sur l'intégration, mais aussi une évolution importante sur la dépénalisation du « délit de solidarité » (négocié par Naïma Moutchou, avec l'aide de quelques collègues, AVANT que le Conseil constitutionnel, saisi sur un autre texte, ne prenne une décision sur le sujet), ont été d'inspiration parlementaire. Et c'est aussi dans la discussion de ce même texte que le principe d'une évolution rapide sur la rétention des mineurs a été obtenu sous la pression de parlementaires.

Si l'on veut dresser un tableau complet, il faut rappeler que le projet de loi est d'abord transmis par le gouvernement au Conseil d'État, qui formule de nombreuses observations sur la forme et sur le fond, et peut susciter de nouvelles rédactions. Rappeler également que la loi est complétée par les décrets d'application, qui ne relèvent pas du Parlement : préparés par la haute administration, signés par le gouvernement, ils influent souvent significativement sur la portée des lois, ce dont le pouvoir législatif se plaint régulièrement.

Le Parlement français n'est pas plus lent qu'un autre, mais l'ensemble du processus, dans un contexte de loi globalement hypertrophiée et bavarde, est lent. Il arrive que les décrets d'application se fassent attendre des années ; certains ne paraissent jamais. On estime qu'en moyenne seulement 40 % du temps d'élaboration des lois est dû à la discussion législative.

Qu'elles soient organiques (quand elles modifient les institutions) ou ordinaires, les lois peuvent naître selon deux procédures. La plupart des lois marquantes, jugées cruciales, sont soumises par le gouvernement sous forme de projets de lois. *A contrario*, quand c'est le Parlement qui rédige le premier jet, on parle de propositions de loi. Ces dernières sont si peu prises au sérieux par la Constitution qu'elles ne sont même pas soumises à obligation d'une étude d'impact (étude sur la faisabilité, la mise en œuvre et l'impact de la loi). Cela dit, certains rétorqueront que de toute façon les études d'impact des projets de loi sont par tradition indigentes, et peut-être n'ont-ils pas complètement tort. D'autres ajouteront qu'il ne tient qu'aux Chambres parlementaires d'inscrire le principe des études d'impact dans leurs règlements respectifs, si tant est qu'elles le souhaitent vraiment. D'autres encore noteront que la facilité à déposer des propositions de loi permet à certains gouvernements de convaincre les députés de « faire passer » tel ou tel projet, plus facilement que si c'était le gouvernement qui le soumettait directement : pas besoin d'étude d'impact, même pas besoin d'un examen par le Conseil d'État !

Le Parlement prévoit des « niches » dans l'ordre du jour pour les propositions de loi déposées par l'opposition : ces propositions étant systématiquement rejetées, il s'agit essentiellement d'une mise en scène – certains diraient mascarade – destinée à susciter le débat, ce qui est déjà ça. Les exceptions sont rarissimes : citons la loi Gattolin, votée en 2016, qui interdit la publicité commerciale dans les programmes jeunesse de la télévision publique. C'était la première proposition de loi adoptée contre l'avis du gouvernement en quinze ans ! Et cet exploit a demandé des années de préparation méticuleuse au sénateur André Gattolin, un Européen et écologiste convaincu, bourreau de travail, que j'ai connu dans mes activités militantes à EuropaNova.

Le Parlement français, comme la plupart des parlements à travers le monde, a un système de commissions : ainsi une proposition ou un projet de loi est d'abord examiné par une commission permanente ; par exemple la commission des finances pour le projet de loi de finances. Les commissions sont très inégalement sollicitées : près de 40 % des lois passent par la commission prestigieuse et « fourre-tout » des lois [1]. Une commission a aussi le devoir d'organiser des auditions : de nombreux acteurs seront invités à s'exprimer sur une loi en discussion, sur un rapport, sur un problème d'actualité ; typiquement pour une heure, devant la commission – en pratique, devant une poignée de députés qui approfondissent le sujet.

1. De son nom complet « commission des lois constitutionnelles, de la législation et de l'administration générale de la République ».

Une fois le sujet traité par la commission, il est renvoyé à la discussion générale ; depuis 2008, cette discussion reprend (sauf pour une révision constitutionnelle, ou pour une loi de finances, ou de financement de la Sécurité sociale) à partir du texte adopté en commission.

Le nombre de commissions est plafonné à huit : il y a là une double exception française. Exception d'abord parce que le nombre est très bas ; parmi toutes les démocraties européennes, seule la Grèce, avec six commissions, en a moins (et encore, la France était à six jusqu'en 2008). Par comparaison, les pays qui disposent d'un Parlement puissant comptent d'habitude une vingtaine de commissions, ce qui correspond à peu près au nombre de ministères.

Exception aussi parce que ce plafond de huit est inscrit dans la Constitution. Ce mécanisme unique en son genre est hérité de la Constitution de 1958 : pour sortir la France des affres de la IVe République, qui voyait un gouvernement trop faible face au pouvoir de contrôle du Parlement, le législateur constituant fit de son mieux pour museler le Parlement et rogner son efficacité. Vous me direz que le spectre de l'instabilité est maintenant lointain, et qu'il y a bien longtemps (cinquante-six ans, précisément !) que le Parlement ne fait plus, en pratique, tomber les gouvernements. Mais les habitudes sont tenaces, et c'est à tout petits pas que la République relâche la pression sur son Parlement…

Le Parlement français repose aussi sur un système bicaméral, de sorte que chaque texte est examiné successivement par l'Assemblée nationale et par le Sénat. Sauf pour les textes traitant d'organisation territoriale (qui sont déposés en priorité au Sénat) et les projets de loi de finances (qui sont déposés en priorité à l'Assemblée nationale), il n'y a pas de règle qui indique laquelle des deux Chambres entame le bal. Il peut y avoir un examen par chaque Chambre (procédure accélérée) ou deux examens par Chambre (procédure ordinaire). Ensuite on tente de concilier les deux textes (commission mixte paritaire, entre parlementaires des deux Chambres) ; si cela échoue, on repasse pour un dernier tour de lecture avant de laisser l'Assemblée trancher en cas de désaccord persistant.

Si vous avez bien suivi, un texte peut être par exemple préparé par le gouvernement, puis modifié successivement par : une commission de l'Assemblée, l'Assemblée tout entière, une commission du Sénat, le Sénat tout entier, une commission de l'Assemblée, l'Assemblée tout entière, une commission du Sénat, le Sénat tout entier, une commission paritaire, une commission de l'Assemblée, l'Assemblée tout entière, une commission du Sénat, le Sénat tout entier, une commission de l'Assemblée, l'Assemblée tout entière.

Fastidieux, bien sûr ! Même si la règle dite de l'entonnoir diminue au fur et à mesure le périmètre de la discussion (par exemple, en seconde lecture, l'Assemblée ne rediscutera que des dispositions sur lesquelles il y a eu divergence entre Assemblée et Sénat). De sorte que c'est la première lecture qui est la plus exigeante.

Le système apporte une forte redondance : au cours de ce débat, les mêmes sujets reviennent sur le tapis deux fois, trois fois, dix fois… Souvent, un amendement sèchement écarté en commission va revenir s'inviter en Hémicycle, sans espoir d'être adopté, mais pour faire le plus de bruit possible, sachant que l'Hémicycle est plus prestigieux, plus retentissant, plus gratifiant politiquement que la commission. Un même amendement peut être déposé par plusieurs groupes, ce qui permettra de le discuter d'autant plus ; et un même groupe peut aussi déposer toute une variété d'amendements qui diffèrent peu les uns des autres, mais cela encore permettra de réitérer la discussion. Pour un nouveau venu, cette répétition peut rapidement rendre fou. Pour un vétéran, c'est pire, à moins qu'il ne soit blasé.

D'un autre côté, la multiplication des moments de discussion a ses vertus. La commission sert souvent de répétition avant le débat plénier : on y identifie les problèmes, on y apporte parfois une réponse imparfaite que l'on a le temps de perfectionner pour le passage en séance plénière. Ou parfois, encore plus prosaïquement, on profite du débat plénier pour rattraper un bug. Je me souviens d'un amendement adopté « par erreur » après trente secondes de débat, au milieu de la nuit, par une commission débutante et épuisée : la séance en Hémicycle a permis de rectifier le tir. Ce genre de choses n'est pas fréquent, mais cela arrive…

L'aller-retour avec le Sénat, parfois douloureux, est à l'usage une excellente chose pour l'amélioration des textes. Tous les politologues, semble-t-il – Guy Carcassonne comme les autres –, critiquent le mode d'élection du Sénat ; pour ma part, je l'ai observé de près pour la première fois aux dernières élections et j'ai été sidéré par la violence et l'opacité du processus. Il n'en reste pas moins que le Sénat, à l'usage, apporte une touche très constructive aux textes. Certains mettent en avant, à juste titre, le fait que les débats au Sénat sont moins médiatisés et donc plus indépendants que ceux de l'Assemblée. D'autres argumentent, comme le normalien Benjamin Morel dans une thèse fleuve très étayée, que c'est précisément la légitimité fragile du Sénat qui l'incite à agir vertueusement.

Peu efficace pour changer le cours et l'esprit d'un texte de loi, le débat parlementaire s'avère très efficace pour en corriger les détails. Fût-il élaboré par des juristes très compétents, tout article de loi comportera des éléments à reprendre, et pour les détecter on peut faire confiance au crible constitué par plusieurs centaines de parlementaires. Je me souviens de la discussion sur la révision constitutionnelle : au cœur de la réforme, il y avait la ministre Nicole Belloubet, ancienne membre du Conseil constitutionnel à la compétence reconnue par tous ; Éric Thiers, administrateur parlementaire, membre du cabinet de la ministre, vétéran des réformes constitutionnelles ; les secrétaires des commissions des lois de l'Assemblée et du Sénat, qui sont parmi les plus réputés de tous les administrateurs parlementaires. Malgré cette profusion de bonnes fées éclairées, dès la première lecture en Hémicycle du premier article du projet de loi, un problème de rédaction a été débusqué !

Au cours du débat, chaque article du projet de loi sera passé au peigne fin, chaque tournure en sera éprouvée. Et de tous côtés on fera des propositions d'ajouts plus ou moins heureux.

En voyant tourner le système, je me suis rappelé mon expérience de MOOC (Massive Open Online Course), aussi appelé FLOT (Formation en Ligne Ouverte à Tous) : il m'est arrivé de préparer un cours universitaire complet selon ce format exigeant destiné à un auditoire massif en ligne qui peut toucher des milliers, voire des dizaines de milliers d'étudiants. L'expérience, très exigeante et chronophage, avait été instructive à plus d'un titre, entre autres parce que mes notes de cours écrites avaient été corrigées par la multitude d'étudiants bien plus vite que n'importe lequel de mes cours d'amphithéâtre. Quand il faut consolider, vérifier, peaufiner, rien ne résiste au nombre !

Quoi qu'il en soit, voilà comment votre député se transforme en une machine à amendements. Certes, parfois il prend la parole pour discuter du bien-fondé d'une loi ou d'un article de loi… mais le plus gros de son activité consistera à rédiger des amendements, discuter des amendements, soutenir des amendements, voter des amendements. Qui cosigne les amendements, quel est l'ordre des signataires : tout cela fait l'objet de grandes discussions. On cherche à avoir les soutiens de tel ou tel sur un amendement, on dépense son énergie pour convaincre son groupe de reprendre un amendement à son compte, on négocie son portefeuille d'amendements.

Le processus se déroule selon une mécanique contraignante. La première étape est le dépôt des amendements : la fenêtre de tir est brève, et si vous la ratez il n'y aura pas de deuxième chance. Il n'est pas rare de recevoir un message d'un collègue vous demandant si vous souhaitez soutenir certains de ses amendements et exiger une réponse dans les deux heures qui suivent.

Il est important de comprendre que des amendements identiques sont très souvent déposés par plusieurs parlementaires, ou plusieurs groupes de parlementaires. Et ce n'est pas pareil d'avoir deux amendements identiques (à la virgule près !) signés séparément par deux parlementaires ou un amendement conjoint cosigné par ces deux mêmes parlementaires : d'abord parce que dans le premier cas il pourra y avoir deux plaidoyers différents, ensuite parce que le choix de l'amendement soutenu est un geste politique, montrant publiquement une marque d'approbation.

Quand les amendements sont déposés, s'organisent aussi les négociations, voire les pressions, pour leur retrait.

Par exemple, si votre amendement est repris à l'identique par le rapporteur, ou soutenu par l'ensemble du groupe, vous pouvez retirer le vôtre pour montrer l'unité du groupe. Mais vous pouvez aussi choisir de le conserver, soit pour en garder un bénéfice politique personnel, soit pour vous assurer que le groupe ne va pas, sous l'effet de qui sait quelle pression médiatique ou gouvernementale, finalement se dédire.

Si le gouvernement estime malséant qu'un député de la majorité fasse telle ou telle proposition qui risquerait de le mettre en minorité, alors on vous proposera de le retirer en échange d'un soutien sur un autre aspect de la discussion, ou un engagement à reconsidérer ultérieurement le sujet. Dans les cas extrêmes, si vous soutenez un amendement qui peut être très gênant, vous pourrez négocier son retrait contre une promesse de proposition de loi adaptée.

En bref, les négociations font rage pour que toute modification du texte reste bien approuvée par le gouvernement ; et ces négociations entre groupe majoritaire et gouvernement peuvent être bien plus délicates que les discussions entre groupes opposés. Ajoutons que cela peut continuer pendant l'examen du texte, puisque le rapporteur et le gouvernement ont toujours le droit de déposer des amendements au dernier moment.

Une fois la liste des amendements arrêtée, vient le moment d'organiser la discussion à proprement parler. La Conférence des présidents, qui rassemble le président de l'Assemblée nationale, les présidents de groupes et de commissions et le ministre chargé des relations avec le Parlement, fixe l'emploi du temps et les moments de discussion ; ils doivent fréquemment revoir leur copie en fonction des requêtes du gouvernement et des parlementaires, des contraintes temporelles, des dérapages des débats. La maîtrise de l'emploi du temps est un grand sujet entre le gouvernement et le Parlement !

L'examen du texte à l'Assemblée nationale commence par les discours. Il faut être bien accroché ! Le bal est ouvert par le ministre qui porte le texte, puis le rapporteur. Suivront une motion de rejet préalable et une motion de renvoi en commission : l'une et l'autre sont portées par des députés d'opposition qui, dans un plaidoyer impitoyable et théâtral, argumenteront que l'on ne s'est pas attaqué aux vrais problèmes, ou que l'on a bâclé l'affaire, ou que l'on prend des mesures qui mènent le pays au désastre, et qu'il faut, au choix, rejeter purement et simplement l'examen de ce texte ou le renvoyer pour un examen plus approfondi à la commission compétente. Chacun de ces discours dure une demi-heure, est ressenti comme un pensum interminable par la majorité, et se solde invariablement par un vote négatif.

On passe ensuite aux interventions des différents groupes : des orateurs se succéderont pour faire valoir leur point de vue ou la position du groupe qu'ils représentent. Il peut s'agir de donner des explications pour la presse ou pour les collègues, et cela peut orienter les débats. La succession relativement rapide et quand même assez étayée des points de vue peut être très intéressante.

On aura le temps de rediscuter au début de chaque article de la loi, et souvent ces discussions de début d'article sont détournées en discussion générale du texte de loi. Le Parlement n'a pas peur de la répétition…

Mais arrive maintenant le cœur du métier : les amendements !

Il faut d'abord savoir que le débat parlementaire en France se distingue par un nombre extraordinaire d'amendements. Il n'est pas rare qu'une loi majeure en attire plus de deux mille. En pratique nous en examinons chaque année une vingtaine de milliers, soit bien cinq fois plus que nos voisins allemands. Même le Brexit a suscité, en Grande-Bretagne, moins d'amendements qu'une petite loi française !

Personne ne comprend vraiment pourquoi nous, Français, déposons tant d'amendements ; tout le monde s'en plaint, mais chaque groupe parlementaire se sent contraint d'en fabriquer sa dose. Certains pensent que c'est notre culture qui nous mène à rechercher la contradiction partout. D'autres accusent le fait majoritaire français, ou disons la culture selon laquelle le parti majoritaire déroule son agenda sans se soucier de compromis avec l'opposition, laquelle est réduite, pour exister, à multiplier les occasions de parler et de critiquer. Quoi qu'il en soit, tous les remèdes tentés jusqu'à présent pour limiter ce nombre d'amendements ont échoué.

Les amendements sont de natures variées et on aime les ranger dans des catégories. Il y a par exemple les amendements de coordination (si on a modifié telle chose auparavant, il faut aussi modifier telle autre chose ailleurs dans le texte), les amendements rédactionnels (améliorant la qualité du texte sans en changer le sens ; toujours acceptés en pratique), les amendements d'appel (on sait qu'ils seront rejetés, mais on souhaite les évoquer pour susciter un débat ou une réflexion), les amendements de repli (des modifications moins importantes que ce que l'on aurait vraiment souhaité, et sur lesquelles on se rabat par consolation)… Parfois on découvre en séance qu'il faut rectifier un amendement avant de l'adopter : on parle alors de sous-amendement. Il y a aussi les camouflages, comme les faux rédactionnels (des changements de fond qui tentent de se faire passer pour de simples modifications de rédaction en espérant éviter le débat).

Les amendements sont ensuite classés par l'administration de l'Assemblée. Travail titanesque ! Il y a en fait deux classements : le premier, aisé, dépend seulement de l'ordre de soumission des amendements. Le second, complexe, détermine l'ordre dans lequel on les examinera. Cela dépend de l'article du projet de loi qui est modifié, de l'ampleur de la modification, et de plusieurs autres facteurs. Les députés expérimentés savent comment rédiger leurs amendements pour qu'ils soient examinés plus tôt que les amendements équivalents présentés par d'autres… un peu comme les entreprises qui rajoutent des « AA » devant leur nom pour être en tête de l'annuaire !

Et puis les amendements sont liés, soit parce qu'ils sont proches, auquel cas on les discutera tous ensemble avant de voter, soit parce qu'ils s'excluent mutuellement. Si on adopte l'amendement A, on ne va pas ensuite discuter d'un amendement B qui serait incompatible avec l'amendement A ! En jargon, on dit que l'amendement A « fait tomber » l'amendement B en cas d'adoption. On voit ici que l'ordre dans lequel on examinera les amendements A et B est stratégique… et que la règle est contestable (et soulève régulièrement des protestations au cours du débat) : il se peut que l'amendement B soit sur le papier incompatible avec A, mais soulève en fait un problème indépendant, de sorte que l'on pourrait, en reprenant les rédactions, tenir compte à la fois de A et B. Il se peut aussi que le rédacteur de l'amendement B soit ulcéré de voir que son amendement n'est même pas évoqué. Pour garantir que le débat a lieu, on peut soumettre à discussion commune des amendements qui s'excluent mutuellement.

Les amendements sont aussi filtrés : l'administration de l'Assemblée, sous la responsabilité de son président et de celui de la commission des finances, s'occupe d'écarter ceux qui sont visiblement contraires à la Constitution, mais aussi ceux qui échouent à remplir certains critères de conformité. La plus célèbre de ces règles de censure est sans conteste celle de l'article 40 de la Constitution, qui interdit aux parlementaires de proposer une quelconque augmentation de la dépense publique : seul le gouvernement a le droit d'ajouter de nouvelles dépenses. Faisant partie du train de mesures destinées à brider le Parlement en 1958, cette mesure est régulièrement l'objet de grandes discussions ; très peu de pays ont une disposition similaire, et là encore nous sommes dans une quasi-exception française. Cet article qui déresponsabilise les parlementaires n'a pas permis d'éviter le dérapage des finances publiques, c'est le moins que l'on puisse dire ! Pour autant, l'article 40 est considéré par les puristes comme étant l'un des articles clés de la Ve République.

Enfin, nous en arrivons à la discussion en elle-même. Comptez que l'on peut gérer, dans une séance, entre dix et quarante amendements par heure en fonction du mode de discussion adopté. Pour certains textes difficiles on peut tomber bien en dessous, et si le gouvernement ajoute des amendements au fur et à mesure, il arrive que l'on se retrouve en fait avec un rythme négatif, c'est-à-dire que le nombre d'amendements restants croîtra pendant quelques heures, ce qui n'est pas bon pour le moral ! Mais enfin, même en comptant quarante amendements par heure, en ajoutant l'interminable discussion générale, vous voyez qu'on pourrait siéger soixante heures pour voter une loi un tant soit peu conséquente.

On siège donc énormément au Parlement français. La Constitution de 1958 indiquait deux sessions de trois mois par an ; la révision de 1995 instituait un plafond de cent vingt jours de séance (c'est un peu plus que ce qui se pratique en Allemagne) ; mais voici au moins vingt ans que l'on siège bien plus. Les sessions d'été, dites extraordinaires, sont devenues ordinaires. Censées être exceptionnelles, les séances de nuit sont devenues la norme. Au cœur de l'examen d'un projet de loi, on mangera de l'amendement douze heures par jour, en finissant systématiquement vers 1 heure du matin !

On ne lit jamais publiquement le texte même de l'amendement : celui-ci est disponible pour tous. Jusqu'au début de notre mandature, ces amendements étaient distribués en énormes liasses, par centaines d'exemplaires, ce qui constituait une masse inouïe de papier. Sous l'impulsion de François de Rugy et de Barbara Pompili, on est passé à un examen purement électronique, plus ergonomique et plus écologique. Pour un amendement donné, le président de séance indiquera le numéro (disons 874), et la personne qui défendra l'amendement aura deux minutes pour argumenter, non en langue juridique mais en langage ordinaire, la pertinence de l'amendement. Si le député n'a pas envie de donner des explications, il dira simplement « Défendu », ce qui permettra de passer au vote.

Après avoir entendu les défenseurs des amendements, le président de séance donnera la parole au gouvernement et au rapporteur. Puis vient le moment des interventions : le président donnera la parole à quelques défenseurs ou opposants de la modification suggérée. Dans certains moments solennels ou emblématiques, la parole sera donnée à tous : c'était le cas, par exemple, pour la suppression du mot « race » dans la réforme constitutionnelle. À l'inverse, si le temps presse, le président pourra imposer une seule prise de parole par groupe parlementaire. Ce qui faisait déjà beaucoup avec sept groupes, et encore plus maintenant avec huit ! Si le temps presse *vraiment*, on peut même réduire à une prise de parole pour et une contre. Le promoteur de l'amendement peut aussi répondre au gouvernement ou au rapporteur... Quand suffisamment de monde aura donné son avis, le président fera voter, non sans avoir rappelé les avis du rapporteur et du gouvernement. (De sorte que vous pouvez très bien, sauf cas complexe, voter en ne suivant les débats que d'une oreille très distraite, pour peu que vous sachiez si vous votez avec ou contre le gouvernement.)

Le vote pourra être à main levée, ou public si un groupe le demande ; dans ce dernier cas on enregistrera automatiquement les votes des uns et des autres. Le vote public ralentit l'ensemble ; parfois il est utilisé systématiquement pour faire de l'obstruction.

Dès que le vote d'un amendement est fait, on passe à l'amendement suivant ; quand tous les amendements d'un article sont épuisés, on vote l'article ; puis on passe à l'article suivant, et ainsi de suite.

Long et tortueux processus ! D'autant qu'il est entrecoupé par les rappels au règlement et les suspensions de séance. Les premiers surviennent quand un député estime que le règlement intérieur a été bafoué et demande la parole pour protester. Ces rappels peuvent se multiplier et sont souvent détournés pour exprimer des opinions politiques : ainsi, pendant l'épisode que l'opposition appelait « affaire Benalla », les rappels se succédaient par dizaines, conduisant finalement à ce qu'aucun amendement ne soit examiné pendant plusieurs jours.

Quant aux suspensions de séance, elles peuvent être causées par des incidents, des attaques jugées insultantes, le besoin de changer la rédaction d'un amendement, la nécessité d'une pause après une discussion épuisante, le besoin de discuter quand un amendement difficile se présente et qu'un groupe risque de se fracturer, le souci d'éviter une discussion gênante qui risque de mettre le gouvernement en difficulté. Si la majorité découvre qu'elle est minoritaire dans l'Hémicycle et qu'un vote serré se présente, il lui faut battre le rappel : d'autres collègues sont priés de rejoindre l'Hémicycle séance tenante pour que le vote soit favorable. En pratique, en maniant le règlement intérieur, on peut le plus souvent retarder un vote autant qu'il le faut pour laisser aux collègues le temps d'arriver ; le responsable de texte passe cependant par toutes les couleurs de l'arc-en-ciel, dans l'angoisse que le compte n'y soit pas.

Une autre caractéristique française compliquant les débats, c'est l'impossibilité de savoir quand les amendements seront discutés en public. Mettons qu'une semaine ait été réservée à l'examen du texte : bien souvent, vous ne saurez pas prévoir à quarante-huit heures près quand sera débattue la modification que vous avez proposée et pour laquelle vous aimeriez tellement être présent dans l'Hémicycle ! Parfois vous préparez votre discours pour le mercredi et c'est finalement le vendredi que vient votre tour. Inutile de dire que le facteur ne repasse pas : si vous n'êtes pas dans l'Hémicycle au moment où le président appelle le numéro de l'amendement, vous ne pourrez pas le défendre plus tard. Soit quelqu'un (nécessairement un cosignataire) parlera pour vous, soit on passera directement à l'amendement suivant.

L'Assemblée a prévu une procédure dite de « temps législatif programmé », plus souple, dans laquelle le volume horaire total est fixé, ainsi que le temps alloué aux différents groupes parlementaires. C'est alors aux groupes que revient la charge de répartir leur temps de parole sur les sujets les plus importants.

Séduisant sur le papier, ce mécanisme n'est à l'usage pas plus prédictible que les autres, en particulier parce que les débats peuvent sans crier gare faire augmenter subitement le temps de discussion. Ce mode de discussion est également fort défavorable aux députés non inscrits, qui se partagent un temps de parole très restreint. On a ainsi vu des députés très compétents sur leurs sujets de prédilection – Delphine Batho, Sylvia Pinel, Olivier Falorni –, non inscrits car ne se reconnaissant dans aucun des groupes constitués, privés de temps de parole dans le cœur des débats.

Avec des discussions aussi imprévisibles, des horaires aussi étendus, bien sûr qu'il y a du va-et-vient dans l'Hémicycle. Des députés entrent, d'autres sortent, certains vont boire un coup, fumer (que de fumeurs à l'Assemblée !), reviennent, repartent... certains bancs se vident, d'autres se remplissent, en fonction des thèmes et de l'horaire. Les collaborateurs du groupe majoritaire comptent en permanence pour vérifier que ledit groupe est bien majoritaire en effectifs au moment des votes. Le groupe majoritaire est divisé en plusieurs sous-groupes de permanence, qui font rotation pour assurer de la présence en Hémicycle, indépendamment du sujet. Contraintes de la vie parlementaire !

Et sur le fond de la discussion ? Ici tout est possible ! Je ne m'étends pas car ce sont les difficultés qui sont souvent décrites dans les articles politiques. La complication peut venir de l'opposition ou de la majorité, du gouvernement, de la pression publique, des associations, des influenceurs en tout genre. Les arguments techniques sont parfois utilisés en support de l'argumentaire, parfois balayés au profit d'impressions et d'arguments politiques, de convictions. Il y a des coups de théâtre, des trahisons, des coups fourrés. Les interventions peuvent dégénérer, les orateurs se faire couper la parole, les esprits s'échauffer. Sur certains sujets on voit d'incroyables alliances se nouer entre groupes différents (droite et gauche radicale, par exemple) ; sur une année, presque toutes les combinaisons d'alliances entre les huit groupes ont dû se présenter. L'Hémicycle pourra bruisser d'allusions et d'interpellations. Et dans le même temps que la discussion physique, il y a les discussions parallèles, entre collègues, qui vibrent sur les réseaux sociaux internes aux députés, en particulier les boucles Telegram. Les députés d'un même groupe y partagent des consignes, des commentaires, des émoticônes, des images humoristiques, des animations, des blagues vaseuses... Vu de l'extérieur c'est une respectable assemblée, mais dans le monde virtuel c'est le royaume des vannes et des animations loufoques, on s'y échange des mimiques d'acteurs et des montages maison où de grotesques créatures passent en surimpression sur les films des prouesses oratoires des collègues.

En Hémicycle, la liberté de parole est totale : si les débats doivent rester respectueux, en pratique les uns se moquent des autres et font des réflexions inappropriées. La parole est d'autant plus libre que l'on n'a pas à craindre d'attaque pour ce qu'on a dit : pas de procès en diffamation pour une accusation portée en Hémicycle [1]. Seul un rappel au règlement peut venir sanctionner un écart trop important.

Le ton peut varier considérablement d'un texte à l'autre, d'une commission à l'autre, en fonction de la culture de la commission et de la personnalité des meneurs, la commission des finances étant à n'en pas douter la plus « pro ».

Sur tous les amendements, la consigne de groupe est donnée par le « whip », ou fouet (le nom officiel est commissaire majoritaire) : c'est son rôle de tenter de faire respecter la discipline de groupe. Si vous débarquez dans un débat où vous ne maîtrisez pas le sujet (ce qui n'est guère honteux quand on pense aux milliers d'amendements), et que vous souhaitez être solidaire, demandez la consigne de vote au « whip ». *A contrario*, si vous décidez de ne pas suivre la consigne de vote, il est recommandé de maîtriser le sujet, et de savoir expliquer votre choix à vous-même, à vos collègues, et le cas échéant à la presse !

---

1. Récemment ce droit a été utilisé de façon spectaculaire au Parlement britannique : un député a publiquement dénoncé un notable, fortement suspecté de harcèlement sexuel, que la presse n'osait pas mentionner explicitement de peur de procès en diffamation.

On voit que les « whips » jouent un rôle clé pour maintenir l'ensemble de la mécanique. Une des caractéristiques notables de la vague LREM à l'Assemblée a été de faire parvenir à ces postes sensibles de jeunes députés, pour la plupart novices. Et cela, même à la commission des finances, dans laquelle le « whip » joue un rôle d'autant plus important pour la majorité que la présidence y est laissée à l'opposition [1]. C'est en effet à Amélie de Montchalin que ce rôle a échu en 2017, avant que d'autres responsabilités au sein du groupe ne lui fassent passer la main à Bénédicte Peyrol, également dans son premier mandat et encore plus jeune.

La tradition de la Ve République a donné la prééminence au gouvernement : si l'on sent que le groupe penche pour une position qui n'est pas celle du ministre responsable du texte, la température monte de plusieurs degrés, les débats peuvent devenir véhéments, de même que les appels silencieux à la raison sur les boucles Telegram. Certains députés préfèrent quitter la salle ou ne pas se présenter, plutôt que de voter contre le gouvernement et d'encourir les foudres du système. Une suspension de séance juste avant le vote permettra de gagner du temps et de relancer les négociations, de voir ce que l'on peut proposer aux députés fortes têtes pour qu'ils retirent leur amendement. Et pour qu'il n'y ait pas d'ambiguïté dans mes propos : cela n'a rien à voir avec le gouvernement actuel, c'est une tradition, décrite à de multiples reprises par des personnalités politiques de droite comme de gauche, et conforme à l'esprit qui animait la Constitution de 1958. Songez que le gouvernement a même le droit de forcer un vote positif en engageant sa responsabilité par l'article 49-3 (selon

---

1. Cette présidence laissée à l'opposition, dans une commission emblématique car en charge du contrôle budgétaire, est l'une des importantes avancées démocratiques de 2008. Progrès timide, cela dit, par rapport à d'autres régimes : une avancée plus radicale consisterait à confier la moitié des présidences à l'opposition ; c'était d'ailleurs une recommandation de Guy Carcassonne.

certaines restrictions, qui lui laissent quand même la possibilité de le faire cinq fois par an !), ou de demander un vote bloqué sur l'ensemble du texte, ou une deuxième délibération s'il n'est pas satisfait du résultat !

Comme vous l'avez compris, toutes les précautions sont prises pour qu'à la fin l'Assemblée ne vote pas contre le gouvernement. Il arrive que des amendements passent contre l'avis du gouvernement : par exemple, dans l'emblématique loi PACTE sur l'économie, c'est arrivé en tout et pour tout une fois. Une telle péripétie peut être vécue comme un petit psychodrame par le ministre concerné, ou même par les députés responsables du texte, honteux de s'être laissé déborder par leurs propres troupes.

Certains acteurs ne sont pas présents physiquement mais pèsent sur les débats et s'invitent dans les argumentaires : les citoyens (qui nous regardent peut-être, se disent les députés), la presse (sans cesse à l'affût des conflits internes ou externes sur tous les votes sensibles), le secrétariat général du gouvernement (qui incarne la stabilité ou l'immobilisme, cela dépend du point de vue), le puissant Conseil constitutionnel (qui doit obligatoirement délibérer sur les lois organiques et sur les lois dont il est saisi par au moins soixante députés ou soixante sénateurs). Les décisions du Conseil constitutionnel sont d'autant plus redoutées qu'elles s'imposent sans contre-pouvoir, ne donnant lieu à aucune possibilité de recours. Ainsi, il est fréquent qu'un ministre, un rapporteur ou un député défende une position prudente par crainte qu'un amendement audacieux ne se révèle contraire à la Constitution. Mauvaise foi ou crainte sincère ? Avec la pratique, on se fait son idée, mais nul ne peut garantir la décision que rendra le Conseil constitutionnel.

Un arbitrage de ce Conseil m'a marqué, peu de temps après mon arrivée au Palais-Bourbon. Lors du vote de la loi Confiance, la garde des Sceaux a solennellement annoncé, en cours d'examen et dans un moment de grande tension, un amendement du gouvernement visant à éliminer la « réserve ministérielle ». Applaudissements nourris sur tous les bancs de l'Hémicycle : enfin les députés avaient le pendant à la suppression de la « réserve parlementaire », ressentie comme une humiliation par beaucoup. Mais finalement, une fois la loi (organique) votée, le Conseil constitutionnel déclara inconstitutionnelle la suppression de la réserve ministérielle. Il censura donc cette décision et rétablit la réserve, sans qu'une parole s'en fasse l'écho en Hémicycle. Était-ce un calcul de la part du gouvernement ? Ce ne serait pas la première fois. (Ne dit-on pas que Jean Sans Terre signa la *Magna Carta*, il y a plus de huit cents ans, devant ses barons rassemblés, avec l'espoir que le pape la déclarerait irrecevable ?)

Enfin le tableau ne serait pas complet si l'on n'y ajoutait tous ceux qui sont chargés de mettre de l'huile dans les rouages et d'améliorer la qualité du travail : conseillers chargés des relations avec le Parlement (au nom du Président, du Premier ministre, de tel ou tel membre du gouvernement), conseillers du président de l'Assemblée, collaborateurs des groupes parlementaires. C'est tout un petit monde qui reste sur la brèche, enchaînant les coups de téléphone, les SMS, les stations debout en Hémicycle, les négociations en tête à tête, les discussions à la buvette… Ajoutons-y les administrateurs parlementaires qui tiennent la plume pour la rédaction des énormes rapports, et ceux qui s'installent en séance tout près du rapporteur pour le conseiller discrètement : durant toute la durée des débats, amendement par amendement, ils le soutiendront dans son marathon en lui rédigeant des argumentaires précis, en lui rappelant la jurisprudence constitutionnelle, en lui proposant des rédactions alternatives, en le conseillant quand la discussion s'échauffe.

Tous ces travailleurs de l'ombre ont beau rester transparents dans leur mandat officiel, ils peuvent très bien avoir de fortes personnalités et s'imposer comme des acteurs clés de la vie parlementaire. Et pour ma part, je garderai de ma première année d'exercice un souvenir vif et enchanté de ces collaborateurs dévoués, doués, chaleureux, remuants parfois, avec qui j'ai eu tant de plaisir à échanger – les Amaury Dumay, Éric Buge, Frédérique

Vidal, Meziane Rezki, Adrien Caillerez, Léo Cohen, ou encore la si élégante Samira Jemai.

Comprendre le fonctionnement de toute cette mécanique ressemble, au début, à un vrai défi… et à l'usage, on s'y fait. Quoi qu'il en soit, pour le député fraîchement élu que j'étais, cela a été fascinant de me plonger dans les ressorts de ce système. Fascinant de voir les institutions s'organiser et mettre en place des processus sophistiqués pour apprivoiser ce qui est fondamentalement chaotique, la confrontation des points de vue dans leur diversité. Fascinant de voir aussi comment de belles solutions peuvent s'avérer non fonctionnelles, et comment *a contrario* des arrangements bancals peuvent se révéler efficaces. Et bien sûr, fascinant de voir les opinions aller et venir comme des vagues dans ce petit océan humain qu'est le Parlement.

En matière législative, j'ai pu participer au vote de plusieurs dizaines de textes, mais j'ai fait le choix de me concentrer sur quelques articles de loi qui me motivaient particulièrement : sur Parcoursup, à la suite du travail de l'OPECST ; sur les données personnelles, en cohérence avec le groupe de travail mathématique et médecine que je coanime à l'Académie de médecine. En cette dernière occasion, avec ma collègue Paula Forteza, rapporteure, nous avons pu mener, entre la commission et la séance plénière, des auditions en contradictoire qui nous ont donné des argumentaires suffisamment forts pour faire passer dans la loi deux amendements contre l'avis du gouvernement : ce n'est pas si fréquent !

J'ai aussi pris mon tour pour déposer une proposition de loi visant à imposer, dans les études d'impact, la prise en compte des éclairages scientifiques et technologiques, sujet traditionnellement ignoré par les cabinets ministériels et les administrations.

En fonction des besoins, des textes, j'ai cosigné des amendements des collègues sur des sujets tels que le droit d'asile, le bienêtre animal, le handicap, l'environnement.

Un texte que j'ai beaucoup travaillé, c'est la révision constitutionnelle. Au-delà des réunions et débats d'orientation, j'ai assisté à une série de dîners organisés sur ce thème par le président de l'Assemblée ; j'ai même monté un petit club transpartisan, éphémère, dont la vocation était de discuter du projet de loi. En partie pour assurer l'avenir de l'OPECST en commission permanente, en partie parce que cela me semble important pour l'ensemble du fonctionnement de l'Assemblée, j'ai, notamment, prôné la suppression de l'inscription dans la Constitution du nombre de commissions permanentes, héritage historique du bridage du Parlement de 1958...

Le parcours du combattant pouvait débuter ! Sur ce sujet, j'ai commencé par convaincre le groupe et le rapporteur. Mon collègue constitutionnaliste Christophe Euzet restait sceptique : « Jamais le gouvernement n'acceptera cela. » Il avait raison ! En partie devant les réactions du gouvernement, en partie devant les réflexions des collègues, j'ai vu les rapporteurs se retourner. Et quand j'ai défendu le déplafonnement en commission, tous les groupes, y compris le mien propre, s'y sont opposés. Visiblement, le Parlement n'est pas encore prêt à assumer sa liberté.

À défaut d'obtenir un déplafonnement dans la Constitution, essayons d'obtenir une augmentation du nombre de commissions. J'ai rediscuté directement avec le conseiller du gouvernement sur ce sujet : il m'a parlé de la réforme de 2008, et de combien le déplafonnement de six à huit avait fait objet de débats, commençant par un déplafonnement plus large de six à dix, avant que le président de l'Assemblée lui-même ne force une reculade à huit pour éviter que la presse ne crie à la multiplication des privilèges... (Tiens, voilà qui n'était pas dans les traités de droit constitutionnel !) Le gouvernement s'est déclaré prêt à dix commissions, et le groupe a repris cette proposition. J'ai vivement plaidé à nouveau en interne pour douze commissions, je ne suis pas arrivé à mes fins. Au moins le dix était-il bien sécurisé, d'autant que des députés d'autres groupes ont déposé des amendements aussi en ce sens ! Au moment où nous avons dû interrompre l'examen de la révision constitutionnelle, j'étais en train d'affûter mes arguments pour plaider douze en séance plénière, en combinant l'expérience de la pratique parlementaire, les arguments des experts en droit constitutionnel et les comparaisons internationales. Affaire à suivre...

Sur cet exemple comme sur les autres, j'ai pu expérimenter combien il est complexe de changer ne serait-ce qu'un petit morceau de loi. C'est à peine imaginable de l'extérieur ! Mais si la loi doit être modifiée « d'une main tremblante », selon le mot fameux de Montesquieu, il est normal que le chemin de cette modification soit semé d'embûches institutionnelles.

Pour autant, il faut dire les choses clairement : le système actuel est si rigide, si complexe, si opaque, si pesant qu'il est devenu inadapté au XXIe siècle. On a beaucoup parlé, ces derniers mois, du référendum d'initiative citoyenne (et sur les conditions d'un référendum, telles qu'elles sont inscrites aux articles 3 et 11 de la Constitution, il y aurait beaucoup à dire, et déjà à améliorer l'existant), mais le problème est bien plus large. Je place beaucoup d'espoirs dans la révision de nos institutions : augmentation du nombre de commissions permanentes, mise à disposition d'experts pour nous aider à évaluer et argumenter, allongement des semaines de débat parlementaire, rationalisation du temps de débat, suppression des sessions extraordinaires, raréfaction des séances de nuit, limitation du dépôt des amendements du gouvernement, renforcement du contrôle de l'emploi du temps par le Parlement, travail d'explication auprès des citoyens... Ce serait un progrès considérable. Le chemin est encore long vers la modernisation de nos institutions, d'autant plus que les changements culturels doivent accompagner les réformes structurelles.

Lettre à un frère lointain

Ce texte satirique, écrit au cours de ma première année, verse par moments dans la caricature pour appuyer sur les points douloureux !

Mon cher Théo,

J'espère que cette lettre te trouve plein d'enthousiasme. Je le suis moi aussi depuis mon arrivée dans ma nouvelle institution. Les collègues sont sympathiques et défendent avec ardeur leurs idées. Les sujets les plus importants nous parviennent et nous avons un défilé d'invités tous plus intéressants les uns que les autres. Nous ne comptons pas les heures et j'apprends tant de choses !

Et pourtant, il y a quelque chose d'étonnant dans notre fonctionnement collectif, si paradoxal que parfois j'en viens à me demander si c'est moi qui suis déconnecté de la réalité. En effet mes collègues discourent et parlent tant qu'ils finissent par en ressentir une grande souffrance. Quand on leur demande pourquoi ils s'infligent cela, ils disent tous que c'est insupportable mais aussi inévitable. Qu'on leur propose de changer les règles pour diminuer le rythme ahurissant de réunions, et ils disent que cela ne tient qu'à nous, mais ne font rien.

Les horaires sont inouïs et imprévisibles. Un mercredi ils apprennent qu'ils devront travailler tout le samedi, puis tout le dimanche... mais le vendredi ils découvrent que finalement ils sont libres le dimanche. Il leur arrive de travailler deux semaines d'affilée, sans la moindre pause, finissant à 1 heure du matin presque chaque jour. Quand on leur demande quelle est la nécessité d'y consacrer de tels gouffres temporels, et si l'on ne peut se réorganiser, ils répondent que cela ne tient qu'à eux mais que c'est bien dommage que cela se passe ainsi.

L'autre jour, j'ai organisé une réunion, avec quelques collègues motivés, pour discuter d'un sujet crucial. Sur quinze participants, cinq m'ont averti en avance de leur indisponibilité, et trois autres ont annulé leur participation le matin même. Quand vint le moment de la réunion, nous n'étions que deux ; on sonna le rappel, certains étaient bloqués mais promirent de venir dès qu'ils le pourraient, sans pouvoir donner d'heure précise ; un autre dit qu'il était lui-même dans une autre réunion où il y avait besoin de monde et suggéra qu'on aille le rejoindre. Croiras-tu que ce genre de choses est habituel ?

De fait, assez régulièrement, alors qu'on est occupé à discuter, au cœur d'un débat, on reçoit une instruction disant qu'il faut de toute urgence passer dans une autre réunion, sans pour autant savoir ce qui s'y dit, afin de pouvoir infléchir le débat qui s'y tient.

Le débat, parlons-en !

Une grande partie du temps de débat se passe entre mes collègues, à discuter de la façon d'améliorer leurs textes et leurs produits ; comme dans toute entreprise, certainement.

Mais les règles de ce débat sont si étranges ! On examine tous les changements dans l'ordre, mais il est impossible de savoir, à deux jours près, quel sera l'ordre du jour. Quand vient le morceau que l'un d'eux se proposait d'améliorer, la personne en question est souvent absente, et si elle n'a pris le soin de déléguer à l'avance à quelques-uns le soin d'en parler, on ne discute même pas de son idée. Plus étonnant encore : si dix personnes ont chacune une suggestion différente sur un même morceau de texte, on les écoute l'une après l'autre, et dès que l'une est convaincante, on adopte sa solution sans même écouter les suivantes. Ajoutons que l'ordre dans lequel les suggestions sont discutées est déterminé par un algorithme impénétrable contre lequel ils pestent tous, sans pour autant envisager de le changer.

Pour remédier à cela ils ont développé une procédure qu'ils nomment Temps Programmé. À l'usage, malgré son nom, elle est encore moins prévisible que la procédure classique. Je ne te cacherai pas ma perplexité devant tout cela.

Je leur ai demandé pourquoi ils ne pouvaient pas s'organiser pour étudier les opinions en amont, délimiter rationnellement leur texte – par exemple le diviser en quatre parties s'il y a quatre jours d'examen. Car enfin n'est-ce pas ainsi que l'on travaille dans presque tous les lieux ? Ils m'ont écouté avec un air compatissant, disant que c'est impossible de faire les choses aussi simplement, puis qu'en fait c'est possible si on le décide, mais ne semblent pas s'intéresser à la façon de le rendre possible.

Passons sur la gestion des jours de travail et de congé. J'ai connu des environnements où l'on souhaitait connaître longtemps à l'avance les dates du travail, mais ici tel n'est pas le cas : un mois à l'avance on ne sait toujours pas quand sont les vacances. Les semaines s'enchaînent, tronquées à trois jours seulement, en nombre imprévisible, et durant ces périodes ils sont censés assister presque sans cesse à deux ou trois réunions simultanées.

Pourtant le plus surprenant est la façon dont ils envisagent leur mission. Bien que payés pour contrôler les comptes et actions de certaines maisons célèbres, comme le Cours Vernement, ils insistent pour le faire de façon instinctive et sans se donner la moindre expertise pour étayer leurs rapports. Et comble de paradoxe, avant de décider de leur organisation, ils demandent la permission à ceux-là mêmes qu'ils sont censés contrôler. Imagine-t-on un contrôleur des impôts demander à celui qu'il contrôle la permission d'utiliser telle ou telle technique d'analyse ? C'est pourtant l'esprit dans lequel on travaille ici.

Dans toute cette confusion il y a cependant des évolutions, et l'on va bientôt rediscuter de toutes nos règles. Qui sait ? Peut-être saurons-nous rétablir un peu plus de bon sens ici ?

*

Retour d'Hémicycle

Voici maintenant un exemple (parmi tant !) de discussion collective complexe autour d'un amendement. Ce débat s'est tenu dans la nuit du 16 au 17 juillet 2018, dans le cadre de la révision constitutionnelle. Si la presse s'est fait l'écho de cet amendement controversé, elle ne pouvait pas rendre compte de la complexe dynamique interne qui animait les échanges. Plutôt que de reproduire le long registre des débats, je l'ai résumé sous forme d'un dialogue imaginaire, suivant toutefois de près la réalité du débat.

— ... Mmmh ? Il est quelle heure ?

— Désolé, j'ai fait tout ce que j'ai pu pour pas te réveiller. Il est deux heures moins le quart. Tout va bien.

— Mmmm ? 2 heures du matin, encore !

— On a fini à 1 heure du matin à l'Assemblée, j'ai pris un dernier verre avec les collègues avant de rentrer.

— C'était productif, au moins ?

— C'était la Constitution, c'était super intéressant. Compliqué. On a terminé avec une séquence extrêmement compliquée.

— C'est quoi extrêmement compliqué ?

— C'était sur la réforme voulue par Macron au Congrès. Tu sais, la possibilité pour le Président de répondre au Congrès après le débat. Pour l'instant, la Constitution lui donne seulement la possibilité de faire un discours et de partir en laissant les députés et sénateurs discuter entre eux.

— Ah oui, il avait demandé à ce qu'on change ça pour pouvoir répondre. Et alors ?

— C'était embrouillé. Les Insoumis demandaient de quel chapeau l'amendement du gouvernement allait sortir. Et finalement on a compris qu'il n'y avait pas d'amendement du gouvernement, et qu'à la place on allait voter l'amendement des Constructifs.

159

— Les Constructifs, ils sont dans l'opposition, hein ?

— Oui, mais constructive, parfois ils participent. Et l'amendement déposé par Lagarde correspondait bien à ce que la ministre avait en tête. Donc elle a donné un avis favorable. Pour Ferrand c'était plus compliqué parce qu'en commission il avait déjà donné un avis négatif sur le même amendement, donc il ne pouvait pas donner un avis favorable : il a fait un raisonnement tortueux qui lui permettait de ne donner aucun avis. La tête des collègues quand ils ont compris l'acrobatie en cours… ma voisine a parlé de double salto arrière.

— Lagarde, il a déposé son amendement pour répondre au souhait de Macron ?

— Non, il l'a déposé avant. En fait au moment où il a déposé il croyait que ce serait rejeté, puisque ça avait déjà été rejeté en commission. C'était juste pour lancer le débat. En fait cet amendement avait été déposé par trois groupes d'opposition.

— Je comprends pas pourquoi ils ont déposé s'ils croyaient que ça serait rejeté ?

— Ils voulaient surtout piéger le Président dans leur discours, en insistant sur le style monarchique des convocations du Congrès. Mais finalement ce sont eux qui se sont retrouvés piégés. D'ailleurs Chassaigne, le leader communiste, a retiré son amendement en discussion. Avec Ferrand ils se sont traités mutuellement de menteurs.

— Ils ont dit explicitement « menteurs » ?

— Pas vraiment, mais c'était pas mieux. Chassaigne a dit avec véhémence : « Vous savez très bien que lorsqu'on n'a pas le cul propre, on ne peut pas monter au mât de cocagne. » Et Ferrand a répondu que le sien était certainement plus propre que celui de Chassaigne.

— Eh ben ça volait haut.

— Souvent en débat les gens intelligents se retrouvent dans des postures bêta. Les explications de Chassaigne n'étaient pas très claires, mais il a eu beau jeu de dénoncer l'ambiguïté du résultat. Maintenant qu'on l'a modifié, l'article dit : « Le Président peut prendre la parole devant le Parlement réuni à cet effet en Congrès. Sa déclaration peut donner lieu à un débat qui ne fait l'objet d'aucun vote. »

— Ça dit que le Président assiste au débat ou participe ?

— Ben c'est pas clair, c'est justement comme ça que Chassaigne a justifié son retrait, en disant que Ferrand était le plus grand manipulateur de l'histoire parlementaire depuis au moins un siècle. Maintenant la ministre doit compter sur le Sénat pour améliorer la rédaction.

— Mais Lagarde n'a pas retiré ?

— Non, il était dans la posture d'opposition constructive. Il a fait une explication alambiquée. Les Insoumis ont crié au complot en sous-entendant que tout cela était téléguidé de l'Élysée. Il fallait entendre Lagarde gueuler : « Cet amendement n'est pas d'inspiration présidentielle ! C'est quoi ce bordel ! », même sans micro ça a dû marquer l'enregistrement, tiens. En tout cas le numéro de dépôt faisait foi, ce n'était pas téléguidé. Ou alors avec plusieurs bandes.

— Franchement j'ai pas tout compris. Pfff. Vous êtes contents du résultat au moins ?

— Bah, les collègues étaient grognons de voter un amendement de l'opposition, ils auraient préféré que ça vienne de la majo… Après, quel que soit le résultat on se fait critiquer par l'opposition. Mais finalement c'est pas choquant que le PR puisse répondre au Congrès je crois. C'est vrai que ça augmente un peu la confusion entre le rôle du PR et celui du PM, qui est seul responsable devant le Parlement. Mais c'est cohérent avec l'ambiguïté de l'origine de l'exécutif dans la Vᵉ République. Et puis c'est une responsabilité purement oratoire, et puis c'est le PR qui a l'initiative de la convocation. Moi ça me choque pas…

— Eh ben… zzz… c'est bien… si tu es content c'est le principal… Hmm… Maintenant il faut dormir… zzz…

22 juin 2018.

Le soir tombe. Après trente kilomètres de marche à pied et de discussion, on peut enfin se poser au restaurant Courtepaille. Je passe derrière le comptoir pour déposer mon bâton de marche et mon sac à dos, qui est devenu de plus en plus lourd en se chargeant de produits du terroir. Je ressors du restaurant pour le plaisir de faire quelques pas sans ce poids sur mes épaules. Le soleil commence à décliner sur les fameuses grues qui font, depuis bien des années, partie intégrante du paysage du plateau de Saclay en travaux.

Aujourd'hui c'était un voyage à travers un cœur névralgique de ma circonscription : le célèbre plateau de Saclay !

On a arpenté de vrais beaux paysages ruraux, de grandes plantations, des hangars remplis d'équipements fermiers, des plans d'eau prisés des observateurs d'oiseaux, sans oublier les fameuses rigoles qui ont permis à l'administration de Louis XIV d'éviter les inondations et de préparer l'approvisionnement en eau de Versailles. On a arpenté quelques cimetières aussi, c'est toujours instructif.

Avec Pierre Bot, jeune agriculteur local plein d'énergie, à la tête d'une grande exploitation moderne axée sur la qualité, on a discuté agriculture connectée et circuits courts, on a dégusté de merveilleux produits.

163

Mais aussi, on a risqué notre vie en traversant des croisements routiers mauvais, on a souffert en côtoyant des embouteillages terribles. Les coups de soleil n'ont pas épargné les filles, qui sont rouges comme des écrevisses !

L'urbanisme du plateau est bien différent de celui de la vallée : on y trouve des communes étendues aux contours biscornus, des champs traversés de précieux réseaux hydrologiques, de petits îlots résidentiels presque indépendants.

Ici, à vingt kilomètres seulement de Paris, les villages s'insèrent dans un environnement reposant et inspirant. La tombe de Tabuchi, la maison de Foujita témoignent que des artistes japonais y ont recherché la sérénité.

On est aussi passés devant des lieux de haute technologie, comme les gigantesques bâtiments du Commissariat à l'énergie atomique (CEA), où se tiennent des recherches qui vont bien au-delà de l'énergie atomique. Juste à côté du restaurant, voici le synchrotron Soleil : grand établissement dans lequel on prépare des expériences liées au faisceau de particules synchronisées qui permet d'explorer la matière. Le monde entier défile ici pour jouer, le plus sérieusement du monde, avec ce superbe engin de connaissance !

Pas étonnant que les agriculteurs, les paysans du coin aient vu avec une méfiance grandissante les projets d'enseignement supérieur et de haute technologie ici. D'abord le Commissariat à l'énergie atomique. Puis l'Université Paris-Sud. Puis HEC. Puis l'École polytechnique. Puis tout le reste ! Ce sont maintenant des dizaines de projets qui se bousculent sur le plateau. L'angoisse du « bétonnage », la défiance vis-à-vis de l'État sont toujours palpables dans les discussions. Encore aujourd'hui il arrive à un haut responsable politique de « gaffer » en laissant entendre que les terres agricoles du plateau sont vouées à être urbanisées.

Dans leur combat contre les « technos », les agriculteurs d'antan ont trouvé des alliés dans les nouvelles générations : des ingénieurs, des chercheurs, des enseignants qui rêvent de retour à la terre et de cohabitation harmonieuse entre la technologie et la nature. C'est bien pour cela que moi-même j'ai élu domicile dans ce territoire, il y a neuf ans déjà.

Aujourd'hui les questions et les curieux n'ont pas manqué, que ce soient la gestion des déchets du Grand Paris Express ou l'avenir de la recherche en neurosciences sur le plateau, en passant par la supraconductivité et l'entretien des sentiers.

Ce soir on sera dix à table, dont le maire de Saint-Aubin. Dans le groupe, un ou deux profiteront de l'occasion pour exposer leur problème et glaner un peu d'aide. Une histoire compliquée de feuille d'impôts à remplir. Une entreprise en mal de conseils. Quelle que soit la raison qui aura mené les uns et les autres à être présents, on entrechoquera de bon cœur les verres de rosé et les chopes de bière. À la santé de notre cher plateau !

Chapitre 9

EN CIRCO

La circonscription, la « circo » comme on dit entre nous, c'est le havre du député, ce qui le ramène à la vraie vie quand il risque de s'égarer dans les abstractions parlementaires. On parle de terrain, pour certains c'est comme le terreau où ils poussent.

Ma circo, c'est la cinquième circonscription de l'Essonne, dans la grande couronne parisienne. Certains y voient la partie la plus extrême du grand Paris, d'autres la partie la plus interne de la Grande couronne. Une chose est sûre : le sort de ce territoire est intimement lié à celui de Paris, même s'il entend jouer sa partition propre.

Et cette partition passe avant tout par la recherche et la technologie, au cœur du projet Paris-Saclay, qui se pense en complément et en contrepoids à Paris-Centre. J'étais aux premières loges pour voir la compétition entre ces deux ensembles quand ils ont chacun monté leur fondation mathématique ; et toujours aux premières loges quand ils ont présenté des projets concurrents d'instituts interdisciplinaires d'intelligence artificielle. Mais cela se décline dans tous les domaines.

Ma circo comprend dix communes, dont neuf font partie d'une communauté d'agglomération elle-même issue de la fusion de deux communautés. Elle s'inscrit dans une Opération d'intérêt national (OIN) à cheval sur deux départements, l'Essonne et les Yvelines. Elle comprend deux cantons et deux fractions de cantons. Elle s'inscrit bien sûr dans la Région Île-de-France, relève de l'académie de Versailles et de la sous-préfecture de Palaiseau. Ça, c'est ma part du millefeuille territorial, que je déguste chaque jour ou presque. Voilà si longtemps que chaque tentative de simplifier le millefeuille aboutit à une complication supplémentaire...

Une circonscription n'a pas d'existence administrative : pas de siège, pas d'équipe, pas de subvention. Avec la disparition de la « réserve parlementaire », la circonscription n'a plus aucune autre fin officielle que de délimiter le territoire d'une élection législative. Et aucune autre fin officieuse que d'être le territoire où le député exerce le cœur de son influence de terrain.

Le mot « officieuse » est important : la loi n'impose aucune présence, aucune action en circonscription au député – sauf de voter aux sénatoriales de son département. Et la loi ne donne au député aucun moyen d'y avoir le moindre impact. Reste la saine tradition républicaine selon laquelle le député peut exercer un pouvoir d'influence – pouvoir politique, pouvoir de mettre les choses en lumière, d'aider à résoudre les conflits. Le pouvoir de passer des coups de téléphone, de rendre visite, de défendre un point de vue, de jouer au médiateur informel quand un citoyen se retrouve en butte à une absurdité administrative. Le pouvoir de la parole !

Ma circo, il est bien difficile de la classer politiquement. Certains la disent de gauche, d'autres de droite. Elle comprend aussi bien de l'urbain que du rural. On y croise des élus locaux sans étiquette, électrons libres, élus à front renversé... Il y a des surprises électorales, et parfois des coups d'État.

Il est bien plus intéressant de se concentrer sur la variété de sa géographie et de sa sociologie. Deux plateaux et une vallée. Un haut lieu d'agriculture, une belle forêt, un campus d'enseignement supérieur et de recherche parmi les plus célèbres de France, des industries innovantes. De jolis pavillons résidentiels en quête d'harmonie avec la nature, et des ensembles fièrement urbains organisés en îlots labyrinthiques.

À Verrières-le-Buisson et à Bièvres, on trouve des cadres de vie exceptionnels, paradis des retraités, où l'on cultive l'amour de la nature, de la photographie, du sport.

Montez sur le plateau de Saclay : une couche d'argile en a fait un réceptacle d'humidité naturel, véritable fabrique à inondations, jusqu'à ce qu'il soit dompté, sous le règne de Louis XIV, par un système de rigoles.

Devenu un extraordinaire terrain d'agriculture, le plateau de Saclay était il n'y a pas si longtemps le plus important centre de cueillette de fraises en France ! Les camions chargés de tonnes de fraises en partaient pour alimenter les marchés de Paris et d'ailleurs.

Ce commerce n'est plus ce qu'il était, même si Bièvres continue à élire chaque année sa Reine des Fraises... Mais à Saclay, à Villiers-le-Bâcle, à Saint-Aubin, à Vauhallan, on est encore fier de la nature et de l'agriculture, des fermes pédagogiques et des élevages bio.

Depuis le plateau, redescendez dans la vallée creusée par l'Yvette. Vous y rencontrerez une population marquée par la forte proportion de chercheurs, d'universitaires et d'ingénieurs. Pas étonnant, au vu du nombre de centres d'enseignement supérieur et de recherche dans le secteur. À Gif-sur-Yvette, un important campus du CNRS ; à Orsay, une université mondialement célèbre ; à Bures-sur-Yvette, un institut de mathématique et physique théorique non moins célèbre, avec la plus forte concentration de scientifiques médaillés en France. Tout cela dans un mouchoir de poche : les trois agglomérations sont si proches que vous passez de l'une à l'autre presque sans le remarquer, et régulièrement il se trouve des gens pour suggérer leur fusion...

Montez maintenant sur le plateau du sud, et sans transition c'est un autre monde qui vous accueille, tout en béton et bitume, tout en circonvolutions aussi : Les Ulis. Un monde coloré par la diversité des origines, avec un marché métissé, des groupes de rap, des clubs de football qui s'enorgueillissent d'avoir formé quelques gloires nationales et internationales. Ici la musique et le sport font partie de l'ADN de la ville, mais les Ulissiens détestent se faire enfermer dans cette caricature et rappellent leur dynamique zone d'activité industrielle : la ZAC de Courtabœuf, où l'on retrouve quantité d'industries de tous les secteurs.

Et pour corser l'affaire, ajoutez par-dessus tous ces ingrédients le projet Paris-Saclay. Un « monstre » initié voici une dizaine d'années, visant à rassembler sur le plateau quantité de grandes écoles, universités, centres innovants, incubateurs pour créer une synergie en matière d'enseignement supérieur et recherche.

Projet légitime, dans un monde où l'innovation se nourrit des contacts interdisciplinaires, de formations partagées, d'interface entre recherche universitaire et développement industriel, et où la France a le devoir de tenir son rang face aux célèbres écosystèmes de la côte Ouest des États-Unis et d'ailleurs. Projet singulier, car la France est certainement le seul pays de l'OCDE à vouloir faire piloter par la puissance publique l'émergence d'un écosystème innovant. Projet gigantesque, au coût faramineux, à la hauteur des grandes attentes.

Le pilotage de Paris-Saclay est une gageure : la gouvernance est éclatée entre des dizaines d'acteurs, il y a des jeux de pouvoir et des disputes entre établissements universitaires, entre élus locaux, entre agences publiques. L'Établissement public d'aménagement Paris-Saclay, la Communauté Paris-Saclay, la Société du Grand Paris, la Région Île-de-France avec son agence Île-de-France Mobilités, les établissements d'enseignement supérieur, le Commissariat à l'énergie atomique, les syndicats d'entreprises : tous ont leur voix au chapitre et toute la mécanique peut se gripper s'ils sont en désaccord.

Pierre Veltz, ancien directeur de l'Établissement public d'aménagement Paris-Saclay (EPAPS, qui d'ailleurs est passé par un changement de statut contre-productif entre-temps), m'a résumé la situation en une phrase quand nous nous sommes rencontrés : « C'est le projet d'aménagement le plus difficile de France, car c'est le seul projet de grande ampleur qui ne soit pas porté par un grand élu, mais par une multitude d'élus. »

Des élus pas vraiment préparés ! Des maires de villages de mille habitants ont vu arriver des milliards d'investissement presque du jour au lendemain, sans savoir comment les accueillir. Sur le plateau, on s'est mis à parler algorithmes, système d'exploitation, objets connectés, génie génétique, sciences cognitives, recherche climatique, transmutation des déchets nucléaires, impression 3D à l'échelle atomique. Les modèles économiques agricoles ont vu débarquer les capital-risqueurs, les *business angels*, les sociétés de valorisation de la technologie. Les associations de défense de l'environnement qui se croyaient loin de la ville se sont usées à déchiffrer des projets de plans de métro, à les attaquer en justice parfois. Entre élus des petites communes rurales et élus des grandes communes urbaines, le conflit pour la gouvernance de la communauté d'agglomérations n'a pas tardé à s'électriser. Les petites routes périurbaines se sont retrouvées engorgées par les voitures des cadres et enseignants qui affluaient par milliers. La vétusté des transports publics s'est fait ressentir plus douloureusement que jamais : RER B en délabrement, RER C poussif, bus dramatiquement insuffisants. La population du plateau de Saclay est appelée à tripler dans les dix années à venir, et personne ne sait comment on assurera les transports publics avant l'arrivée de la ligne 18 du Grand Paris Express, attendue comme le messie par les uns et comme l'antéchrist par les autres.

Dans ce contexte à la géographie malcommode et en développement rapide, les idées de mobilité alternative reviennent comme des serpents de mer : des téléphériques, des vélos électriques, et maintenant des projets de véhicules autonomes. Sans conteste, la bonne intégration des transports est le sujet qui déchaîne le plus les passions sur le territoire du plateau de Saclay.

Un autre sujet ardent, c'est celui de l'entente entre les institutions. En matière administrative, on sait bien que les fusions sont cent fois plus difficiles à réaliser que les fissions ; et regrouper tous les acteurs universitaires du plateau est une tâche extraordinairement complexe. Université Paris-Sud, École polytechnique, École normale supérieure de Saclay, CentraleSupélec, ONERA, AgroParisTech, ENSTA, ENSAE, HEC... Après avoir travaillé pendant des années dans un semblant d'unité, vient le jour où le

Président Macron, en visite sur le territoire, prend publiquement acte de ce que tout le monde savait : les écoles ne se regrouperont pas, elles vont se répartir selon deux grands pôles – Paris-Saclay à l'ouest autour de l'Université Paris-Sud, NewUni à l'est autour de l'École polytechnique – avec quelques satellites et associés. Une partition cimentée par de belles amitiés et quelques haines tenaces, qui oblige à une diplomatie constante.

Pour finir, il faut ajouter une énorme cerise sur le gâteau : un projet d'Exposition universelle, préparé depuis cinq ans, soutenu par la Région Île-de-France et par tout un consortium d'élus et d'acteurs économiques. J'ai été l'un des porte-parole de ce projet, avant même que l'on sache qu'il atterrirait à Paris-Saclay… Dans le contexte déjà tendu, il complique encore la tâche, les associations de riverains le voient comme un gros noyau plutôt qu'une grosse cerise. Le gouvernement, certes, va bientôt simplifier les choses en abandonnant la candidature de la France à l'Exposition universelle… mais cela laissera en suspens d'autres dossiers, et il manque une mise en valeur nationale et internationale au niveau de cette opération d'aménagement unique en son genre.

Comment faire vivre ensemble toute cette diversité de communes et de projets, c'est le problème de la nation. Il faut ajouter du liant visible et du liant invisible pour que les tensions, les problèmes politiques et logistiques ne conduisent pas à un grand éclatement.

Et que vient faire le député là-dedans ?

Répétons-le : depuis l'interdiction du cumul des mandats, le député n'est plus maire : il n'administre pas de commune, ne passe pas de marché public, ne prend pas de décision d'aménagement. Il est arrivé que des députés se prennent pour des parrains locaux, monnaient leur protection, se fassent subventionner par des intérêts privés, pataugent dans les conflits d'intérêts avec leurs fonctions de maire, désignent des chouchous dans les marchés publics… L'époque est révolue, et le député de 2018, élu national à part entière, vit plutôt dans la hantise de l'ambiguïté, multipliant les déclarations de patrimoine et de liens d'intérêt.

Depuis la fin de la réserve parlementaire, il n'a même plus d'argent à distribuer pour aider les associations et petits projets. Certains dénoncent un statut d'impuissance, mais sans obligation on est d'autant plus libre. Il lui reste la possibilité d'écouter, parler, informer, influer.

Alors le député fait circuler l'information. Il écoute et parle sans relâche. Et pour démultiplier le pouvoir de sa parole, il n'hésite pas à jouer des médias.

En circonscription, c'est le défilé des rencontres. On tâte le terrain, on écoute les plaintes, on demande des avis, et quand on peut on donne des conseils. On hante les cérémonies et les manifestations publiques, à commencer par les commémorations et les jours fériés. On traîne dans les bars, on se fait apostropher dans la rue. Le député doit pouvoir rencontrer tout le monde et parler à tout le monde, comme un trait d'union entre la gouvernance du pays et les citoyens, quels qu'ils soient.

Dans votre permanence, vous enchaînez les rendez-vous.

En une journée, vous pouvez voir défiler les profils les plus variés, à l'image de la diversité de votre circo. C'est presque enivrant de voir passer tous ces visages de l'humanité ! Un théoricien de la bulle financière mondiale, aux accents catastrophistes et hélas plutôt convaincants. Un ingénieur travaillant dur à financer sa start-up. Un autre qui vous alerte sur les failles des protocoles de communication des *clouds*. La vaillante fondatrice d'un réseau de mise en contact de jeunes avec des métiers. Un couple d'agriculteurs aux accents rocailleux, cherchant un soutien pour éviter une action en justice dont ils contestent le bien-fondé. Un activiste qui vous alerte contre le défaut de distribution du courrier. Une maman en guerre contre certains abus de l'administration commis au nom de l'aide sociale. Un ingénieur avec un nouveau système de recyclage de l'énergie. Un expatrié qui vous apporte des nouvelles fraîches de la politique algérienne. Et ainsi de suite… Le contraste entre ces genres de visites est passionnant, à l'image de la diversité de votre territoire.

Parfois ils viennent avec des dossiers énormes, stabilotés, et vous vous efforcez de plonger en quelques minutes dans des affaires qu'ils suivent depuis des années.

Certaines des situations sont dures. Quand quelqu'un vient vous parler de la difficulté à prendre en charge son handicap, de sa détresse financière, d'un accident de voiture qui a brisé sa vie, d'un parent qui est retenu prisonnier dans un pays lointain, alors tout ce que vous pouvez dire semble dérisoire.

Et il y a aussi les quelques cas où vous pouvez vraiment apporter votre soutien, et qui sont si importants pour votre propre bien-être, tant on sait que rendre service aide à se sentir bien.

C'est dans ce contact avec le terrain que réside une grande partie de la noblesse du travail de député. Tout en aller-retour ! Et à travers les rencontres de terrain, se forgent des convictions et des prises de conscience qui seront utiles pour instruire ou voter les projets de loi. Non seulement parce que le terrain est souvent très bien informé ; mais aussi parce qu'il vous permet de mettre des visages, des émotions, des cas particuliers et parfois singuliers sur ce qui sinon ne serait que statistique.

Nous avons été quelques députés, pour l'anniversaire de notre premier mandat, à approfondir le concept et à arpenter systématiquement notre circonscription. Pour ma part, j'ai appelé cela le CIRCO'TOUR ! Trois jours de marche et de rencontres, avec photographies et journal sur Twitter à la clé. Je ne saurais trop recommander cette formule !

La marche à pied, le pèlerinage, c'est l'occasion pour le député de quitter ses bureaux, d'arpenter le terrain dans une démarche active et sportive qui fait du bien. L'occasion d'appréhender la géographie, les rues, les bâtiments, les parcs, les monuments, les lieux de mémoire, de prendre conscience de toute la variété des caractères, des milieux socioprofessionnels, et ressentir que vous êtes là pour entendre la voix de TOUTES les composantes de votre territoire. En trois jours, quelle diversité de sujets, bien plus grande que tout ce dont on est venu me parler dans les locaux de ma permanence.

Il faut toujours faire confiance au hasard, et certains des meilleurs moments de mon tour se sont présentés de façon complètement spontanée, depuis le rassemblement portugais repéré par hasard à Orsay au joli chemin de la Messe que l'on m'a indiqué pour faire la route de Saint-Aubin à Gif, en passant par les retrouvailles avec des amis que je n'avais pas vus depuis de longues années.

À la fin de la journée, la fatigue était due encore plus aux conversations multiples qu'à la marche ; et c'est très bien ainsi, car notre fonction politique est tout entière tissée de discussions.

Mais bien sûr, rencontrer les citoyens ne suffit pas. Député, vous passerez aussi beaucoup de temps avec les acteurs locaux du monde associatif et politique ; vous y ferez le point sur des projets, vous y apprendrez à apprécier des situations, résoudre des problèmes, guider l'action publique locale.

Il faut du temps pour maîtriser la diversité des acteurs politiques et socioéconomiques locaux, les rencontrer et discuter avec eux. Certains députés disent cyniquement que c'est la seule chose qui compte pour se faire réélire, et que l'implication nationale du député implique peu pour sa survie politique ! Mais si vous jouez vraiment le jeu, c'est-à-dire si vous menez de front la vie politique de circo et la vie parlementaire, alors une année ne sera pas de trop pour vous y retrouver dans la jungle des acteurs locaux.

Dans cette exploration, il y a quelques rendez-vous annuels majeurs. Cérémonies, commémorations, fêtes nationales… mais pour moi, les rendez-vous les plus importants sont les cérémonies de vœux (des maires et du député) et les forums des associations.

Les cérémonies de vœux des maires : l'occasion pour eux de développer leur bilan et leur programme devant leurs administrés, l'occasion pour les citoyens impliqués dans l'avenir de leur commune de se retrouver. Pour moi cela a été une vraie découverte, et m'a permis de mieux comprendre les tendances, les états d'esprit, les perceptions des dossiers locaux. En écoutant les maires parler de présent et d'avenir, je me suis souvenu des discours que je devais donner régulièrement aux employés de l'Institut Henri-Poincaré pour réexpliquer le cap et tâcher de garder tout le monde à bord.

Et les forums des associations : magnifique, émouvant, vertigineux ! Les associations se pressent dans leurs stands respectifs, par dizaines, parfois par centaines, pour présenter leurs activités. La diversité est incroyable : tir à l'arc, méditation, cours d'allemand, tricot, jeux mathématiques, bridge, projets d'équipement solidaire au Burkina, ateliers d'expression créatrice, jiu-jitsu brésilien, raids en VTT, préservation d'un herbier historique, apiculture, défense de la nature, théâtre, club de bien-être, sorties en bateau, chorale, association de maraîchage, jumelage avec l'Iran, voyages en Arménie, quêtes humanitaires, enregistrement d'ouvrages pour non-voyants, réseau de services à la personne, lutte contre les maladies orphelines, paroisses, groupes politiques, associations de quartier, taï-chi-chuan, aquarelle, mise en contact intergénérationnelle, conférences, calligraphie persane, solidarité face au chômage, associations d'anciens combattants, etc.

Pour la rentrée 2018, j'ai réussi à écumer huit des dix forums de ma circo, qui compte plus de mille associations. Que de temps passé, mais cela en vaut la peine.

Ces forums, c'est comme si, durant l'espace de vingt-quatre ou quarante-huit heures, tous les rêves de la société, toutes les solidarités, toutes les activités des citoyens se retrouvaient incarnés dans un grand rendez-vous coloré. Le jour où vous êtes déprimé par la difficulté à construire des projets, allez faire un tour au forum des associations et vous en reviendrez avec des étoiles dans les yeux. Et si vous êtes député, vous pourrez vous y informer des grands enjeux, des aspirations des citoyens, et à l'occasion proposer des mises en contact ou des conseils. Tout en discutant avec le maire qui bien souvent y passe toute sa journée.

Aider les associations relève des missions informelles du député. Maintenant que c'est l'État qui distribue les subventions directement, le député peut tout au plus apporter sa recommandation. Mais on trouve aussi d'autres moyens.

Durant ma première année de mandat, j'ai rencontré une association exemplaire qui organisait une grande compétition sportive avec un très beau rôle social ; il lui manquait quelques milliers d'euros pour boucler son budget, sans avoir le temps d'attendre la subvention étatique. Je me suis mis en quête du bon interlocuteur, non sans difficulté. Une des entreprises de haute technologie du plateau ? Une action sociale d'une collectivité ? Finalement j'ai fait appel à un laboratoire d'idées travaillant sur la religion, l'humanisme et la haute technologie, prêt à apporter sa brique à l'édifice.

Et bien sûr, il y a les grands dossiers politiques de circo, ceux qui demandent un suivi très régulier et un contact avec les élus. Paris-Saclay est de ceux-là, et il se décline en quantité de dossiers délicats. Un autre de ces gros dossiers est la restructuration des hôpitaux du Nord-Essonne.

Pour le pilotage de ces grands chantiers locaux, la coordination entre élus voisins est précieuse, et les alliances permettent d'avoir plus de poids. On se retrouve régulièrement pour discuter entre députés de la majorité. Dès le début je fais partie d'un trio engagé, avec ma collègue marcheuse Amélie de Montchalin et Jean-Noël Barrot, du Modem. Tous trois dans la majorité, nous couvrons, par nos circonscriptions, l'ensemble du plateau de Saclay ou peu s'en faut. Nous tâcherons de travailler en synergie et de prendre des positions communes sur les dossiers les plus chauds.

En ce qui concerne le secteur hospitalier, c'est avec la Marcheuse Marie-Pierre Rixain qu'une coordination se met en place : l'hôpital de Longjumeau, dans sa circonscription, est au cœur des projets.

Au fur et à mesure que la confiance se renforce, on en vient aussi à se retrouver régulièrement dans un cadre plus large, entre parlementaires de l'Essonne, chez le président du département, François Durovray. C'est un cercle dans lequel des députés de la majorité (outre ceux que j'ai déjà cités, Pierre-Alain Raphan, Marie Guévenoux, Laëtitia Romeiro Dias, Francis Chouat) mais aussi des sénateurs de gauche et de droite (Laure Darcos, Vincent

Delahaye, Olivier Léonhardt ou Jean-Raymond Hugonet) peuvent échanger régulièrement sur les difficultés et points de tension. La discussion va du plus technique (« Le ministère est incapable de me dire comment la TSCA est calculée pour financer les SDIS… et en plus on a un sujet avec la PMI, il faut absolument qu'on relance l'ARS ») au plus informel (« Ces gens-là nous enfument, ce sont les rois des arracheurs de dents, il faut relancer la négo sur de nouvelles bases »). Les informations circulent, des discussions constructives se nouent par-delà les frontières politiques, pour le bien commun du territoire : c'est aussi cela, le jeu de la responsabilité nationale avec ancrage local.

Comment trouver le positionnement local dans lequel je serai le plus utile ? Les lourdes missions nationales ne me laissent pas un temps illimité en circo, mais l'énergie compte encore plus que le temps, et l'à-propos aussi. Les dossiers nationaux sur lesquels je travaille, je peux les mettre en avant dans le contexte local, soit par des visites de terrain sur ces thématiques, soit par des prises de parole. C'est ainsi que j'ai donné deux conférences publiques à l'auditorium de CentraleSupélec, l'une sur l'intelligence artificielle et l'autre sur l'enseignement mathématique.

Les hôpitaux, quelle grande difficulté ! En fait, les trois hôpitaux d'Orsay, de Longjumeau et de Juvisy (dans trois circonscriptions différentes de l'Essonne) sont appelés à être remplacés par autant de centres de soins urgents et un hôpital sur le plateau de Saclay. Mais dans cette attente, c'est une longue suite de régimes provisoires, de modifications des processus, de difficultés financières, de grèves, et parfois de souffrances. Le nombre de lits est modifié plusieurs fois sous la pression des différentes institutions en charge d'organiser le dialogue entre l'État et l'hôpital. Je demande à être nommé au conseil de surveillance de cet ensemble hospitalier, dit « Groupe hospitalier Nord-Essonne » : longues réunions à venir avec les représentants des médecins, des usagers, des personnels, des élus ; discussions avec des grévistes, débats sur les modèles et les noms… « Chaque mesure entraîne une grève », dit le directeur des hôpitaux, qui ne plaisante qu'à moitié. Il avance sur une corde raide tout en naviguant dans un contexte financier toujours plus difficile, affrontant des rumeurs qu'il faut sans cesse démentir. Ce conseil est l'occasion d'accompagner tant de problèmes, voire de détresse ; et pourtant tant de grandeur dans le soin des uns envers les autres.

Au-delà du redressement d'une situation de crise, ma participation à ce conseil de surveillance sera l'occasion de veiller au mariage entre compétences hospitalières et compétences en mathématique et physique théorique : afin que, dans le futur hôpital, la physique des lasers, les nouvelles techniques d'imagerie, l'intelligence artificielle soient mises à contribution pour l'expertise médicale. Un hôpital à la hauteur de l'ambition de Paris-Saclay !

Parlons-en, justement, du projet Paris-Saclay : aux grands espoirs qu'il fait briller à juste titre, répond une litanie de complications liées au manque d'entente des établissements universitaires, à l'aménagement du territoire, à la difficile acceptation par les citoyens, au développement économique, à l'agriculture...

Au fur et à mesure que le projet s'est mis en œuvre, l'État a hésité entre la planification et la libération des énergies locales ; a repris d'une main les décisions qu'il déléguait de l'autre ; s'est montré incapable de tenir ses engagements de développement, alors que tout le projet s'est construit là-dessus. D'un côté les citoyens nous tiennent pour responsables d'engagements et de retards dans lesquels nous n'avons pris aucune part. De l'autre nous dépensons une énergie énorme à convaincre les décisionnaires de l'État de pousser dans telle ou telle direction !

Mais le plus spectaculaire cauchemar de début de mandat a pour nom « LIGNE 18 » : c'est la dernière ligne tracée sur le projet de plan de métro ambitieux à échelle du Grand Paris, initié par Christian Blanc et désigné par le nom de Grand Paris Express. La ligne 18 est destinée à relier Orly à Saclay, puis Saclay à Saint-Quentin-en-Yvelines : sans cet investissement lourd, comment croire que l'on parviendra à absorber les flux d'employés, d'étudiants, de chercheurs, de visiteurs ? Comment accélérer la venue de la ligne tout en tâchant de rassurer les associations qui s'inquiètent de son impact délétère et la voient comme le cheval de Troie d'une urbanisation incontrôlée ?

Avec les autres députés du plateau, Amélie et Jean-Noël, nous nous voyons à plusieurs reprises pour arrêter une position commune. Mais même à trois élus de la même majorité, c'est déjà si difficile ! Jean-Noël entend le souhait des élus des Yvelines de voir la ligne de métro arriver au plus vite, aérienne ou enterrée. Amélie entend les angoisses de Massy et Palaiseau, plus à l'est, à l'idée que l'État ne remplisse pas ses obligations à temps. Quant aux habitants de ma circo, ils sont partagés entre la hantise d'une université que l'enclavement transformerait en établissement fantôme et la crainte d'un viaduc qui viendrait déchirer l'agriculture du plateau. On ressasse tout cela, on fait les comptes, on passe des coups de fil, on se fait crucifier dans des réunions publiques, on négocie. Et on finit par adopter une position commune pour tenter de définir une vision cohérente par-dessus le chaos.

Mais sur le plateau, s'il est un acteur qui manque singulièrement de vision cohérente, c'est sans conteste l'État, omniprésent et insaisissable. Quelle confusion ! Nous allons nous en rendre compte bien amèrement sur le dossier du Grand Paris Express. Pendant des mois, Amélie et moi multiplions les actions d'influence en faveur de la ligne 18 ainsi que les appels à en réétudier les modalités. Au début, c'est un lobbying discret et courtois. Les échéances approchent et la tension monte… La ligne 18 coûte cher, sa rentabilité est mise en doute par les uns, considérée comme une évidence par d'autres, études et contre-études à l'appui. Entre déficit budgétaire, engagements, grogne des élus locaux, abandon du projet d'Exposition universelle et révision du Grand Paris Express pour desservir les Jeux olympiques, le gouvernement hésite et hésite encore. Les nouvelles qui nous parviennent des réunions de coordination, à Matignon ou à l'Élysée, se font de plus en plus inquiétantes, notre lobbying devient de plus en plus explicite.

Quand les arbitrages se profilent et que l'on commence à paniquer, j'en viens à publier des tribunes enflammées, cosignées par des politiques et des scientifiques, pour encourager le gouvernement à toujours considérer la ligne 18 comme prioritaire. « Il y a quelques années vous disiez 2020… puis le Premier ministre a annoncé solennellement 2024… maintenant vous parlez de 2027 ? voire 2028 ? Mais par pitié, ne reculez pas davantage l'échéance ! Ceux qui vous disent qu'un bus à haut débit peut suppléer le métro pendant plusieurs années, ne les croyez pas ! On a déjà tourné et retourné cela dans tous les sens ! »

Les coups de téléphone se multiplient, les médias s'emparent du sujet, et me voilà occupé à faire l'équilibriste pour justifier ma pression sur le gouvernement, sous l'œil amusé de certains médias qui aimeraient bien faire mon portrait en premier frondeur de la majorité. Les élus locaux et responsables d'enseignement supérieur sont en première ligne dans la lutte d'influence. Nicolas Beytout, de *L'Opinion*, prend mon parti publiquement et m'enjoint solennellement de maintenir la pression sur ce qui est, selon lui, un enjeu majeur de mon mandat.

Vient ce matin du 22 février où le Premier ministre rend ses arbitrages. Je suis en voyage, Amélie qui est présente à la réunion me donne des nouvelles en temps réel par Telegram. Après un moment de suspense, vient le couperet du verdict : nous ne sommes pas dans les priorités. Date prévue pour la ligne 18 à Saclay : 2027 ! Pour nous c'est un échec sur toute la ligne, sans jeu de mots. Sur qui jeter la pierre ? La décision a dépendu de bien des critères. Contraintes budgétaires, contraintes matérielles, chaînes de commandement et d'information, concurrence avec les Jeux olympiques, et un développement prioritaire en Seine-Saint-Denis qui a aussi toute sa légitimité. N'empêche que le projet Paris-Saclay se retrouve dans de beaux draps !

La grogne des élus locaux se change en rébellion. L'opposition locale en profitera pour se moquer de mon manque d'influence sur le gouvernement. Peu importe : je pourrai dire que je n'ai pas économisé mes efforts, et la seule chose qui compte maintenant est de savoir comment passer le goulet d'étranglement qui s'annonce pour la période 2020-2027. Quant à Amélie, elle a déjà recommencé à se dépenser sans compter pour susciter des rebonds et réactions de la part de la machine institutionnelle, appelant tout le monde, frappant à toutes les portes.

Ce traumatisme de la ligne 18 marque un tournant dans l'organisation locale, tournant dont on saura dans quelques années s'il a été salutaire. Soucieux d'apaiser la grogne, le préfet de région lance une série de groupes de travail sur le thème de la mobilité pour identifier des solutions alternatives ou au moins de quoi apaiser les plaies béantes. Il impose un rythme serré, avec une réunion toutes les six semaines. Autour de la table, réunis par le préfet, des décideurs issus de différentes sphères : c'est l'occasion de travailler ensemble et sur un calendrier restreint. Et enfin, enfin, sous l'autorité du préfet, commence à frémir l'idée d'une vision stratégique globale.

Quand on distribue les thèmes de travail, j'en cueille deux : téléphérique, mobilité innovante et connectée. Avec Francisque Vigouroux qui représente la Communauté Paris-Saclay, Antoine Du Souich qui représente l'EPAPS, on organise une série d'auditions et d'entretiens. Recensement de projets, prise en compte de critiques, examen de la gouvernance, mise sur la table des options : au fur et à mesure qu'on instruit, une complexité considérable se révèle. Nos notes de synthèse pourront servir de base à la réflexion ultérieure ; c'est aussi pour nous une formidable occasion d'aller au fond des dossiers, dans une bataille qui s'annonce longue.

Dans le même temps, la gouvernance de la Société du Grand Paris (qui construit le réseau du Grand Paris Express) est revue. Un nouveau président est nommé, Thierry Dallard. Il s'imprègne très vite des enjeux locaux, révise les plans pour faire au mieux, accepte de revoir le calendrier pour prioriser le tronçon Massy-Saclay. Est-ce parce que nous sommes tous deux anciens élèves de la même école, avec des amis communs, que le courant entre nous deux est tout de suite si bien passé ? En tout cas nous allons avoir une excellente interaction, échangeant régulièrement, lui me passant des informations techniques, moi lui transmettant des retours politiques. On débusque les rumeurs, on travaille à la communication, on assied les relais en préfecture et au gouvernement ; c'est tellement plus confortable de travailler bien en amont des échéances !

Si cet épisode a démontré quelque chose, c'est la difficulté de l'État à pouvoir s'appuyer sur une vision cohérente du développement de Paris-Saclay. L'enjeu structurel est là avant tout et le corps préfectoral l'a bien compris.

C'est par un heureux hasard que se présentera un cadre institutionnel qui me permettra de travailler précisément à cela : l'émergence de visions du territoire. Un jour le groupe LREM à l'Assemblée m'annonce qu'il va me nommer au conseil de l'EPAPS, acteur local majeur s'il en est. Je comprends que je suis nommé au conseil d'administration, mais le directeur de l'EPAPS me détrompe. Il me faut quelque temps pour comprendre que j'ai été nommé dans un comité qui est seulement consultatif, et qui en fait n'a pas été réuni depuis plusieurs années. Un comité fantôme !

Il en faut beaucoup pour me fâcher, mais cette fois-ci en est une. Je prépare une lettre ouverte au vitriol, adressée à la direction de l'EPAPS, et je la fais publier dans *Le Parisien* le jour même de leur conseil d'administration. Quel bazar !

Des coups de fil enflammés s'en sont ensuivis, mais le but a été atteint. Le comité a été réactivé sous la houlette du préfet de région, j'en ai été élu président, et l'EPAPS a mis à disposition un efficace secrétariat technique et juridique animé par un dévoué serviteur de l'État, Romuald Laurent-Prieur. Si une vision d'ensemble a pu faire cruellement défaut par le passé, ce sera le travail de notre comité que de proposer des visions cohérentes – pour les citoyens, pour l'État, pour les responsables locaux. Sans pouvoir de contrainte, et donc avec d'autant plus de liberté.

Dès la rentrée de septembre 2018, on met en place un programme de travail régulier, avec auditions, communications, comptes rendus au conseil d'administration. Et on définit un certain nombre de thèmes d'intérêt sur lesquels on se concentrera en cette première année : certains répondent à des commandes de l'EPAPS, d'autres sont le reflet des préoccupations que des citoyens ou des institutions ont exprimées auprès de moi.

Thème numéro 1 : une évaluation de la Zone de protection naturelle, agricole et forestière (ZPNAF), sorte de réserve instaurée par l'État pour limiter l'industrialisation du plateau.

Thème numéro 2 : le développement urbain, en particulier de proximité, pour qu'émergent lieux de vie, cafés, restaurants, cinémas, librairies, commerces... un cadre de vie adapté aux souhaits de la population et des étudiants.

Thème numéro 3 : la mobilité, à travers les métros, bus, téléphériques, navettes autonomes, plateformes de mobilité partagée, intermodalité.

Thème numéro 4 : le développement économique en harmonie avec le territoire, qui doit se faire en synergie et non en opposition avec les acteurs économiques locaux.

Thème numéro 5 : la nécessaire collaboration entre agriculture et recherche universitaire, et les synergies entre ces deux mondes, qui donneront à Paris-Saclay son véritable sens.

Thème numéro 6 : la gouvernance du futur, souhaitée collégiale et efficace, associant les mondes politique, économique, agricole, universitaire.

Thème numéro 7 : la transition bio, favorisant l'agriculture maraîchère destinée aux acteurs locaux, aussi exempte de pesticides et d'engrais de synthèse que possible.

Thème numéro 8 : architecture globale, avec un besoin de cohérence et de lignes directrices. L'architecte Roland Castro, dans sa mission de réflexion sur le Grand Paris, n'a-t-il pas qualifié Paris-Saclay d'« accident industriel » ? Quel projet sera au plateau ce que la tour Eiffel est à Paris ou le Crayon à Lyon ?

Thème numéro 9 : qualité écologique et environnementale des actions d'aménagement du territoire.

Thème numéro 10 : la mise en place d'une synergie entre intelligence artificielle et médecine dans le futur hôpital, aussi bien en recherche qu'en enseignement.

Sujets riches, parfaitement en phase avec certains des grands enjeux économiques de l'humanité.

J'attendais avec impatience la première séance de ce nouveau cycle de débats. Je n'ai pas été déçu ! Une vingtaine de personnes étaient réunies, dont des représentants du monde universitaire, des acteurs économiques, des agriculteurs, des associations, des politiques locaux – pas moins de quatre maires autour de la table. Un peu timide au début, la discussion a vite pris en ampleur jusqu'à ce que le tri des prises de parole se fasse sportif. Plusieurs antagonismes se sont exprimés, et quelques points de blocage administratif ou légal ont été clairement identifiés. La parole avait besoin de se libérer, et cette réunion en était une belle illustration.

Au fur et à mesure que les séances avancent, on peut entrer dans le cœur des problèmes. Des constructions de logements pour employés d'exploitations de maraîchage à la rédaction des cahiers des charges, on est passé par toute la gamme des actions publiques, du plus abstrait au plus concret. L'analyse des règles frôle des sommets, c'est incroyable de voir à quel point nous finissons par nous imposer des lois si contraignantes qu'elles empêchent tout changement. Parfois, pour comprendre quelle est seulement la marche à suivre pour modifier un périmètre intangible ou une attribution *a priori* de surface agricole, dans l'intérêt public, on se retrouve à discuter pendant des heures, atteignant de tels vertiges dans l'exploration des arcanes sibyllins des règlements qu'à la fin on ne sait plus vraiment de quoi on parle. Paralysie de l'action, hiérarchie des normes, périmètre de la loi… Nous sommes tous autour de la table, à discuter de l'immobilité que nos propres règles engendrent, et à nous demander comment les modifier pour s'autoriser à agir…

Entre décorticage de thèmes majeurs, visites de terrain, auditions collectives, réunions de restitution et rédaction de notes de synthèse, la deuxième année de travail dans ma chère circo a commencé fort.

Et c'est tant mieux !

Se démener...

Voici l'un des nombreux textes que j'ai écrits sur la ligne 18 – celui-ci prenait la forme d'une lettre ouverte au président de la République (et donc adressée en réalité à quantité de décideurs), publiée dans Libération.

Monsieur le Président de la République,

Voilà dix ans que l'État a engagé la construction du Campus Paris-Saclay, destiné à regrouper une vingtaine d'établissements prestigieux d'enseignement supérieur et de recherche, des entreprises de toutes tailles, une population nombreuse de chercheurs, ingénieurs, entrepreneurs, étudiants, le tout au service de la connaissance et de l'innovation. La variété des cultures de ces acteurs, la nécessaire cohabitation harmonieuse avec le monde agricole du plateau de Saclay, l'éparpillement de la gouvernance locale, font de ce projet le chantier le plus complexe de France.

Si des communes attachées à leur cadre de vie ont accepté de se lancer dans une aventure aussi mouvementée ; si les universitaires ont accepté les dizaines de projets successifs, les centaines de nuits blanches, les milliers de réunions d'organisation ; si les grands établissements se sont démenés pour convaincre leurs conseils d'administration de se lancer dans des déménagements incertains, depuis les écoles de recherche jusqu'à l'hôpital en passant par de gigantesques centres d'innovation industrielle, c'était bien parce que tous trouvaient de la fierté à participer, aux côtés de l'Université Paris-Sud, de l'École polytechnique, du Commissariat à l'énergie atomique, à un projet de classe mondiale, qui ferait honneur à la culture scientifique et technologique de la France, à son esprit d'entreprise, à son ambition internationale.

Mais parfois, on se demande si l'État a bien compris son propre projet !

Partout dans le monde, la mise en place d'un grand campus inclut le développement rapide de transports adaptés. Mais peut-être pas en France ? Depuis des années les acteurs du plateau interpellent l'État, quasiment quotidiennement, sur l'insupportable état des transports : la RN118 et ses embouteillages permanents ; le RER B avec ses rames bondées jusqu'à minuit et au-delà, ses retards et incidents quotidiens ; le bus 91-06 si souvent saturé, alors que les flux sont appelés à augmenter très rapidement. La Cour des comptes, l'Assemblée nationale, et tous ceux qui ont évalué ce projet se sont prononcés sur cette question sans ambages : si les transports en commun ne sont pas rapidement mis à niveau, Paris-Saclay mourra.

Pour convaincre les établissements de rallier l'aventure malgré l'enclavement, le Grand Paris Express est venu à point nommé. Aux maires, aux directeurs de laboratoire, aux présidents d'université, aux chefs d'entreprise, aux directeurs des centres de recherche, au futur hôpital du plateau, aux investisseurs, on a promis qu'en 2024 le métro relierait Orly à Saclay. Le Premier ministre lui-même l'officialisait en 2014.

Or depuis plusieurs mois, les échos du gouvernement nous laissent entendre que le Grand Paris Express ne reliera pas Orly à Saclay en 2024. Le métro viendrait peut-être en 2028, en 2030, ou jamais. Les députés, les maires, les élus locaux de tout bord, les scientifiques ont publiquement interpellé le gouvernement ; une pétition a recueilli plus de dix-sept mille signatures en une poignée de jours. Tout cela semble insuffisant pour convaincre !

On nous a dit que ce chantier était cher, que sa mise en œuvre rapide se traduirait par des centaines de millions d'euros de surcoût. Mais en termes de finances publiques, ce qui nous révolte, ce sont les milliards que la France a déjà investis dans Paris-Saclay et dont le bénéfice risque d'être perdu. Ce sont aussi les milliards de manque à gagner à ne pas concrétiser une opération de développement dont la rentabilité de long terme, par la valorisation économique et foncière, n'est pas contestée.

On nous a proposé des solutions temporaires de remplacement moins onéreuses. Mais ni un bus, si efficace soit-il, ni la rénovation ô combien nécessaire du RER, ni les téléphériques impatiemment attendus ne seront suffisants pour absorber les flux en heure de pointe et organiser le transport multimodal. Le métro ne résoudra pas tout, mais personne aujourd'hui n'a de solution sans métro.

On a dit que le projet demandait davantage de préparation et d'études : mais sur ce fait simple et clair que le Campus Paris-Saclay doit être desservi par un métro, le consensus rassemble les communautés scientifiques, économiques et politiques de tout bord.

Nos concitoyens sont, à juste titre, fiers de la recherche de la France et de son industrie de pointe ; mais nos chercheurs et ingénieurs sont déjà accablés par les contraintes administratives et budgétaires. Si les embouteillages incessants deviennent leur quotidien, si leurs conditions de travail sont insupportables, ils finiront par prendre, comme bien d'autres avant eux, le chemin des universités étrangères, de Boston à Zurich, ou celui des laboratoires des géants américains de l'informatique, qui excellent à confier des moyens et de la souplesse. Certes, la science est universelle, l'innovation aussi, toutes deux pourront se faire en dehors de notre territoire... Mais peut-on rêver que des investissements rationnels nous permettent, au-delà des discours, de regagner notre attractivité internationale ?

Monsieur le Président, la France est devenue célèbre dans le monde entier par sa culture, par ses idéaux, par sa sophistication et par les grands projets qui combinaient tous ces ingrédients. Mais les grands projets abandonnés au milieu du gué ne servent en rien la France. Saurez-vous faire en sorte que Paris-Saclay ne soit pas de ceux-là ?

Alain Aspect, physicien, médaille d'or du CNRS, Prix Wolf ;
Yves Bréchet, physicien, membre de l'Académie des sciences ;
Catherine Bréchignac, physicienne, secrétaire perpétuelle de l'Académie des sciences ;
Patrick Couvreur, pharmacien, membre de l'Académie des sciences, Inventeur européen de l'année (European Inventor Award) 2013 ;
Albert Fert, physicien, prix Nobel ;
Valérie Masson-Delmotte, climatologue, coprésidente d'un groupe de travail du GIEC ;
Cédric Villani, mathématicien, médaille Fields, député de l'Essonne.

*

... Savoir reconnaître un échec et avancer

Quand il est devenu clair que toute notre énergie ne suffirait pas à gagner la partie, j'ai informé les citoyens que la bataille était perdue, mais pas la guerre. Ce texte a été publié sur ma page Facebook.

L'arbitrage du Grand Paris Express, la semaine passée, a suscité une immense déception pour les acteurs du projet Paris-Saclay qui voient la liaison Orly-Saclay reportée à 2027. Ce n'est pas le lieu ici de revenir sur les arguments, ni sur le grand ensemble de contraintes que l'exécutif a dû prendre en compte pour cette décision difficile.

L'épisode neigeux d'il y a quelques semaines, avec la fermeture de la N118 et les centaines de naufragés de la route, a démontré à ceux qui en doutaient que l'Essonne est un territoire très enclavé par rapport à ses besoins en mobilité. Pour quiconque connaît le terrain, c'est une évidence, au vu de l'insistance avec laquelle les transports s'y invitent en toute première place des enjeux de campagne. Et si aujourd'hui c'est le souci numéro 1, dans les années qui viennent ce sera encore bien pire, avec le triplement attendu de la population du plateau, les délais considérables annoncés pour la rénovation du RER et le manque criant d'études réalisées sur les modes alternatifs de mobilité.

Il convient donc, pour le développement harmonieux du territoire que nous aimons, pour la sauvegarde du projet Paris-Saclay auquel nous croyons, de se considérer en état d'urgence extrême. Il faudra sans doute rééchelonner certaines opérations de grande ampleur, mettre en place une vision intégrée des transports qui pour l'instant fait cruellement défaut, et ne négliger aucune piste ni aucun acteur… Il faudra aussi articuler la problématique des transports avec les grands enjeux du plateau : développement de la recherche scientifique, technologique et industrielle au service de la nation ; capacité à attirer les talents ; développement économique axé sur l'innovation ; et bien sûr respect de l'environnement.

La première réunion de crise se tiendra début mars, à l'initiative de ma collègue Amélie de Montchalin et moi-même, en présence du préfet Cadot et d'élus du territoire.

Vous savez toute la motivation que j'ai déjà mise dans ce dossier ; elle sera redoublée pour la suite – après tout, la recherche m'a appris la ténacité. Inutile de le cacher : ce sera coton. Le plan de mobilité dans le Nord-Essonne occupera tous ses acteurs durant les dix années à venir, au moins. Dans cette bataille qui va s'intensifier, c'est le moment de mettre toute son énergie !

23 juin 2018.

Réveil à 6 heures et petit-déjeuner tout en discussions politiques chez la famille Corruble, qui m'a hébergé pour la nuit. Je me fais raccompagner à l'endroit exact où leur voiture m'a embarqué hier soir. Revoici le Synchrotron Soleil, au milieu des champs…

De Saint-Aubin à Gif-sur-Yvette, la marche est somptueuse. Petit chemin de campagne ombragé, suivi d'une forêt, on descend dans les bois et on tombe dans un grand terrain qui appartient au CNRS. L'arrivée est superbe !

Je plonge dans un bain de nostalgie en passant devant le club d'équitation où il m'est arrivé d'accompagner mes jeunes enfants.

Me voici à la station de RER Courcelle : pendant deux années c'était « ma » station, associée au souvenir de la médaille Fields. Avant de déménager pour Orsay, c'est ici que j'avais élu domicile en famille. Je me souviens de l'émotion qui me prenait en empruntant dans la nuit noire le petit sentier un peu boueux qui sépare le bois du pré à vaches.

Surprise, à la frontière entre Gif-sur-Yvette et Saint-Rémy-lès-Chevreuse, je tombe sur un militant que j'ai déjà rencontré… Il a manqué de très peu de se faire élire à la mairie de Saint-Rémy. Cette commune est un petit bijou, mais les nouvelles que nous échangeons ne sont pas réjouissantes. Le réseau hydraulique était mal entretenu, le ballast était fragilisé, un RER a déraillé, et ce n'est pas le seul incident.

Je continue mon chemin et finis par retrouver le reste de l'équipe marchante d'aujourd'hui. Voici Benjamin, Enzo et Yasir, mes vaillants stagiaires. Et Clarisse Corruble, qui a été si active pendant ma campagne ! La mère de Benjamin est passée me dire bonjour, quelques collègues se sont joints au groupe, certains ont déjà mis la main à la pâte et d'autres le feront bientôt.

Eh oui, député, c'est un travail d'équipe !

Chapitre 10

UNE ÉQUIPE, UN PROGRAMME
(UNE BOUCLE POUR TOUS LES UNIR)

En commission, en Hémicycle, en mission, en circo… Si un député vous donne l'impression d'être plusieurs personnes à la fois, c'est normal : il EST plusieurs personnes à la fois.

Pas seulement parce qu'il change de positionnement et d'action en fonction de ses rôles, mais aussi parce que derrière lui, il y a toute une petite équipe. Que vous les appeliez attachés parlementaires (AP pour les intimes), assistants, collaborateurs ou conseillers, ils jouent un rôle décisif.

Les AP n'apparaissent pas dans la presse, sauf pour quelques tristes histoires de scandale ou d'emploi fictif qui ne sont en rien représentatives de ce que j'ai pu voir à l'Assemblée.

Les AP n'ont pas de vrai statut, et périodiquement on réfléchit à leur en faire un.

Dans les réunions, les AP laissent toujours les places assises en priorité aux députés. Ils n'ont pas non plus le droit de pénétrer dans l'Hémicycle (tout au plus les collaborateurs des groupes peuvent s'introduire s'ils restent près de l'entrée, soit assis dans les emplacements réservés appelés « guignols », soit debout, studieux devant les députés dissipés). À la buvette de l'Assemblée, ils ne peuvent déjeuner que les jours où l'affluence des députés n'est pas trop forte.

Les AP n'expriment jamais leur avis dans les réunions officielles. Ils peuvent avoir une forte personnalité en privé, mais aux yeux du monde extérieur, ils sont en tout point les humbles serviteurs de leur patron ou patronne.

Les AP constituent tout un monde souterrain, une communauté de milliers de personnes qui échangent sans cesse à l'Assemblée, nouant des collaborations par-delà les différences de groupes, contribuant à toute la vie parlementaire en rédigeant des notes, peaufinant des discours, calant des emplois du temps, réalisant des intermédiations, mais aussi en échangeant des ragots, des conseils, des étonnements…

Alors pour une fois, je vais les mettre en lumière et passer un petit peu de temps à vous présenter ma vaillante équipe, comme un chanteur qui présente ses musiciens au plus fort d'un concert.

Anne-Lise, pour commencer, s'occupe de mon travail parlementaire : travail législatif, missions, positionnement politique général, conseils en tout genre, coordination des équipes. Avant de postuler à mon service, elle a travaillé au Quai d'Orsay sur la diplomatie environnementale. Pendant la campagne, elle était venue me retrouver à Orsay pour présenter sa candidature, dans l'espoir que je serais élu : c'était la toute première à faire la démarche, bien avant que je sois submergé de CV. Elle avait été séduite par mon ouvrage *Théorème vivant*, et de mon côté j'ai été avant tout séduit par les deux mots-clés phares de son CV qu'étaient l'Europe et l'environnement. Jeune maman, issue de la gauche militante et idéaliste, Anne-Lise ne recule devant aucune mission mais fait tout son possible pour qu'au sein de l'équipe on respecte des horaires raisonnables.

David, pour sa part, coordonne toute mon activité de circonscription. C'est le plus aguerri de la bande : ex-maire-adjoint, ancien militant du Modem, il a déjà pas mal de politique locale au compteur. Enfant du territoire, professeur à mi-temps dans un lycée professionnel, c'est un vrai homme de terrain. C'est aussi un vrai écologiste dans l'âme, aux nerfs à fleur de peau, qui prend tout à cœur. Pour accomplir la lourde charge de circo, il est régulièrement accompagné d'un ou plusieurs stagiaires.

Candice, étudiante, gère ma communication : réseaux sociaux, nouvelles brèves et longues, interviews, négociations avec les médias... Toujours bien informée, membre de la redoutable organisation des Jeunes avec Macron (JAM pour les initiés), elle gère aussi mes liens avec le mouvement En marche.

Zineb, également étudiante, également passée par les JAM, est en charge du suivi de l'emploi du temps, de la logistique, des rendez-vous, des voyages, le plus souvent en collaboration avec une ou plusieurs autres personnes de l'équipe. C'est aussi elle qui, sans jamais se départir de sa bonne humeur solaire, va gérer les missions spéciales – vous savez, quand il faut trouver en urgence un câble d'alimentation pour remplacer celui que vous avez oublié, ou apporter un passeport au service idoine...

Enfin il faut ajouter à cette liste Baptiste, mon suppléant. Issu de la gauche sociale-démocrate, élu local, passé en cabinet ministériel, il s'est nourri des réflexions de Terra Nova, il a de beaux réseaux dans la jeune garde politique. Baptiste et moi discutons très régulièrement ; comme il n'est pas dans l'œil du cyclone, il a un peu plus de recul et ses conseils stratégiques sont précieux. Quand je l'ai connu, c'était une pelote de nerfs, fumeur compulsif... Depuis, il est devenu papa, il s'est mis à la course de fond, à l'ultra-trail, et j'ai senti comme cela avait joué pour lui racheter de la sérénité et accroître sa hauteur de vues.

Et voilà ! Une petite équipe, où l'on ne chôme pas... et déjà plutôt nombreuse pour les standards de l'Assemblée nationale.

Les députés sont libres d'organiser leurs équipes absolument comme ils le souhaitent : ils disposent d'une enveloppe globale (« crédit collaborateurs ») qu'ils répartissent entre les membres de leur équipe. L'expérience, la nature de l'emploi, la pénibilité... tous les éléments peuvent être pris en compte pour calculer les salaires, sans qu'il y ait d'autre règle formelle que le droit du travail. Certains députés emploieront plus de monde en circonscription et adapteront les profils de leur équipe aux spécificités de leur territoire ; ou bien auront un collaborateur expert dans la pratique législative, ou sur un autre sujet qui leur tient à cœur. Ici il convient de saluer cette souplesse et de former des vœux pour qu'elle perdure !

Si la souplesse est au rendez-vous, la quantité n'y est pas… À l'Assemblée nationale, les salaires des collaborateurs sont bas au regard de l'engagement des équipes, et notre crédit collaborateurs est la moitié de ce que l'on trouve au Parlement allemand. Malgré ces mauvaises conditions, les candidats sont légion, et pour les nouveaux députés c'est toute une affaire que de choisir entre les piles de CV. Pour faire entrer les salaires dans les cases, on négocie parfois à la baisse, on fait appel aux bonnes volontés des uns et des autres, on fait comme on peut pour que la République soit bien servie !

La loi aussi met son grain de sel pour compliquer la vie du député employeur. Prenez David : afin de me soutenir plus efficacement, la première année, il a pris un poste à mi-temps ; globalement, ses revenus ont diminué, alors qu'ils n'étaient pas mirobolants. Mais l'administration lui a cherché noise parce que depuis 2017 un fonctionnaire n'a pas le droit de cumuler avec un poste d'AP… Au nom de quelle raison de fond, exactement ?

Mais si précise soit-elle, la loi reste ambiguë, et l'interprétation qu'en fait l'Assemblée nationale diverge de celle qu'en fait l'Éducation nationale. Même les injonctions du ministre n'y font rien : le système est incapable de trancher entre les deux versions. On attend qu'il finisse par rendre une décision claire.

Mes chers concitoyens, si vous vous êtes déjà retrouvé face à la loi qui s'introduit dans des détails trop précis, je compatis avec vous. J'ai connu cela à l'Institut Henri-Poincaré, où plus d'une fois j'ai dû passer outre un avertissement d'un ministère (les décrets d'application ne sont pas publiés, vous ne pouvez pas vous reposer sur ce texte, etc.) pour le bien commun. Maintenant c'est moi qui suis censé faire les lois, et il m'arrive toujours de me retrouver entravé sans comprendre pourquoi… belle ironie ! La loi française, notre grand amour, notre fierté – précise, positive, refusant la facilité de la « *common law* » tout en jurisprudence – et pourtant si détaillée, si vaste qu'elle peut en devenir paralysante.

Cela dit, les obstacles principaux n'ont pas été techniques, comme vous l'imaginez. Dans la mise en place de l'équipe, le plus délicat a été le casting. Recrutement, partage des rôles… Il a fallu s'y reprendre à plusieurs fois, et cela n'a pas été facile du tout. Plusieurs nous ont accompagnés pendant quelques mois – Thomas, Juliette, Nathalie – et sont partis pour des raisons diverses.

L'équipe est, vous l'avez déjà compris, forte de sa diversité. Dans les années passées ils ont voté à gauche, à droite ou écolo, avant de se mettre « En marche » ; ils ont été élevés, qui chez les curés, qui dans la tradition de l'islam, qui chez les athées.

Parfois un ou une stagiaire apporte du sang neuf dans l'équipe, y puise de l'énergie et nous offre le bonheur d'un regard extérieur, pendant quelques jours, quelques semaines ou quelques mois. Que soient ici remerciés Yasir, Benjamin, Enzo, Nina… et notre petite perle, Souhayla alias Sousou, qui en guise de stage de troisième partagea notre quotidien pendant une semaine, tenant avec l'aplomb de ses quatorze ans une chronique Facebook suivie avec intérêt jusque dans les rangs de l'administration de l'Assemblée.

Avant le printemps 2017, je ne connaissais aucun des membres de mon équipe actuelle. Aujourd'hui ce sont mes interlocuteurs privilégiés : ils ont collectivement pris la place, dans ma vie, de Sylviane, l'héroïque assistante de direction qui m'a épaulé pendant huit années à l'Institut Henri-Poincaré. Mais avec les réseaux sociaux et la variété des missions, c'est bien plus intense, bien plus envahissant : chaque jour nous échangeons des centaines de messages sur les boucles Telegram, du réveil au coucher, à n'importe quelle heure. Des nouvelles, des requêtes, des demandes de validation, des remarques, des complots, des éclats de rire. Il y a la boucle de l'ensemble de l'équipe, les boucles thématiques qui regroupent trois ou quatre d'entre nous, la boucle de circo, la boucle qui contient tout le monde sauf moi… gymnastique devenue automatique et continuelle, qui s'insinue dans tous les moments de pause.

L'équipe préside à mes destinées : ce sont eux, et eux seuls, qui construisent l'emploi du temps partagé sur lequel j'ai pris soin de ne pas me donner les droits en écriture. À eux de se disputer les plages horaires, en fonction de mes instructions – IA, math, OPECST, travail parlementaire, groupes d'étude, réceptions, invitations, etc. Avec des codes couleurs bien précis, s'il vous plaît ! Ils sont devenus experts pour sélectionner les rendez-vous, optimiser les plages horaires, filtrer les lobbies indésirables, préparer des journées avec douze ou quinze rendez-vous, empiler jusqu'à trois petits-déjeuners de travail dans la même matinée, jusqu'à ce que l'emploi du temps partagé ressemble à une mosaïque de blocs bien agencés et colorés. Ils appellent cela « jouer au Tetris » !

L'équipe épingle aussi en pièces attachées, sur le calendrier partagé, tous les documents annexes qui me permettront d'agir en connaissance de cause.

Et de temps en temps je proteste quand le rythme est trop vif, ou trop lent, ou que telle préoccupation n'est pas assurée, ou que la communication n'est pas au point, ou qui sait. (« On n'a pas fait assez de terrain, les gars »... « Réservez-moi quelques heures pour les démarches administratives »... « Annulez tous les rendez-vous du 10, je pars en voyage officiel »...)

L'équipe fait l'interface avec les interlocuteurs, en particulier ceux qui suggèrent, proposent, exigent ou quémandent des rendez-vous. Au fur et à mesure que l'agenda devient plus dense et que les sollicitations se font plus nombreuses, la tension grandit, les demandes se font de plus en plus pressantes, le ton monte et les échanges tournent parfois à l'injure... L'équipe encaisse et garde la tête froide !

L'équipe gère mes transports et me passe comme un ballon de Paris à l'Essonne, ou ailleurs, quand ils ne me refilent pas à une autre équipe. (« Il est parti, au moins ! ? », « Tu vas être en retard, dépêche-toi ! »)

L'équipe s'occupe aussi de la coordination avec les autres équipes... Équipe de la mission mathématique, équipe de la mission IA, équipe de l'OPECST, équipe du comité consultatif de l'EPAPS... Toutes les quatre ont travaillé sous ma responsabilité, mais avec leur secrétariat et leur organisation propres. Il fallait coordonner les coordinations : cela a été l'un des rôles d'Anne-Lise pendant toute la première année, David prenant le relais pour les missions en circo. Là où vous voyez un député à multiples casquettes, dites-vous qu'il y a peut-être une équipe par casquette !

L'équipe se réunit au complet assez régulièrement, c'est l'occasion de faire le point sur la stratégie, la méthode et les affaires du moment.

L'équipe s'engueule aussi, bien sûr, et surtout quand on ne se réunit pas assez. Vous en connaissez beaucoup, des équipes qui ne s'engueulent jamais ? Pas de quoi m'effrayer : directeur d'institut pendant huit années, j'en ai eu à démêler, des conflits... et de toute façon, si vous ne les supportez pas, n'allez pas faire de la politique ! L'essentiel est de savoir qu'au-delà des engueulades, nous partageons des objectifs communs.

L'équipe sait aussi faire la fête quand les occasions se présentent. Dans notre bureau, avec des blinis et une bouteille de crémant de glace, pour fêter mon anniversaire. Ou tous entassés dans la petite voiture de Zineb, au sortir du plateau de *On n'est pas couché*, avec la musique des Doors à fond, à la recherche d'un bar où étancher notre soif. Où tout simplement à distance, à grands coups d'émoticônes triomphants, quand on a passé une heure, dispersés en plusieurs endroits du monde mais en lien Telegram, à combiner nos remarques, nos souhaits, nos grognes, pour trouver le juste tweet.

Finalement, vous vous croyiez député et vous vous découvrez chef d'équipe, patron d'une petite entreprise. Et c'est tellement mieux d'entrer dans l'aventure à plusieurs.

———————————

Petite victoire en équipe

17 avril 2018. Le Premier ministre canadien, Justin Trudeau, s'exprime devant l'Assemblée nationale française ; c'est un honneur qui n'est que rarement accordé aux chefs d'État étrangers. Attache ta tuque avec d'la broche ! Le sourire de Justin va faire chavirer l'Assemblée !

Le regard clair et serein, à l'aise devant un Hémicycle plein et tout acquis à sa cause, l'élégant Justin a évoqué l'amitié éternelle entre le Canada et la France, le besoin d'un monde « plus progressiste, plus diversifié, plus vert, plus inclusif, plus ouvert, plus démocratique, plus libre, plus égal, plus fraternel ». (On aurait pu allonger la liste d'adjectifs, mais les meilleures choses ont une fin.)

Unanimes pour commencer, les applaudissements se sont progressivement affinés, et en fonction des sujets, des divergences sont apparues entre les bancs de l'Hémicycle. Et pour commencer, les partis traditionnels se sont esclaffés quand le Canadien a loué la capacité des Français à ne pas croire que tout ce qui est nouveau est bon !

Une de mes voisines a fait campagne contre le traité de coopération France-Canada, aussi appelé CETA. Mais quand je l'interroge sur ses sentiments, elle me répond, en ne plaisantant qu'à moitié, qu'on ne peut pas en vouloir à ce charmeur de Trudeau.

Le discours, d'une quarantaine de minutes, est suivi d'une réception à l'hôtel de Lassay.

Après avoir consciencieusement écouté, applaudi, pris des notes, acclamé, je dois maintenant affronter le défi de la journée, la mission confiée par mes très dévouées Zineb et Candice.

Elles ont bossé dur ces derniers temps, on ne peut pas dire ! Sur la loi asile-immigration, avec des rendez-vous et analyses d'amendements. Sur la confection de mon agenda, jonglant entre conseil franco-mexicain, voyage aux États-Unis et travail législatif. On a longuement discuté de l'agenda politique sur la situation en Syrie, où le Président vient d'ordonner une frappe « chirurgicale ». Mon bras cassé en début de mois a provoqué un grand bazar dans l'emploi du temps et les rendez-vous médias qui devaient suivre le rapport sur l'IA. Elles ont tout encaissé… mais en échange, il y a une requête à satisfaire.

Elles veulent leur photo avec Justin !

Moi je ne demande pas mieux, mais il faut se faufiler dans les bons trous de souris. Comment s'y prendre ?

C'est à la Rotonde, au confluent du Palais-Bourbon et de l'hôtel de Lassay, près de la statue de la création de Ratapoil, que tout le monde se retrouve et que l'on montre aux huissiers patte blanche (la mienne est en écharpe mais tout le monde s'y est déjà habitué).

Zineb et Candice sont là, toutes pleines d'espoir : « Alors, on peut venir ? »

Je m'avance fièrement devant les huissiers, Zineb me suit. Regard interrogateur.

— Ah, monsieur Villani, désolé, ici c'est seulement pour les députés, on ne peut pas recevoir les collaborateurs.

Échange de regards entre elles et moi, échange de regards entre moi et les huissiers. De la requête on glisse subtilement vers la supplique. L'huissier hoche la tête et rejette un coup d'œil à mon plâtre.

— À moins, monsieur Villani, que ce soit votre infirmière qui vous accompagne ?

Je hoche la tête, j'abonde, mais oui, c'est exactement ça !

Candice rapplique instantanément, tout sourire. Les huissiers, pince-sans-rire, ne se départissent pas de leur flegme.

— Elle aussi, c'est une infirmière ?

Messieurs, vous avez tout deviné.

— Allez-y monsieur Villani !

Un très très grand merci et on passe. Le plus dur est fait, maintenant ce sera facile d'obtenir les précieux clichés.

Et de s'entendre dire avec quelques soupirs de joie : « Cédric, si tu nous paies moins ce mois-ci, c'est pas grave du tout ! »

C'est pour rire, bien sûr… c'est pas avec le salaire que je peux leur verser qu'elles vont accumuler des retraites dorées.

Mais pour entretenir la flamme dans la tête et le cœur des AP, il faut compléter les maigres salaires par quelques égards et un peu de magie.

*

Une caricature

23 juin 2018.

À Gif on a fait le plein de discussions, depuis les clubs de football locaux jusqu'à la recherche française en péril en passant par l'intelligence artificielle et le bridge dans l'éducation.

De la vallée de Chevreuse on est remontés sur le plateau, direction Chevry, un quartier haut de Gif-sur-Yvette avec une forte personnalité. On est une bonne dizaine ce matin. Chemin faisant on croise plusieurs promeneurs ; certains sont venus pour se joindre à nous, d'autres nous tombent dessus par hasard.

On contemple la vallée d'en haut… très beau ! C'est le moment d'alimenter le fil Twitter avec une belle photo. En l'absence de Candice, Enzo me demande la permission de publier la légende « J'aime les panoramas », en allusion à une réplique culte de Jean Dujardin. Je valide, Enzo saute de joie.

On continue le périple et on débarque dans un paysage plus urbain. Quelques jeunes en survêtement, en train de tchatcher tranquillement. Visiblement, ils ne me reconnaissent pas. En fait ils ne s'intéressent guère à la politique, sont absolument incapables de citer le nom du Premier ministre. Quant à la mathématique, oufff c'est pas leur truc. On leur demande ce qui les branche.

— Arts martiaux. Quand je peux, je gère la sécurité dans les boîtes de nuit.

— Eh, on peut avoir une démonstration ?

Le costaud David se prête au jeu.

Wow !

Une fois, deux fois, trois fois, les prises de judo le mettent à terre en quelques secondes, dans un ballet fluide qui ne lui laisse pas une chance d'organiser une riposte. Tout en douceur, mais ferme ! Bravo ! On imagine très bien notre jeune collègue en vigile dans une boîte de nuit, ramenant au calme un client imbibé qui est en train d'exploser.

Chacun son talent, il faut parfois tâtonner pour le découvrir.

— Tu fais des stages ?

Souvent il faut essayer avant de se dire qu'on a trouvé sa voie.

À quoi ça se voit qu'on est dans son élément ?

Tiens, à quoi j'ai vu que j'étais dans mon élément ?

Chapitre 11

DANS LE BAIN !

Quand on me demande des conseils pour les jeunes, je réponds toujours avec les trois mêmes recommandations. Ne pas se laisser enfermer dans des cases. Toujours bouger, dès que l'on maîtrise un sujet. Laisser une place au hasard. J'en ajoute souvent un quatrième : ne pas avoir peur de se spécialiser, il sera toujours temps ensuite de se diversifier. Ma carrière scientifique a reposé sur ces principes.

Pour ce qui est de mon refus des cases, il renvoie à des ressorts très émotifs. Pour me mettre en fureur, aucune méthode n'est plus efficace que celle de m'enfermer dans mon identité de mathématicien. Et c'est si facile quand vous êtes mathématicien, une spécialité qui éveille les représentations fantasmagoriques de spécialistes obsessionnels... Sortez un ordinateur pour montrer à votre voisin, artiste sinophile, des photos de fresques murales capturées dans un tunnel à Xiamen, et un journaliste écrira que vous « faites des équations » à table (expérience vécue). Présentez un superbe projet associatif dont vous êtes président, construit autour d'un musicien-ingénieur inspiré, avec à la clé d'extraordinaires ateliers menés par de jeunes en situation de polyhandicap sur des instruments musicaux hors du commun : on vous demandera ce qu'il y a de mathématique là-dedans (expérience vécue, encore).

Ce refus viscéral m'a accompagné tout au long de ma vie, y compris dans mes spécialités. Je me souviens d'avoir été si vexé, jeune mathématicien, quand un célèbre spécialiste des méthodes probabilistes appliquées à la physique statistique a voulu me décourager de me lancer dans ce domaine, moi qui par ma formation étais analyste et non probabiliste. Je me suis aussitôt plongé avec rage dans les sujets qui m'étaient déconseillés… Cela s'est traduit par quelques bons articles, qui ont quand même mis dix années à mûrir, en collaboration avec mon collègue allemand Felix Otto.

Mon allergie aux classifications a peut-être des racines instinctives. Un jour, dans le cadre d'un séminaire de groupe organisé par un laboratoire d'idées, une entreprise experte dans les analyses de personnalité nous a fait passer à tous leurs tests automatisés afin de nous offrir quelques conseils. Je me suis bien appliqué à cocher les cases qui semblaient me correspondre… et l'entreprise n'a rien pu dire sur moi : seul dans le groupe, je ne rentrais dans aucune catégorie, en particulier parce que j'avais coché bien plus de cases que la normale, y compris des cases qui auraient dû être contradictoires. J'en ai tiré la conclusion que j'allais continuer dans ma voie, toujours sincère dans mes intérêts multiples.

Le refus des situations bien rangées m'a aussi mené, il est vrai, à des équilibres subtils et des situations complexes. Analyste ou géomètre ? Lyonnais ou Parisien ? Administratif ou scientifique ? Découvreur de nouveauté ou synthétiseur de choses existantes ? Chercheur ou vulgarisateur ? Scientifique ou littéraire ?

Certains de mes interlocuteurs s'y sont perdus, croyant que je dirigeais un institut lyonnais ou que j'enseignais à la Sorbonne… Là où on pourrait m'accuser d'ambiguïté, je préfère parler de richesse d'expérience.

Plusieurs fois cet état d'esprit s'est manifesté par des changements brusques : déménagement de Paris à Lyon, prise de fonctions à l'Institut Henri-Poincaré, plongée dans la rentrée littéraire…

Mon entrée en politique aura marqué un nouveau chapitre, à travers un changement particulièrement inattendu. Me voici maintenant à la fois scientifique et politique, à la fois membre de l'Académie des sciences et de l'Assemblée nationale, avec toutes les confusions que cela va pouvoir représenter, et bien des synergies aussi.

Un changement de vie, de routine, d'environnement… c'est le monde autour de vous qui change brusquement. Et en réaction vous allez changer aussi, bien sûr, et vos proches vous le feront remarquer ; mais cela se fera un peu plus progressivement car il y a comme une résistance.

Au-delà de cette évolution progressive, je peux citer un moment précis où je me suis dit : « Ça y est, je suis bien plongé dans mon nouveau bain politique. » C'était le 14 février 2018.

C'était une de ces journées à douze rendez-vous, littéralement – comme la veille et l'avant-veille d'ailleurs. Deux jours plus tôt j'avais fait la conférence de presse sur la mission mathématique avec Charles Torossian et le ministre Jean-Michel Blanquer ; il y avait eu un Facebook live et de la presse. Et ce 14 février, justement je commençais par les médias : matinale de CNEWS chez Jean-Pierre Elkabbach.

La routine matinale de ce genre d'exercice : debout à 5 h 30, taxi à 6 h 20, matinale à 7 h 10. Jean-Pierre Elkabbach me parle de l'affaire Audin : rien d'étonnant puisqu'il y a une conférence de presse prévue l'après-midi même sur le sujet. Mais ce qu'il me dit hors antenne m'alerte : « Vous devriez lire *L'Huma*, il y a un article très fort. Macron en a parlé hier, il a fait référence à vous. »

Je n'ai pas vérifié la presse du matin avant de passer à l'antenne… vite, un message sur Telegram :

« URGENT pouvez vous me récupérer l'article de l'Huma sur Maurice Audin ajd et aussi ce qu'a dit EM sur le sujet hier ? Merci »

Pas le temps d'attendre la réponse, je dois filer en taxi-moto pour être à temps à petit-déjeuner au Bourbon avec Christian Blanc, le très énergique ministre des Transports qui a été à l'origine du Grand Paris Express. J'enchaîne avec un rendez-vous avec Emmaüs à l'hôtel de Broglie, pour préparer le travail législatif sur la loi asile-immigration. Et à 9 h 30 arrive l'équipe IA accompagnée d'Anne-Lise. Nous devons avancer sur le rapport, le temps presse et de nombreux arbitrages sont à faire pour la rédaction.

Avant d'entamer j'ai enfin quelques minutes pour lire *L'Huma* et échanger avec le staff, écouter les messages du jour.

Me voici scié : aujourd'hui, pleine page, *L'Huma* sort un témoignage d'un ancien appelé de la guerre d'Algérie, un témoignage explosif qui parle de cadavres camouflés et d'assassinats d'enfants, un récit glaçant. Avec en prime une relance des hypothèses sur la localisation du corps de Maurice Audin. Le témoignage a été directement suscité par mon interview précédente dans *L'Huma*.

Dans la foulée j'apprends que Josette, la veuve de Maurice Audin, sera présente à la conférence de presse. Avec ces deux éléments inattendus, il est évident que la conférence de presse préparée avec Sébastien Jumel va prendre une ampleur bien plus grande que ce que j'avais prévu, plus grande que les conférences de presse récentes sur le sujet ! Chaque mot va être scruté. Il va y avoir des télévisions nationales. Bref, ALERTE.

Et… je sais que l'Élysée travaille sur ce dossier, il faut bien que je prouve qu'il y a une attente, que je maintienne une pression, mais il ne faut pas que je dise quelque chose qui puisse tout bloquer. C'est un sujet hyper sensible, une expression de travers peut mettre les uns ou les autres en ébullition.

Mais c'est à 11 heures, très bientôt, il faut vraiment que je me dépêche !

J'en suis là de mes réflexions, tout en écoutant Yann Bonnet, le secrétaire général du Conseil national du numérique, me parler du rapport IA, quand le téléphone sonne : c'est Méziane, collaborateur de Richard Ferrand pour le groupe LREM – dévoué, chaleureux, rigoureux.

— Cédric, on s'est dit que tu pourrais faire aujourd'hui une QAG sur ta mission math.

Comment n'y ai-je pas pensé moi-même !? Bien sûr qu'il fallait faire une question au gouvernement. Ce sont les séances les plus suivies de toutes, les seules où une large majorité de députés se retrouve. Elles engagent le gouvernement, elles sont très suivies à l'extérieur. Il faut que je profite de l'occasion pour interpeller publiquement le ministre sur la suite qu'il voudra bien donner à notre rapport.

— Bien sûr Méziane. Mais… pour quand il te la faut ?

— Il nous faut une première version d'ici 11 heures.

ALERTE !

Et là, à cet instant, dans l'urgence où tout se télescope, je me dis que j'y suis. D'ici une heure je dois avoir bouclé la réunion IA, préparé la question au gouvernement, et préparé la conférence de presse size XXL. Dos au mur ! Garder son calme.

— Anne-Lise, trouve-moi un rendez-vous téléphonique avec Sylvain Fort à l'Élysée dans les quarante-cinq minutes qui viennent, c'est pour parler de Maurice Audin, c'est urgent. Et si tu peux me trouver un contact chez Jumel en même temps, c'est encore mieux.

— OK.

— Yann, tu as trente minutes pour me sélectionner les arbitrages les plus importants.

— OK.

Pendant que Yann parle, je rédige sur Telegram une nouvelle alerte pour l'équipe :

URGENT il serait bon que je retrouve Jumel 15' avant la conf de presse pour passer en revue le déroulé.

URGENT le groupe me propose de poser ajd une QAG sur l'enseignement math, j'ai dit oui, il faut préparer la question et la transmettre au cab Blanquer et au cab Ferrand.

Anne-Lise répond sur la boucle (elle est assise juste à côté, mais cela permet de ne pas interrompre Yann) :

Anne-Lise : *OK mais quelle question tu veux poser ? [smiley perplexe] On peut poser une question sur les moyens pour mettre en œuvre la stratégie ? Ça revient pas mal dans la presse.*

Cédric : *Monsieur le ministre vous m'avez demandé un rapport blabla, que comptez vous mettre en œuvre pour remédier à cette situation de souffrance etc. Stratégie et mise en œuvre, oui.*

Candice : *C'est à rendre pour quand ?*

Anne-Lise : *11h ahah.*

David : *11h ajd ou hier ?*

C'est vrai qu'on a toujours tendance à travailler en frôlant les deadlines. Les amis, vous finaliserez un brouillon pendant la conférence de presse, puis je vérifierai tout moi-même avant la séance. Avec en tête la QAG à finaliser, je ne serai sans doute pas très concentré pendant le déjeuner de travail avec Céline Calvez sur l'apprentissage…

*

La journée a continué, urgence après urgence on en est venus à bout.

Les arbitrages IA ont pu continuer.

La conférence de presse s'est bien passée. Chaque mot comptait, il n'y a pas eu d'impair, et l'écho a été excellent.

La QAG s'est bien passée – la question était bien calibrée, et j'ai rempli mes deux minutes à la seconde près, quitte à couper quelques mots en direct.

Après quoi toute l'équipe a décompressé, et j'ai pu continuer ma journée rasséréné jusqu'à la soirée.

On la connaît tous, cette sensation de la journée qui s'écoule. On se lève au petit matin avec la conscience d'un paquet de problèmes à résoudre devant soi. Comme un arc, la journée se tend progressivement, jusqu'à frôler la rupture… puis elle se détend. Et le soir, quand tout va bien, vous rentrez chez vous apaisé comme un archer qui a touché sa cible.

En attendant la journée du lendemain !

23 juin 2018.

Ce soir c'est la Fête de la Musique à Bures-sur-Yvette. Grand événement pour la petite ville !

Le ciel bleu est badigeonné de nuages et de sillons d'avions, comme si un peintre excité avait peinturluré le ciel. L'air retentit des vibrations entêtantes issues de la grande scène en plein air.

Ils sont des milliers ici à passer pour un petit morceau de fête. Sous les tentes on peut se procurer des crêpes, des sandwichs, du cidre, de la bière…

Tout le monde me tombe gentiment dessus ! Questions, photos, serrages de mains. Les uns et les autres sont de bonne humeur et c'est bon de sentir la confiance.

Pas mal de chercheurs dans le coin : on est ici tout près du CNRS, de l'Université Paris-Sud, de l'Institut des hautes études scientifiques…

Parmi la foule je tombe sur deux connaissances de longue date, que je n'avais pas vues depuis belle lurette !

Voici Thomas Alazard : c'était un brillant étudiant à Normale Sup Lyon, toujours stressé, travaillant comme un dingue… maintenant c'est un mathématicien respecté, et bien plus décontracté !

Et… mais c'est Mathieu Plantefol ! Teplan, comme tout le monde l'appelait… cela me ramène encore plus loin dans le temps, on ne s'est pas vus depuis plus de vingt ans !

Oui, il s'en est passé, des choses… Lyon, Atlanta, Berkeley, Princeton, Paris, deux enfants, douze livres, une grosse médaille, l'Europe, l'Afrique, directeur, député…

Bah, quand je te revois, je me souviens du temps où j'étais président du comité d'organisation des fêtes… Tout ça paraissait si complexe, et c'était tellement simple par rapport à maintenant.

— J'imagine, la politique, ça doit être quelque chose… Je te laisse à tes admirateurs, on s'appelle, tu viendras déjeuner chez moi, tu me raconteras la vie de député !

Chapitre 12

La vraie vie de palais Bourbon

À quoi cela ressemble, finalement, la vie au quotidien, quand vous êtes locataire du Palais-Bourbon, la grande demeure des députés ?

Commençons par une visite des lieux. Ça vaut le détour !

Venez par exemple en métro, station Assemblée nationale, celle dont les murs sont décorés de la belle citation du Serment du Jeu de Paume : « Partout où ses membres sont réunis, là est l'Assemblée nationale. »

Avancez vers l'ouest, parallèlement à la Seine, et vous tournerez à gauche dans la rue Aristide-Briand. À votre droite c'est l'Assemblée, et une petite porte discrète constitue l'entrée des habitués, ceux qui souhaitent aboutir le plus vite dans l'Hémicycle, directement à l'essentiel. En face, une annexe de l'Assemblée, et une boutique de souvenirs.

Continuez quelques mètres tout droit et vous arriverez place du Palais-Bourbon, où trône une majestueuse statue représentant la Loi. Retournez-vous : à travers les grilles, vous avez un aperçu de la cour de l'Assemblée ; la perspective est excellente pour les photos, ou pour un petit message Facebook.

Donnant sur la place, le café Le Bourbon. Installez-vous pour un petit-déjeuner. Hors des murs de l'Assemblée, c'est le restaurant le plus fréquenté par les députés ; on y trouve de tout – des députés de tous les bords, des intellectuels, des *partners* des grands cabinets de conseil, des lobbyistes de tout poil, des journalistes, des espions... Demandez à Mike de vous servir mon petit-déjeuner habituel, c'est avec le sourire qu'il vous apportera un grand crème, un croissant et un duo de citron-orange pressés.

Depuis le Bourbon, vous êtes aux premières loges pour observer les rassemblements et manifestations qui se tiennent ici pendant les votes les plus chauds. Parfois c'est une foule de cent personnes qui s'organise sur la toute petite place devant le restaurant ; parfois c'est un seul protestataire avec porte-voix et enceintes, qui se fait entendre à cent mètres à la ronde.

Sortant du restaurant, engouffrez-vous droit devant vous, dans la rue de l'Université, souvent encombrée, dangereuse. Allez au 101 : c'est là qu'ont lieu certaines grandes auditions, colloques, et bien d'autres réunions ; en particulier la réunion hebdomadaire de notre gigantesque groupe. Si tous les députés et leurs AP venaient ensemble, cela ferait plus de mille personnes.

Ressortez du 101 et, plutôt que d'aller au 103 qui le prolonge, faites un tour au 93 : c'est là qu'ont finalement été installés les nouveaux locaux de l'OPECST. Depuis mon bureau, au 5e étage, vous aurez une vue imprenable sur l'hôtel de Lassay, qui jouxte le Palais-Bourbon. Vous y verrez aussi, en arrière-plan, la place de la Concorde avec son obélisque ; et plus loin, la butte Montmartre avec sa basilique.

Traversez maintenant la rue de l'Université et rentrez dans le cœur de l'Assemblée : le Palais-Bourbon. Si vous avez le badge de député, de fonctionnaire parlementaire ou d'AP, vous pénétrerez directement par la porte à tambour. Sinon il vous faudra passer par un portique, faire inspecter vos bagages comme à l'aéroport ; et si votre rendez-vous n'a pas été annoncé quelques jours en avance vous devrez vous faire introduire par un député.

Dès que vous aurez passé le sas, outre les agents présents à l'accueil, vous serez frappé par la présence de gendarmes lourdement armés. Au début cela impressionne... et très vite on s'habitue à leur présence rassurante. N'hésitez pas à échanger quelques paroles avec les uns et les autres.

Vous voici maintenant dans une vaste cour de graviers, où jadis se tenaient des duels meurtriers.

Droit devant vous, l'hôtel de Lassay, somptueux écrin pour le président de l'Assemblée et ses services. À votre gauche, l'hôtel de la Questure : c'est là que se prennent de nombreuses décisions administratives et que s'organisent des réceptions sur toutes sortes de sujets. À votre droite, la cour Montesquieu, d'où partent les voitures de l'Assemblée. C'est toujours intéressant de discuter avec les chauffeurs, qui en ont conduit des personnalités !

Sur le chemin, vous rencontrerez des députés, leurs assistants, plus ou moins de monde en fonction des horaires. Ici c'est comme une petite ville, près de quatre mille personnes travaillent pour l'Assemblée nationale ! Les rencontres fortuites sont l'occasion de prendre des nouvelles, d'échanger des informations, des convictions. « Tu as vu l'émission ? D'où vient la fuite ? Comment tu as trouvé la réunion ? *Franchement ?* » Selon vos sensibilités et affinités, vous pouvez aussi avoir des échanges intéressants entre députés de bords opposés.

Le jour où vous souhaitez éviter les journalistes, passez par la cour Montesquieu et traversez la cour d'Honneur, avec son plan incliné et sa grande sculpture en forme de boule, la « Sphère des droits de l'homme ». De là vous pourrez rejoindre l'Hémicycle en toute discrétion. Mais si vous êtes prêt à affronter les micros tendus, ou si ce n'est pas une heure à journalistes, avancez vers l'hôtel de Lassay et tournez à droite dans le splendide jardin à la française, sous le regard pensif de la statue de Montesquieu. L'illustre auteur de *De l'esprit des lois* est un peu le génie des lieux, il est impossible de lui échapper… en arrivant ici je me suis dit qu'il était à l'Assemblée ce qu'Albert Einstein est à l'Institut des hautes études scientifiques de Princeton !

Montez les marches au bout de la cour, entrez dans le bâtiment, et vous voici dans l'un des cœurs battants de l'Assemblée : la salle des Quatre Colonnes. Elle doit son nom aux colonnes sur lesquelles reposent les bustes de quatre grands hommes politiques de l'Antiquité : Solon, Brutus, Lycurgue, Caton. On y trouve aussi les bustes de Jean Jaurès et de son adversaire politique Albert de Mun : gageons que l'Assemblée garde encore le souvenir de leurs tirades enflammées.

Et surtout, on y trouve deux grandes horloges qui vous rappellent à l'actualité ! C'est ici que les journalistes campent par gros temps médiatique, prêts à fondre sur vous pour vous tirer des avis sur tous les sujets, avec l'espoir de récolter la précieuse phrase saillante, l'étincelle qui, reprise dans un article ou un journal télévisé, pourra provoquer l'embrasement. Un commentaire sur le procès du ministre ? Est-ce qu'ils vous font peur, les Insoumis ? Que souhaiteriez-vous dire à Emmanuel Macron pour son anniversaire ?

Souvent les journalistes commencent par une approche douce, en séduction, avant de lâcher la question coup de poing. « Vos vacances ont été bonnes, monsieur Villani ? Et votre rentrée se passe bien, avec l'affaire Benalla ? »

Soyons juste, il y a bien du monde qui n'a pas besoin de se faire prier, et qui donne son avis spontanément, avec emphase ! Pour ma part, d'habitude j'esquive tout.

Continuons la visite. À votre gauche, c'est l'entrée de la vaste salle des Pas perdus, où l'on trouve des explications sur l'histoire de l'Assemblée et où l'on peut traîner, faire un duplex pour une télévision, regarder la séance sur un écran géant... tandis qu'à votre droite, c'est un dédale de bureaux et salles de réunion, où des rendez-vous incessants se tissent et se détissent. C'est par là que se tiennent les commissions, les réunions des groupes d'étude, les auditions... Le jour où vous aurez le temps, vous pourrez y partir à la recherche de la salle Colbert, belle salle historique décorée d'un fameux tableau de Rousseau-Decelle illustrant l'épique duel parlementaire Jaurès-Clemenceau.

Mais pour l'heure, allez droit devant, sans vous laisser impressionner par la hauteur sous plafond. Vous pénétrez dans le « périmètre sacré », proche de l'Hémicycle. Ici l'accès est sévèrement réglementé, et nul journaliste ne saurait s'y faufiler.

Devant l'Hémicycle, à main gauche, trois salons, dont deux donnent accès respectivement à la partie gauche et à la partie droite des bancs des députés. Comme à front renversé, le « salon de gauche » est luxueux et le « salon de droite » modeste. Le premier est décoré de somptueuses fresques de Delacroix représentant les régions, les richesses et les fleuves de France, il contient aussi une alcôve dans laquelle trônait le roi Louis-Philippe pour recevoir les parlementaires (aujourd'hui l'espace est occupé par un énième buste), ce qui lui vaut le surnom de « salon du Roi » (officiellement salon Delacroix). Quant au second, tout en trompe-l'œil, il imite le marbre dans une composition de couleurs tout en nuances et sans supplément d'âme. Entre les deux, le salon Casimir-Perier, flanqué de deux allégories de la Loi, la vengeresse et la protectrice, et d'un incroyable bas-relief en bronze sculpté par Dalou, de près de quatre tonnes, qui représente le Tiers État refusant de quitter le Parlement, à l'aube de la Révolution française.

Tant qu'ils sont dans ces salons, les députés sont cordiaux, joviaux ; c'est comme un sas de sécurité où tout le monde se mélange et où les membres du gouvernement se mêlent aux parlementaires. Mais dès qu'ils passent la porte et se dépêtrent du lourd rideau rouge qui donne accès à l'Hémicycle, les voici transformés en adversaires politiques. C'est comme le passage dans le placard de Narnia !

Cet univers enchanté, c'est celui de l'Hémicycle. Très imposant au premier abord, avec son marbre, ses statues, ses grandes colonnades, ses fauteuils de bois tapissés de velours rouge alignés en rangées semi-circulaires. Et, plus que tout, ce gigantesque volume, cet espace vide en dessous du toit !

Tenez, venez au moment le plus pittoresque, les questions au gouvernement. L'un de ces rares moments où tout le monde ou presque est présent en même temps, quand les ministres interpellés par les parlementaires prennent la parole pour défendre leur bilan. Le gouvernement est le héros de la Ve République : tous les groupes ici vont soit le soutenir, soit l'attaquer.

Mettez-vous dans la peau d'un député. Passez les deux premiers bancs, réservés justement au gouvernement, choisissez la bonne travée, montez, installez-vous sur l'étroit siège numéroté, là où une petite carte indique votre nom.

Devant vous, une imposante colonne de bureaux, entourés de toute une petite communauté rangée par étages.

Étage du bas : entre le grand bureau et l'entrée, nombreux sont les conseillers qui observent, examinent, discutent. Assis à un bureau, plusieurs préposés aux comptes rendus chargés de noter tout ce qui se dit, y compris les invectives qui fusent. Devant eux, assis sur des sièges, des huissiers qui, dès que de besoin, arpentent les travées. Ils ont en particulier la charge d'opérer comme facteurs entre députés, passant des petits mots et parfois des dossiers.

Étage intermédiaire : le bureau et le micro réservés à l'orateur, lors d'une présentation, d'un discours solennel, d'une explication de vote.

Étage supérieur : le président de l'Assemblée nationale (tout le monde se lève quand il est annoncé), avec derrière lui une rangée de conseillers et d'administrateurs, parmi lesquels se trouve souvent le secrétaire général de l'Assemblée.

Penchez la tête en arrière et contemplez l'espace vide, le toit, toujours à la même luminosité de jour comme de nuit, tel un lieu hors du temps.

L'Hémicycle est un lieu d'équilibres, de valeurs et contre-valeurs, habité par une pléthore d'allégories et de symboles. Devant la tribune de l'orateur et derrière la place du président, des marbres comportant des allégories (l'Histoire, la Renommée…), des divinités, des aigles, un lion, une troupe. Deux imposantes statues représentant la dialectique entre la Liberté et l'Ordre public. Et une immense tapisserie de l'École d'Athènes, de Raphaël, avec Platon et Aristote dans une autre dialectique bien connue, celle qui oppose le monde des idées à la réalité.

Point de convergence des forces politiques antagonistes, l'Hémicycle est aussi le point de contact avec la société. Les gradins au-dessus sont occupés par des visiteurs et des curieux ; il y a aussi une tribune réservée aux journalistes. Des caméras opèrent en permanence ; elles se pointent toujours vers l'orateur ou l'oratrice, mais peuvent à tout moment se porter sur vous – si l'on parle de vous, si l'on réagit à votre commentaire, si vous avez une expression inspirante... L'Hémicycle, c'est le centre névralgique de toute la vie publique française. Les débats s'y éternisent, les gens vont et viennent, la parole y emplit l'espace dans un grand désordre organisé.

Suivez toute la séance de questions au gouvernement, sans vous offusquer du côté enfantin des députés turbulents (les protestations des téléspectateurs sont nombreuses). Prenez un moment pour la séance qui suit, ne restez pas forcément jusqu'au bout (une séance dure trois heures trente), ressortez par le salon de droite (qui se trouve à votre gauche quand vous venez des bancs) et continuez vers la gauche. Au bout, jetez un coup d'œil à droite : un bureau de poste qui peine à trier l'abondant courrier, un kiosque à journaux, et toute une belle collection de Mariannes. Tournez à gauche, à droite, allez vous rafraîchir aux toilettes ; chemin faisant, arrêtez-vous devant l'entrée secondaire de la merveille des merveilles, la bibliothèque de l'Assemblée. Havre de sublimes ouvrages anciens, culminant avec les récits héroïques et méticuleux des savants napoléoniens abrités par un meuble conçu tout exprès.

Ici, le savoir, l'Histoire et la politique se rencontrent symboliquement, et dans cette ambiance il y a toujours quelques personnes en train de travailler, de se concentrer, de se nourrir de l'inspiration des anciens. Pour moi qui ai depuis l'enfance nourri une « violente amour » pour les bibliothèques, c'est une émotion toujours renouvelée que de contempler cette salle emblématique. Et même si l'honnêteté intellectuelle me force à admettre que la bibliothèque du Sénat est encore plus belle, ou du moins plus majestueuse, mon cœur va à celle de l'Assemblée.

Revenant sur vos pas, vous pourrez vous arrêter quelques instants dans la vaste salle des Conférences, qui évoque un club, avec les casiers à courrier, la statue d'Henri IV, les tables aux lampes vieux jeu, la belle horloge ancienne, les toiles aux motifs héroïques, le plafond décoré de fresques. Ici se retrouvent seulement les députés, les ministres et leurs collaborateurs ; de temps en temps passe un groupe de visiteurs. Une télévision, entourée de quelques sièges, passe en continu les images de la séance parlementaire, sauf en cas d'émission politique de grand impact. La presse du jour est disponible, et si vous êtes bien installé au fond des grands fauteuils, vous pourrez passer des coups de fil sans gêner les voisins. Peut-être, cette nuit, quelques députés éreintés viendront ici glaner un peu de sommeil avant de repartir pour une interminable séance nocturne.

Restez jusqu'au dîner. Vous avez alors le choix : retourner au 101, pour le restaurant ou la cantine du 7e, ou encore au restaurant chic du 8e, avec son superbe menu et la terrasse voisine. Mais si vous n'avez pas de rendez-vous extérieur, le mieux est encore la buvette de l'Assemblée, un lieu magique. La buvette, c'est ici que l'on croise tout le monde, que l'on se tient informé de toutes les rumeurs, que les députés expérimentés s'épanchent en confiant leurs souvenirs d'anciens combattants. Si vous voulez rester simple, demandez juste une assiette de fromages, un verre de vin et un fontainebleau. Prenez le temps de tchatcher avec les serveurs… eux aussi ont vu défiler toute la classe politique française de ces dernières décennies, et ils ont des potions magiques pour vous remettre en forme en toutes circonstances, à toute heure.

Ici, les affrontements politiques font une trêve sacrée : on discute entre majorité et opposition, entre adversaires irréductibles. Jean-Luc Mélenchon et Alain Tourret vous passeront des références historiques et des proverbes *vintage*, Gilbert Collard vous recommandera un bon traité de rhétorique, Éric Ciotti boira un pastis avec vous. Ici, c'est une pause, un espace de cessez-le-feu : le premier questeur Bachelier et l'irréductible Insoumis Bernalicis mettront leurs joutes en veilleuse le temps d'une dégustation de bières ; un député communiste offrira un bon repas à la ministre qu'il s'apprête à attaquer sauvagement en Hémicycle. Inutile de dire que les journalistes sont strictement interdits, et même les photos entre députés sont bannies : ces scènes de fraternisation pourraient avoir un effet politique délétère. Hypocrisie, vous dites-vous ? Non… plutôt une forme de nécessaire schizophrénie douce, nous y reviendrons.

Allez faire un petit tour auprès des fumeurs et des rêveurs dans le jardin, puis repartez en Hémicycle pour la séance de nuit.

Le temps est maintenant plus propice aux grandes discussions. L'ambiance de nuit est plus feutrée, plus conviviale que l'ambiance de jour.

Sauf quand un vote difficile vient à nouveau tendre l'atmosphère !

Dans le pire des cas, si vous ne vous sentez pas d'assumer un vote contre la consigne de groupe, vous pouvez toujours vous échapper discrètement par la porte de derrière ; un escalier caché vous ramènera, soit à la salle des Conférences, soit à la salle des Pas perdus.

Optant pour la salle des Pas perdus, cette fois-ci prenez le temps d'admirer la sage Minerve qui contrebalance les passions exprimées par le Laocoon et par le Gaulois se suicidant, l'un comme l'autre se tordant de douleur. Ou bien levez les yeux pour contempler une fresque, datant des débuts de l'ère industrielle, représentant la révolution de la machine à vapeur avec beaucoup d'emphase et un brin d'humour.

Sortez par la droite et vous atteindrez l'orée de l'hôtel de Lassay. À droite, un escalier d'anthologie. À gauche, une statue représentant le dessinateur Daumier, tout en rondeur et en énergie, créant Ratapoil : superbe hommage à la caricature politique.

Ratapoil ? C'est un activiste bonapartiste de 1850, dégingandé, avec un chapeau haut de forme, un manteau un peu élimé, une barbiche comme Louis-Napoléon. L'artiste est représenté dans son travail créatif, on a l'impression que c'est d'actualité et que Ratapoil va s'animer pour pousser un cri de guerre à la gloire de l'Empereur.

Et si vous continuez encore davantage, ce sera de grandes tapisseries, une exposition sur Clemenceau, de superbes salons, et un nouveau labyrinthe où vous vous perdrez, des escaliers en colimaçon menant à des bureaux cachés…

Arrêtons-nous là : il en faut, du temps, pour apprivoiser ces lieux pleins de mystères, où l'on se perd encore facilement des mois après avoir fait leur connaissance.

Complexes et grandioses, ces locaux sont-ils bien adaptés à la fonction ? Oui et non. Ils sont labyrinthiques, souvent malcommodes ; mais cela est rattrapé par la beauté de l'ensemble et l'émotion qui s'en dégage. J'ai visité le Bundestag allemand : tout y est bien plus commode et mieux organisé, mais je n'échangerais pas les locaux de l'Assemblée contre ceux-là !

Il est possible aussi que ce labyrinthe favorise les échanges selon des configurations variées et aléatoires, ce qui a ses avantages. Après tout, les théoriciens de l'innovation ont souligné le rôle des longs couloirs tortueux des Bell Labs pour favoriser les rencontres entre esprits innovants.

Le Palais-Bourbon est l'un des deux pôles autour desquels la vie professionnelle du député s'organise, l'autre étant la circonscription. Pour le coup, autant de paysages, autant de permanences, que de députés. D'un côté, le décor unique qui fournit une référence commune ; de l'autre, la plus grande diversité, à l'échelle de la France entière.

Voilà pour l'espace. Et qu'en est-il du temps ?

Traditionnellement, les députés alternent le gros de leur vie politique entre circonscription (du vendredi au lundi) et Paris (le reste du temps). Pour ceux qui habitent loin, le trajet peut consommer une demi-journée, voire une journée entière. Aussi n'est-ce que le lundi soir qu'ils se réuniront à Paris, leur semaine ordinaire de député à la capitale durant du mardi matin au jeudi matin… soit cinq demi-journées seulement ! Sur cet espace il faut tout caser : auditions, débats, questions au gouvernement, votes en commission, réunions des groupes d'étude, prises de parole en Hémicycle… il y aura fréquemment deux ou trois réunions en même temps.

Ajoutez les rendez-vous avec quantité de gens, en circonscription et à Paris, les voyages, les médias, les allers et retours qui vous font quitter et retrouver le Palais. La vie du député est tout en zapping d'un sujet à l'autre, avec chaque fois de nouvelles informations, de nouveaux contacts à prendre pour faire avancer les dossiers.

Pour corser les choses, l'emploi du temps parlementaire souffre de nombreuses exceptions, et on siège souvent le vendredi, voire le samedi, voire le dimanche ! On a siégé jusqu'à dix-sept jours d'affilée en Hémicycle l'an passé. Et comme l'Hémicycle est éclairé à l'identique à toute heure, on en arrive à ne plus trop savoir si c'est le jour ou la nuit. En fait de Ratapoil, c'est plutôt de rats-taupes que l'Assemblée moderne est peuplée !

Les habituels garde-fous du travail ne s'appliquent pas aux députés. C'est bien le seul endroit que j'ai fréquenté où l'on peut recevoir de son responsable un SMS à 1 h 30 du matin, alors que l'on vient de siéger tout le samedi, disant en substance : « Merci pour cette journée de mobilisation. Nous comptons sur vous demain dimanche pour être présent dès l'ouverture des travaux, à 9 h 30. »

Jusqu'à quel point la nocturne peut-elle déraper ? Aucune limite. Il est arrivé qu'une ministre, arrivée vers 20 heures à l'Assemblée pour prendre la parole en soirée, se retrouve finalement à passer à 4 heures du matin. Imaginez les conseillers dans tous leurs états, soucieux du capital sommeil de leur cheffe qui enchaîne avec une journée « de ministre »... En sus, vous pouvez être certain que dans un pareil cas l'opposition va accuser le gouvernement de faire exprès de présenter son texte en catimini en plein milieu de la nuit !

Il arrive aussi que le débat dure toute la nuit, pour se finir au petit matin – j'en ai fait une, de ces séances marathons, qui s'est achevée héroïquement à 6 heures, le gouvernement offrant alors, une fois n'est pas coutume, champagne et croissants chauds à la buvette de l'Assemblée.

En bref, pour peu que l'on prenne son rôle à cœur, on travaille comme un dingue à l'Assemblée nationale : dingue au sens du rythme, qui alterne les phases lentes et les phases hystériques, dingue au sens des sujets, qui changent sans cesse, dingue au sens des horaires, qui sont déraisonnables. Qu'on ne se méprenne pas sur mes propos : ce rythme n'est en aucun cas le fait du gouvernement actuel, ce sont les habitudes de la maison. Les anciens parlent volontiers de séances interminables finissant au petit matin dans la discussion de la loi sur le mariage pour tous, ou des centaines de milliers d'amendements de la loi sur la privatisation de GDF.

S'il y a bien quelque chose à revoir à l'Assemblée, ce seraient en priorité les horaires. La multiplication des séances de nuit fausse la discussion et n'aide pas à bien travailler ; certains députés abandonnent pour simplement dormir ; le vote ne donnera pas forcément les mêmes résultats à 1 heure ou à 2 heures du matin. En outre les horaires des débats sont imprédictibles, affectant toute votre organisation.

Il va de soi que vous écarterez l'option de passer tout votre temps en débat : songez qu'il y a des semaines à soixante-dix heures de débat public, et encore, sans compter le travail en parallèle des commissions, des groupes d'étude, des organismes extraparlementaires, des groupes d'amitié... Pour tout faire il faudrait passer sa vie au Palais-Bourbon, et ainsi perdre rapidement contact avec la réalité, tout en fermant la porte au renouvellement des idées. Au contraire, je pense que l'on tombera d'accord sur le fait qu'un député doit être bien informé, à l'écoute, voyageur, et passer un temps considérable en discussions pour apprendre ou convaincre.

Dans un splendide paradoxe, le monde extérieur vous renverra toujours à la figure le célèbre absentéisme des députés. Encore heureux qu'ils ne soient pas 577 à voter du matin au soir tous les jours, est-ce que vous imaginez l'extraordinaire gâchis de temps et de compétences ? Pour ma part, je peux témoigner que la vie de député que j'ai connue est plus contraignante que mes vies d'enseignant-chercheur et de directeur d'institut, pour lesquelles personne ne m'a jamais fait de procès en absentéisme…

Dans cette vie hachée, la boussole qui guide au quotidien les députés de 2018, c'est leur smartphone. Consulté en Hémicycle, dans les couloirs, dans la cour, dans la rue, utilisé de façon addictive pour les échanges entre équipes ou entre députés, pour récupérer des informations, dépositaire de l'emploi du temps et des instructions de l'équipe, le téléphone portable canalise tous les flux d'informations entre locataires du Palais-Bourbon. Au risque de vous retrouver perdu dans les limbes virtuels, écartelé entre les multiples fils de discussion.

Heureusement, pour sortir du piège virtuel, votre vie est aussi remplie de vrais rendez-vous et de vraies conversations et ce bien au-delà de l'Assemblée ou même de votre circonscription. C'est l'une des leçons les plus importantes que j'ai tirées de ma première année de politique : ce mandat-là dure sans cesse, tout le temps, partout, dès que vous êtes en société. Que vous soyez dans le métro à 23 heures ou en visite dans un pays étranger, au théâtre, dans un bar, ou faisant la queue à la poste ou dans un aéroport, vous pouvez toujours vous faire interpeller par un citoyen curieux ou furieux, vous faire prendre à partie par des syndicalistes, des militants, des mécontents, vous voir demander de l'aide par une personne en souffrance. Et même dans ces moments, bien au-delà de tous horaires de travail recensés, vous serez toujours en représentation pour le peuple, par le peuple, au nom du peuple. On s'y fait : dans le Palais-Bourbon, hors du Palais-Bourbon, la mission ne s'arrête jamais.

———————

La QAG du siècle

2 avril 2018.

Un côté du visage couvert d'ecchymoses, torse nu, je suis couché sur un lit d'hôpital à Orsay. D'une main, je tiens fermement sur ma bouche le masque à gaz anesthésique hilarant. L'autre bras, je le remets entre des mains secourables.

Je n'aurais peut-être pas dû suivre mon fils à VTT dans les escaliers en forêt. Fissure de la tête radiale, on est en train de me poser un plâtre.

Ils sont deux en blouse blanche à s'occuper de moi. Elle, teint diaphane et cheveux clairs, s'est présentée tout sourire comme une « belle infirmière » et il faudrait être aveugle pour ne pas voir qu'elle répond en tout point à la description. Lui, jeune interne immigré du Niger, a l'avenir de mon bras entre ses mains.

Il met le plâtre chaud en place, façonne la prothèse comme un sculpteur tout en râlant gentiment contre le matériel ou les conditions. Bien concentrés sur le patient, ils se chamaillent dans la bonne humeur ; vite la discussion tourne aux plaisanteries salaces des carabins.

Bercé par le gaz hilarant, j'interjette quelques phrases dans la conversation… jetant un œil sur ma carte de député qui est posée sur la chaise, il me vient un fou rire inextinguible, entretenu par le gaz.

— Les amis, je ne vais pas pouvoir aller à la prochaine séance de questions au gouvernement… et c'est dommage car grâce à vous j'aurais pu entrer dans l'Histoire en posant *la* question du siècle, celle qui combine dans un même élan les trois sujets les plus chauds de l'Hémicycle ! L'immigration, le harcèlement et la santé publique.

J'éclate de rire derechef, mes deux anges gardiens ne se laissent pas déconcentrer par mon comportement étrange et continuent gaiement leur travail.

24 juin 2018, tôt le matin.

Traversée de Bures-sur-Yvette à pied en compagnie de Catherine Tchoreloff, sœur d'un militant très impliqué, qui m'a hébergé pour la nuit. Elle commente le développement urbain avec passion.

Tu vois Cédric, l'urbanisme ça met des décennies à se construire. Et c'est comme ça qu'on arrive à un si bel accord.

Mais il y a une telle pression de gens mal logés ! La France a besoin de nouveaux appartements, rapidement…

Avec l'impatience on arrive à des conflits, quand c'est pas raccord on le paie plus tard. Et puis les zones inondables, zones constructibles, il faut vraiment prendre son temps pour bien combiner le projet et les risques. Tiens, viens, on va voir par ici, il y a une friche qui fait l'objet de bien des débats.

C'est le genre de débat où tout se joue. Si le maire se plante dans son plan local d'urbanisme, adieu !

C'est le maire qui incarne ce lien organique profond entre les citoyens et la terre, l'aménagement du cadre de vie. C'est le rôle politique le mieux compris des citoyens. Le maire doit faire preuve d'écoute et de stabilité, il doit manifester de l'empathie et inspirer de la confiance.

La confiance, le fluide vital pour la politique d'aujourd'hui.

Chapitre 13

MÉCANIQUE DES FLUIDES

Enfant, j'étais universellement considéré comme l'archétype du timide, celui qui se cache pour éviter de se faire interroger en classe. Lors de ma rentrée à l'école primaire, il y avait un grand appel où tous les jeunes élèves, réunis par centaines, étaient appelés par leur prénom ; mais quand « Cédric » a retenti, je n'ai pas bougé, me rassurant en me disant qu'il y avait probablement un autre Cédric dans la foule et que c'est lui qui avait été appelé.

Quelque temps plus tard, on rappela « Cédric », et je me suis encore terré. Si bien qu'à la fin de l'appel il ne restait plus que moi, seul parmi tous les enfants à ne pas avoir bougé ; quand on m'eut identifié, on m'escorta jusqu'à ma classe.

Bien plus tard j'ai appris que quasiment la même mésaventure était arrivée à mon père quand il était enfant ; resté seul entre tous, lui-même n'avait réussi qu'à bredouiller le prénom de son propre père.

Encore dans mes années de lycée, les enseignants m'encourageaient régulièrement à prendre confiance, à m'exprimer. Certains connaissaient à peine le son de ma voix.

La prise de confiance s'est faite d'elle-même, en fonction des péripéties de ma vie. Finalement j'ai embrassé une carrière scientifique, où la confiance jouait un rôle considérable : confiance en moi, confiance en mes projets de recherche, capacité à inspirer confiance. Il a fallu me faire recruter, nouer des collaborations, expliquer sans cesse, enseigner, rester tenace, entraîner. Certains lecteurs de *Théorème vivant*, y compris des collègues, me demandent où j'ai trouvé la conviction que je viendrais à bout de ce théorème rebelle, envers et contre toutes les difficultés. Doute permanent sur les détails de la preuve, confiance dans la réalisation du but final !

Plus tard, quand je suis devenu directeur d'institut, la confiance a encore été un maître mot. Plus que tout, la faculté d'inspirer confiance aux personnels entraînés dans une mutation de l'institut. Confiance dans le résultat final, encore !

La notion de confiance a également baigné mes deux missions parlementaires. Dans le rapport sur l'enseignement mathématique, un chapitre lui était consacré en préambule à nos préconisations. Et dans la mission intelligence artificielle, la question la plus sensible du partage des données était bien la confiance entre individus et institutions.

Peut-être est-ce du fait de ces expériences personnelles successives que j'ai longtemps rêvé d'une grande théorie de la confiance, qualitative et quantitative, qui aborderait ce concept sous tous les angles : psychologique, biologique, politique, géographique, historique, etc. Après tout, les instituts de sondage publient des baromètres de confiance, des indices de confiance, des taux nationaux de confiance, et ainsi de suite.

Pierre Winicki, fondateur de l'Institut Confiances, a effectué un long travail pour décomposer la confiance en sept « habitus », ou dispositions d'esprit, selon la terminologie de Bourdieu : authenticité, capacité à penser à long terme, indépendance de jugement, bienveillance, coopération, acceptation du droit à l'échec, acceptation de l'incertitude. Le tout nourri par des croyances, valeurs, représentations, peurs, héritages, histoires, compétences, savoirs…

Pour compléter ce type de tableau analytique, j'aime bien imaginer la confiance comme un fluide qui va et vient, se modifie, se transmet, s'échange au sein du grand réseau des humains. Un fluide dont l'évolution pourrait être prédite par des règles ou des équations heuristiques, en fonction des événements et des inter-actions entre individus.

En politique, la confiance a tendance à ruisseler, par exemple du chef vers les soutiens, bien plus qu'en sciences où chacun doit faire ses preuves. Dans ses mémoires, Leo Szilard commente l'épisode traumatique du procès Oppenheimer en notant que les scientifiques et les politiques auront des appréciations différentes de phrases telles que « j'ai toute confiance en XXX » – pour le politique cela signifiera des positions similaires, alors que les scientifiques n'y verront rien de tel. Dans l'un et l'autre monde, la confiance repose sur des ressorts différents.

Mais il y a plus : en politique, les réseaux de confiance des uns avec les autres sont déstabilisés par l'expression publique, parfois assumée et parfois anonyme. Qui sait garder un secret, qu'est-ce que l'on peut dire à un journaliste ? Très vite il devient impossible de dire quelque chose sans blesser quelqu'un d'autre. Quel temps passé en SMS pour rassurer ou pour restaurer des liens de confiance fragilisés !

Dur de résister aux médias ! Les journalistes vous poussent dans vos derniers retranchements pour récupérer des informations confidentielles, des extraits de conversation… « Dites-moi ce qu'il vous a dit, je m'arrangerai pour qu'on ne puisse pas savoir que c'est vous… », « Quelle est la phrase la plus dure que vous pouvez me dire sur Untel ? »

En attendant le jour lointain où des modèles intéressants émergeront avec la grande théorie de la confiance, je vais me contenter de dresser la liste de quelques autres fluides dont j'ai pu sentir l'importance. La motivation ici est uniquement sociologique : les humains ont besoin d'équations pour étudier les phénomènes naturels, mais ils ont aussi la capacité de faire leur chemin avec beaucoup d'instinct dans les affaires humaines. Et les humains sont des animaux politiques, comme les éthologues nous le rappellent !

Le premier autre fluide que j'évoquerai est l'information. Déjà présent dans mes vies antérieures, mais différemment. Dans la recherche c'était une information spécialisée, qui s'échangeait sous forme de conférences, séminaires, colloques, discussions en tout genre, dans un grand ballet international sans cesse recomposé. Peut-être 5 % des informations que j'absorbais m'étaient utiles, et encore était-ce sous forme de notes spécialisées que je devais redéchiffrer avec grande attention. En tant que directeur d'institut, l'information c'était la communication interne, si difficile à organiser, les entretiens avec les personnels permanents, les discussions avec les chercheurs en visite, les remontées de groupes de travail, les exposés répétés des projets de l'institut. Et les courriels, omniprésents dans l'administration – j'en ai envoyé plus de cent mille durant mon mandat...

Le député est une antenne à traiter et émettre des informations d'une autre nature. Des informations simples, disparates, qui toutes prises ensemble permettent de se forger des représentations d'une situation humaine. Pour cela tous les canaux sont bons. Pour suivre le fil de l'actualité, j'aime bien combiner *Le Figaro* et le *Guardian* : un média national à droite, un média étranger à gauche, pour la diversité des points de vue. Ajoutons les sélections d'actualités personnalisées, et la boucle Telegram du groupe parlementaire consacrée à la revue de presse, qui vous apporte vos cent à trois cents coupures d'information par jour. Et puis les informations personnalisées : les SMS qui défilent, les courriels qui pleuvent, les cartes de visite qui s'accumulent dans vos poches. Chacune de ces listes est un tonneau des Danaïdes jamais épuisé.

Mais c'est l'oral qui est roi : discussions incessantes, coups de téléphone, rendez-vous. Autant de sources d'informations précieuses à consigner et à transmettre à d'autres contacts dans la mécanique politique : gouvernement, institutions, responsables politiques...

Je noircis un carnet toutes les deux semaines environ. Comptes rendus de séances, de réunions, de coups de téléphone, d'entretiens, au bureau, en permanence, dans la rue. Ils s'adaptent à toutes les situations, j'aime leur contact physique. Quelque temps après que le carnet est bouclé, je le passe en revue pour remplir la table des matières et vérifier toutes les actions à effectuer.

Entre les informations des députés et l'information des médias, c'est un jeu incessant, permanent, fait d'interviews, de citations assumées ou anonymes, de confidences et de fuites. La porosité est incroyable : il arrive que des informations « confidentielles » échangées dans un groupe de politiques se retrouvent presque en temps réel sur les smartphones des journalistes. À l'usage, cette fluidité-là paralyse plus souvent qu'elle ne facilite les choses.

Autre fluide important, insaisissable : la créativité. Elle-même se nourrit d'ingrédients variés : information, motivation, échanges, discussions, contraintes, illuminations, chance… j'ai passé des conférences entières à les décrire et à les commenter par des exemples bien choisis. Portée au pinacle dans le monde de la recherche, cette qualité a beaucoup plus de mal à se faire entendre en politique : bien des fois elle est réprimée par l'ensemble du système, la discipline, la crainte des commentaires… Cela étant dit, on doit reconnaître que la vague politique actuelle est issue d'un événement qui fut parmi les plus atypiques de l'histoire de la Vᵉ République.

Un fluide capital est la notoriété. Décomptée en impact média, en nombre d'abonnés Twitter, en reconnaissance dans les médias, elle vaut cher. Elle se transmet par images et allusions, et quand votre notoriété augmente, d'autres vous citent de plus en plus, vous souhaitent près d'eux dans les photographies… Si l'image a toujours été importante (à preuve les effigies des personnages politiques sur la monnaie, déjà dans l'Antiquité), nul doute que cela a été accentué de façon spectaculaire par le développement de l'imagerie électronique et instantanée, l'avènement des réseaux sociaux et le culte du selfie qui s'est ensuivi.

Il y a ensuite le pouvoir, cela va sans dire, que l'on peut interpréter soit comme l'autorité sur les autres, soit comme la capacité d'agir. L'une des principales revues de sciences politiques ne s'intitule-t-elle pas *POUVOIRS* ?

En recherche, tout votre pouvoir dépendra de votre créativité, de votre capacité à partager vos visions avec les autres, des projets que vous avez menés à bien ; il s'agit d'une méritocratie assez radicale. On se souvient de Dieudonné [1], homme autoritaire, politiquement à droite, se mettant tout entier au service de Grothendieck [2], anarchiste, tant il était subjugué par son incroyable créativité. Quant aux organisations de pouvoir en recherche, elles sont très variables d'une discipline à l'autre. La communauté mathématique est à la fois très structurée, avec une organisation mondiale fonctionnant selon des règles bien précises, et très peu hiérarchisée. On y travaille en petites équipes avec une large autonomie ; en mathématique un chef d'équipe ne se mêlera jamais d'assigner un rôle ou une tâche de recherche à un membre de son laboratoire.

En politique, les liens de pouvoir dépendent, bien sûr, de bien d'autres facteurs que votre capacité à définir une vision, et il existe des phénomènes de réseaux d'influence, des liens de pouvoir non liés au mérite ; par exemple, la notion de fidélité. Un scientifique intellectuellement honnête sera heureux et fier de voir son élève développer une théorie opposée à la sienne, pourvu qu'elle soit forte ; et l'histoire des sciences abonde en « rébellions » de la sorte, alors qu'on voit très mal un politique fier de voir son disciple s'engager dans un courant politique différent du sien. Si l'on compare avec les valeurs de l'armée, on peut dire que la science lui emprunte la notion de méritocratie, alors que la politique lui emprunte la valeur fidélité et la notion de concentration des responsabilités.

Cela dit, s'il existe un exemple récent du lien entre créativité et pouvoir, c'est peut-être notre mouvement : l'émergence d'En

---

1. Jean Dieudonné, mathématicien français, fondateur et pilier du groupe Bourbaki.

2. Alexandre Grothendieck, mathématicien apatride puis français, d'origine germano-ukrainienne, souvent considéré comme le plus grand mathématicien du XXᵉ siècle. Je l'ai moi-même mis en scène dans la *Ballade pour un bébé robot*.

marche est venue de sa faculté à mettre en place une séquence absolument inédite en politique, à partager une vision et à entraîner. Et l'ascension d'Emmanuel Macron ne devait rien à la reconnaissance de ses mérites par les forces politiques déjà en présence.

Il y aurait tant d'autres fluides à aborder… Je me souviens d'un dialogue avec Bartabas : il y disait que pour former ses équipes, les deux seules choses qu'il pouvait efficacement transmettre étaient le doute et l'énergie. À coup sûr intéressants ! Et il y en a bien d'autres encore… Pour me limiter, je vais terminer en évoquant deux fluides qui sont clés dans tout projet humain : l'argent et l'amour. Personne ne l'a dit mieux que Jacques Lanzmann dans le célèbre texte que chantait Jacques Dutronc : « L'amour est le moteur du monde, l'argent est son carburant. » Directeur de l'Institut Henri-Poincaré, je me suis répété cette phrase d'innombrables fois, moi dont l'action dépendait tout entière de ma capacité à faire aimer une vision et à collecter de l'argent pour le projet, bien au-delà de ce que la rationalité aurait pu faire.

L'argent personnel, pour le responsable politique français de 2018, n'est plus vraiment le sujet : sauf pratique malhonnête, votre patrimoine, vos revenus sont disséqués et bien encadrés. En revanche, l'argent que vous parvenez à rassembler pour des projets, c'est un souci omniprésent. Que ce soit pour l'intelligence artificielle, pour l'enseignement mathématique, pour les projets de développement en Essonne, à la fin les questions qui reviennent sans cesse sont : quel instrument financier, quels tuyaux pour amener tel argent. L'argent est fugace : parfois un coup fourré administratif compromet telle action, et il faut repartir au combat. Sur tout cela, les parlementaires n'ont pas la main, mais ils assistent aux grandes luttes des ministères, de l'administration, et contrôlent tant qu'ils peuvent.

L'argent n'obéit pas aux règles naturelles de la physique, il y a un côté fractal dans la préservation de la difficulté. Avant la politique je l'avais déjà constaté : trouver 2 000 euros pour mon association n'était guère plus facile que dénicher 50 000 euros pour mon think tank, ou 5 millions pour le développement de mon institut. En politique c'est pire ! Il n'est pas rare de constater qu'il manque un million, voire 100 000 euros, dans une case d'un programme qui se compte en milliards, et que les contraintes administratives vous posent des problèmes insurmontables. Ou qu'il est impossible, faute de support, de recruter une personne pour animer un programme censé avoir de l'impact à l'échelle de toute la nation. Ou encore que l'on pleure toutes les larmes de son corps pour sécuriser quelques dizaines de millions dans le budget de recherche, là où les enjeux de formation commencent sur des budgets dix fois plus importants – et pourtant les deux devraient être attelés dans le même but.

L'argent finit par devenir abstrait, non seulement par l'ampleur des montants en jeu (c'est quoi, un milliard…), mais aussi par le fait que l'on mélange les ordres de grandeur (… quand on vient de discuter d'un poste qui vaut quelques dizaines de milliers d'euros…).

L'ingénierie budgétaire, souci permanent !

Sur le plan intelligence artificielle, même une fois un budget de plus d'un milliard négocié, arbitré au plus haut niveau, j'ai vu mes collègues de l'exécutif tirer une langue d'un kilomètre pour le voir se réaliser, aller chercher chaque million « avec les dents », selon l'expression de l'un d'entre eux.

Et de cette première année de mandat je tire deux prises de conscience dures. La première est que l'argent manque à tous les étages institutionnels de notre grande maison commune. Que ce soit au niveau des communes, des départements, des régions, de l'État entier, tous les acteurs, partout, sont en souffrance financière et ne parviennent pas à assurer à la fois la maintenance et les investissements qui seraient souhaitables. Où est l'argent ? Cette question, je me la suis posée tant de fois, dans le même temps que j'assistais à l'explosion des concentrations financières mondiales pour financer des projets d'innovation de haute technologie.

La deuxième prise de conscience est celle du combat universel. Quand vous êtes à l'extérieur, dans un domaine d'investissement long, comme la recherche ou l'éducation, vous vous dites que c'est une mesure de bon sens pour l'État que de réserver des sommes importantes sur ce secteur, qu'un gouvernement bien conçu doit automatiquement y veiller, et vous vous offusquez quand le compte n'y est pas. C'est bien pour cela que j'avais signé, en 2016, avec quelques collègues scientifiques, une tribune assassine qui avait immédiatement permis de ramener plusieurs centaines de millions d'euros dans le budget de la recherche. Mais les choses ne se passent pas ainsi : dans le contexte actuel, aucun budget n'est acquis, si légitime soit-il. Le budget dépendra de la combativité des ministres et de leurs représentants dans les arbitrages interministériels, de leur capacité à s'imposer, de la force de conviction portée par le dossier. « On ne gagne pas ce que l'on mérite, on gagne ce que l'on négocie. » À ce jeu, les ministères ne sont pas équivalents, et celui de la Recherche et de l'Enseignement supérieur est rarement le meilleur !

Que dire alors de l'amour ? Il m'a fallu du temps pour comprendre le vrai sens de la médaille Fields et de la frénésie qu'avaient les amateurs de mathématique de discuter, ne fût-ce que quelques instants, ou de se faire prendre en selfie avec un lauréat. La médaille représente une distinction internationale, le moment où toute une communauté a décidé de ses champions, où l'amour de la discipline se concentre sur une poignée d'individus comme le point focal d'une grande lentille solaire. La cérémonie, mais aussi l'attention internationale, représentent toute cette émotion concentrée. Et l'enjeu pour les passionnés est de capturer un peu de cette émotion que vous incarnez et qui rejaillit, rebondit sur eux.

En politique, il y a clairement un peu de cela aussi, même si la compréhension des phénomènes de charisme demandera encore des efforts énormes. L'élection concentre sur vous les émotions et désirs de tant d'électeurs ; l'attention publique y contribue aussi. Votre corps vous échappe, représente quelque chose que les citoyens aiment ou abhorrent, et quand ils vous rencontrent, à travers cette interaction, c'est leur rapport émotif à cette vision qu'ils saluent.

Tant de fluides : ils se propagent dans un substrat, les humains ; mais aussi dans l'espace et le temps des politiques. Tous deux me frappent par leur extrême hétérogénéité. À l'image du Palais-Bourbon, l'espace politique alterne entre les plus grands palais et les plus modestes réduits. Quant au temps politique, il est tout en succession de patience et d'urgence : on attend des semaines sans nouvelles d'un projet de loi, et d'un coup il faut agir dans la journée, en urgence. Ou encore c'est une réunion qui s'éternise des heures durant, suivie d'une séquence où tout doit être réglé en quelques minutes.

Plongé dans les fluides et les lois de la mécanique politique, notre groupe en grande partie novice s'est retrouvé pris dans une expérience grandeur nature : comment allait-il évoluer, s'adapter, s'organiser, se structurer ?

Les commentateurs politiques ont bien des fois tenté d'analyser ce processus, indiquant au fur et à mesure l'émergence de sous-groupes, tendances, relations de confiance ou de défiance, liens de pouvoir et d'influence. Un article du *Nouvel Observateur* dénombrait pas moins de sept sous-groupes. La scission du groupe LREM, régulièrement annoncée, n'a finalement pas eu lieu, même si une poignée de députés ont démissionné avec fracas, quelques-uns pour aller rejoindre un groupe nouvellement créé. Cependant, en un an le groupe s'est transformé. Et là où les commentateurs identifient sept sous-groupes, de l'intérieur nous en voyons encore davantage, sachant les îlots et archipels tressés par les liens de confiance des uns et des autres. L'expérience continue : il s'en dégage toujours une énergie considérable.

Je ne puis refermer ce chapitre sans dire quelques mots d'une grandeur qui s'est révélée tout au long de cette année comme un acteur majeur et silencieux et que j'appellerai la viscosité.

Expression des frottements internes à un fluide, la viscosité est omniprésente en mécanique. Facteur de mélange et de stabilité, elle dissipe les courants ; facteur de déperdition, elle fait perdre de l'énergie, qui se dissipe en chaleur. Imaginez que vous êtes une particule de fluide humain, perdu dans la foule d'un métro à une heure de pointe : si le fluide était parfait, vous ne sentiriez que les poussées des uns et des autres ; mais la viscosité se manifeste dans le fait que vous vous gênez, vous entraînez avec vous les voisins, que vous perdez de l'énergie dans les bousculades et les engueulades.

En politique, la viscosité s'invite partout. D'une part, c'est la viscosité stabilisatrice du mélange des députés, qui se côtoient sans cesse en dépit de leurs différences, et qui apaisent les rivalités et les conflits par leurs discussions. D'autre part, c'est la viscosité exaspérante de l'administration qui avec tous ses étages absorbe toute votre énergie, se rebiffe contre toute action, fait capoter vos expériences, de sorte que l'impulsion donnée au sommet a tant de mal à se frayer un chemin jusqu'au terrain. Tremblez, politiques et décideurs, devant le pouvoir sombre de la viscosité des sociétés humaines, qui annihilera toute votre énergie et la dissipera en frottements, en débats, en disputes, jusqu'à ce que vous ne reconnaissiez rien de votre plan si bien conçu.

Et cette lutte est peut-être, à la fin, un ciment qui lie. De la même façon que les scientifiques sont soudés par la lutte incessante contre l'Inconnu, certains politiques se retrouvent dans la lutte contre la viscosité, et contre les forces d'inertie qui conspirent pour empêcher que les choses se fassent. Chaque petite victoire remportée ensemble contre la viscosité est un facteur de liant entre humains de bonne volonté.

24 juin 2018.

C'est beau le marché des Ulis le matin. Il y a le marché en plein air, avec ses airs de bazar, et le marché couvert, où l'on se fraie son chemin dans les travées, à travers les étals bien garnis.

Dès que j'arrive, je m'installe avec Oly, le référent Marcheur local, à notre place habituelle, au comptoir du café juste à l'intérieur en entrant. Les affiches vintage Coca-Cola (avec leur indécence calculée), les billets de banque multinationalités, des années de rêves et de diversité colorée qui passe ici. Je déguste mon café-crème. Oly parle des Ulis, de son prochain voyage à Madagascar, des vives discussions politiques entre militants.

Le coup d'envoi est donné par un militant CFDT que je connais bien. Il se jette sur moi pour me sensibiliser sur une question de radio par ondes longues et courtes, avec un enjeu de sauvegarde de savoir-faire industriel. Je note soigneusement.

Et c'est parti ! Je fais le marché en même temps que je discute. Toutes ces questions.

Expérimentations antichômage, transports en commun et particuliers, compétitions sportives, implantation de boulangerie, savoir vivre ensemble, nuisances sonores, Linky…

Mais aussi l'Europe, les modalités d'élection, le fonctionnement de l'Assemblée nationale, la politique étrangère.

Le bénévolat est au centre de bien des questions.

Et le cannabis ! Où en sont les expérimentations mondiales ?

L'intelligence artificielle, est-ce qu'il faut en avoir peur ?

Les pensions de réversion, si jamais le gouvernement y touche, on va exploser, monsieur le député, ça sera la révolution !

Et le handicap. Ce sont les questions les plus difficiles qui soient… Oly connaît bien le sujet, lui dont la famille a été durement touchée. Les parents de jeunes en situation de handicap sont des héros des temps modernes, désignés par le Destin souvent tragique. Quand ils racontent leur histoire, l'émotion vous submerge.

— C'est pas trop dur, à l'Assemblée, les controverses ? On a vu que vous vous étiez fritté avec Mélenchon, et maintenant, ça va ? Il y en a, à l'Assemblée, je peux pas les voir…

— Les débats à l'Assemblée nationale ? Ah vous savez, c'était peut-être ce qui me faisait le plus peur au début, mais en fait ce n'est pas le plus compliqué. On s'y fait rapidement !

Chapitre 14

Débats

L'Assemblée nationale est, par essence, le lieu du débat permanent organisé. C'est un lieu où l'on côtoie en continu des gens qui défendent des points de vue différents, voire conflictuels. Aucune autre institution, à part peut-être l'institution judiciaire, n'est construite sur de tels principes.

Rien d'étonnant donc que l'Assemblée soit associée aux tacles, piques, attaques, confrontations, contradictions… auxquels on pense tout de suite quand on se représente la politique. C'est aussi ce que les médias sont les plus prompts à mettre en scène. Et c'est certainement ce qu'il y a de plus intimidant quand on entre en politique !

En soi, le débat n'est pas quelque chose dont il faille avoir peur. Qu'on l'appelle dialectique, controverse ou débat, c'est un élément essentiel du progrès. Cela vaut aussi pour les progrès scientifiques, bien sûr ; et pendant des années j'ai mis en scène, dans mes conférences, quelques controverses scientifiques, avec leurs coups de théâtre, disputes homériques, parfois même leurs dépressions nerveuses et carrières brisées. Darwin contre Kelvin, Poincaré contre Klein, et que dire du cataclysme qui mit en miettes la logique du début du XXe siècle ? Toutes ces tempêtes ont mené à de grands progrès dans les sciences et les technologies, jusqu'à notre informatique moderne.

Les débats animés étaient aussi au rendez-vous des processus universitaires que j'ai bien connus. Président de commission de spécialistes pendant six ans, j'ai assisté à ma dose de débats constructifs et destructifs dans les processus de recrutement, laissant parfois de lourdes traces dans les laboratoires de recherche. Quant aux soutenances de thèses, dans certains pays elles sont l'objet de débats contradictoires où le scientifique en herbe se fait soutenir par un rapporteur, attaquer par un opposant, et finalement émerge plus légitime de l'exercice.

Un débat est aussi une bonne façon d'aborder un problème, une présentation. Dans un jury, un concours, un rapport, le simple fait de devoir opposer des candidats ou classer leurs projets, assure que l'on parlera de toutes les facettes de ceux-ci. Dans un rapport, l'identification de sujets en débat est souvent une clé de présentation.

Cependant il y a une différence majeure : dans le monde universitaire, les débats sont confinés à des périodes particulières et bien identifiées. En politique, l'attaque peut surgir à n'importe quel moment. En fait, il y a chaque jour quelqu'un, quelque part, pour vous attaquer. Les débats vivent sur les plateaux télévisés, dans les tribunes, sur les réseaux sociaux, en face-à-face aussi bien sûr. Le débat est omniprésent et organisé, routinier, même quand il est violent.

On ne peut pas répondre à tous les débats : d'une part vous y passeriez votre vie, d'autre part vous feriez de la publicité à des controverses qui ne le méritent pas. Mais certains débats doivent être acceptés, même quand ils se déroulent devant des auditoires convaincus d'avance, ou alors cela passera pour un aveu de faiblesse.

Et pour certains, le débat est l'essence même de la politique. Au cœur d'un dur débat à l'Assemblée nationale où la discussion était complètement embourbée, le député Les Républicains Cornut-Gentille a pris la parole pour suggérer que nous étions en train, enfin ! de découvrir la politique… Comme si les forces en présence menaient mécaniquement à la violence rhétorique.

Les différents modes de communication du débat peuvent se renforcer, plus rarement se tempérer. C'est d'ailleurs une bien mauvaise surprise des dernières années que les réseaux sociaux se soient transformés en supports de débats si violents, souvent haineux… Cependant, le débat emblématique reste celui de l'Hémicycle, bien que presque tous les votes y soient joués d'avance. Partie comédie, partie défoulement, partie incarnation, partie dialectique, ce débat-là oscille entre le pire et le meilleur.

Le plus emblématique de ces débats d'Hémicycle est celui des questions au gouvernement. C'est le rendez-vous le plus suivi, par les députés comme par l'opinion. C'est là que les députés sont les plus engagés, les plus spectaculaires, tout en étant parfaitement conscients des limites de l'exercice.

La première fois que j'ai assisté à un tel débat, c'était en 2010, quand Claude Birraux, député de Haute-Savoie, infatigable défenseur des sciences et alors président de l'OPECST, m'avait invité, avec mon collègue médaillé Fields Ngô Bao Chau, à être ovationné par l'Hémicycle. Il m'avait prévenu : « Je m'excuse pour le spectacle pitoyable que nous allons vous offrir ! »

Maintenant que je vis le « spectacle pitoyable » une à deux fois par semaine, je comprends très bien ce qu'il voulait dire. Pendant les questions au gouvernement, des députés intelligents prennent des poses outrées, s'interpellent, s'insultent, s'accusent par des mimiques méprisantes, font claquer leur pupitre, c'est pire que dans une classe dissipée d'école primaire… Quelle régression ! Et pourtant, si le débat n'avait pas lieu, si les choses n'étaient pas dites, ce serait terrible pour la démocratie.

Tout compte dans les questions au gouvernement : le choix du ministre qui réplique (si c'est le Premier ministre, c'est un honneur), le choix du député qui pose une question (je me souviens d'une députée de Gironde pour une question sur le pacte girondin). Parfois, une manifestation enflamme la salle, des pancartes sont brandies, des objets sont montrés, avant d'être confisqués par les huissiers. Quand un groupe est particulièrement outré, il quitte l'Hémicycle en guise de protestation (et va éventuellement boire un coup au bar, il ne faut pas se laisser abattre). Certains trébuchent sur leur texte, certains assourdissent les députés par leur voix de stentor, certains lancent des piques comme des coups de théâtre. Pendant la réponse du ministre, les index des députés s'agitent frénétiquement en dénégation pour exprimer une désapprobation (c'est pour les caméras bien plus que pour le ministre qui s'exprime), les têtes hochent en marque de soutien, parfois on se lève tous pour exprimer l'enthousiasme. Un jour, un député peu habitué aux débats a débité sa question avec des airs de IVe République, a continué sa question pendant plusieurs minutes après que le micro fut coupé, sans rien remarquer, dans un éclat de rire général. Bref, c'est un vrai théâtre.

Bien sûr, c'est une lourde responsabilité pour le président de séance que de maintenir le bon ordre dans les débats… les mener suffisamment vite pour éviter de finir à 4 heures du matin, suffisamment lentement pour que les différentes parties ne soient pas frustrées. Calmer quand cela s'échauffe, quitte à interrompre la séance, désamorcer les conflits par des paroles ou une gestuelle appropriée. Le règlement encadre beaucoup (trop ?) la fonction, et pourtant des styles de présidence fort différents émergent, et les députés ne se privent pas pour blâmer leur président si le débat s'embourbe. À ce jeu, les petits nouveaux de 2017 n'ont pas démérité, et la plus appréciée des présidents de séance durant notre première année de mandature était certainement la novice Cendra Motin ; c'était plutôt revigorant d'entendre dans les couloirs le communiste André Chassaigne louer l'extraordinaire sens de l'empathie de cette ancienne directrice d'entreprise !

Pour aborder un débat, tous les moyens sont bons. Certains piochent dans l'art de la rhétorique, se font un malin plaisir de bloquer les arguments en amont – par exemple tel dénoncera les bancs clairsemés du groupe majoritaire, alors que c'est son propre groupe qui est bien plus mal représenté. D'autres rebondissent sur les attaques, pointant les contradictions logiques dans le discours ou dans l'action de l'adversaire. Certains se reposent sur des éléments de langage bien préparés et d'autres préfèrent piocher dans leur expérience personnelle. D'autres encore citent les auteurs et références favorites des adversaires, afin de limiter leurs capacités de réplique. Et quand un Adrien Quatenens se lance dans un réquisitoire implacable, ce n'est pas seulement la rhétorique, mais toute sa personne – regard perçant, chevelure flamboyante, tout le corps tendu comme un arc – qui se lance à l'assaut de l'Hémicycle.

Il y a aussi les experts de la reprise de volée. Quelqu'un prononcera « République en marche » et aussitôt, quelqu'un enchaînera avec « marche en arrière », un acolyte ajoutant dans la foulée « marche sur la tête ». Deux secondes de respiration d'un ministre, c'est plus qu'il n'en faut à un député expérimenté pour glisser une phrase assassine ou un bon mot. L'Hémicycle peut bruire de ces interjections dont la qualité rhétorique est parfois médiocre, parfois grandiose. À droite, le feu est nourri par la jeune garde LR des Pradié, Di Filippo, Bazin, Dumont, Schellenberger, Cordier, Viala… Mais à gauche, les fougueux tempéraments comme Bernalicis, Obono, Chassaigne ou Jumel n'entendent pas être en reste.

Quand le débat tourne en rond, cela a de quoi vous rendre fou. C'était le cas au cœur de l'« affaire Benalla », quand toute l'opposition parvenait à tenir pendant trois heures complètes sur trois arguments qui pouvaient s'énoncer en une minute. C'est un vrai art que de parvenir à broder sur un même fond pour renouveler la forme sans cesse !

Parfois le débat tourne à la culpabilisation, à l'affect. J'ai un vif souvenir d'une discussion, où la question était de supprimer un morceau du préambule de la Constitution. Ce préambule était contesté en particulier par les représentants d'outre-mer pour sa façon d'évoquer les « peuples d'outre-mer » ; les tenants du maintien, eux, argumentaient que ce texte avait un statut historique. Débat difficile ! Le score était si serré que le président de séance a demandé un « assis-debout ». Et me voici debout, avec des collègues de la majorité, pour voter le maintien. Pendant le décompte, l'opposition se faisait un malin plaisir de nous culpabiliser : mettez-vous debout pour que l'on voie bien qui sont les salauds qui votent contre…

Mais on apprend à encaisser !

L'attraction de la controverse est une constante des débats politiques. Parfois elle est due à la vraie volonté des acteurs, qui font
ainsi parler d'eux avec écho. Parfois elle est favorisée par la technologie : sur Twitter, le débat tourne facilement au vinaigre,
comme sur tous les forums électroniques depuis qu'ils ont commencé à exister. (Je me souviens de ces discussions homériques,
d'une violence incroyable, qui avaient lieu sur les forums étudiants dans les années 1990... cette façon dont le ton montait,
dégénérait en « *flamewar* », jusqu'à faire passer ces forums pour
des « lieux » de perdition.) Et parfois ce sont les médiateurs qui
font tout leur possible pour renforcer la polémique, dans les journaux ou les plateaux de télévision. Monsieur Villani, que pensez-
vous de Luc Ferry qui déclare que les mathématiques ne servent
à rien ? (Évidemment, tous les coups sont bons pour alimenter la
controverse : on coupe les phrases, on caricature les positions...)

Certains commentent à l'envi le fait que ces débats ne sont plus
des débats de conviction, mais des postures politiques. Urvoas et
Alexandre, dans leur *Manuel de survie*, donnent le ton très tôt en
disant qu'à l'Assemblée « il ne s'agit pas de convaincre mais de
vaincre ».

Dans l'Assemblée, la bataille s'effectue avec panache, vigueur
et désordre. Cela peut décontenancer quelqu'un qui est habitué
aux analyses posées... Un jour, un ministre dont le projet de loi
était en cours d'examen m'a dit, après quelques jours de débats
enflammés : « Alors Cédric, qu'est-ce que ça fait d'être dans une
maison de fous ? » Ah ! Il ne se doutait pas que cela allait très vite
devenir BEAUCOUP plus enflammé !

Et pourtant qu'il me soit permis de dire qu'à côté des dérives,
de la communication outrancière, des enfantillages, il reste à
l'Assemblée de la place pour les débats intelligents. Débats pour
convaincre ou pour l'honneur, débats d'idées et de mots, incar-
nant les arguments avec des accents de tous les coins de la France
métropolitaine et d'outre-mer. Débats caricaturaux permettant
l'émergence de visions nuancées. Débats qui ont donné sa raison
d'être à l'Hémicycle même, depuis le premier débat confus qui

donna naissance au petit bijou qu'est la Déclaration des droits de l'homme et du citoyen de 1789. Débats juridiquement contraignants quand ils surviennent avant un vote, dûment enregistrés par le service des comptes rendus.

Vivre certains de ces débats de l'intérieur, à l'Assemblée, est une expérience passionnante. Rien que cela aurait justifié mon plongeon dans l'arène !

Et au-delà des arguments, j'ai pu y prendre conscience de ce que je dénommerai des schizophrénies liées au débat politique, dont je ne soupçonnais pas, ou sous-estimais, l'existence.

La première de ces schizophrénies, c'est celle de la société de débat du XXIe siècle, écartelée entre débat virtuel et débat physique. À l'usage c'est comme deux mondes séparés, qui ne se rencontrent presque jamais. D'un côté le royaume des humains, avec des débats plutôt civilisés, des échanges en face-à-face ; et le respect qui vient de l'écoute. De l'autre côté, le royaume des trolls, ou tout n'est qu'attaque inhumaine, anonyme ou pas.

Est-ce que cet état de fait s'accentuera, réalisant une complète séparation de phases, ou parviendrons-nous à faire la synthèse ? L'avenir le dira ! Al Gore aime bien rappeler que dans la transition d'écosystème technologique que nous vivons actuellement, l'humanité n'a pas encore trouvé le point d'équilibre qui lui permettra de mettre en synergie la technologie avec ses processus cognitifs et ses rapports sociaux.

La deuxième schizophrénie, c'est celle du député dans son exercice. En dehors de l'Hémicycle ou de la commission, les députés sont cordiaux, ce sont des collègues compatissants, intéressés, serviables, avec qui vous buvez un verre et échangez des blagues. Et dès que vous êtes en Hémicycle, ou dans un espace médiatique exposé, ce sont des adversaires irréductibles, voire des bêtes fauves prêtes à s'entre-dévorer. Certains y voient de l'hypocrisie, et bien sûr qu'il y a des personnalités politiques d'une grande hypocrisie ; mais ce serait naïf de s'arrêter là. Les réactions que l'on voit de l'intérieur, en débat, sont trop sincères, de même que la douleur du député qui s'est pris un « scud » public, réel ou virtuel, sur un thème qui lui tient à cœur. Je crois plutôt que, de la même façon que le roi de l'Ancien Régime avait deux corps, le député a deux personnalités, la publique et la privée. Et dès qu'il entre dans le lieu du débat, la personnalité publique se réveille, c'est comme s'il se retrouvait possédé par des idées bien plus anciennes qui planent dans l'Hémicycle depuis que cette institution existe.

Personnalité publique, personnalité privée, j'ai eu l'impression de voir les deux s'affirmer progressivement, au cours d'une année, avec des collègues qui se montraient de plus en plus cordiaux en privé et de plus en plus adverses en public. Après tout, ne sont-ils pas collègues dans l'animation de débat ? Ici encore, la grande histoire montre l'exemple, de façon bien plus intense encore : que l'on songe aux lettres de félicitations que les généraux nazis prisonniers pouvaient envoyer à leurs homologues alliés à l'occasion de la promotion de ces derniers. Que l'on songe à la lettre envoyée par Robespierre à Danton quand ce dernier fut frappé par un drame familial : une lettre de compassion, toute chaude de preuves d'amour, quelques mois seulement avant que l'action de Robespierre envoie Danton à l'échafaud.

Et pour conclure je citerai une troisième schizophrénie, celle-là réservée aux députés centristes, ou à quiconque tâche de tenir l'équilibre en Hémicycle face aux tendances radicales. Cette schizophrénie, c'est celle qui vous gagne au fur et à mesure que vous vous faites attaquer pour des raisons opposées, en permanence. L'aile gauche vous traite de quasi-fasciste, l'aile droite de laxiste… Pour les lois controversées, cela peut durer de longues heures, jusqu'à ce que vous ayez le sentiment de ne plus savoir qui vous êtes. Paradoxalement, c'est souvent quand vous êtes dans cet état d'extrême confusion que vous avez trouvé le point d'équilibre du débat. En recréant dans votre propre cerveau la confusion dialectique que crée, en société, la coexistence de visions du monde si contradictoires.

Songe d'une nuit de débat constitutionnel

12 juillet 2018. C'est une belle soirée d'été, mais nombreux sont les députés qui sont allés s'enfermer dans l'Hémicycle, examen de la Constitution oblige. Nous avons 2 359 propositions d'amendements à examiner avant le 22 juillet. Personne ne sait comment on va arriver jusque-là, mais on avance.

Plus tôt dans la journée on a solennellement décidé d'enlever le mot « race » de l'article premier de la Constitution. Le débat a duré longtemps, et toutes les précautions d'usage ont été prises. Au moment de voter cette suppression, le rapporteur général a rendu hommage aux efforts de ceux qui se sont succédé, surtout parmi les communistes, pour ce combat.

Hier on s'est écharpés sur le maintien du deuxième alinéa du Préambule de la Constitution. Le texte est jugé humiliant par les députés des outre-mer et par la gauche, mais il a une valeur historique ; le vote était si serré qu'il a fallu compter par assis-debout.

Les deux débats sont liés : les meilleurs experts de la Constitution nous ont bien indiqué que l'abandon du mot « race » de la Constitution ne résultera pas en un appauvrissement des moyens juridiques pour lutter contre les discriminations, en particulier parce que la volonté de ne pas prendre en compte les races subsiste dans ce fameux Préambule.

Si vous n'aimez pas débattre du sens des mots, ne participez pas à un débat législatif. On y discute pendant des heures pour savoir s'il faut employer l'expression « agit pour », « garantit » ou « assure », on s'empoigne parfois sur une ponctuation ou un pluriel, on rappelle pourquoi « décentralisation » et « déconcentration » n'ont rien à voir, on discute de l'ambiguïté du mot « territoire ».

Ce soir, les débats sont animés par les plus motivés. Beaucoup de députés que les médias caricaturent font plein usage de leur art du raisonnement avec toutes ses subtilités. Ils cherchent les contradictions dans les arguments des adversaires, reviennent à la charge inlassablement pour défendre leur point de vue. En cette occasion Philippe Gosselin n'est plus seulement le porte-parole de la tradition catholique, il déploie sa connaissance intime des institutions et de la Constitution. Guillaume Larrivé oublie ses dures positions sécuritaires et fait tourner l'esprit acéré qu'on lui reconnaît sur tous les bancs. M'jid El Guerrab, dont tout le monde sait qu'un éclat de violence tragique lui a coûté sa place dans le groupe, participe avec un travail soutenu et constructif.

Et moi je suis là, à ma place comme les autres, cahiers et papiers largement étalés devant moi, prenant des notes fébrilement, passionné comme un enfant plongé au cœur du spectacle vivant. C'est comme si l'Histoire de France s'était incarnée ce soir pour faire une représentation, comme si des comédiens étaient venus tout exprès pour personnifier tous les grands débats qui depuis des décennies, voire des siècles, posent problème à la France.

Dans une intervention de deux minutes, chaque mot compte. Le gouvernement, représenté par la garde des Sceaux, veille à tous les détails de l'ensemble. Éric Thiers, le conseiller de la ministre, ne prendra pas la parole publiquement, mais beaucoup le considèrent comme le vrai arbitre de cette réforme, la quatrième qu'il suit. Les groupes et les individus expriment leurs positions dans un complexe ballet.

En ce moment on travaille sur l'article premier de la Constitution. Emblématique s'il en est ! L'article premier cherche à capturer l'identité même de la France.

Tout à l'heure, outre la suppression du mot « race », on a voté l'ajout de la non-discrimination en fonction du sexe ; demain on inscrira la lutte contre le changement climatique.

Mais là, maintenant, les débats tournent explicitement autour de la nature de la République française. Aucun changement n'est à attendre, pourtant les orateurs prennent la parole, gravent leurs contributions dans le marbre des archives de la République.

Des députés Modem insistent pour y faire figurer l'Europe. La cause écologiste est défendue par des profils aussi variés que Maina Sage, la très respectée députée de Polynésie qui porte bien son nom, ou la vétérane socialiste Cécile Untermaier, généreuse et toujours tournée vers l'avenir, ou encore Delphine Batho, tenace et intransigeante, faisant preuve d'une rigueur implacable. Sans oublier François-Marie Lambert, Paul Molac et ses signes visibles d'identité bretonne, ou encore le communiste André Chassaigne qui a joué un rôle important dans la Charte de l'environnement. Certains veulent y installer la défense de la vie privée, dans cette époque ravagée de peurs liées au pouvoir intrusif des réseaux sociaux.

Vient la laïcité. Jean-Luc Mélenchon s'étrangle devant les arrangements de Concordat que les députés mosellans applaudissent. Claude Goasguen nous rappelle qu'il n'y a nulle part, dans notre corpus législatif, de définition de la laïcité et que la fameuse loi de 1905 repose sur un énorme non-dit. Mélenchon lui réplique avec panache qu'il préfère définir une pratique plutôt que spéculer sur une essence !

Éric Ciotti et Valérie Boyer tentent de faire inscrire les racines chrétiennes dans la Constitution, mettant en feu l'Hémicycle. M'jid El Guerrab réplique par un morceau de bravoure qui inclut tout à la fois sa propre éducation chrétienne et « nos ancêtres les Gaulois ». Chaleureux applaudissements. Guillaume Larrivé cherche à adoucir la retraite de ses collègues en évoquant l'Être suprême, incursion de la République dans le domaine religieux, sans grande conviction. Pacôme Rupin et Émilie Chalas le rabrouent : « Vous valez mieux que ça, monsieur Larrivé ! »

Les langues ! Paul Molac prononce quelques phrases en breton et défend la possibilité de minorités culturelles au sein d'un peuple unique. Les députés de Polynésie, de Guyane, de Corse, du Pays basque ajoutent leur contribution.

En face, la garde des Sceaux, aujourd'hui gardienne du temple, dont on admire l'intelligence et l'éloquence élégante. Ancienne membre du Conseil constitutionnel, elle cite les avis de cette institution à toutes ses réponses ou peu s'en faut.

Les rappels historiques fusent, les tendances s'accrochent. L'abbé Grégoire est honni par les tenants des nationalités. On invoque Caracalla, Saint-Exupéry, de Gaulle, Mauroy. Un député polynésien évoque le débarquement de Bougainville, qui n'a pas été accueilli par des crocodiles, mais par un peuple ! On se dispute sur les définitions – qu'est-ce qu'un peuple, qu'est-ce qu'un territoire, qu'est-ce qu'un culte ? Et la nature singulière de la France géographique, étalée sur tous les continents, avec ses milliers d'îles que l'on oublierait facilement.

De tout cela, la presse ne se fera pas l'écho, et aucun changement n'en résultera dans la Constitution. Certains députés en tireront un bénéfice politique, en démontrant comme ils se sont bien défendus ; d'autres sont là simplement pour la discipline de groupe ; et d'autres encore parce qu'ils aiment sincèrement débattre, jusqu'à 1 heure du matin, entre collègues, au nom de la France, d'un sujet qui les passionne.

Vient le moment le plus difficile : l'inscription de la diversité des territoires dans la Constitution ! L'organisation décentralisée y figure depuis 2003, mais on se demande bien pourquoi : ce n'est certainement pas un grand principe qui a fondé la France, bien au contraire. Alors que la diversité des territoires, si !

Le rapporteur, le très apprécié Marc Fesneau, défend la rédaction : « Elle reconnaît la diversité des territoires par la décentralisation administrative. » Untermaier réplique par la formulation : « Elle reconnaît la diversité des territoires. Son organisation est décentralisée. » Changement subtil, riposte violente du rapporteur ! La réforme des régions de la précédente mandature est mise en cause. Une heure de discussion sur ce que c'est qu'un territoire – géographique ou culturel. « Quand on a dessiné la carte des régions de France sur un coin de table un dimanche soir, on n'a pas de leçons à donner ! »

Quel est le bon équilibre à insuffler dans la norme suprême ? Certains craignent que l'on ne se corsète trop, certains pensent qu'il aurait mieux valu laisser la décentralisation aux titres 12 et 13 de la Constitution. On craint une dérive majeure ! Est-on en train de préparer la différenciation des droits au nom du droit à la différence ? Le fédéralisme ce n'est pas la déclinaison des lois, c'est le droit de fixer localement des lois, et ce n'est pas cela que nous sommes en train de faire. Mais n'importe quoi, cher collègue !

Le démocrate chrétien Dominique Potier, paysan d'origine, prend comme toujours de la hauteur en parlant d'amour de la diversité et des territoires.

Quels jeux d'acteurs dans ces débats ! On se frappe la tête en signe d'incrédulité, on affiche un sourire goguenard, on s'invective. On s'accuse d'hypocrisie ! Le président de séance est honni comme étant aveugle, surveillant général, sec, cynique, manipulateur. On s'accuse de préparer les choses en douce, sous couvert du déluge d'amendements. Erwan Balanant, qui a le verbe facile, baisse les bras devant un assaut des Républicains, préférant les « laisser brailler ».

Le débat sur les langues me fascine. L'inscription des langues régionales dans la Constitution est si difficile, comme si le pouvoir avait l'intuition que ces langues avaient la faculté séditieuse de faire exploser le pays ! La République a peur depuis deux cents ans, esquisse Balanant, à quoi Mélenchon réplique que la République n'a peur de rien !

J'ai eu la chance d'assister à un débat parallèle au Bundestag allemand – tout le contraire, la langue de Goethe n'est pas inscrite dans la Constitution, et c'est une revendication de l'AFD (extrême droite) que de l'y installer. Tous les autres groupes politiques avaient défilé pour terrasser cette idée, insistant sur l'exclusion que cela représentait. Deux choix d'organisation radicalement différents, le jacobinisme français et le fédéralisme allemand. Comparaison n'est pas raison, mais comparaison éclaire !

À la fin des débats, on se retrouve à la buvette. Ceux qui se huaient il y a quelques minutes encore trinquent ensemble, et de bon cœur. Après tout, ils ont mené ensemble le débat, pour le bien de la nation, et après les avoir vus de près, à cette heure réservée aux plus motivés, il n'y a aucun doute sur la sincérité des passions qui les animaient dans la chaleur de l'Hémicycle.

24 juin 2018, fin de matinée.

Avec Françoise Marhuenda, la maire des Ulis, on a traversé le cœur de la ville, en commentant quelques endroits notables.

« Ça, c'est une boutique admirable. »

« Ça, c'est louche, c'est presque jamais ouvert et ils ne cherchent pas à attirer de clients, je me demande si ça ne sert pas à blanchir des fonds pas propres. Et il y a un de ces tapages… »

« Là, on va refaire le bâtiment, c'est pas du luxe. »

De temps en temps, je me fais aborder par des Ulissiens.

— Ah c'est vous. J'ai vu ce que vous avez écrit sur le bien-être animal. Ça me touche beaucoup. Vous connaissez le manifeste animaliste de Corinne Pelluchon ? S'il vous plaît, lisez-le.

— Merci infiniment !

— Mais pourquoi vous n'avez pas voté pour l'interdiction du glyphosate ?

— Ah, le glyphosate. Vraiment injuste. Peut-être notre pire échec de communication politique cette année. Comment vous pouvez croire qu'on ne soit pas motivés sur ce sujet : c'est par la volonté du Président qu'on a imposé, à grand mal, à l'Union européenne de réduire de quinze à cinq ans la durée d'autorisation. C'est encore le Président qui a imposé qu'on en sorte encore plus vite en France, en trois ans !

— Mais alors pourquoi vous avez voté contre son inscription dans la loi ?

— Simplement parce qu'on estimait que ça ne relevait pas de la loi mais du pouvoir réglementaire ! Il ne faut pas croire que la loi doit régler toutes les affaires, surtout quand elle est avant tout destinée à parler du modèle économique. Une loi ça vient avec une étude d'impact, vous imaginez la difficulté de faire une étude d'impact en la matière ?

— Donc c'est juste une histoire de communication ?

— Oui, mais un échec de communication, en politique, c'est aussi un échec politique. Là on a encore beaucoup à apprendre.

Chapitre 15

PAROLES, PAROLES

Si vous êtes banquier, artiste ou chercheur, la communication est un accessoire, important, vital parfois, mais c'est un accessoire accompagnant votre cœur de métier. Elle vous permettra, si vous la maîtrisez, d'attirer des clients, de lever des fonds, de recruter des associés, de faire connaître votre profession, de susciter des vocations, de répondre à des questions, de passionner un auditoire... mais votre travail consiste quand même en priorité à gérer des capitaux, créer une œuvre d'art ou produire de nouvelles connaissances scientifiques.

En politique, c'est différent : la communication fait partie du cœur de votre activité, car le politique doit informer et faire vivre les idées. Une communication excessive, envahissante, pourra être critiquée, raillée... mais cela vaudra toujours mieux que l'absence de communication, qui signifie la mort politique.

Et la communication, comme on sait, c'est beaucoup plus qu'un compte rendu ou même un discours : c'est tout un ensemble de choses verbales et non verbales, explicites et implicites, dans lequel les attitudes, les impressions ont leur mot à dire. Comme l'a si bien dit la poétesse américaine Maya Angelou, égérie du mouvement pour les droits civiques : « Les gens oublient ce que vous avez dit, oublient ce que vous avez fait, mais ils n'oublient jamais ce qu'ils ont éprouvé en votre présence. » À méditer en songeant que Bill Clinton et Donald Trump, considérés par bien des commentateurs extérieurs comme respectivement

253

le meilleur et le pire président américain de ces dernières décennies, ont eu en fait le même taux d'adhésion, autour de 40 %, à la moitié de leur premier mandat.

Régulièrement, on me demande si mon look vestimentaire est un acte de communication. Je détrompe : cela fait vingt-cinq ans que je l'ai adopté, j'étais un simple étudiant en mathématique passionné par les arts, c'était purement instinctif. Ensuite je l'ai toujours conservé, même quand on me garantissait qu'il valait mieux en changer.

On me demande aussi si ma communication scientifique est un talent naturel… On peut débattre longuement sur ce qu'est un talent, mais il se trouve qu'en l'occurrence, j'ai travaillé longuement ma communication scientifique ; j'ai été influencé par des pionniers comme Étienne Ghys, j'ai suivi un stage lumineux animé par Claude Vadel, et j'ai travaillé, des années durant, à faire progresser mes conférences.

Il est certain que, en tant que scientifique, j'ai eu un rapport particulier à la communication. Ma carrière est d'abord faite d'articles, de découvertes, de travaux de fond reconnus par mes pairs et par eux seulement. Mais je suis aussi un scientifique passionné par l'écriture d'ouvrages – le premier, *Topics in Optimal Transport*, entamé à vingt-six ans, fut mon premier best-seller et me valut des commentaires enthousiastes sur la fraîcheur de la forme ; le second, *Optimal Transport : Old and New*, décrocha le prix Doob de la Société américaine de mathématique, une récompense réservée aux meilleurs ouvrages de synthèse.

Au total, j'ai exploré bien des voies de communication. Certaines classiques, comme des conférences, d'autres beaucoup plus innovantes. Des collaborations avec des artistes : Edmond Baudoin, Karol Beffa, Bartabas, Patrice Moullet, Lisa Roze. Un coffret DVD de conférences réalisé à la Maison des Métallos avec toute une équipe de production. La plus grosse prise de risque était cependant mon récit *Théorème vivant*, qui allait à l'encontre de plusieurs règles du genre. On dit qu'il ne faut pas mettre de formules dans les ouvrages grand public ? J'en ai mis des pages et des pages entières. On dit qu'il faut utiliser des mots simples ? J'ai gardé le jargon mathématique tel qu'il est, sans explication. Et j'ai décrit la recherche mathématique de façon impressionniste, sous une forme tenant du journal de bord, du roman d'aventures et du roman de mœurs. Finalement, il s'en est vendu bien plus que tous mes autres ouvrages réunis.

En tant que directeur d'institut, j'ai fondé le département de communication à l'Institut Henri-Poincaré et lui ai donné bien des moyens et bien des missions, à rendre jaloux parfois d'autres départements plus traditionnels. Avec mon directeur adjoint Jean-Philippe Uzan, communicant exceptionnel, nous avons fondé un ciné-club, fait réaliser des films et monté plusieurs expositions innovantes.

Et même dans ma communication audiovisuelle de scientifique, j'ai pris plus de risques qu'il n'est d'usage : *Le Grand Journal*, à de multiples reprises – la première fois sans prendre le moindre conseil… cela aurait pu être une catastrophe, mais finalement cela ne s'est pas mal passé. *On n'est pas couché. Les Grosses Têtes.* Je me suis fait mettre en boîte par les Trapenard, Vandel, Ruquier, Bourdin… pourquoi pas !

Pourtant je me méfiais des moyens modernes de communication, si prompts à allumer les polémiques. À l'heure de me lancer dans la bataille législative, je n'avais ni compte Twitter, ni page Facebook ; ma communication Internet se faisait par voie de blog, sous forme de longs billets illustrés, approximativement mensuels, avec réponses désactivées. Pas tellement le genre de communication rapide qui vaut en politique !

Bien sûr, pas question pour un politique aujourd'hui de démarrer sans présence sur les réseaux sociaux. Certaines études évaluent à au moins 50 % la part que ces derniers jouent dans l'information et l'influence publique. Et la variabilité y est bien plus forte que dans les médias classiques. Guère d'encadrement, tous les coups sont permis, et l'histoire récente a montré que l'on peut y faire de la manipulation d'information à très grande échelle. Bref, un croisement de Far West et de *1984*. Mais il faut bien y aller, n'est-ce pas ? D'autant plus qu'il y avait de beaux moments à passer.

Quand ma campagne a débuté, et plus tard mon activité politique, c'était donc avec tous les moyens de communication : presse, radio, télévision, Twitter, Facebook, Instagram, discours publics.

Et ce renouvellement de ma communication n'est pas allé de soi. Pour les interviews télé et radio, j'ai dû accepter de me retrouver entraîné hors de mon terrain de confiance, et surtout apprendre à être, sans arrêt, sur le qui-vive pour éviter le mot de travers, la petite phrase qui risque de se retrouver montée en épingle le lendemain. « Pas de gaffe », c'est comme une obsession en continu dans votre tête quand un journaliste vous cuisine sur un plateau.

J'ai dû accepter aussi de voir les sujets prendre leur vie propre et m'échapper complètement. Prenez la séquence sur l'orgasme (!), que je vais vous décortiquer à titre d'exemple.

Un jour, Luc Ferry explique sur un plateau de télévision que le raisonnement mathématique, purement déductif, n'est pas utile dans la vie de tous les jours. Sur le manque d'utilité du raisonnement déductif, il a sans doute raison, mais il oublie que le raisonnement mathématique fait aussi travailler des schémas de réflexion non déductifs, et participe à l'élévation de la faculté à raisonner abstraitement (on a des statistiques américaines impressionnantes montrant que le simple fait d'étudier la mathématique améliore vos chances de succès dans presque toutes les disciplines). Bref, sans entrer trop dans les détails, il y avait l'occasion d'un débat intéressant. Mais les médias reprennent en caricaturant « Luc Ferry affirme que les maths ne servent à rien ! » et voilà votre débat qui part bien mal.

Peu après, une journaliste relisant *Théorème vivant* s'avise que j'y cite une phrase d'André Weil, immense mathématicien français de la première moitié du XXe siècle, comparant le plaisir de la découverte mathématique à un orgasme. Quand elle m'interroge dans une émission télévisée, elle me demande pourquoi je fais cette comparaison. J'ai beau rappeler qu'elle n'est pas de moi, qu'elle a plus de cinquante ans, que je l'ai juste citée pour illustrer le plaisir de la recherche mathématique dans un ouvrage d'il y a cinq années... cela n'empêche pas les médias de titrer « Cédric Villani répond à Luc Ferry en comparant les maths à un orgasme ».

Et ainsi de suite ! Vous me direz que la fiction mise en scène par le découpage médiatique est bien plus intéressante, ou drôle, que la réalité. Que la réalité, de toute façon on ne sait pas ce que c'est. Que ce n'est pas si grave. Et tout cela est vrai. Le bon problème est donc de trouver comment surfer sur cette mise en scène sans vexer personne, tout en réaffirmant ce qui compte vraiment : en l'occurrence, le plaisir et l'utilité de la mathématique.

Parfois cet emballement médiatique se déroule en quelques heures, parfois en quelques minutes, sous votre regard médusé. Ainsi, quand, en déplacement à Ouagadougou, dans la délégation présidentielle, le motard qui ouvre la voie se trompe de chemin et mène notre voiture en plein dans une manifestation anti-française, une ou deux pierres atterrissent sur notre voiture et nous faisons demi-tour. Petit incident ! Mais en France, les médias s'affolent, on parle d'attentat, d'attaque organisée, on nous contacte pour nous demander de rassurer les spectateurs par un passage à l'antenne. Et alors, il faut rester zen en veillant à ne pas enflammer les choses...

Une communication ratée peut ruiner tout le bénéfice politique d'une action, fût-elle audacieuse et pertinente. La séquence du glyphosate en est le meilleur exemple, mais cela s'est vu aussi sur bien d'autres thèmes, dont le délit de solidarité ou la taxation des GAFA. Ces exemples nous rappellent que l'action ne peut pas être planifiée sans la communication qui va avec et que si l'on n'y prend garde, on se retrouve mis en scène dans un rôle qui ne correspond pas du tout à ce que l'on avait en tête. Ils nous rappellent aussi qu'il faut anticiper, combiner les modes de communication, et savoir surfer si l'on n'a pas anticipé.

Sur le sujet des GAFA, j'ai vécu cela de l'intérieur : alors que j'ai toujours pris position pour une taxation bien plus forte des géants américains et salué les énormes efforts du gouvernement en la matière, je me suis retrouvé cloué au pilori sur les réseaux sociaux, dénoncé comme un hypocrite pour avoir voté contre cette taxation. Que s'était-il passé ? Alors que le gouvernement était en train de fignoler sa copie pour présenter un texte bien ficelé sur la taxation en 2019, le Sénat avait proposé un amendement en ce sens dès le projet de loi de finances voté en décembre 2018 ; amendement non abouti sur la forme, comme le démontrait de façon convaincante le rapporteur général, et qui aurait donc été inopérant. Adopter un amendement inopérant est une excellente occasion de se faire taxer d'incompétence ; et pour ceux qui pensent que le sujet est si simple qu'on peut le régler en un tour de main, je les invite à consulter les débats parlementaires pour se convaincre du contraire. C'est donc en pleine connaissance de cause que j'ai suivi la consigne de vote contre, laissant le gouvernement travailler encore les quelques semaines nécessaires pour présenter une copie juridique bien assurée. Difficile de douter de la sincérité du gouvernement sur le sujet, vu la façon dont il a fait le siège des autres pays européens dans l'espoir d'adopter une position commune ! N'empêche que le compte Twitter @TaxeGAFA a aussitôt dénoncé le « double langage » dont j'avais fait preuve « une fois de plus », comme mes collègues de la majorité et comme le gouvernement. Bingo : mille deux cents retweets, un score excellent dans la sphère politique. Avec deux cents retweets seulement, ma réponse a fait beaucoup moins de bruit : j'avais donc perdu de la réputation et de la confiance.

Je vous invite à réfléchir, sur cet exemple, à la bonne stratégie de communication préventive qui aurait pu limiter les dégâts : pas si simple !

Une difficulté supplémentaire, en communication politique, est que vous avez, parfois, très peu de latitude concernant les angles. Vous avez préparé quelque chose de très intéressant…

mais on vous interroge sur autre chose ! C'est pareil en communication scientifique, me direz-vous, et on vous apprend très tôt, dans les séances d'entraînement, à déjouer ce piège en déviant le tir. Mais en politique, cela peut être plus délicat, on vous accusera de ne pas respecter le devoir de transparence, d'esquiver. Je me souviens de la brève conférence de presse que donnait le Premier ministre après la mise en place de la mission IA : comme on était en période d'ouragan dans les Antilles, il n'y eut que des questions sur les ouragans et la sécurité – aucune sur l'IA…

Un autre cas d'école en matière de communication a été la loi sur les violences sexuelles : le gouvernement se faisait accuser de laxisme alors qu'il proposait le renforcement de toutes les peines ! En cause, la proximité, dans la nouvelle échelle des peines, entre le délit d'« atteinte sexuelle avec pénétration » et le crime que constitue le viol ; il a finalement fallu faire machine arrière sur un morceau du texte. Et s'il y a une leçon à tirer, c'est qu'il faut viser toujours plus de clarté dans la présentation logique.

Dans le cadre du débat autour de cette loi, une anecdote a été éclairante pour moi : une amie qui voulait se faire sa propre opinion sur le sujet m'a demandé pourquoi diantre notre texte faisait un sort spécial aux adolescents âgés de quinze ans, ni plus ni moins… Après un temps d'incompréhension, on a pu identifier la source du malentendu : en langue juridique, « mineur de quinze ans » veut dire « mineur de moins de quinze ans ». Nul n'est censé ignorer la loi, mais la loi est souvent indéchiffrable pour les non-experts !

Un cauchemar de communication de plus : les budgets. De nos jours, ils sont si complexes qu'on peut leur faire dire tout et son contraire ! Le budget des collectivités joue sur tant de tableaux à la fois que le bilan en est compris d'une poignée seulement de députés (et encore… le seul collègue auprès de qui je me renseigne en toute confiance sur ce sujet, c'est le président de la délégation des territoires, Jean-René Cazeneuve !) À partir de là, tout est possible : l'opposition dira systématiquement que le budget des collectivités baisse en se basant sur telle et telle ligne du tableau, la majorité rectifiera en brandissant d'autres chiffres, et il est impossible aux citoyens de vérifier. Autre exemple douloureux de la complexité des budgets : en novembre 2018, le bilan du budget 2017 a montré que des crédits provisionnés pour la consommation en énergie de certains acteurs des énergies renouvelables n'ont pas été autant dépensés que prévu (car le coût de l'énergie était plus faible qu'escompté) ; le solde de 650 millions d'euros a donc été reversé au budget général (où ils ont contribué à amoindrir la dette) ; aussitôt vient l'accusation publique selon laquelle le gouvernement a « volé » de l'argent à l'écologie…

Bien des écueils, en somme, sur lesquels on se fait facilement piéger !

Et pour ma communication personnelle ? Eh bien, j'ai démarré tant bien que mal, avec l'aide de mon équipe plus expérimentée que moi… et nous avons mis en place progressivement mes lignes directrices.

Sur le fond, j'ai essayé tant que possible de toujours trouver des marqueurs hors politique, des références artistiques, culturelles, des éléments puisés dans mon expérience propre. Sincérité et personnalisation ont été mes priorités. Avec *Théorème vivant*, j'avais déjà observé la puissance des références culturelles pour faire passer les messages, même techniques.

Les missions demandent une attention particulière. Ainsi, dès le début, la mission sur l'intelligence artificielle se prête à beaucoup de communication ; il s'agit de démystifier, de permettre au plus grand nombre de s'approprier le débat, les concepts. L'IA est l'affaire de tout le monde ! Ici la communication sera un mélange de vulgarisation scientifique et de communication politique non partisane, axée sur les débats de société, d'économie et de gouvernance.

En matière de communication, chaque réseau social a son créneau.

Sur Twitter, c'est le tout-venant, la communication quotidienne ; je vise la parcimonie : en gros un tweet par jour, avec trois-quatre tweets pour chaque déplacement.

Dès le début, je suis servi par les éléments. À la rentrée de l'Assemblée nationale, Jean-Luc Mélenchon fait une remarque déplacée. Plutôt que de m'offusquer, je réponds sur le ton de l'ironie sur Twitter. Énorme succès. 21 000 likes, 1 700 commentaires, montée en flèche de mes abonnés, reprises dans la presse. Ou comment faire le buzz en cent quarante caractères... Très franchement, je n'avais pas la moindre idée que cela prendrait cette ampleur.

Quelques mois plus tard, nouvelle pique de la France insoumise (pas bien méchante, il faut l'avouer) ; nouvelle réponse ironique, nouveau succès. Merci les amis !

D'autres tweets qui ont été largement lus et commentés : sur mes spécialités identifiées (IA, mathématique, Maurice Audin) ; sur l'écologie ; des saluts à des artistes (Higelin, Corbier, Aretha Franklin) ; de l'autodérision autour de mon bras cassé ; le succès de mon ancien élève Alessio Figalli, médaille Fields 2018 ; quelques rencontres inspirantes.

Le succès sur Twitter est foncièrement injuste. La photographie de mes trois collaboratrices qui se trouvaient par hasard être en robes bleu-blanc-rouge un jour de demi-finale de la Coupe du monde de football : cinq cents likes. L'ouverture du colloque ESOF (EuroScience Open Forum), le plus grand événement scientifique européen, pour la première fois en France : cent likes. C'est ainsi ! Cela dit, les tweets dont les likes se comptent en milliers sont vraiment les plus intéressants.

Twitter est commode, c'est devenu le journal du monde politique, du monde tout court, là où l'on trouve les nouvelles toutes fraîches. Cependant, c'est aussi une matière inflammable, et les commentaires reflètent systématiquement la violence. On vous traite de menteur, on vous renvoie des décisions politiques passées à la figure. Félicitez-vous du progrès sur une affaire, on vous reprochera de ne pas vous intéresser à une autre. Demandez à quelqu'un qui a dérapé de s'excuser, et l'on vous engueulera pour ne pas être plus sévère. Réjouissez-vous d'une belle rencontre, et l'on vous traitera d'égoïste. Exprimez votre compassion, et il y aura quelqu'un pour dénoncer votre hypocrisie. Faites la part des choses, et l'on vous vouera aux gémonies pour votre tiédeur. Adressez vos vœux de belles fêtes de fin d'année, et l'on vous gratifiera d'un petit paquet d'insultes. Sans parler de ceux qui viennent vous provoquer dans l'espoir de lancer une belle polémique... Lisez les commentaires de Twitter, et perdez foi en l'humanité !

Ou ne les lisez pas, et tentez de rester heureux. Mais Twitter est une drogue dure : on tâte le terrain, on vérifie son image dans le monde des ombres. C'est le grand forum sur lequel toutes les tensions, tous les débats se reflètent.

Pour ma part, je ne tweete jamais directement : toujours par l'intermédiaire de Candice, responsable médias. Cela apporte un filtre, un second regard, évite les réactions trop à chaud. Parfois Candice met sa patte, parfois elle réécrit, parfois c'est un autre membre de l'équipe qui met son grain de sel, sous réserve de ma validation. Mais même quand je prépare le tweet à la virgule près, c'est à elle que je repasse le bébé pour qu'elle le poste. Un petit peu de prudence dans un monde explosif !

Les autres réseaux sociaux sont bien moins piégés. Sur Instagram c'est tout en impressions, on s'adresse aux jeunes dans une ambiance bienveillante. Sur Facebook, j'ai envoyé à la poubelle les consignes de brièveté pour me concentrer sur des billets longs, sur le mode du reportage, pour approfondir ; et des « newsletters » adressées à ceux qui me suivent – en particulier en circonscription. D'autres médias moins classiques sont apparus dans ma vie : Konbini, Thinkerview... La communication du XXIe siècle est multimodale !

La communication, ce sont également les discours, encore et toujours. En un an, j'ai dû en faire un demi-millier, en particulier liés à l'intelligence artificielle, la science en politique, mais aussi sur bien d'autres sujets, à l'occasion d'inaugurations, de forums, de tables rondes, de remises de Légion d'honneur ou d'Ordre national du Mérite. Jusqu'à cinq discours dans la même journée !

Je ne délègue jamais l'écriture des discours, convaincu de leur importance pour approfondir la maîtrise des sujets. Et puis, quand vous lisez un discours sans comprendre parfaitement de quoi il est question, vous vous exposez à des accidents ! Je l'ai vu dans ma vie de scientifique, où j'étais parfois impliqué dans la rédaction de discours pour des politiques…

Voici le plus intéressant, peut-être, de ces loupés : j'avais été sollicité par le cabinet d'un ministre pour un de ses discours. Il s'agissait de fournir une ou deux phrases expliquant un problème scientifique qui venait d'être résolu. Assistant au discours, j'ai pu juger par moi-même du résultat : fiasco, éclats de rire des scientifiques dans la salle, raccrochage aux branches par le ministre qui reconnaît ne pas maîtriser son sujet et s'en sort en jouant l'humour. Que s'était-il passé ? Le texte était juste, mais l'intonation avait tout fait rater : il avait lu une phrase de mise en contexte avec l'emphase qui convient aux annonces majeures, et pris le ton de la routine pour la phrase qui évoquait le vrai exploit scientifique, provoquant ainsi un contresens sur toute la ligne.

Si l'on veut tenir le rythme des discours, il faut aussi savoir improviser. On découvre parfois sur place que l'on a sous-estimé l'ampleur de l'occasion, mal compris la nature du public, et il faut alors tout reprendre. Ou alors, on n'a pas eu le temps de préparer, mais on s'est convaincu qu'on allait pouvoir traiter les choses dans l'urgence. Enfin, on vous invite souvent à prendre la parole en public alors que cela n'était pas prévu.

Pour faire face à ces situations en quelques minutes, on apprend vite les réflexes. Quelles sont les deux ou trois choses qui me tiennent le plus à cœur sur le sujet ? Dans quel ordre dois-je les aborder ? Comment étoffer et piocher dans les exemples que j'ai vus passer ou vécus moi-même ? Puis-je trouver une phrase choc pour entamer et résumer le propos ?

Exemple : pour un discours prévu au dernier moment dans une cérémonie à Cotonou sur la francophonie, je cherche une phrase punch qui mêle mathématique et francophonie et je trouve : « C'est avec des mots que l'on met le monde en équations. » Ce sera la première phrase du discours, à partir de là tout découlera, j'habillerai avec le thème de la francophonie mathématique que je connais bien, le rôle du langage dans l'éducation aux sciences, quelques considérations sur la phylogénie des langues, la fraternité issue du partage d'une langue commune...

Impossible de terminer le passage en revue sans évoquer les questions-réponses, toujours appréciées du public, l'occasion pour lui d'être l'interviewer du jour. Certains journaux donnent d'ailleurs à leurs lecteurs l'occasion de jouer ce rôle. C'est aussi un moyen pour le conférencier d'aller sur des territoires qui n'étaient pas prévus. Et, très important, c'est un engagement explicite des spectateurs, comme une confirmation du rôle qu'ils vous ont confié en tant que citoyens. De la même façon que le vote a été inventé pour engager les citoyens dans la désignation des dirigeants, les questions-réponses permettent d'engager les auditeurs dans la communication, et de donner une légitimité bien plus forte.

C'est dans cette catégorie que se niche mon mode de communication Internet préféré, et que j'ai gardé pour la fin de ce passage en revue : le Facebook Live. Belle découverte. Il suffit d'une connexion et d'un ordinateur portable, et bien sûr d'un peu de communication en avance. On lance le *live*, les questions commencent à affluer, d'abord timidement, puis par centaines. Je choisis, je pioche, je veille à avoir un panel représentatif des sujets que l'on a promis de traiter. Je parle sans discontinuer pendant une heure. Interactif, exigeant, bienveillant dans l'ensemble. C'est l'une des rares formules techniques où la promesse d'Internet a été en partie tenue : communication instantanée, fidèle et sans barrière. Plongée dans une nouvelle communauté, qui pour être délocalisée n'en reste pas moins humaine. Ouverture vers de nouvelles possibilités empathiques, comme dans les œuvres de Satoshi Kon.

Quand le Facebook Live est lancé, je me dis que je suis parfaitement dans mon rôle de député du XXIᵉ siècle, représentant du peuple ne négligeant pas la dose de démocratie participative que permettent les nouvelles technologies, soucieux de mes valeurs humaines d'écoute et de dialogue en temps réel, celles qui pendant des centaines de milliers d'années ont présidé aux destinées humaines.

De la complexité de la communication politique personnelle

Dimanche 23 septembre, émission politique sur France 3, animée par Francis Letellier. Beaucoup de sujets ! Maurice Audin, Éric Zemmour, Alexandre Benalla, démission de Frédérique Dumas, élection de Gilles Le Gendre, l'enseignement mathématique, etc.

Débrief avec Candice à la sortie. Globalement bien mais il y a deux trois points à surveiller. « Sur Benalla tu aurais pu être meilleur. Sur la ville de Paris tu t'en es bien sorti. Sur Valls… OK je sais, tu l'aimes bien malgré tout. Sur Zemmour tu aurais pu être plus dur. Pour le reste… »

C'est bien quand les équipes osent dire les choses !

On passe du temps en coulisses avec Letellier, Says et quelques autres professionnels de l'audiovisuel ou de la politique. Un peu de champagne, c'est agréable, et ça aide à faire parler l'invité. After sympa. Avant de retourner vaquer à nos occupations respectives.

Durant tout l'après-midi, David et Candice font leur travail de veille pour surveiller les tweets. On ne sait jamais…

Ah. Une heure après l'émission, tweet de Bruno Jeudy : *Ancien président du comité de soutien d'Anne #Hidalgo, le député LREM Cédric Villani estime qu'Édouard Philippe ferait (comme d'autres) un grand maire de Paris.*

Bah oui, si j'ai parlé d'Édouard Philippe, c'est parce que Letellier m'avait posé la question explicitement… De toute façon, si j'avais répondu que je ne croyais pas qu'il serait un bon maire, vous imaginez le buzz négatif que ça aurait fait ? Bon, Jeudy indique bien « comme d'autres », car effectivement j'ai bien dit que Philippe n'était pas le seul candidat potentiel de valeur, et j'ai rappelé que d'autres ont déjà fait part de leur intention. À cette époque je suis moi-même en cours de réflexion sur le sujet, mais je n'ai rien annoncé et ne souhaite commettre aucun impair.

Pas de réaction au tweet ? Non, ça va.

Encore une heure plus tard, tweet de Frédéric Says. Cette fois la formule a changé. Maintenant c'est juste : *Il estime que @EPhilippePM ferait « un grand maire pour Paris* »… Argh, le « comme d'autres » a disparu… cette fois-ci, quand on lit ce tweet on a vraiment l'impression que c'est moi qui ai choisi mon poulain, spontanément, et que ce sera Édouard !

Encore une heure et c'est Francis Letellier lui-même qui tweete. Et c'est encore plus explicite. *Quel candidat #LaREM pour la Mairie de Paris. @VillaniCedric, ancien président du comité de soutien d'@Anne_Hidalgo en 2014, y voit bien @EPhilippePM.* Maintenant l'internaute a l'impression que la question qui m'était posée n'était pas « est-ce que Philippe serait un bon candidat ? » mais « quel candidat LREM pour la Mairie de Paris ? » Ahouu !

Mais là ça change tout ! On risque l'incident diplomatique avec tous les copains qui ont bossé dur pour mettre en place l'opération « Paris et Moi », pour bien installer la consultation publique en anticipation de la désignation du candidat. C'est hypersensible, il faut une réponse, sinon je vais me faire publiquement recadrer !

Ou alors peut-être que ce tweet passera inaperçu ? Si on commente le tweet, on lui donne beaucoup plus de visibilité…

Non, mais avec déjà trois tweets, on peut être sûr que ça sera repris plus tard.

Mieux vaut préparer une réponse en anticipation.

Attendez… là, voilà ! Tweet du *HuffPost* ! Encore une fois rédigé comme si je soutenais Philippe !

Là c'est la cata ! Ça va être repris partout, très vite, commenté, etc.

Il faut éteindre l'incendie qui vient de démarrer dans le monde virtuel.

Sauf que, dans la vraie vie, je suis déjà à un autre rendez-vous : je suis arrivé à la Fondation Louis Vuitton pour donner une conférence sur l'art et l'intelligence artificielle… Il faut que je me concentre !

Échanges frénétiques avec l'équipe. Baptiste, David, Zineb, Candice. Chacun met son grain de sel. Quels messages, sur quoi on insiste ?

Ne pas reprendre le journaliste, ça peut lancer une polémique. Garder le ton de l'humour ? En profiter pour une mise au point ? Je fais des propositions, Baptiste reprend.

Les gars, dans dix minutes je suis off.

Encore quelques instants : Baptiste nous fait une proposition en six cents caractères environ. Je reprends quelques mots.

Bien trop long pour un tweet, mais en plus court, on ne sait pas faire au vu des paramètres.

Plutôt que de découper en trois tweets (ce qui diminue l'impact), on va poster le texte sous forme d'une photo.

En épingle s'il vous plaît : il faut éteindre vite !

Tout est prêt et là je dois vraiment couper, ma conférence va commencer.

Je délègue à Baptiste le soin d'apporter le tout dernier peaufinage, et la responsabilité de donner le feu vert à Candice. *Go !*

Je coupe le téléphone et me lance dans ma conférence.

Une fois la conférence finie, je vérifie. Les RT (comprenez retweets) ont été faits. Un journaliste a fait signe : « Bien noté. » Personne ne l'a mal pris. Oufff.

Dans quelques jours je verrai Christophe Castaner, délégué général du mouvement, qui parlera de ma phrase sur Édouard Philippe comme d'une « connerie sans nom », tout en ajoutant : « J'ai vu l'émission, je sais que tu t'es fait piéger, ça nous arrive à tous un jour ou l'autre. Encore aujourd'hui, tiens… »

Tel est le monde politique dans lequel nous vivons. Vous desserrez quelques instants l'étau de votre contrôle sur les mots que vous employez, vous sortez de la route bien tracée des répliques lisses… et vous devez rester vigilant pendant trois heures pour vérifier que la danse des tweets ne va pas transformer votre propos en un incendie délétère.

Ce triomphe technologique et scientifique que sont les informations universelles et instantanées nous apporte tant de possibilités et tant de tensions !

*

De la complexité de la communication politique collective

Contrairement au dilemme décrit précédemment, le dialogue qui suit est imaginaire ; il est cependant parfaitement réaliste au vu des échanges que j'ai eus avec des proches au moment des faits.

— J'ai vu dans le journal, le Conseil constitutionnel a censuré le délit de solidarité, c'est une gifle pour la politique du gouvernement, non ?

— Ah non ! C'est tout à fait cohérent avec la position actuelle du gouvernement sur la loi asile-immigration.

— Tu rigoles ? Vous vous êtes faits attaquer par la presse pour votre vote sur cette question de délit, on a dit que vous aviez refusé de le retirer ?

— Non, on a effectivement voté l'abrogation du délit de solidarité, du moins dans son acception générale. J'ai même cosigné l'amendement de ma collègue en ce sens.

— Quelle collègue ? On m'a dit qu'aucun amendement significatif des députés n'a été retenu par le gouvernement ?

— Ma collègue Naïma. Il y avait eu négociation, fort difficile d'ailleurs, mais à la fin le gouvernement nous a demandé de retirer notre amendement pour qu'ils puissent présenter le leur, identique.

— Mais pourquoi ?

— Pour qu'on puisse dire que c'est l'initiative gouvernementale sur ce sujet très sensible d'abrogation. C'est classique.

— Mais dans le journal à l'époque, on disait que vous faisiez juste semblant de l'abroger, ce délit ?

— Certains ont protesté parce qu'on ne supprimait que certains aspects du délit, mais ce sont les mêmes que le Conseil constitutionnel censure aujourd'hui.

— Mais alors pourquoi les mêmes qui vous accusaient hier se félicitent aujourd'hui de la position du Conseil constitutionnel ?

— Bah, c'est de la politique… tout est dans la posture…

— Et pourquoi le Conseil constitutionnel abrogerait quelque chose si vous l'avez déjà retiré de la loi ?

— Nous l'avons retiré mais ce n'est pas encore effectif : nous avons seulement voté en première lecture là-dessus. La loi censurée par le Conseil constitutionnel n'est pas la nôtre, c'est une loi qui date de 2012.

— Mais vous avez voté plusieurs fois déjà ! Ce n'est toujours pas en vigueur ?

— Il y a eu le vote en commission puis le vote en séance. Mais maintenant cela passe au Sénat, qui a voté pour rétablir le délit de solidarité dans sa version initiale. Nous allons donc voter pour l'enlever à nouveau. L'adoption des lois est un long processus…

— En tout cas la décision du Conseil constitutionnel est une victoire pour le militant qui avait demandé la question prioritaire de constitutionnalité.

— Pas encore, car ce que conteste le gouvernement en l'occurrence, c'est que son action se fasse dans un cadre humanitaire d'aide personnelle ; le gouvernement maintient que son action est une action organisée qui ne relève pas de cette notion de « fraternité ». Donc ce n'est pas la décision du Conseil qui va suffire à le tirer d'affaire.

— Mais la décision du Conseil constitutionnel renforce quand même la position des associations de défense des migrants par rapport au ministère de l'Intérieur ?

— Pas vraiment car la loi que défend actuellement le gouvernement est pleinement compatible avec la décision du Conseil. Disons que cette décision garantit que le délit de solidarité dans sa version pleine ne va pas revenir de sitôt ; mais cette décision renforce aussi le gouvernement face au Sénat.

— Tu sais quoi, votre truc on n'y comprend juste rien !

— Eh oui ! Comme ça tout le monde en parle et chacun y voit ce qu'il veut !

— J'ai l'impression que tout cela est subjectif et irrationnel.

— Les lois tentent d'être rationnelles, les humains ne le sont pas et c'est bien ainsi, peut-être… alors dans le débat politique on est toujours à l'interface entre rationalité et irrationalité.

24 juin 2018.

Petit moment de détente aux Ulis, dans un bar-restaurant spécialisé en cuisine africaine

Ça va ? Ça fait plaisir d'être ici pour un peu de tranquillité.

Hé, le petit ! *Gimme five* !

Qu'est-ce que vous avez comme rafraîchissement ?

Du bissap ! Oui.

C'est l'Afrique de l'Ouest.

— Vous connaissez ?

Ah, qu'est-ce que j'y ai été… En 2010 je suis tombé amoureux de l'Afrique, et depuis j'y vais tous les ans. Sénégal, j'ai dû faire dix voyages. Dont le fleuve Sénégal. Mais aussi le Bénin, le Cameroun. Cette année le Burkina.

— Qu'est-ce que vous y faites ?

— J'enseigne. Je rencontre des scientifiques, des politiques, je participe à des conseils scientifiques, je suis des projets. Que c'est compliqué les projets en Afrique ! Je me suis fait éjecter plusieurs fois, remettre dans la boucle, j'ai vu des trucs s'écrouler et d'autres décoller. Mais je n'ai jamais abandonné.

On en rencontre des étudiants africains super doués, ils auraient fait de grandes carrières scientifiques s'ils avaient eu la possibilité. Mais ils se sont fait planter par leur situation familiale, la difficulté à trouver une bourse, l'environnement qui n'aidait pas.

Le Bénin... Cette année j'ai pu faire un long voyage sur les lieux historiques du Dahomey. Les palais d'Abomey, le marché vaudou, toutes les marques de la sorcellerie. C'est incroyable de penser qu'il y avait cette sophistication politique en Afrique. Et une histoire si dure, un passé si sombre dans ce pays si attachant ! Vous ne pouvez pas comprendre le Bénin si vous ne vous plongez pas aussi dans cette histoire.

Quand j'étais jeune scientifique, j'ai été aidé dans ma carrière par un mathématicien béninois, Wilfrid Gangbo. Un fortiche, le plus célèbre des mathématiciens africains, le premier à avoir été professeur à Georgia Tech ou UCLA. Ce sont toujours les contacts humains qui vous introduisent vers de nouvelles histoires.

Et dans mes voyages j'en ai rencontré tant, des gens extraordinaires...

Chapitre 16

VOYAGES VOYAGES

Je n'ai pas entrepris de voyage à l'étranger avant mes dix-neuf ans... depuis je me suis bien rattrapé.

Comme il est d'usage en recherche, j'ai construit ma carrière mathématique dans les voyages, et ma boulimie de connaissances a exacerbé la tendance. Mes premières collaborations fortes se sont tenues en Italie et en Allemagne. J'ai été professeur à Atlanta, à Berkeley, à Princeton. J'ai donné des cours et conférences sur tous les continents, de Kyoto à Toronto en passant par Mbour, Sarajevo et Ramallah, et au final dans plus de soixante-dix pays. Certains de mes ouvrages ont été écrits à cheval sur les territoires – un chapitre dans une chambre d'hôtel japonais, un autre dans un centre de recherche allemand... Tous ces voyages ont eu un effet majeur dans mes activités et découvertes.

Cette vie professionnelle a aussi eu des conséquences personnelles très fortes. Mes enfants ont connu plusieurs fois les crèches et écoles anglaises et américaines, ont eu la chance de pouvoir comparer des systèmes éducatifs qui ont chacun leurs points forts et faibles.

Mes adversaires dans la campagne législative n'ont pas laissé passer cette occasion d'attaquer. Ils ont fait courir le bruit que j'irais, sitôt mon élection achevée, dans quelque pays lointain, abandonnant mes fonctions électives. Je répondais que j'allais mettre un terme à cette frénésie de voyages et me concentrer sur ce mandat national.

Nous avions tous tort. Je suis resté bien arrimé à mon mandat de député, mais les voyages n'ont pas cessé. En fait, dans le cadre de mes missions, je me suis retrouvé aux quatre coins du monde. En une année de mandat ce fut, dans le désordre, Allemagne, Grande-Bretagne, Italie, Portugal, Suisse, Belgique, Grèce, Bulgarie, Israël, Pologne, Chine, Singapour, Russie, Algérie, Burkina Faso, Cameroun, Bénin, Mexique, Brésil, États-Unis, Canada. Si je m'attendais à cela !

À ces étapes internationales ont répondu des étapes nationales. Yonne, Gironde, Yvelines, Marne, Aveyron, Haute-Garonne, Rhône, Puy-de-Dôme, Indre-et-Loire, Maine-et-Loire, Bouches-du-Rhône, Vienne...

Ni plus ni moins de voyages que dans ma vie précédente, mais une différence majeure cependant : mes voyages actuels sont réalisés dans de très brefs délais, incorporés à des semaines de travail. Singapour : une seule nuit sur place. Israël : aller le matin, retour le soir même. Sofia : une seule nuit sur place. Et ainsi de suite. Pas de tout repos... et pourtant très profitable.

Les objets de ces voyages, si variés soient-ils, tournent tous autour de l'échange : prises de parole, recueil d'informations, ressentis de terrain... À Beijing (Pékin) j'ai dirigé des tables rondes sur l'IA pour le voyage présidentiel. À Conques j'ai donné une conférence sur l'« instant Eurêka » à l'invitation de mon collègue Stéphane Mazars. À Auxerre j'ai assuré une conférence-débat sur l'héritage scientifique de Joseph Fourier, à l'occasion des trois cent cinquante ans de la naissance du grand homme, à l'invitation de Guillaume Larrivé et de Michèle Crouzet. À Reims, j'ai prononcé un discours pour l'inauguration du supercalculateur Roméo, chez mon collègue Éric Girardin. Dans un lycée d'Aix-en-Provence, j'ai représenté le ministre de l'Éducation nationale sur la refonte de l'enseignement mathématique et inauguré un laboratoire de mathématique au sein de l'établissement. À Singapour, à Tokyo, à Hong Kong, au Canada, au Mexique, j'ai participé à des coordinations de stratégies internationales en IA. Et j'ai porté le même sujet dans des communes rurales du Bordelais ou de la Dordogne, invité par mes collègues Véronique Hammerer et Jean-Pierre Cubertafon respectivement, convaincu que ces territoires ont besoin eux aussi d'être associés à la démarche du progrès technologique.

Cela n'aurait guère d'intérêt que je continue la liste, d'autant plus que, pour optimiser, chaque déplacement est accompagné de rencontres, visites, conférences secondaires, et que bien souvent le député du coin se trouve rejoint par un ou plusieurs des députés voisins… Un voyage de député, c'est, autant que possible, la rencontre active avec tout un territoire dans sa diversité ! Et c'est bien rempli… J'en reviens toujours avec de la documentation, quelques spécialités culinaires, et parfois quelques araignées confectionnées spécialement pour moi.

Pour organiser ces déplacements, mon équipe a pris l'habitude de me maudire (avec bienveillance), de se faire maudire par le bureau des transports de l'Assemblée nationale (avec bienveillance aussi, je veux le croire), et de jongler avec les connexions (quel bonheur de monter un circuit Paris-Bruxelles-Tokyo-Hong Kong-Paris sur une semaine). Et pour faire entrer les voyages dans l'enveloppe du député, il faut aussi jongler avec les tarifs, faire payer les voyages par les institutions invitantes chaque fois que c'est possible, réserver la première classe aux occasions exceptionnelles (il m'est arrivé de passer deux nuits d'affilée dans des avions en classe éco… excellent pour la colonne vertébrale !)

Qui voyage beaucoup ne doit pas avoir peur de se lever tôt. Mon équipe a l'habitude de me choisir les premiers trains ou les premiers avions de la journée, quitte à ce que le réveil doive parfois sonner vers trois heures et demie du matin. Quand le départ a lieu au cours d'une journée de travail, je frôle les horaires limites, je me retrouve régulièrement à compter les minutes. Avec un ou deux accidents à la clé, qu'il faut tâcher de réparer comme on peut.

Un jour, je suis arrivé quelques minutes trop tard pour le check-in vers Alger. Le programme mis au point par mes collègues algériens s'écroulait… Je commençais déjà à m'inscrire sur des itinéraires alternatifs, quand j'ai été repéré par un pilote kabyle ; après m'avoir abordé et selfié, il a appris ma situation, il a aussitôt tout remué pour me faire monter dans l'avion prévu, dépensant des trésors de diplomatie envers ses collègues, me faisant passer les contrôles par des voies rapides, et veillant même à ce que je sois surclassé en classe affaires !

Une nuit où j'ai atterri à Saint-Pétersbourg, le comité d'accueil ne savait pas où était mon hôtel, une erreur de transmission dans mon nom avait empêché d'imprimer mon billet, et il a fallu une heure pour démêler toute l'affaire, avec Anne-Lise s'activant à distance en pleine nuit.

À l'aéroport de Tel Aviv, que de discussions pour expliquer ce visa iranien sur mon passeport (souvenir d'une tournée universitaire perse), ou pour justifier mon séjour en Palestine où j'avais donné des cours.

À l'aéroport de Douala, j'ai dû parlementer tant et plus cette fois où j'avais oublié mon carnet de vaccination contre la fièvre jaune, ou encore cette fois où j'avais embarqué d'incroyables quantités de miel qui avaient rendu la sécurité nerveuse.

Inutile de continuer – en tout cas les voyages viennent avec leur lot de déboires logistiques, et on en apprend aussi beaucoup sur les institutions.

Mais une fois la logistique surmontée, c'est une parenthèse magique qui commence. On peut reprendre sa respiration par rapport aux projets en cours. Et surtout on est parti pour un moment extraordinaire d'apprentissage.

Que ce soit en France ou à l'étranger, un député en déplacement commence par aller à la rencontre des institutions. Lycées, politiques, corps diplomatiques, militants, musées... Pour comprendre la politique locale, la géographie, le climat, l'urbanisme, les habitudes culturelles, l'économie, rien de mieux que d'être sur place.

Quand on est en déplacement dans un territoire, on représente la politique nationale, mais aussi la cohésion entre députés. On motive les troupes, on rend visite à des équipes et des entreprises fières de montrer leur compétence. Et bien sûr, il ne faut jamais oublier les militants à qui on doit fidélité : j'ai rencontré des Marcheurs et Marcheuses de dizaines de comités locaux, sur tous les continents.

À l'étranger on représente la France, toujours avec fierté ; j'ai eu le privilège de pouvoir jouer ce rôle en tant que scientifique avant même d'être en politique, évoquant l'influence scientifique de la France, son impact extraordinaire sur la mathématique internationale, sa vision du monde. Aux expatriés, on redonne fierté, sens, on leur rappelle tout le prix que la France accorde à leur action.

Que ce soit en France ou à l'étranger, un bon voyage, c'est une épreuve physique ! Les conférences, visites, interviews s'enchaînent, la logistique des déplacements est un souci permanent. Quand le tout est réussi, c'est un vrai bonheur, pour le visiteur comme pour le territoire d'accueil !

Au cours de ma première année de mandat j'ai eu l'occasion d'être à cinq reprises en déplacement avec le président de la République : pas de tout repos ! Des horaires tirés au cordeau, un emploi du temps à la fois très dense et fluctuant, parfois jusqu'à la dernière minute, des règles de sécurité vite envahissantes. Mais toujours des découvertes et des rebonds.

Dans l'avion déjà, les ministres se préparent, révisent un discours, une note, ou se détendent avec un film de James Bond ou une partie de 2048 ; et surtout, ils s'apprêtent au marathon, car à peine arrivés ils devront enchaîner les rencontres officielles. Les bus du cortège sont sans cesse numérotés et renumérotés, les voyageurs jonglent avec les instructions parfois contradictoires, les services de sécurité s'affairent et se passent les consignes dans un climat tendu. Et ne vous avisez pas de louper le bus : il partira, impitoyablement, sans vous, dans un système où le protocole concentre tout sur le chef d'État.

Une délégation est une combinaison de compétences variées, et l'occasion parfois de rencontrer des personnes passionnantes. Artistes, scientifiques, dirigeants d'entreprises et d'administrations, hommes et femmes d'affaires... tout cela se côtoie et fait connaissance ; des réseaux se nouent dans les inévitables moments où l'on attend l'arrivée du Président ou du Premier ministre, ou dans les « afters » nocturnes.

Dans ces voyages, on tombe parfois sur des pépites précieuses, de celles qui vous accompagnent pour toujours. La parade de la garde républicaine chinoise, la plus précise du monde sans doute, si parfaite que les soldats semblent décalqués les uns sur les autres. La table ronde, à Saint-Pétersbourg, dans laquelle dialoguaient les chefs d'États français, japonais, russe, le vice-président chinois et la présidente du FMI, avec chacun leur style et leur rhétorique bien spécifiques. Aux États-Unis, la rencontre avec le député John Lewis, compagnon de route de Martin Luther King, et le sentiment de croiser l'Histoire.

Parfois ce sont les rencontres improvisées qui sont les plus enrichissantes. À Ottawa, découverte du sénateur Joyal, une force de la nature, qui écrit des ouvrages érudits et connaît la Constitution canadienne et les coulisses du Parlement canadien comme personne. Au Bénin, le patron de l'Institut français, Jean-Michel Kasbarian, et le savant guide qu'il a mobilisé pour me faire faire un voyage inoubliable dans les ombres ensanglantées et ensorcelées du royaume du Dahomey. Sans oublier, dans le même pays, Thierry d'Almeida, le Franco-Béninois expert de physique fondamentale, qui porte le magnifique projet international de bâtir un synchrotron en Afrique.

Rencontrer les gens en direct, c'est souvent la seule occasion d'apprécier les chances de succès d'un projet. La personnalité d'un directeur, les craintes d'un chargé de mission, le coup d'éclat d'un ambassadeur, les confidences d'un politique sont autant d'éléments que vous aurez en direct, parfois seulement en face-à-face, et jamais par courriel ou par téléphone.

C'est aussi parfois la possibilité de recueillir des avis sincères sur les institutions françaises, dans des domaines sensibles ou des projets risqués. On sait bien combien les regards extérieurs sont capitaux pour juger – toute l'évaluation scientifique est basée sur ce principe ; en politique aussi, il faut s'en souvenir !

Quand on voyage, l'une des choses les plus précieuses que l'on ramène dans ses bagages, ce sont des contacts. Un réseau de quelques collègues en qui vous avez confiance, cela change tout ; et ne comptez pas sur eux si vous n'avez pas partagé avec eux — des blagues, des rêves, un verre de bière, qui sait.

Un voyage en entraîne un autre, une conférence mène à une autre. Je l'ai vécu en scientifique, cela a été similaire en politique. Ainsi de ma rencontre en 2016 à Vancouver avec Al Gore : cela m'a valu d'être invité, deux ans plus tard, à San Francisco dans un colloque en petit comité qu'il organisait sur l'impact de l'intelligence artificielle dans les évolutions technologiques. Trente personnes représentant le monde de l'économie haute technologie, les laboratoires d'idées, les sciences… toute une journée de débats et discussions libres, sous stricte règle qu'aucun propos ne serait rendu public. Profitant de cette invitation pour caser une rencontre au consulat avec les entrepreneurs français expatriés dans la Silicon Valley puis une rencontre avec les Marcheurs du coin, j'ai pu revenir en France avec des informations précieuses pour le développement de notre politique numérique et algorithmique.

Plus généralement, au cours de cette première année, j'ai constaté combien les voyages jouent un rôle clé dans l'avancée de plus d'un dossier national complexe. Il aurait été impossible de mener la mission intelligence artificielle à bien sans rencontrer une bonne centaine d'experts étrangers à travers le monde. Impossible de naviguer dans le dossier Maurice Audin sans de nombreuses discussions avec les collègues algériens, scientifiques ou politiques, parfois strictement en face-à-face pour raisons de confidentialité. Même pour la mission sur le verrou de Bercy, les discussions en profondeur avec les administrations étrangères confrontées au même problème que nous ont joué un rôle clé dans le rapport d'Émilie Cariou.

Les missions à l'étranger viennent avec des programmes bien précis, mais il est important de garder un peu de marge, et parfois, l'inattendu vient vous apporter des moments surréalistes ou magiques !

Visite d'État du Président en Chine, janvier 2018. Je suis chargé d'animer trois très belles tables rondes franco-chinoises sur l'intelligence artificielle. Mais la veille de l'événement, les officiels chinois annoncent que tout est annulé (pourquoi ? à ce jour ce n'est pas complètement clair : question de protocole, de lieu, de symbole, tout est possible). Au cours du dîner avec le président Xi, le Président Macron obtient la reprogrammation de l'événement, mais il est entendu qu'il ne sera « pas officiel » – nous perdons donc tous les orateurs de la Chinese Academy of Science, le corps d'élite de la science chinoise ! Le jour même de l'événement, avec une petite appréhension (est-ce que les débats vont vraiment avoir lieu ?), nous avons ajouté des intervenants, revu l'emploi du temps, et j'ai pu diriger les tables rondes dans un contexte flottant où les horaires s'allongeaient et se raccourcissaient sans préavis. Eh bien, malgré tout ce chaos ce fut, j'en suis certain, le moment le plus libre et le plus serein de toute la visite présidentielle ; les ministres qui y assistaient ne s'y sont pas trompés.

Et si pressé que je sois, il y a toujours un moment consacré à la découverte locale. Même en Bulgarie, alors que le défilé d'interviews et de rencontres officielles durait jusqu'à la nuit, je suis ensuite sorti seul dans Sofia, errant au hasard dans les rues et demandant aux taxis de m'emmener dans les boîtes de nuit animées – juste pour voir, jusqu'au petit matin. Que ce soit en tant que politique ou en tant qu'humain, vous avez le devoir de bien comprendre la société dans laquelle vous mettez les pieds.

D'un voyage à l'autre, on apprécie l'extraordinaire diversité des organisations et cultures humaines. On compare la minuterie chinoise sous pression et la bonne humeur burkinabè. En vingt-quatre heures, on passe de la chambre d'hôtel mexicaine décorée selon l'austère tradition espagnole au bar exubérant de l'hôtel de Saint-Pétersbourg dont les murs sont couverts de photographies de nus féminins.

Et, si paradoxal que cela puisse paraître, en voyageant on reste parfaitement fidèle à la France.

D'abord parce qu'il y a cette grande tradition de voyage et d'exploration de la France, le pays qui s'est le plus enivré d'universalisme et de connaissance du monde, pour le pire et le meilleur. Le seul pays qui ait tenté de tenir tête à l'Angleterre pour ce qui est de conquérir le monde, et aujourd'hui encore le seul pays ayant conservé des terres sur tous les continents.

Ensuite parce que l'on ne peut pas bien comprendre la place et l'image de la France dans le concert des nations sans aller à l'étranger pour respirer la France vue de l'extérieur.

Et enfin parce que, même en parcourant le monde entier, si l'on est patriote on revient d'autant mieux à sa nation. Qui le sait mieux qu'un scientifique, discipline universelle s'il en est ? Au cours de ma carrière, j'ai décliné des offres alléchantes venues de partout ; et toujours je suis revenu, avec le sentiment que mon destin se jouait dans mon pays et la conviction que je m'y sentirais mieux que n'importe où ailleurs.

Voyage aux États-Unis – Compte rendu sur Facebook

Du 23 au 26 avril 2018, j'ai eu la chance d'accompagner le président Macron dans sa visite d'État aux États-Unis. La presse nationale et internationale s'est largement fait l'écho des événements majeurs de cette visite : déjeuner et dîners officiels, cérémonie à la Maison-Blanche, discours au Congrès, conférence de presse jointe, visite au Mémorial Martin Luther King, séance de questions-réponses à l'Université George Washington. Les anecdotes et faits divers ont aussi été largement commentés, en particulier la fameuse « affaire Dandruff » (*dandruff* = pellicule) ; les robes de gala ont été analysées, les discours décortiqués, les photos déjà détournées sur Internet (en particulier le moment où les couples présidentiels sont affairés à planter l'arbre !) Je ne répéterai donc rien de tout cela, et vais tâcher de vous fournir l'éclairage du parlementaire en visite.

Si le but essentiel de l'escorte est de rencontrer des personnalités du pays hôte, il ne faut pas sous-estimer l'importance des discussions franco-françaises dans un tel événement, non seulement dans les réceptions mais aussi dans les longs moments d'attente qui émaillent forcément une visite officielle. Quatre ministres étaient présents, de même que sept parlementaires (deux sénateurs et cinq députés ; parmi lesquels trois LREM, trois LR et un Modem) ; et des dizaines de responsables du monde économique, culturel, scientifique... Dans un tel contexte les débats politiques nationaux sont dépassionnés au profit des comparaisons internationales et des discussions d'action stratégique (au hasard : suite du rapport sur l'enseignement mathématique ; suite du rapport sur l'intelligence artificielle...). L'occasion était idéale pour discuter du secteur spatial avec Jean-Yves Le Gall et Thomas Pesquet (je vous recommande chaudement la BD dont il est le héros, dessinée par l'excellente Marion Montaigne), de l'avancement d'ITER avec Bernard Bigot, du lancement proche de la stratégie IA avec Antoine Petit, président du CNRS, des dernières expérimentations d'Andros en matière d'inclusion du handicap, etc.

Bien sûr, et de façon plus cruciale, j'ai pu aussi discuter longuement avec des responsables français présents aux États-Unis : l'ambassadeur, la responsable de coopération scientifique, ou encore Vijay Balaji, chercheur indien-américain, expert en climatologie, lauréat du programme Make our Planet Great Again, qui va donc venir s'installer en France.

Avec mes collègues LREM Roland Lescure et Alexandre Holroyd (député des Français d'Amérique du Nord et d'Europe du nord, respectivement), nous avons profité d'un vide dans l'emploi du temps, avant le dîner à l'ambassade, pour aller à la rencontre des militants Marcheurs en Amérique (pour la plupart des Français vivant aux États-Unis ou au Canada). Certains d'entre eux avaient fait le déplacement de loin... Moment important, car l'action politique meurt si elle n'est pas relayée sur le terrain, et car les « expats » jouent un rôle essentiel dans le rayonnement d'une nation !

La seconde journée a été celle des cérémonies officielles. Après le discours à la Maison-Blanche, nous avons pu échanger quelques mots avec le couple présidentiel américain, puis discuter longuement avec les invités américains au déjeuner officiel. Parmi les personnalités présentes à ma table, il y avait Betsy DeVos, la secrétaire d'État à l'Éducation dont la nomination a soulevé tant de contestation ; Ed Royce, député républicain de Californie, considéré comme l'un des élus républicains les plus aptes à un dialogue bipartisan ; ou encore Jenifer Cushman, chancelière de Penn State University, universitaire spécialiste de la littérature d'Europe centrale germanophone. Le cocktail également a été l'occasion d'échanges de vues avec des personnalités politiques républicaines. Une bonne partie du reste de la journée a encore été consacrée à des rencontres officielles entre parlementaires français et parlementaires américains, aussi bien républicains que démocrates, pour évoquer des sujets sensibles comme l'accord iranien sur le nucléaire, l'accord de Paris sur le climat, ou tout simplement la vie politique locale.

Des années durant, j'ai côtoyé le monde universitaire américain ; mais dans cette journée j'ai rencontré plus de politiques américains que durant tout le reste de ma vie – républicains, faux républicains appelés RINOs (Republicans In Name Only), démocrates. Le monde universitaire américain est massivement démocrate, et discuter avec autant de personnalités républicaines était très instructif. On a beau savoir qu'il y a un fossé entre démocrates et républicains sur bien des sujets, ou que le réchauffement climatique n'est pas considéré de la même façon de part et d'autre de l'Atlantique, c'est tout autre chose que de le vivre dans les conversations privées ! (« *We're not anti-environmentalist, but this Paris treaty is just UNFAIR for us against China !* » (Rep) ; « *I got an F rating by the NRA* [1], *I would'nt accept a single penny from them ; Mike Pence has an A* » (Dem) ; « *We're all believers here, even if we don't always act like ones* » (Rep) ; « *Man, the speech of your President, it sounds like we just heard the leader of the free world* » (Dem) ; « *Einstein understood that there is no chance, he anticipated intelligent design !* » (Rep) ; « *We're leaving the Paris deal, and may be leaving the JCPOA* [2] *: What an ABDICATION !* » (Dem) ; « *Federal State has done so many mistakes in education, I am a big fan of free school* » (Rep).)

Très intéressant aussi de comparer les statuts et les modes de vie des parlementaires. À l'occasion de la réforme des institutions on a pu faire la comparaison entre le Parlement français et le Congrès américain, mais ce sont des mondes différents. Un parlementaire américain a beaucoup plus de moyens (le budget du Congrès américain est environ cinq fois celui du Parlement français) et toute une équipe (jusqu'à dix-huit collaborateurs !) ; il est aussi bien plus éloigné de sa base électorale (en gros sept fois plus de citoyens dans la circonscription d'un « représentant » américain que dans celle d'un député français) et des sujets du quotidien (même si son équipe peut fournir un service bien plus affiné).

---

1. National Rifle Association, qui, entre autres nombreuses actions, note les hommes politiques en fonction de leur sympathie pour le commerce libre des armes.

2. Joint Comprehensive Plan of Action, acronyme anglais pour l'accord de Vienne sur le nucléaire iranien.

Ces interactions nous rappelaient aussi que l'argent est indissociable de la vie politique américaine : parmi mes interlocuteurs de la journée il y avait une secrétaire d'État milliardaire, et un député qui a dépensé 3 millions de dollars pour sa campagne (à comparer aux quelque 60 000 euros maximum d'une campagne française : environ un facteur 10 pour la dépense par citoyen). Le Congrès américain est bien plus imposant que notre Assemblée nationale ou notre Sénat, les bureaux y sont gigantesques, les visites s'y succèdent sans arrêt. L'ensemble du système américain dégage une impression de stabilité considérable : sur le dernier quart de siècle (douze élections), le taux de réélection n'est descendu qu'une fois en dessous de 90 % ; c'est ainsi qu'en 2017 il était à 97 %… Et pourtant l'outsider Donald Trump a pu être élu, à la surprise générale. Mais l'Amérique, qui a toujours mêlé le grandiose à l'incompréhensible, n'en est pas à une contradiction près…

En coulisses, la journée a aussi été rythmée par de multiples contrôles de sécurité et par un protocole parfois envahissant (y compris un voyage en bus d'une centaine de mètres pour entrer dans le jardin de la Maison-Blanche…). Si la logistique était beaucoup moins millimétrée que celle de la visite d'État en Chine à laquelle j'avais aussi participé, l'ambiance y était aussi considérablement plus détendue !

Le troisième jour nous a permis de mieux appréhender le Parlement américain. Il y avait deux spectacles durant le discours du président français (devant l'inscription *In God We Trust !*) : le discours lui-même, et les réactions de la salle. Nous nous sommes levés pour applaudir avec la foule plusieurs dizaines de fois durant le discours. Mais ce ballet n'était pas sans subtilités. Alors qu'au début les montées et descentes couvraient tout le public, peu à peu on a vu se dégager des sujets sur lesquels les sensibilités politiques divergeaient. L'attitude du vice-président Pence et du Speaker Ryan était révélatrice aussi : selon qu'ils applaudissaient debout, applaudissaient assis ou restaient de marbre, on pouvait lire leur niveau d'approbation. Sur bien des sujets les élus républicains ont fait grise mine : la science (!), le réchauffement climatique, l'accord iranien sur le nucléaire, le protectionnisme, et les *fake news*. A contrario, les Démocrates ont rechigné à se lever lorsque les frappes en Syrie ont été évoquées. Mais neuf fois sur dix, quand il y avait une dissension dans l'audience c'était le côté républicain qui manifestait sa désapprobation. Sentir cela dans l'audience est très révélateur, et cela a été confirmé par la réception qui a suivi, où certains élus démocrates ne cachaient pas leur extrême enthousiasme, en particulier sur le passage où le Président français a répété « *I believe* » comme dans un manifeste.

Cette journée a continué avec ce qui a été pour moi le plus beau moment de toute la visite : la promenade du Président français en compagnie du député John Lewis, ancien compagnon de route de Martin Luther King (« Dr King », comme le dit Lewis, dans un pays où les titres universitaires sont arborés fièrement) ; d'abord auprès du Mémorial Martin Luther King, puis sur le chemin de l'Université George Washington. Ces quelques centaines de mètres ont été l'occasion de rencontres spontanées, d'abord avec les visiteurs du Mémorial, puis avec les grandes foules d'étudiants qui avaient eu vent du restaurant où il déjeunait et étaient venues l'attendre. Sur le terrain, le Président était concentré, s'attachant à rendre visite à tous les groupes, serrant des mains en quantité, acceptant des échanges houleux avec quelques étudiants qui protestaient contre l'intervention en Syrie. Le symbole était majeur : au-delà des rencontres officielles, la France s'adressait directement à la jeunesse, aux étudiants qui s'occuperont de transformer le monde.

Le voyage retour a été l'occasion d'un « débriefing » collectif précieux ; mais le travail ne fait alors que commencer. J'accompagnais la visite d'État en tant que coordinateur de la mission intelligence artificielle ; j'ai pu m'y faire une idée bien plus précise de la politique américaine, et laisser mon rapport en mains propres à deux membres influents du Congrès, avec des échanges suffisamment intenses pour être assuré qu'une suite pourra être donnée. Ma première visite aux États-Unis, en 1998, n'avait duré qu'une semaine mais elle avait permis de poser les premiers jalons de nombreuses aventures universitaires ; cette première visite en tant que politique a aussi été l'occasion de poser des jalons pour la suite de l'aventure.

Pour conclure ce billet d'ambiance, quelques questions plutôt que des réponses… Après tout, dans ma carrière de scientifique, les rencontres importantes ont été celles qui m'ont permis de me poser des questions. Voici donc quelques questions qu'il était naturel de se poser après cette visite :

— Verrons-nous un jour les États-Unis de retour à la table de négociations pour un accord mondial sur le climat, voire de retour dans l'accord de Paris comme l'a souhaité le Président Macron ? Les discussions avec les « vrais Républicains », et leur attitude au Congrès, ont bien montré qu'il y a là des barrières idéologiques fondamentales, et une défiance énorme vis-à-vis du statut de la Chine ; et pourtant nous avons des témoignages des militants nous indiquant que les républicains se convertissent peu à peu…

— Qu'adviendra-t-il de l'accord sur le nucléaire iranien, que le Président Trump a publiquement voué aux gémonies (et qualifié de stupide, catastrophique, incompétent, pire possible, terrible, horrible, etc.), que le Président Rohani a dit ne pas vouloir changer, que le Président Macron a proposé de réécrire ? La France va-t-elle avoir un rôle de médiation à assumer ? Échéance importante qui arrive à grande vitesse : le 12 mai, où l'on saura si les États-Unis sont prêts à accepter la relaxe de certaines sanctions envers l'Iran. Si vous voulez avoir une discussion vivante, satirique, engagée et bien informée du dossier, vous pouvez écouter le *John Oliver Show* qui lui est consacré. À l'heure où j'écris, un rebond spectaculaire se produit avec la déclaration publique du Premier ministre israélien, Benyamin Netanyahou (lui-même sous le coup d'accusations embarrassantes de corruption avec des médias), accusant l'Iran, sur la base de renseignements secrets, d'avoir préparé un programme nucléaire secret... Sera-ce plus ou moins influent, plus ou moins convaincant, plus ou moins faux que les révélations américaines sur les « armes de destruction massives irakiennes » en 2003 ?

— L'État fédéral américain va-t-il continuer à se défier des opinions scientifiques, au point de ne plus avoir aucun conseil scientifique pour la Présidence ? à laisser les grands acteurs privés fixer le développement des technologies de pointe ? Et parallèlement, l'État fédéral va-t-il continuer à se désengager de l'Éducation nationale publique au profit des États et de l'éducation privée ? Pour l'instant aucun signe de changement.

— À l'heure où plusieurs pays font tant d'efforts pour restaurer la confiance des citoyens dans la vie politique, les États-Unis vont-ils continuer à se satisfaire du niveau actuel de concentration des pouvoirs et de brassage d'argent ? Le scandale de Facebook et Cambridge Analytica a mis en lumière le manque de maîtrise des enjeux numériques par les membres du Congrès américain ; est-ce que cela va motiver l'émergence de nouveaux profils plus techniques (comme la climatologue Jess Phoenix qui fait actuellement campagne pour entrer au Congrès...) ? Verra-t-on un jour des limitations aux dépenses de campagne des candidats au Congrès américain ?

To be continued !

24 juin 2018, Orsay, milieu de journée.

C'est la fin du périple à travers la circonscription. On se retrouve dans le grand parc de la mairie, attenant à l'école où mes enfants ont été scolarisés – à quelques minutes du conservatoire où ils pouvaient profiter de cours de musique de grande qualité, de ceux qui vous rendent fier du système français…

Grande ambiance de fête parmi les militants ! La grande nappe est déployée sur le sol, et se remplit vite de contributions variées au pique-nique.

D'ailleurs, la fête ne se limite pas aux Marcheurs… il y a aussi quelques collègues de bords politiques différents, en particulier ce collègue communiste qui est venu nous approvisionner en bon rouge (sans jeu de mots !)

Candice s'allonge dans l'herbe, savourant le repos bien mérité. Sans pitié, je la rappelle à ses devoirs en disant que c'est le moment de compléter le fil Twitter avec les photos de ce matin, et un mot de conclusion !

On est tout près de la salle de réunion où j'ai rencontré, pour la première fois, l'équipe de Marcheurs en 2017. David y était, Amélie de Montchalin y était aussi. On avait discuté de problématiques locales, de liaisons vallée-plateau, d'agriculture. Des dossiers que je connaissais à peine, et que j'ai pu maîtriser depuis, avec bien d'autres.

On y avait parlé aussi du rôle du député. David, qui avait plus de bouteille politique que nous, avait insisté sur les mots « élu national ». Au bout d'un an j'ai bien compris que c'est un débat central. L'âme du mandat du député.

Chapitre 17

À QUOI ÇA SERT UN DÉPUTÉ ?

À quoi sert votre député, c'était le titre du *1*, l'hebdomadaire fondé par Éric Fottorino, le jour de la rentrée de l'Assemblée. Dans un reportage télévisé, on me voit sur la banquette d'un taxi, en train de potasser les savoureux témoignages et articles bien sentis qui composent ce numéro.

Les Français ne sont pas des inconditionnels du Parlement. Les politologues nous disent que plus de quatre Français sur dix se disent D'ACCORD avec la phrase sans concession que voici : « La France a besoin d'un homme fort qui ne se préoccupe ni des élections ni du Parlement. »

Cela dit, comme toutes les enquêtes d'opinion, c'est à prendre avec des pincettes, car les Français sont aussi plutôt d'accord avec l'idée, en apparence contradictoire avec la précédente, que la France a besoin de davantage de démocratie, et notamment d'une implication accrue des citoyens dans les décisions publiques.

Avant de discuter plus avant du Parlement, rappelons que la France est, avec le Royaume-Uni et les États-Unis d'Amérique, l'une des trois nations qui ont le plus œuvré pour fonder la démocratie représentative moderne. Mais elle continue à hésiter entre les influences de ses deux références historiques majeures. D'une part, le modèle de l'homme fort qui s'adresse directement au peuple, probablement hérité de notre puissante monarchie (« Bon roi, entendez notre souffrance »), d'autre part le modèle de la Révolution qui finit par supprimer le roi au profit d'une assemblée discutante, gouvernant « par le peuple, pour le peuple, au nom du peuple ».

Notre double système d'élections au suffrage universel – d'une part les présidentielles, d'autre part les législatives – mais aussi notre calendrier législatif qui depuis 2002 donne la prééminence au Président, traduisent bien cette hésitation. Nos députés eux-mêmes sont partagés pour savoir si nous sommes une démocratie parlementaire ou semi-parlementaire (ou semi-présidentielle), et certains se risquent à parler de monarchie républicaine. Les animateurs satiriques adorent se payer notre tête, et les plus remontés ricanent en demandant ironiquement quand viendra le moment où le Président nommera directement les députés...

Et pourtant, les députés gardent leur importance, sinon la presse politique ne ferait pas systématiquement le siège de l'Assemblée !

Alors, à quoi ça sert un député ? Avant de se lancer dans la discussion, deux avertissements s'imposent. D'abord, je ne parlerai pas des sénateurs, dont le mandat a beaucoup de points communs avec le nôtre mais aussi des différences importantes. Ensuite, il faut bien avoir en tête que député de l'opposition et député de la majorité ont, selon la Constitution, des rôles équivalents, mais en pratique des rôles extrêmement différents, et tous deux importants. Au passage, cette mandature a innové avec le concept d'opposition constructive, qui se situe entre les deux.

Pour commencer, replongeons-nous dans la Constitution : on y lit qu'un député sert à voter les lois, évaluer les politiques publiques et contrôler le gouvernement.

Voter les lois, je vous en ai longuement parlé. C'est capital bien sûr, mais il ne faut pas croire que cela soit la panacée. En France, on semble parfois croire que tous les problèmes se règlent à coups de lois ; mais si les lois suffisaient à résoudre les maux de la société, notre pays aurait autant de bonheur et de richesses que tous les autres réunis.

D'ailleurs, certains de nos voisins aiment bien se moquer de notre amour des lois. Un adage de nos voisins helvétiques le résume bien : « Pour lire le Code du travail suisse, le train Paris-Genève suffit. Mais pour lire le Code du travail français, le tour du monde n'y suffirait pas. Pourtant il y a bien plus de grèves et de conflits sociaux en France qu'en Suisse... »

Passons aux autres missions du député : évaluer les politiques publiques, contrôler le gouvernement. Cette formulation date de la réforme constitutionnelle de 2008, qui a joué un rôle important pour renforcer le Parlement.

Évaluer les politiques publiques, cela se fait par des missions, inspections, rapports. Contrôler le gouvernement, cela aussi se fait par des missions d'information et commissions d'enquête, auxquelles il faut ajouter des questions écrites et orales, et des auditions des ministres ; et la possibilité de censurer le gouvernement. L'un et l'autre sont plus faciles pour le Parlement de 2018 que pour le Parlement de 1958, qui avait été réformé « avec un canon braqué sur soi », selon une formule récente du Premier ministre [1].

En 1958 la priorité constitutionnelle était en effet de mettre fin à l'instabilité gouvernementale de la IVe République, attribuée au trop grand pouvoir de contrôle, et particulièrement de censure, du gouvernement par le Parlement. Tous les moyens étaient bons pour « rationaliser » le parlementarisme : élection majoritaire des députés, maîtrise de l'emploi du temps par le gouvernement, réduction drastique et constitutionnellement gravée du nombre de commissions, article 40, article 49-3, possibilité de vote bloqué de la loi...

Ces entraves mises à dessein dans l'organisation parlementaire sont toujours bien présentes ; le *Manuel de survie à l'Assemblée nationale* d'Alexandre et Urvoas en fait le constat désabusé, passant en revue les tentatives successives de l'Assemblée pour surmonter sa paralysie structurelle, par exemple la déception que constitua la Mission d'évaluation et de contrôle, ou son prolongement le Comité d'évaluation et de contrôle. Non que cet organe

---

1. Formule auparavant employée par le juriste Charles Eisenmann pour décrire le rôle du Conseil constitutionnel...

fût toujours tendre avec le gouvernement : il se heurtait plutôt au fait qu'il n'y ait aucune vraie motivation pour que le gouvernement suive ses recommandations. La pratique française est très éloignée des pays anglo-saxons, où le Parlement peut envoyer, sans que cela choque quiconque, de vrais missiles au gouvernement pour vérifier qu'il accomplit ses missions.

Cependant les chaînes françaises se desserrent peu à peu avec le temps. Le pouvoir de contrôle « sur pièces et sur place » de l'administration par les rapporteurs spéciaux de la commission des finances de l'Assemblée peut bousculer… On se souvient du scandale causé par le député Alain Griotteray qui en 1995 alla chercher les contrats des animateurs-producteurs des chaînes publiques dans les bureaux de France Télévision. L'OPECST a les mêmes pouvoirs, et en 2011 son président Claude Birraux s'en servit pour de spectaculaires visites-surprises de centrales nucléaires afin de contrôler leur sécurité. Dans le même temps, Charles de Courson, rapporteur spécial du régime de protection sociale des exploitants agricoles, visitait les unes après les autres les caisses de mutualité sociale agricole pour des contrôles impitoyables. La nouvelle majorité, pas en reste, a organisé des événements de contrôle tels que la visite-surprise coordonnée des centres de rétention, sous l'égide de la présidente de la commission des lois, en anticipation du débat sur l'asile et l'immigration.

Dans le même ordre d'idées, la sévérité et la liberté de ton avec laquelle le rapporteur général du budget à la commission des finances de l'Assemblée, Joël Giraud, s'est exprimé sur l'exécution du budget 2018 a bien montré que la nouvelle majorité n'entendait pas laisser de blanc-seing au gouvernement sur l'élection. On le voit aussi dans l'insistance de la majorité à se doter d'une véritable agence efficace d'évaluation des politiques publiques.

Cette évolution demandera de l'entêtement et n'ira pas sans causer quelques remous. Pour ma part, je l'ai constaté à l'occasion du débat organisé par l'OPECST sur Parcoursup ; je l'ai ressenti encore plus fortement à l'occasion d'une étude dont j'avais saisi l'OPECST sans informer le ministère concerné. Par deux voies différentes, j'ai reçu le message que c'était une fort mauvaise idée, et que le ministère était furieux… Désolé ! Pour autant la mission a été menée à bien, sans anicroche notable ; et je crois que le ministère a compris que la démarche était exigeante mais bienveillante.

Bien sûr, c'est du sport pour la majorité que de contrôler le gouvernement : l'opposition, c'est la règle du genre, est à l'affût, prête à faire flèche de tout bois pour attaquer le gouvernement. Mais à la fin, le gouvernement aussi a besoin d'un contrôle et d'une évaluation rigoureuse par sa majorité. Les étudiants des classes préparatoires le savent bien : un ingrédient majeur dans ces formations, c'est la répétition des contrôles à la fois exigeants et bienveillants, qui permet de faire progresser en accéléré. Si le Parlement ne contrôle pas le gouvernement, la niche est libre pour que les médias s'en chargent… et avec, par nature, beaucoup moins de bienveillance que les parlementaires !

Tout cela étant dit, ce serait une grave erreur que de cantonner le Parlement au rôle que la Constitution lui attribue explicitement. Il y a aussi les rôles sanctuarisés par l'usage, et ils ne sont pas moins importants.

D'abord, s'il est élu de la nation, le député est aussi un acteur de la vie politique locale, d'autant plus légitime qu'il a été élu nominalement au suffrage universel, d'autant plus original qu'il dispose d'une vision nationale, d'autant plus libre qu'il n'a aucun pouvoir administratif et aucune obligation. Son action est tout en influence, en parole – une arme insaisissable et puissante à la fois.

En fait le député est un lien entre la politique locale et la politique nationale. Dans l'ensemble de la classe politique, c'est LE lien entre le local et le national. Croisant sans cesse les gouvernements et présent régulièrement en circonscription, il est prêt à porter parmi les citoyens la voix du gouvernement et le débat de l'Hémicycle.

Une controverse ? Un mot maladroit de la part d'un ministre ? Une mesure douloureuse du gouvernement ? Chaque semaine, le député pourra en parler à ses concitoyens, écouter, prendre la colère pour lui, tâter la véritable résonance ou la véritable ampleur d'une affaire. S'en réjouir ou s'en désoler, selon qu'il est de la majorité ou de l'opposition. Et donner des explications. Avec de la proximité et l'absence des caméras, le député de la majorité pourra même se laisser aller à une réponse nuancée, des excuses, une autocritique, choses précieuses à l'heure où le tumulte médiatique tend à interdire toute position publique un tant soit peu subtile.

Et réciproquement, le député est prêt à porter au plus haut niveau les problèmes des citoyens. Il peut en faire la publicité via les questions au gouvernement, il peut en parler à un ministre de vive voix ou par courrier. Quand un débat de société se pose, les députés dans leur ensemble peuvent aller collecter les informations sur le terrain et revenir au Palais-Bourbon avec une peinture de l'ensemble des opinions exprimées par les citoyens, sans oublier aucun territoire de France. Pris à partie chez eux, happés par des controverses locales, ils repartiront à Paris plus aguerris pour le débat national.

Et pour améliorer encore leurs connaissances, les députés peuvent auditionner n'importe quelle institution, n'importe quel acteur public. Remarquable pouvoir ! Je me souviens d'avoir été saisi d'un problème, au sein de l'OPECST, par une communauté de communes ; un rapport confidentiel avait été rédigé par un organisme public et il était impossible de le récupérer. Nous n'avons pas hésité à passer en force pour récupérer le rapport et le faire analyser par nos services.

En combinant les contacts en circonscription, les auditions et les connaissances personnelles, les députés peuvent se mettre au courant de bien des problématiques, en fort peu de temps. La mise en place d'une agence d'expertise viendra parfaire le dispositif et leur donnera une capacité d'analyse tout à fait au niveau de celle d'un gouvernement.

Dans ce combat pour la connaissance, le député devra éviter soigneusement trois écueils : ne faire confiance qu'aux experts, ou ne faire confiance qu'aux citoyens, ou encore ne faire confiance qu'à ses convictions propres. C'est dans le bon équilibre entre ces trois sources d'opinion que se situe la richesse du mandat ! Au passage, le mathématicien que je suis n'a pas honte de rappeler qu'en politique, la voix rationnelle et la voix irrationnelle comptent toutes deux, même s'il est légitime et souhaitable que certains fassent prédominer l'une ou l'autre.

Un autre rôle du député, réciproquement, est de porter l'État sur le terrain, parmi les citoyens. Quel autre élu national va se retrouver chaque semaine sur les marchés, dans les cafés, dans les transports, dans les files d'attente, sans décorum, sans service d'ordre, sans filtre ? Combien de fois ai-je entendu « Ça fait plaisir de vous voir dans le métro »...

Il y a plus encore : les députés représentent la nation solidairement. Les constitutionnalistes nous l'expliquent sans ambages : chaque député représente toute la France. C'est une marque de confiance très forte qui est ainsi faite entre les territoires, et entre groupes de majorité et d'opposition. Cette solidarité entre territoires se manifeste aussi de façon physique par les visites que se rendent les députés les uns aux autres, à l'occasion de cérémonies ou de débats.

Il nous revient donc d'incarner deux cohésions fondamentales : la cohésion entre territoire et sphère dirigeante nationale ; la cohésion entre les territoires.

Une fonction non moins importante consiste à recréer une petite communauté qui débat, se dispute, fait vivre les grands enjeux de la société. Avec plusieurs centaines de représentants, on peut faire confiance au Parlement pour exprimer toutes les sensibilités de la population et leurs nuances diverses [1]. Ainsi les députés ne sont-ils pas seulement des producteurs de loi, mais aussi les représentants d'un débat national.

---

1. Si toutes les nuances sont représentées, c'est un autre débat que de savoir si elles sont représentées de façon efficace ou équitable en fonction de la prévalence des idées dans la nation et des rouages du débat. Cela est en partie lié au mode de scrutin : majoritaire, proportionnel, ou une combinaison des deux, qui peut être arrangée de bien des manières – scrutin additif, compensatoire, correctif... Ce sujet riche était abordé dans la note de l'OPECST que j'ai présentée à la commission des lois.

Ce débat national s'exprime parfois avec une violence étonnante, en particulier à travers la confrontation sur les médias et réseaux sociaux, où le soupçon et la haine s'en donnent à cœur joie. On vous interrogera comme à l'école (« Vous êtes sérieux ? Vous vous rendez compte de la colère des citoyens ? Connaissez-vous seulement le prix de l'essence ? le montant du SMIC ? ») Et si vous répondez de travers vous serez incendié sur Twitter, traité de profiteur, invité à démissionner... Certains de mes collègues ont vécu un enfer qui frôlait le lynchage médiatique, et parfois cela tombait sur les plus dévoués.

Joutes entre parlementaires, entre parlementaires et médias, entre parlementaires et citoyens... Pour Alexandre et Urvoas, ce combat incessant est en fait la fonction première du Parlement. Loin d'y voir des producteurs de lois, ils dépeignent les élus en soldats de la démocratie, à travers une longue analogie avec les armées, décomposant les rôles en généraux, artilleurs, cavaliers, spécialistes...

La façon dont tous ces ingrédients sont mis en œuvre est elle-même sujette à de nombreuses divergences. Au cours des discussions précédant l'examen du projet de révision constitutionnelle, au moins trois curseurs se sont clairement dégagés comme des objets de débat.

Le premier débat consistait à départager entre la fonction de député expert (qui vote la loi au plus juste en tenant compte de toutes les informations techniques) et celle de député orateur (qui incarne une opinion et un débat).

Le second débat portait sur le mode de fonctionnement : plus représentatif (une fois reçu votre mandat personnel, vous décidez en votre âme et conscience, sans chercher à être aligné avec les opinions des citoyens) ou plus participatif (vous vous nourrissez des idées et positions des votants).

Le troisième débat portait sur le terrain d'exercice : plus de présence au Parlement ou plus de présence dans votre circonscription (et comment répondre aux attentes des citoyens qui, selon les sondages d'opinion, veulent vous voir À LA FOIS plus présent au Parlement et plus présent en circonscription, et moins nombreux dans le même temps).

Poser ces questions explicitement, c'était déjà faire avancer le débat et reconnaître la légitimité de tous les camps.

Après usage, j'ai trouvé ma position. Sur le premier débat : davantage d'expertise, et c'est pourquoi j'ai soutenu le principe d'une agence experte au service du Parlement, et c'est pourquoi j'ai travaillé à développer l'OPECST au service de tous les députés. Sur le second débat : davantage de participation, en particulier via des outils numériques à développer, est une nécessité dans la crise de confiance et d'implication que nous connaissons – mais ce sera du grand art d'organiser le débat afin de ne pas se faire déborder par les positions extrêmes. Et sur le troisième débat : en dépit de la Constitution, à l'heure où la démocratie est en crise de confiance, conserver la présence auprès des citoyens est un besoin vital, qui fait partie de notre fonction même ; c'est pourquoi j'ai argumenté, avec quelques collègues, pour la mise en place de semaines ouvrées sans aucune obligation de présence au Parlement, sur le modèle de ce que pratiquent nos voisins allemands, afin de laisser aux députés bien plus de marge pour organiser les rencontres dans leur circonscription (ou ailleurs !).

Une expertise plus forte, c'est aussi la meilleure prise en compte des corps intermédiaires – associations, institutions spécialisées, syndicats – chargés de structurer la réflexion et les revendications, dans une démarche que l'on souhaite axée sur la profondeur et le long terme, et qui pourrait s'exercer dans une version améliorée de notre Conseil économique, social et environnemental – que ce soit la « chambre du temps long » préconisée par Dominique Bourg, ou une autre architecture. Pour autant, cela ne dispensera aucunement les députés de garder le contact *direct* avec les citoyens.

Mais la rencontre des citoyens et du député, c'est quoi, finalement ?

Député sur le terrain c'est être capable de répondre et d'écouter, dans la vie réelle, les angoisses et les attentes. Ceux qui vous disent « continuez », ceux qui vous disent « c'est dur », ceux qui ont des questions, ceux qui n'ont pas de mots assez sévères pour le gouvernement ou le mouvement. Même ceux qui sont critiques, s'ils sont sincères, seront heureux de discuter.

Première mauvaise nouvelle : la faiblesse insigne du taux de participation aux élections législatives françaises, l'un des plus bas d'Europe. Les élections au suffrage universel ayant été inventées pour impliquer les citoyens dans le contrat politique, ce faible taux nous indique bien que notre démocratie est malade, et c'est notre devoir d'agir pour la soigner.

Seconde mauvaise nouvelle : la persistance des clichés antiparlementaires, fondés sur les mots-clés d'« absentéisme » et de « privilèges ». Si vous êtes député, vos détracteurs passeront tout à cette grille de lecture. Réjouissez-vous publiquement d'un vote unanime à l'Assemblée, et l'on vous interpellera sur le peu de députés présents. Allez enquêter sur le terrain pour faire avancer vos dossiers, et l'on vous renverra à la figure vos faibles statistiques de présence en Hémicycle. Enchaînez les missions à l'étranger, et l'on vous demandera pourquoi la France vous paie si cher à voyager. Restez en France, et l'on vous dira que vous n'avez jamais rien vu.

Et parfois, avec quelle violence vous vous ferez interpeller ! On vous dira que vous êtes « perché », que vous ne connaissez pas les réalités, que vous assommez le peuple d'impôts, que vous êtes payé pour trouver des solutions, alors allez-y ! On vous demandera pourquoi l'État ne donne pas plus d'argent à la santé, à l'environnement, à la culture, à l'éducation, à l'intelligence artificielle, à la sécurité... Tout en vous reprochant de prélever trop d'argent aux citoyens qui travaillent. Et il faut encaisser !

Quand l'interlocuteur est vraiment remonté (parfois pour de bonnes raisons), la discussion ne relève plus de la logique : aucune statistique ne calmera une éruption de colère. Et pourtant l'échange reste indispensable, tant notre besoin viscéral de confrontation en face à face est important.

À partir d'un objectif louable de transparence, la recension des statistiques de présence et d'implication des députés s'est transformée en une arme redoutable et dévoyée, publiquement visible.

Voilà longtemps que je ne regarde plus mes statistiques, consultables sur le site nosdeputes.fr : s'il est vrai que je suis en dessous de la moyenne pour la présence en commission, ce site ne tient pas compte de ce qui a constitué l'essentiel de ma première année de mandat : deux rapports au gouvernement, une implication dans le dossier Audin, trente voyages nationaux et internationaux (pas des vacances… tous réalisés pour l'intérêt public, avec des programmes de réunions chargées jusqu'à la moelle) ; mais aussi des réunions hebdomadaires pour l'animation de l'OPECST, des centaines de rendez-vous en tête à tête venant alimenter les débats et les réflexions… (et la pression des milliers de demandes de rendez-vous !)

Peut-on perfectionner les indicateurs pour tenir compte de ces autres facettes ? Honnêtement, je ne sais pas si l'on peut ramener tout cela à des statistiques, et je ne sais même pas si c'est souhaitable ! J'ai vu les indicateurs quantitatifs ravager le domaine de la recherche scientifique en encourageant la course à la publication ; dans le domaine de la politique ils encouragent la course au dépôt d'amendements, ce dont notre démocratie n'a pas vraiment besoin. Certains collègues madrés sont experts dans la façon de manifester à peu de frais leur présence : quelques interjections, une intervention facile, et ils peuvent repartir, rassérénés de savoir que leurs statistiques s'améliorent. Pas vraiment vertueux, mais c'est le système qui l'encourage.

Quant aux indemnités parlementaires, certes confortables : n'allez pas croire que ce sont elles qui font courir vos représentants. Nombreux sont les députés qui ont renoncé à des salaires bien plus importants pour se lancer en politique… Il y a quelques décennies, la carrière politique était peut-être une aubaine pour s'enrichir personnellement ; dans certains pays, c'est toujours le cas ; mais aujourd'hui en France, avec les obligations de transparence c'est plutôt le contraire, et un engagement politique vous barrera l'accès à bien des conseils d'administration et bien des sources de revenus complémentaires. Et c'est bien ainsi.

Pour conclure sur une note positive, je voudrais dire qu'au-delà de toutes ces critiques, il y a aussi tous les témoignages de respect que l'on vous porte, sincèrement, au hasard des rencontres, des échanges virtuels ou réels, et qui n'ont pas de prix. Combien j'en ai reçus depuis ma prise de fonctions ! Ce sont eux qui m'ont poussé à me lancer, et à continuer.

De ces marques de respect, je n'en citerai qu'une ici, tant elle était touchante.

C'était vers 3 h 30 ou 4 heures du matin, une nuit de l'été 2017, peu après ma prise de fonctions à l'Assemblée ; je sortais tout juste d'une commission-fleuve. Pas encore équipé de mon application Taxi, j'étais parti dans les rues du 7e arrondissement pour héler un taxi au hasard. Le chauffeur m'a tout de suite identifié et a commencé à parler des dernières élections. Je lui ai raconté l'apprentissage de la vie de député, les débats qui finissent à pas d'heure, les arcanes de la démocratie. Avec beaucoup de pudeur, il a évoqué sa situation personnelle si ardue. Et, une fois arrivé à destination, il m'a dit, avec la classe d'un grand seigneur : « Monsieur le député, je vous offre cette course. » Qu'il soit béni.

Un territoire français

Samedi 17 novembre 2018, plage de N'gouja, Mayotte.

J'émerge de la pénombre de l'auvent du restaurant de plage où je me suis mis en maillot de bain. Le sable est chaud sous mes pieds nus, je me campe pour scruter la mer brillante et les alentours.

Ouf ! Mon voisin est baraqué, mais alors !

Pectoraux saillants, muscles bien dessinés, ce gars-là s'il te file une mandale il doit t'arracher la tête.

Ah, il s'approche… !

— Monsieur le député ! C'est un honneur de vous rencontrer ! Karibou, comme ils disent ici.

Ah oui, politique c'est une fonction à temps complet. Même sur la plage.

Le balèze s'avère amical et chaleureux ; il se présente, il est de la police aux frontières (PAF). Il profite de la belle plage de sable clair avec un collègue – costaud lui aussi. Pour eux c'est un moment de détente avec leurs petites familles, bien mérité car la PAF de Mayotte ne chôme pas : près de vingt mille reconductions à la frontière par an. Et la pression migratoire ne faiblit pas. Les Comores voisines considèrent toujours Mayotte comme faisant partie de leur territoire, et les Comoriens sont nombreux à venir tenter leur chance sur ce petit morceau de France.

Un petit morceau de France qui est l'objet de discorde internationale ! Une résolution de l'ONU recommande le rattachement de Mayotte aux Comores, au nom de l'indivisibilité de l'archipel comorien (Grande-Comore, Mohéli, Anjouan, Mayotte). Mais les habitants de Mayotte, les Mahorais, répondent que les différentes îles de l'archipel étaient en guerre permanente avant la présence française, et que la France s'est vu confier la sécurité de Mayotte dès 1841, bien avant d'établir un protectorat sur les autres îles. Mayotte était déjà française alors que Nice était encore italienne ! Et depuis 1974, tous les référendums d'autodétermination et votes locaux ont fait émerger une large majorité pour le maintien de Mayotte au sein de la France, processus parachevé en 2009 par sa transformation en département.

Un département français à nul autre pareil. Outre le français, on y parle le shimaoré et le kibushi, respectivement apparentés au swahili et au malgache, reflet de la situation géographique de l'île, à mi-chemin entre les côtes est-africaines et Madagascar. La situation politique y est inédite : il y a plus de Comoriens sur Mayotte que de Mahorais, et on estime que la moitié, peu ou prou, est en situation illégale. Les relations diplomatiques avec le voisin comorien sont tendues et objet de délicates négociations. La politique interne demande un doigté tout particulier ; pourtant les habitants sont chaleureux et accueillants. La population est si jeune ! La moitié des Mahorais ont moins de dix-sept ans et demi… un âge médian que l'on peut comparer à celui de l'ensemble de la population française : quarante ans et demi ! Les enfants se lèvent à cinq heures moins le quart pour la prière coranique, et grandissent près d'une nature luxuriante, où la forêt tropicale fournit jacques (jackfruit), kombawas, goyaves et corosols, et où les plages ont un petit air de paradis.

— Vous êtes de passage pour des conférences, Monsieur le député, c'est ce que j'ai vu à la télévision ?

— Avant tout c'est pour le pilotage de la réforme de l'enseignement mathématique, j'ai fait un rapport là-dessus avec un inspecteur général,

Charles Torossian, maintenant il est chargé de la coordination de la stratégie. Il va dans toutes les académies, au moins deux voyages dans chacune, pour rencontrer les enseignants, les inspecteurs, les recteurs, discuter du recrutement des ressources humaines et de la mise en œuvre des réformes. Du travail de terrain, quoi ! Moi je l'accompagne dans quelques territoires emblématiques. En particulier ici.

— C'est pas facile l'éducation ici !

— C'est très difficile ! Il y a des progrès inouïs à faire. J'ai visité des écoles, des collèges, des lycées, et le centre universitaire de formation. J'ai participé à un colloque sur la modélisation mathématique. Dans les écoles, j'ai vu des enseignants motivés, des projets admirables, un sismographe transformé en outil d'expérimentation pour gamins. Et puis je suis venu aussi pour toutes les questions régaliennes qu'on aborde à la commission des lois concernant Mayotte : dérogation au droit du sol, rétention administrative, enseignement en langue régionale. Alors je rencontre aussi le préfet, le recteur, le conseil départemental, les institutions, tout le monde. Il y aura un déjeuner officiel avec la ministre du travail demain.

— Et alors, c'est inspirant ?

— J'ai vu le pire et le meilleur. Je vous dirai pas ce que c'était le pire, mais le meilleur c'était la maternité.

— Vous savez que c'est la plus grande maternité européenne !

— On m'a dit ! Trente naissances par jour, une classe entière ! Le personnel est en sous-effectif, mais ils font un travail admirable, ils sont responsables, sereins, bien organisés, ils peuvent s'adapter en un clin d'œil pour gérer les urgences. J'ai rencontré un sage-homme, enfin un sage-femme, il vient de la métropole pour donner un coup de main, il m'a dit qu'il ramènerait de bonnes idées, que c'étaient mieux organisé que tout ce qu'il avait jamais vu. J'étais soufflé ! Et l'hôpital, malgré les difficultés et le manque de spécialistes, ils mettent un point d'honneur à avoir de bons soins, un caisson hyperbare.

— C'est important pour les accidents de plongée…

— Ils sont épatants, vraiment. D'ailleurs ma collègue députée de Mayotte est passée par l'hôpital, elle a fait une superbe carrière avant d'entrer en politique. Et le centre de rétention administrative, je m'attendais pas du tout… Que c'est bien tenu, bien organisé, pas de conflits, et les étrangers retenus ne restent même pas une journée avant d'être raccompagnés. Les personnels sont fiers de maintenir la qualité des institutions françaises ! Vous aussi, j'imagine.

— Ici il y a une bonne ambiance, on est très solidaires, on fait face.

— Être ici, ça change complètement l'image que vous pouvez vous faire depuis la capitale. Il y a plusieurs de mes collègues de métropole qui sont venus récemment – Florent Boudié, Anne-Christine Lang, Yaël Braun-Pivet, Annie Chapelier… – pour préparer un texte de loi et sa bonne adaptation à Mayotte. Je suis impatient de partager mes impressions avec eux.

— Vous avez un peu le temps de visiter l'île, quand même ?

— Oui ! Quelques heures hier et aujourd'hui, mais c'est déjà suffisant pour se rendre compte, c'est juste extraordinaire ! Ce matin j'étais accompagné par un géographe et un entrepreneur « hi-tech ». Des amis d'une amie. On est montés au sommet du mont Choungui. Quelle vue !

— Ça c'est certain qu'on n'a pas à se plaindre pour la nature.

— Non mais il y a du souci à se faire. Du sommet on voyait plusieurs feux de forêt…

— Ça c'est de la culture sur brûlis illégale…

— Eh oui ! Et la mangrove est rongée en certains endroits du littoral. Il y a du plastique sur les plages. Si on ne fait pas gaffe, la nature va s'effondrer, c'est un vrai défi pour la protection de l'environnement. La biodiversité française est avant tout dans les Outre-mer, c'est notre devoir de bien la préserver ! Je suis sûr qu'il faut moderniser, y mettre plus de technologie, d'automatique, on ne peut pas demander aux gardes forestiers d'être partout à la fois ! On en a parlé avec le préfet.

— Et ici, vous avez le temps un peu de plonger ?

— Oh vous savez, je suis vraiment un nageur catastrophique, je ne sais pas si je vais y aller. Je vais juste barboter…

— Non non, il faut y aller ! C'est la plage aux tortues vertes, vous ne pouvez pas louper ça. Aller à Mayotte sans voir les tortues, c'est comme aller à Paris sans voir la tour Eiffel ! Vous avez votre équipement ?

— Non, rien. Mais vous savez, je suis vraiment catastrophique, c'est à peine si je sais utiliser un tuba.

— Mais si, on va s'en occuper ! Bougez pas Monsieur le député.

Ils s'affairent aussitôt pour me trouver de l'équipement. On me ramène des palmes, un tuba, un autre. Celui-ci, je ne pourrai pas m'en servir. Celui-là ? Trop petit. Qu'à cela ne tienne, ils courent négocier le prêt d'un autre masque, plus facile d'usage, plus confortable, à une famille toute proche.

— Vous êtes adorables, mais vraiment je ne sais pas si je vais y arriver !

— Ne vous inquiétez pas Monsieur le député, on va vous accompagner.

Situation cocasse ! Me voici m'agitant dans l'eau, escorté d'un agent de la PAF en civil, tentant de me souvenir comment on respire dans un tuba… Oui, non… l'eau rentre dans le masque, je m'affole, me redresse, vide le masque, rebaisse les yeux, bois la tasse… je vais m'épuiser… je dois me rendre à l'évidence, je suis trop brouillon, je ne vais pas y arriver, décidément ce n'est pas mon élément.

Alors que je commence à rebrousser chemin, l'épouse du policier arrive en nageant à ma rescousse, avec une grande frite flotteuse. Je suis sauvé !

La frite bien calée sous mes avant-bras, flottant sans effort, je peux avancer droit vers l'horizon, vers les coraux, tout en admirant le fond marin. Et prendre le temps d'apprivoiser mon tuba.

Que c'est beau.

Inouï !

Les tortues vertes vont et viennent dans un ballet serein, montent à la surface, respirent, replongent vers le fond. Se foutant pas mal de moi, et me laissant les approcher de très près.

Apparaissent des poissons multicolores, balistes, poissons-clowns et autres, de plus en plus nombreux à mesure que je m'approche des tombants et jardins de coraux. Jeux de couleurs, de reflets, bancs de poisson, qui se divisent et se mélangent. Un poulpe majestueux. Mes anges gardiens, qui eux se meuvent comme poissons dans l'eau, attirent mon attention sur quelques-uns des plus beaux spécimens, je suis comme au cinéma.

Ils me parlent des épaves de voiliers que l'on peut aller explorer plus loin, après les tombants, mais ce que j'ai vu me suffit bien. C'est la plus belle séance de *snorkeling* de toute ma vie. Il est temps de rentrer. Retour vers la plage, non sans s'arrêter à nouveau pour quelques tortues vertes.

Sur la plage, Saïd et Feyçoil, mes guides dans Mayotte, sont hilares et prennent de belles photographies du député sauvé des eaux.

On est restés longtemps ! C'était pas prévu. Une heure à nager !

Je ne le sais pas encore, mais avec mon dos nu près de la surface, j'ai gagné le coup de soleil de ma vie. La marque de cet ardent soleil de l'océan Indien qui ne pardonne pas aux peaux naïves.

On discute, on se rhabille, on se prépare à repartir. On a encore à visiter ! Je dois déjeuner chez Saïd, et Feyçoil doit me faire visiter sa start-up, et le site où il va bientôt faire installer un supercalculateur, le premier de l'île ; ce sera le plus écologique de toute la France. Cela fait cinq ans qu'il travaille sur ce projet, il fallait penser à tout – la technologie, le terrain, la logistique, la sécurité… Cela va changer la donne de l'informatique sur l'île ! Pour réaliser ce rêve il a levé 6 millions d'euros.

Mais avant ça… Qu'est-ce que c'est que cela ? !

Sur l'arbre ?

Incroyable !

Des lémuriens ! Fourrure mordorée, visage noir, yeux vifs orangés : ce sont les fameux makis !

Ils ne sont même pas farouches.

Je n'ai rien à leur offrir, mais Saïd me recommande de leur tendre une noix de coco.

Quelques-uns descendent en émettant de petits grognements de cochon.

S'approchent tout près de mon présent, voient que ce n'est pas comestible, et repartent dédaigneusement.

— Ils ont vu que tu les trompais… ils ont compris que tu étais un politicien, ahah !

— Andouille ! Bon sang, ils sont trop mignons… Regarde là-haut, il y a deux petits, ils sont accrochés à leur mère… C'est toute une tribu de makis… Ah, ça me faisait rêver les lémuriens quand j'étais gamin ! Quelle publicité je vais faire pour Mayotte auprès de mes collègues… Si on m'avait dit qu'il y avait des lémuriens EN FRANCE !

Partie II

CONVICTIONS

Chapitre 18

… ET UN DÉPUTÉ MACRONISTE ?

Au cours du chapitre précédent, j'ai évoqué le rôle des députés en général dans la République sans trop me soucier de leur couleur politique. Et je crois que toutes les couleurs politiques sont respectables tant qu'elles appliquent les principes de la démocratie et qu'elles ont été légitimées par le vote des citoyens.

Il est temps maintenant, dans cette seconde partie, de passer du témoignage à la profession de foi.

Si je me suis engagé dans un mouvement, c'est bien parce que je crois aux valeurs incarnées par ce mouvement, et je me proposerai maintenant d'expliciter ces valeurs. Elles étaient présentes au départ, mais l'expérience tirée de ma première année de mandat et la réflexion qui l'accompagnait les ont rendues plus claires et plus concrètes. C'est donc avec des exemples tirés de cet exercice que j'illustrerai, chaque fois que possible, les idées que je développerai.

D'abord, comment faut-il nous appeler ? Officiellement nous sommes les « Marcheurs », mais quelques députés d'opposition, pour nous provoquer, aiment bien nous appeler « macronistes » dans les débats publics. Cela agace certains d'entre nous qui leur renvoient le titre, par exemple, de « wauquiezistes ».

Pour ma part, je revendique l'étiquette « macroniste » et me présente souvent ainsi à l'étranger quand on me demande à quel mouvement je me rattache. D'abord parce que dans tous les pays on comprend tout de suite ce que je veux dire ; ensuite parce que cela reflète la réalité : alors que la plupart des personnalités politiques s'inscrivent dans un grand parti qui les a nourries, au contraire le mouvement République en marche s'est nourri de l'impulsion donnée par une personnalité politique. (Le seul autre parti français dans ce cas est, bien sûr, le mouvement des Insoumis, même si l'histoire en est fort différente.)

Dissipons l'ambiguïté : être macroniste ne veut pas dire que l'on suit en tout point les opinions, pensées et recommandations du Président Emmanuel Macron, qui d'ailleurs a pris soin de laisser une grande marge de liberté dans leur interprétation.

En fait, toute bonne idée, quand elle a un tant soit peu de pertinence et d'ampleur, dépasse son initiateur et souvent lui échappe. On peut citer des exemples, petits et grands, dans tous les champs de la société humaine. Pour n'en prendre que deux parmi les plus grands, je rappellerai que le gaullisme a tant dépassé de Gaulle que l'on voit encore aujourd'hui des gens se définir comme « gaullistes de gauche » qui certainement se seraient opposés à de Gaulle lui-même sur bien des points. Et en sciences, je noterai que, depuis bien longtemps, les experts de la théorie einsteinienne de la relativité générale explorent des conclusions et situations qu'Albert Einstein lui-même rejetait sèchement – les trous noirs, auxquels il n'a jamais cru, en sont la plus belle illustration.

Sans prétendre rédiger un grand traité, je vais essayer de donner, en termes aussi simples que possible, ma propre déclinaison du macronisme. Ni officielle ni autorisée, juste le positionnement qui m'a poussé à m'engager et guide mon action, et qui aura vocation à durer. Et mes compagnons d'engagement auront certainement d'autres points de vue à faire valoir !

Pour commencer, tâchons de résumer la doctrine en quelques mots.

Dans son bel essai *Don't Think of an Elephant*, le politologue George Lakoff, qui a analysé le succès de la droite américaine mieux que quiconque, indique qu'une bonne doctrine de parti doit tenir en dix mots.

Cela peut sembler trop court ? Voire. Un jour, j'ai demandé à l'un de mes collègues, membre du groupe Les Républicains, gaulliste devant l'Éternel, sa définition en dix mots du gaullisme, et il m'a surpris en me répondant : « Je peux te la donner en un mot : justice. C'est le mot qui a guidé tout mon engagement. »

Bien sûr, il forçait le trait pour insister sur un concept qui lui tenait particulièrement à cœur, que la discussion a permis d'approfondir. En combinant cette conversation avec ma propre perception du gaullisme, je traduirai « justice » par la notion de méritocratie, et je tenterai la définition suivante en une dizaine de mots clés : « fierté française, souveraineté française, État fort incarné, méritocratie, grands projets pilotés ». Une trame dans laquelle on peut ajouter quantité d'éléments conjoncturels.

Et pour le macronisme ? Je tenterai : « fierté française, souveraineté européenne, conscience du monde, libéralisme égalitaire, progressisme éclairé ».

En prenant garde de ne pas assommer le lecteur, je vais développer ces aspects dans les chapitres qui suivent.

On commencera par la conscience du monde, avec deux constats brutaux de ce qui constitue aujourd'hui les plus grands défis posés à l'humanité : deux coexistences harmonieuses à organiser et mutuellement indispensables : d'une part, la coexistence de l'humanité avec le monde naturel, celui des ressources et du vivant, celui de l'environnement ; d'autre part, la coexistence des humains les uns avec les autres par-delà leurs incroyables différences de cultures, de sociétés, d'habitudes. Conscience de la nature, conscience de l'humanité : pour résoudre le conflit global entre les deux, il nous faut bien connaître l'une et l'autre. Avoir conscience de la détresse des humains et de la détresse de la nature, selon la formule du pape François, et comprendre qu'il serait illusoire de vouloir soigner l'une sans l'autre. Et se rappeler les grandes questions sur ce qui lie les humains, sur la culture et les croyances partagées qui sont plus fortes que les relations d'intérêt.

Pour aborder ces inégalités, nous prendrons le parti du libéralisme égalitaire, soit la volonté de laisser le monde évoluer sans trop de contraintes, mais en nous efforçant d'atténuer en profondeur, structurellement, les inégalités d'origine qui biaisent le jeu et provoquent le sentiment d'impuissance. Ici, c'est la place de l'humain dans la société qui est en jeu, et la grille de lecture devra faire intervenir des valeurs non marchandes capitales telles que la dignité et la fierté.

Pour aider, il y a les forces de progrès : la conscience de l'évolution du monde, la croyance dans la possibilité de son amélioration durable, cela étant éclairé par les experts et leur dialogue avec la politique, qui ne doit pas dédouaner le politique d'une réflexion humaniste et philosophique. L'expérimentation doit accompagner la mise en œuvre ainsi que la volonté de regarder la réalité en face.

Pas question de se lancer dans la bataille sans savoir quelle patrie on sert. Avec ses forces et ses faiblesses, la France reste notre étendard, idéaliste malgré les mesquineries, projet grandiose malgré sa confusion chronique, dotée d'une beauté inégalée parmi les nations. La fierté française est un élément clé de notre projet : fierté de notre culture, de notre langue, de notre singularité, et reconnaissance humble de nos limites.

À côté de cette France que nous défendons ardemment, il y a l'Europe, comme une seconde patrie, ou métapatrie, certainement le marqueur le plus profond de l'identité des Marcheurs, à laquelle un chapitre clé sera consacré. C'est l'Europe qui nous permettra de dépasser certaines de nos contraintes les plus pesantes et d'agir avec puissance. Le destin de ces deux patries est indissociable : dans le monde de demain, la France restera quantité négligeable sans l'Europe, l'Europe ne se fera pas sans la France.

Chapitre 19

TERRIENS EN DÉTRESSE

> « Il n'y a pas de passagers sur le Vaisseau spatial Terre, seulement un équipage. [...] Et la chose la plus importante au sujet de ce vaisseau spatial, c'est qu'il a été livré sans mode d'emploi. »
>
> Buckminster Fuller

C'était en 2011 dans une conférence TEDx à Londres, et l'orateur avait interpellé le public : « Si vous croyez que nous sommes dans une crise économique, détrompez-vous. » Une telle assertion, peu de temps après la terrible crise de 2008, avait de quoi interloquer. Il reprit : « Nous sommes au cœur d'une terrible crise ÉCOLOGIQUE. » Formulation coup de poing pour nous appeler à relativiser : si graves que soient nos déboires économiques, nos difficultés liées à l'environnement sont encore bien pires. Constat qui n'est certes pas de nature à rassurer, mais qu'il faut savoir regarder en face.

Les crises écologiques ne sont pas en soi une nouveauté.

Il y a eu les crises de civilisation décrites par Jared Diamond dans son grand succès *Effondrement* : crises qui ont vu de prospères sociétés mourir sous l'effet du divorce entre humains et environnement. Manque de ressources, surexploitation, perte d'autonomie sont quelques-uns des facteurs qui ont entraîné la fin des sociétés maya, ré et peut-être norse, entre autres.

À une tout autre échelle de temps, et de façon bien plus globale, il y a eu les extinctions de masse, événements brefs à l'échelle géologique, qui ont affecté toute la planète. L'extinction des dinosaures au moment de la transition entre crétacé et tertiaire, sujet sur lequel j'ai dévoré, enfant, des livres entiers, est de celles-là.

On peut encore citer les extinctions plus localisées qui se déroulent à l'échelle d'un continent : ainsi la vague d'extinctions qui se sont produites dans les Amériques quand l'émergence de l'isthme de Panama les a remises en contact après plus de cent cinquante millions d'années d'évolutions séparées.

Mais il a fallu attendre les années soixante-dix pour que l'on prenne pleinement conscience de la crise écologique en cours ; on attribue souvent cela au philosophe Ivan Illich. Ce n'est pas qu'une prise de conscience : au-delà des mouvements de fond qui durent depuis des millénaires, on constate, dans plusieurs indicateurs de santé de la planète, un décrochage dans les années soixante-dix.

Les scientifiques nous assurent aujourd'hui que nous sommes à la fois dans une crise d'effondrement menaçant la société humaine et dans une crise de biodiversité d'une échelle jamais vue depuis la disparition des dinosaures. Cette double crise est moins spectaculaire que les précédentes, car elle ne provient pas d'une catastrophe naturelle visible et s'effectue plus en douceur ; elle n'en est pas moins effrayante.

La question du réchauffement climatique est une facette de la crise. D'une part, il y a le GIEC avec ses modèles sophistiqués et ses débats d'experts, avec un consensus toujours plus vaste à chaque échéance ; d'autre part, il y a les observations faciles à comprendre : le réchauffement apparemment inexorable des températures « moyennes » du globe, la fonte accélérée de la banquise du Groenland et des neiges « éternelles » du Kilimandjaro, le blanchissement de la Grande Barrière de corail…

À celles et ceux qui auraient encore des doutes sur le fait que ce réchauffement soit engendré par l'humanité, posez-vous cette question : outre le fait qu'il y a des mécanismes de réchauffement étudiés avec une précision toujours croisante par les climatologues, croyez-vous sérieusement que cela soit une coïncidence si nous avons en même temps le pic démographique et industriel de l'humanité, le pic de température, le pic de pollution, enfin l'effondrement mesurable de la biodiversité ? Même en tenant compte de la tendance naturelle des humains à chercher (et trouver) des coïncidences partout, ce serait littéralement extraordinaire !

Certains scientifiques renversent d'ailleurs l'argument : si le changement climatique est d'origine humaine, cela peut laisser de l'espoir, car cela veut dire que nous avons une chance de le contrer. Sinon…

Comme si le changement climatique et la chute de la biodiversité n'étaient pas des calamités suffisantes, nous subissons aussi de plein fouet le drame de la gestion des déchets avec l'apparition du vertigineux « continent de plastique », mais aussi une pollution des plages qui préfigure un monde envahi par les déchets. En fait, partout sur la planète, on a réalisé que les plastiques, matériaux de rêve, se transformaient en cauchemar quand ils étaient mal gérés… Allez voir les rives du mythique Gange et perdez foi dans les bienfaits de la chimie ! Et le plastique n'est qu'une brique dans un mur de problèmes liés aux émanations de nos activités, depuis le casse-tête de l'enfouissement des déchets nucléaires jusqu'à celui du répertoire des déchets spatiaux qui ont envahi l'espace aux alentours de notre planète.

Pour faire bonne mesure, ajoutons-y le drame tout aussi inquiétant du pillage des ressources naturelles qui nous place sur une trajectoire hautement non renouvelable – nous consommons simplement bien plus de ressources que la Terre n'en produit, et les courbes établies depuis quelques décennies suggèrent un épuisement complet de certaines d'entre elles avant la fin du XXIe siècle… Nos ressources de pétrole sont scrutées avec angoisse, mais les réserves en métaux rares sont devenues limitantes aussi, en plus d'être très inégalement réparties dans le monde. Prenez l'indium : non seulement la plupart des gens n'en ont jamais entendu parler, mais jusque dans les années quatre-vingt on n'en connaissait aucun usage ; aujourd'hui, c'est une ressource très recherchée, jouant un rôle clé dans les écrans tactiles et autres outils technologiques ; en dix ans sa consommation a été multipliée par sept, et les ressources mondiales prouvées se limitent à quinze petites années d'exploitation ! On pourrait multiplier les exemples, martelant en chœur l'urgence du recyclage, de la parcimonie, de la gestion rationalisée à l'échelle planétaire.

L'un de mes souvenirs écologiques les plus marquants remonte à une croisière sur le fleuve Sénégal ; le magnifique et fragile écosystème de la langue de Barbarie, fine bande de plage d'environ 25 kilomètres de long, subtilement installée entre le fleuve, le sable et l'océan, idéale pour se reposer et aller à la rencontre de l'art touareg... Petit paradis en danger de mort : une modeste brèche d'évacuation creusée il y a une quinzaine d'années sur instruction des autorités sénégalaises s'est agrandie, transformée en un fossé de plusieurs kilomètres, engloutissant tout à un rythme qui a parfois atteint les quarante mètres par jour... Un village a été entièrement détruit, un autre attend son tour. Avec ma famille, nous nous sommes baignés dans cette brèche où des arbres à moitié noyés surnageaient, cocasses et sinistres à la fois.

Au-delà de cet exemple emblématique, nous avons tant de complaintes égrenées par mère Nature, depuis la déforestation tropicale jusqu'à la disparition de nos oiseaux familiers. L'humanité s'est montrée un très efficace destructeur d'écosystèmes ; et pourtant la volonté de préserver la nature est très largement partagée. Cela peut être pour le simple amour de la vie ambiante, encore bien palpable dans des contrées plutôt isolées – dans mon panthéon personnel je placerai des randonnées dans les bois de Hokkaido, dans le cratère Haleakala à Maui, dans les forêts australiennes. Cela peut être par empathie, avec un biais pour les êtres dont nous nous sentons proches – dans ma liste de priorités affectives, sans le moindre doute il y a la survie des merveilleux orangs-outans pour lesquels j'ai donné avec une sensation d'extrême urgence. Et cela peut être aussi par pure rationalité, car l'humain dépend des êtres vivants pour se nourrir, pour se soigner, pour améliorer son quotidien. Que l'on songe à la tension des ressources marines, mais aussi aux nouvelles thérapies, depuis la lutte contre le cancer à celle contre le paludisme, qui sont expérimentées à partir de produits d'origine animale ou végétale.

Aux cris d'alarme ont succédé les plans, à l'échelle des gouvernements, des associations et des instituts de prospective. Si certaines associations se sont construites sur les idéaux, d'autres revendiquent une composante experte qui fait partie de leur identité même : ainsi le collectif négaWatt pour les économies d'énergie, le Shift Project pour la réduction de notre empreinte carbone, ou encore la superbe expédition Tara qui, tout en alertant sur l'urgence écologique, rapporta une moisson inédite d'observations sur les écosystèmes marins. L'analyste Lester Brown, fondateur du Earth Policy Institute, a fourni au fil des ans des versions actualisées de son très ambitieux et très remarqué ouvrage *Plan B*, panorama global du changement de politique souhaitable pour sauver la planète.

Pourtant, les bonnes intentions se brisent sur les écueils de la dispersion politique et du conflit entre avantage personnel et avantage collectif. L'incroyable inefficacité des gouvernements – de tous les gouvernements ou presque – à se saisir de ces problèmes était l'un des constats les plus acerbes de la célèbre encyclique du pape François, *Laudatio si* (l'un des textes les plus lus et admirés, et à juste titre, sur la crise écologique). Les métropoles ont plus de facilité que les gouvernements à s'organiser en réseau international prêt à progresser sur le sujet, mais leur action ne pourra suffire.

À ce jour, aucune politique, aucune incitation n'a réussi à infléchir significativement la production mondiale de carbone atmosphérique à l'exception des crises économiques mondiales. Le pétrole reste le plus populaire carburant de l'économie, un carburant dont on sait pourtant qu'il est voué à s'épuiser dans un horizon assez proche.

En fait, comme le démontre Matthieu Auzanneau dans son ouvrage *L'Or noir*, le pétrole est l'un des facteurs qui ont le plus influencé l'histoire économique et politique des humains tout au long du XXᵉ siècle ; c'était d'ailleurs l'un des enjeux majeurs durant la Seconde Guerre mondiale et c'est aussi l'objet de la première guerre majeure du XXIᵉ siècle en Irak.

Le pétrole était une solution simple pour fournir énergie et croissance économique ; mais nous nous trouvons maintenant forcés de nous en désintoxiquer avant même qu'il ne s'épuise. Or, aucune alternative miracle ne s'est manifestée : au milieu du XXᵉ siècle, on a cru que l'énergie atomique subviendrait à tous nos besoins, et l'on a durement déchanté depuis. En remplacement, nous n'avons que des solutions d'une extrême complexité faisant intervenir la science et la technologie dans de nombreux secteurs, mais aussi des questions économiques, psychologiques et politiques réclamant de la vision à grande échelle et à long terme.

La politique telle que nous la connaissons est-elle simplement adaptée à gérer un bien commun universel tel que l'environnement ? Quel débat ! Nicolas Hulot pense impossible de sauter le pas sans une refonte majeure du système ? Daniel Cohn-Bendit répond qu'il vaut mieux se concentrer sur les « petits pas », car il sera impossible, en pratique, de changer le système politique mondial. Le capitalisme n'est-il pas inadapté à gérer l'écologie ? Peut-être, mais force est de constater que le bilan environnemental des économies communistes, ou même des économies dirigistes en général, s'est montré plutôt désastreux pour l'heure. La mondialisation n'est-elle pas la cause des maux ? Possible, mais attention, sans accords internationaux, vous pouvez toujours attendre que le monde se mette en ordre de bataille…

Il y a quelques années, je participais à une journée de l'Académie pontificale consacrée au changement climatique aux côtés des scientifiques qui avaient le plus fait pour la prise de conscience de ce changement. L'incompréhension régnait : comment se fait-il que les gouvernements aient plus peur de la crise économique temporaire que de la fin du monde tel que nous le connaissons ? La réponse est simple et a de quoi renforcer l'inquiétude : la crise économique affecte les citoyens de façon visible et immédiate, la fin du monde est partie pour se dérouler de façon discrète sur plusieurs générations.

Peut-on organiser la riposte politique mondiale à cette crise mondiale ?

La France s'enorgueillit, à juste titre, d'avoir joué un rôle clé dans les négociations de la COP21, menant à des accords internationaux d'ampleur inédite sur les émissions carbonées. Sa belle diplomatie, sa force d'influence ont fait merveille à cette occasion.

Sauf que… même la France s'est montrée incapable de tenir ses propres engagements : les courbes de bouquet énergétique publiées par les organismes gouvernementaux sont sans appel. Entre l'accord de principe pris au niveau gouvernemental, et la réalisation effective, sur le terrain, de la politique énergétique, il y a un monde. Et les déboires insondables connus par le gouvernement lors de la mise en œuvre de la taxation climatique montrent bien à quel point cette transition demande du doigté.

Nécessité de changement, incompréhension des citoyens face aux transitions économiques, difficulté d'action effective : les trois constats mis ensemble doivent nous rappeler que, si la transition écologique n'est pas une option, elle doit s'effectuer avec les citoyens de façon solidaire ; et dans le dialogue entre experts et institutions.

Pour un citoyen militant, le problème est simple. Pour un politique, le sujet est horrible ! Vous vous retrouvez très vite écartelé entre ceux qui vous pressent d'agir (qu'est-ce qu'on attend, bon sang, il nous faut réduire nos émissions de CO_2 au même rythme que si nous étions en guerre, ou presque !) et ceux qui protestent à cor et à cri quand vous commencez à mettre en œuvre le programme (encore 5 centimes de hausse du litre de gazole, mais arrêtez de nous matraquer, c'est incroyable !). Le mouvement des Gilets jaunes a fini par devenir l'emblème de cette résistance au changement tout en étant révélateur d'un problème en fait bien plus profond. Le changement, dans l'urgence, n'est envisageable qu'avec le sentiment d'équité.

Malgré ces difficultés, il est vital de tenir la barre, à l'échelle de la France, sur les questions écologiques : pas seulement pour prendre notre part de l'effort collectif, mais également pour montrer l'exemple, à l'heure où la France est fière de symboliser, via l'accord de Paris, la lutte pour l'environnement. Le choix de Nicolas Hulot comme ministre de la Transition écologique et solidaire symbolisait la détermination du parti au pouvoir sur le sujet… Après sa démission, il fallait en prendre acte, mais sans pour autant abandonner les efforts !

Face à cette situation, j'ai dès le début tâché de suivre des positions franches, restant proche en particulier de Matthieu Orphelin dont la détermination au service de l'environnement est à la mesure de la discipline de travail. Avec en prime un franc-parler appréciable, même s'il choque parfois.

C'est ainsi que j'ai participé aux travaux préparatoires pour l'inscription de la lutte pour l'environnement dans la Constitution ; la version finalement retenue fut celle que portait le petit groupe de travail rassemblé autour de Matthieu et que Nicolas Hulot lui-même a dû imposer – une version plus dure que celle qui avait été arbitrée en interne au groupe.

Dans le cadre de mon rapport sur l'intelligence artificielle, j'ai aussi mis un point d'honneur à réserver un chapitre entier à la défense de l'environnement, consacré à la fois aux applications écologiques de ces technologies (agriculture assistée par informatique, économies d'énergie, aide à la mise en place d'infrastructures de développement durable, analyse d'écosystèmes, exploitation de bases de données environnementales gigantesques comme celle de l'expédition Tara…) et aux pièges de l'exploitation des technologies « dématérialisées » qui se retrouvent finalement bien matérielles (utilisation de métaux rares difficilement recyclables, construction polluante d'infrastructures de calcul, consommation énergétique en croissance exponentielle). Plus de calcul peut aider à améliorer l'efficacité au service de l'environne-ment et la compétitivité de l'Europe face aux autres continents, mais le calcul a un coût environnemental et énergétique, et si la consommation continue à croître au rythme actuel, on se retrou-vera en 2040 dans l'incapacité de produire suffisamment de sili-cium et d'énergie pour assurer les dépenses !

Pour autant, pas facile pour la puissance publique de s'emparer de la question tant cela demande une combinaison d'idéalisme écologique et de maîtrise technique, qui plus est faisant appel à une multitude de sujets divers. Le ministère a le plus grand mal à s'approprier les problématiques et cela est d'ailleurs vrai de tous les sujets complexes de l'environnement aujourd'hui.

En septembre 2018, encore pire : c'est le traumatisme de la démission de Nicolas Hulot. Sans chercher à analyser toutes les causes de cette décision, on y retrouve à coup sûr nos difficultés à marquer des positionnements assez forts et clairs sur le sujet. Grand embarras… quelle ligne adopter ? Très pratiquement, quel ton doit prendre la communication ? Pas d'hésitation : plutôt que des justifications, la priorité doit être à la détermination, au ren-forcement de l'action écologique. Les réactions des Marcheurs sur le terrain, en particulier dans des territoires écolo-sensibles (l'un des plus sensibles de tous est la Californie !) ne laissent pas de doute : le sentiment d'urgence est quand même très largement partagé par les citoyens.

Trois jours après la démission, je reçois un coup de fil de Mat-thieu Orphelin ; après avoir oscillé entre déprime et colère, il est plus déterminé que jamais à trouver une solution parlementaire adaptée à cette nouvelle crise de l'écologie politique. Il a bien une idée, mais pour l'instant il ne la partage qu'avec un très petit nombre de personnes de confiance.

Celle-ci est très innovante, au point que notre chef de groupe la qualifiera plus tard d'« objet parlementaire non identifié » : introduire explicitement l'écologie à l'Assemblée, sous la forme non pas d'un groupe parlementaire, mais d'un collectif trans-groupe – avec des adhérents dans tous les groupes si possible.

Ce plan repose sur deux constats : d'une part, le sujet est trop grave pour être abîmé par les luttes politiques ; d'autre part, dans tous les groupes sans exception on trouve certains élus à forte sensibilité écologique. Une fois ces constats bien établis, j'ai apporté à la réflexion de Matthieu quelques noms en qui j'avais confiance, et très vite nous avons pu constituer un petit groupe d'une quinzaine d'élus, issus de six des sept groupes parlementaires, prêts à se lancer dans l'aventure. La nouvelle entité politique mettrait l'accent sur la transition écologique *et solidaire* (car il est illusoire de vouloir mener le changement sans travailler sur la solidarité au sein de la société) ; et elle s'appellerait « ACCÉLÉRONS » – car nous devons accélérer cette transition...

Gageure de trouver des principes adaptés au fonctionnement transgroupe ! On convient que le groupe n'aura pas de règles coercitives, fonctionnera sur l'engagement volontaire avec des règles qui seront compatibles avec les règlements intérieurs de tous les groupes concernés. Ses buts seront de faire des propositions, de monter en compétence, de conseiller et d'émuler le gouvernement. Un seul groupe refuse de participer à l'initiative, ce sont les Insoumis : mais ils justifient leur position en disant que nous ne sommes pas assez engagés, pas assez radicaux, que notre entreprise est juste une façon de nous donner bonne conscience et qu'ils resteront très en pointe sur le volet écologique. Matthieu a un coup de blues en voyant leur communiqué au vitriol et je lui remonte le moral : « T'inquiète, c'est leur façon de s'exprimer, c'est leur façon de dire "On réfléchit à une possible coopération." » Un peu d'humour ne fait jamais de mal, et la bonne nouvelle est qu'ils ne seront pas en retrait sur l'ambition...

Quelques jours plus tard, je défends l'initiative aux côtés de Matthieu en réunion de groupe : le nouveau rapport du GIEC, effrayant, et les évaluations des rejets de la France, décevantes, sont des arguments en faveur de l'urgence. Les commentaires vont bon train. « Il faut faire la même chose pour d'autres sujets... — Au contraire, cela va être l'explosion du groupe ! — Mes chers collègues, nous allons nous faire manipuler. — Il nous faut plus de cohésion de groupe que jamais ! — Comment va-t-on faire quand il y aura contradiction entre la position du collectif et celle du groupe ? » Etc.

Il y a des Marcheurs convaincus et d'autres pas... Toute nouvelle idée doit se conquérir. Et pour être acceptée par le groupe, l'idée ne doit pas seulement être pertinente ; elle doit aussi recueillir l'adhésion de plusieurs collègues à qui l'on fait confiance, prêts à se porter garants.

Dans le même temps, des collègues de cinq autres groupes parlementaires défendent le même concept devant leur propre groupe. Tout le monde, finalement, reçoit l'autorisation de continuer. Ouf ! Tweet, tribune, conférence de presse. Quelques collègues s'engagent résolument et le font savoir publiquement : Bérangère Abba, Guillaume Garot, Erwan Balanant, Stella Dupont, Sophie Auconie, Éric Diard, Dominique Potier, Maina Sage, Maud Petit, Bénédicte Peyrol, Sandrine Le Feur... Mais au-delà de ce noyau, le collectif, comme on l'appelle, fait recette : en quelques jours à peine, il recueille l'adhésion de plus de cent cinquante députés ! Succès bien plus grand que nous l'espérions.

Quelques mois plus tard, le collectif tourne bien. Plus de contestation sur la légitimité ; des mesures portées pendant le projet de loi de finances (la plupart sous l'impulsion de Matthieu, même s'il est très attentif à garder le fonctionnement sous le signe de la démocratie interne et du volontariat). L'extension de la prime à la conversion (coup de pouce pour remplacer un véhicule trop polluant par une alternative électrique), ou le renforcement de budgets d'énergies alternatives, sont des mesures que le collectif peut déjà fièrement compter dans son bilan, tout en s'appropriant de nouveaux sujets tels que la rénovation thermique ou l'agriculture sans engrais.

Finalement, ce collectif était un outil inédit pour aborder un problème d'ampleur unique. Un sujet si important qu'il ne peut se laisser prendre dans le jeu des oppositions politiques, si complexe qu'il a besoin de tous les points de vue pour être apprivoisé.

Chapitre 20

LA CONSCIENCE DES AUTRES

> « Suffit d'une bougie
> Pour éclairer le monde
> Autour duquel ta vie
> Fait sourdement sa ronde »
> Jules Supervielle, *Cœur.*

À la fin des années quatre-vingt, on pouvait de bonne foi penser que la fureur du monde allait se calmer. Francis Fukuyama publiait *La Fin de l'histoire*, et Linton Kwesi Johnson chantait les états d'âme de son *revalueshanary fren* (« ami révolutionnaire ») qui ne voyait plus la raison de militer, au vu de la défaite inexorable des dictatures.

Moins de trente ans ont passé, et le monde est plus complexe que jamais. Une crise économique dévastatrice est passée par là et elle n'est certainement pas étrangère à l'actuelle crise politique mondiale. Quelques autres crises ont bien joué leur rôle destabilisant – il y a eu le génocide rwandais, les attentats du 11 novembre 2001 et leur suite, la seconde guerre du Golfe, la tragique intervention en Libye, l'État islamique et la guerre en Irak et en Syrie, la crise vénézuélienne… sans compter un bon nombre de catastrophes naturelles, tempêtes et inondations. Une exposition préparée sous la houlette de Paul Virilio, présentée au Palais de Tokyo, « EXIT », représentait de façon visuelle les échanges économiques et les transferts de population des dernières décennies :

l'ampleur des mouvements récents du « fluide humain » était simplement spectaculaire.

L'entente entre les nations n'a guère progressé. Pour les cent cinquante kilomètres de mur détruits entre les deux Allemagne, il y a eu huit mille kilomètres de mur fortifié construits dans le monde.

Quant à la convergence des droits individuels, elle n'a eu lieu que très partiellement. Encore en 2018, une attitude ou une phrase qui, dans certaines régions du monde, vous vaut un sourire désapprobateur, vous envoie dans d'autres en prison pour une partie de votre vie – ou pire encore.

Dans le même temps, on a assisté à une perte de repères généralisés, à la chute des engagements politiques, à un délitement des solidarités dans bien des sociétés. Dépression et corruption reviennent comme une antienne quand on interroge les citoyens sur l'état de leur pays dans les anciennes dictatures communistes, mais aussi dans au moins la moitié du monde.

La confiance dans le système démocratique a atteint des bas historiques. On le voit dans les sondages, on le voit aussi à ce que dans bien des endroits du monde ont été élus démocratiquement des dirigeants sur lesquels les commentateurs politiques d'il y a seulement dix ans n'auraient pas misé 1 dollar du fait de leur violence verbale et de leur mépris des convenances démocratiques. La slammeuse-poétesse anglaise Kate Tempest, dans sa chanson « *Europe Is Lost* », semble égrener les pays occidentaux perdus les uns après les autres au populisme, faisant sinistrement écho aux espoirs interrogatifs de Linton Kwesi Johnson. Ou peut-être l'image qu'il faut garder est une couverture du *Courrier international* d'il y a quelques mois : on y voyait, caricaturés comme une bande de voyous avec leurs armes – chaînes, haches, nunchakus, poings américains –, une bonne douzaine des plus importants chefs d'État sous le titre « UN MONDE DE BRUTES ».

Cette crise politique mondiale est, avec la crise écologique, l'autre grand tourment global de notre temps. Les deux problèmes sont d'ailleurs indissociablement liés. La dégradation de l'environnement entraîne et entraînera catastrophes naturelles, famines et migrations qui contribueront à tendre l'atmosphère mondiale. Réciproquement, l'instabilité politique des humains est reconnue comme la plus grave source de dommage à l'environnement : essayez de préserver quoi que ce soit dans un pays en guerre ! Sans compter que la mésentente entre nations rend difficiles les accords internationaux qui seuls permettraient de relever les défis écologiques.

D'autres mouvements géopolitiques sont aujourd'hui en pleine action alors qu'on les voyait à peine poindre il y a dix ans.

D'année en année la puissance chinoise se renforce, sur tous les plans, si bien qu'il y a peu de jours, dans la sphère politique, où l'on ne parle d'elle. Longtemps, les analystes occidentaux ont expliqué pourquoi cette montée allait forcément plafonner... mais la Chine a déjoué tous ces pronostics. Dans le cadre de ma mission intelligence artificielle, j'ai vu avec sidération, comme tout le monde, les budgets chinois en la matière exploser en quelques années, si bien que mes discours d'il y a à peine un an me semblent tièdes quand je les relis. Même la Silicon Valley s'est déjà faite à l'idée qu'il lui sera impossible de tenir le rythme des investissements face à l'empire du Milieu...

Le Brexit est un autre phénomène d'ampleur inédite dont les convulsions continuent de déchirer non seulement la politique britannique, mais aussi la politique européenne et mondiale. Et ce n'est que l'une des nouvelles fractures d'un contexte européen si tendu (montée des mouvements antieuropéens, résurgence des indépendantismes, identification d'un « bloc de Visegrád » à l'Est avec des positions dures, division de l'Europe sur les rapports avec les géants américains du numérique...) que l'on en vient à se demander si les prochaines élections ne risquent pas de se transformer en référendum pour ou contre la poursuite du projet européen.

Et dans le Sud, la démographie galopante, l'essoufflement généralisé des démocraties, les problèmes de corruption, le terrorisme parfois, les conflits continuent à mettre les politiques publiques au défi avec l'apparition de plusieurs « États faillis » qui ne parviennent plus à assurer les fonctions régaliennes.

Même au sein des pays occidentaux, la convergence n'a pas été au rendez-vous sur ces dernières décennies. Le dialogue entre l'Europe et les États-Unis est bien difficile, on le voit quand le Président américain désigne l'Union européenne comme l'un de ses pires ennemis. Les systèmes politiques ont gardé de grandes divergences et il n'y a pas eu convergence des modèles de démocratie (ce qui est peut-être une richesse, mais participe à la complexité). En France, l'élection du Président est l'événement majeur de la vie politique, mais si vous demandez à un Suisse de vous dire qui est le Président de son pays, il y a de bonnes chances pour qu'il ne le sache même pas ! La technologie s'est généralisée, mais la mosaïque culturelle et médiatique reste une réalité. L'information s'est multipliée selon toutes sortes de canaux avec les applications de communication et messagerie instantanée ; mais la subjectivité de l'information s'est accrue et la fiabilité a décru.

Certes, la subjectivité de l'information ne date pas d'hier, et elle était encore forte juste avant l'actuelle ère de l'information. Je me souviens de la guerre du Golfe en 2003 : j'occupais alors un poste de professeur invité en Angleterre et de là je me suis retrouvé en mission aux États-Unis, de sorte que j'ai eu l'opportunité de voir le conflit sous trois angles : français, anglais, américain ; j'en suis ressorti avec la conviction d'avoir vu trois guerres différentes.

La subjectivité ne date pas d'hier mais, avec les nouvelles technologies, nous sommes passés à un stade encore supérieur ! Les fausses nouvelles organisées circulent à grande vitesse, avec plus d'impact et de rapidité que les vraies. Les nouvelles techniques algorithmiques permettent de manipuler et déformer l'information avec une efficacité que personne n'avait prévue, et de recruter et mobiliser à un rythme inouï : on l'a vu lors de la « crise des Gilets jaunes » où des mouvements très disparates se sont retrouvés converger en un rien de temps !

Dans une telle époque, où notre destin est de plus en plus intriqué avec celui du monde et dans lequel le monde se comporte de façon de plus en plus complexe, nous n'irons pas bien loin en restant entre nous… Et l'horizon occidental ne suffit plus, c'est bien le monde qu'il faut comprendre et appréhender. Selon moi, ce besoin d'ouverture sur le monde est l'un des axes forts sur lesquels s'est construit le mouvement des Marcheurs : j'en veux pour indices les scores énormes réalisés par nos candidats à l'étranger (un échec pour neuf nettes victoires) ou la quantité de déplacements réalisés par le chef de l'État (visites très denses, mêlant rencontres politiques, économiques, culturelles, contacts directs avec la foule).

Si la connaissance est si importante, c'est pour la bonne information, mais aussi pour le partage de culture et d'intérêts qui participe à fonder la confiance politique. En clair, on ne vous fera pas confiance tant qu'on ne se sera pas assuré que vous partagez des intérêts communs. Je me souviens du commentaire d'un intellectuel grec après une visite d'Angela Merkel en pleine tempête financière : « Elle n'a même pas vu la mer, comment voulez-vous qu'elle nous comprenne ?! » Je suis certain que l'on pourrait multiplier les exemples.

Ce besoin de connaissance extérieure s'inscrit dans deux mouvements. Le premier est la tendance aux classements et comparaisons internationales. Souvent poussée à l'extrême, parfois insupportable, elle n'en a pas moins apporté quelques informations précieuses ; ainsi, il ne fait pas de doute que les études PISA et TIMSS nous ont aidés à prendre conscience des difficultés considérables que traverse notre Éducation nationale. De même, le classement de Shanghai, si grossier et insupportable soit-il, a joué un rôle crucial pour réveiller la puissance publique française sur le thème de la qualité des universités. Et les comparaisons en matière d'économie, de confiance, de corruption, ou de tout ce que vous voulez, ont aussi eu leur rôle d'émulation.

Le second mouvement est tout simplement la tradition universaliste de la France, qui a été l'une des premières nations à partir à la découverte systématique du monde entier aux côtés de l'Espagne, du Portugal, du Royaume-Uni, des Pays-Bas. Aussi, l'une des nations les plus obsédées par l'idée de tout inventorier et connaître, comme en témoignent la première *Encyclopédie* ou l'Exposition universelle de 1900 – l'événement le plus international de tous les temps, selon certains, avec ses cinquante millions de visiteurs et l'inauguration du métro parisien en trente-quatre langues ! Si la France au cours des dernières années a vu son débat politique se replier sur soi-même, c'est en contraste avec sa tradition plus ancienne qui était très ouverte vers l'extérieur ; notre histoire est en cela parallèle à celle de nos voisins britanniques et, comme nos voisins, nous aurons besoin de rouvrir le débat sur l'extérieur.

Dans un monde aussi compliqué que le nôtre, il y a toujours de bonnes leçons à tirer, toujours de bonnes idées à piocher dans les comparaisons et informations internationales. Bien menées, elles montrent bien en quoi nous sommes semblables, et en quoi nous sommes singuliers ; elles apprennent à mieux nous connaître, de même que l'on comprend beaucoup mieux sa propre identité en voyageant. Le monde grouille de problèmes et regorge aussi de solutions.

En la matière, l'appétence des Marcheurs pour la connaissance du monde résonnait parfaitement avec mes propres convictions. L'exploration internationale systématique a fait partie de mon quotidien, d'abord en tant que chercheur, puis en tant que directeur d'institut, mais aussi en tant que vulgarisateur : des conférences et des cours dans bien soixante-dix pays, aussi bien pour des publics spécialisés que pour des audiences larges, dans des lycées, des salles communes… C'était aussi le recours systématique aux comparaisons et aux coopérations internationales avec des collaborateurs issus de plus de vingt pays différents. Et chaque fois que je le pouvais, dans les courts intervalles de temps laissés libres par les rendez-vous professionnels, je m'attelais à explorer les pays et cultures. D'Hawai à Xiamen, de Canberra à Limbé, de

Santiago du Chili à Otaru, en cherchant chaque fois à m'interroger sur les liens avec ma propre histoire. À Montevideo je me suis remémoré les poètes franco-uruguayens dont mon père était si friand, à Alger j'ai retrouvé la tombe de mon arrière-grand-père, dans le Péloponnèse j'ai contemplé la mer que mes ancêtres ont traversée, à Moscou j'ai visité la maison de Boulgakov dont les romans m'ont passionné.

En 2011, au cours d'un déjeuner, l'administrateur du think tank EuropaNova me proposa de rejoindre une initiative européenne, la première promotion de « Jeunes Leaders européens ». Je cherchais déjà à me défiler quand il m'expliqua le concept : trois jours de rencontres et débats avec de jeunes personnalités issues de l'ensemble de l'Europe. Il ne s'agissait pas de disserter dans l'abstrait, mais de rencontrer et d'apprendre à connaître des personnes intéressées, en leurs titres et qualités, à la construction européenne : j'ai tout de suite dit oui ; et ces rencontres m'ont apporté énormément pour ouvrir mes horizons. On gagne toujours à apprendre à connaître les autres, aussi bien dans leurs ressemblances que dans leurs différences : j'applique cette conviction dans tous mes projets, et le mouvement marcheur l'a aussi appliquée en exprimant le besoin de parler à tous.

Lors d'une mission sur l'innovation, déjà, en 2011, je recommandais la mise en place d'un Observatoire européen des pratiques internationales d'éducation et de recherche et développement (l'OCDE a une activité d'analyse et de veille qui s'approche de cela). Lors de ma mission sur l'intelligence artificielle mais aussi de ma mission sur l'enseignement mathématique, les comparaisons internationales ont joué un rôle fondamental, de même que, dans mon action sur Maurice Audin, les discussions avec des personnalités algériennes. Dans mon rapport sur les effets des modes de scrutins législatifs [1] ou dans celui sur les institutions de contact entre

---

1. Note en réponse à la demande de la commission des lois en appui à sa mission d'information flash chargée d'étudier les incidences d'une évolution du mode de scrutin des députés ; une note que j'ai présentée devant mes collègues de la commission des lois et de l'OPECST.

science et politique, les comparaisons internationales ont aussi été au cœur de la réflexion. Et c'était vrai pour bien d'autres actions menées par les Marcheurs : je pense en particulier à la mission d'Émilie Cariou qui a mis fin au « verrou de Bercy », et dans laquelle les comparaisons internationales ont été déterminantes.

Dans ce cas comme dans d'autres, la conscience des exemples internationaux va au-delà des suggestions : elle permet d'éclairer des mécanismes. Par exemple, ce sont les comparaisons internationales qui ont démontré, mieux que tous autres moyens, l'intérêt de laisser de l'initiative pédagogique aux enseignants. Dans le domaine des transports ferroviaires, le Royaume-Uni est un exemple parfait de privatisation ratée et l'Allemagne de privatisation réussie : leur analyse comparée permet de dégager des facteurs de succès de l'opération.

La connaissance des autres, c'est la connaissance des autres pays et cultures, mais c'est aussi, bien souvent, la connaissance de ses voisins. Et dans un monde où les cloisons sont légion, il faut souvent aller activement chercher cette connaissance.

Connaissance des collègues : pour ne citer qu'un exemple que j'ai travaillé, avec Charles Torossian nous avons recommandé, dans notre rapport sur l'enseignement mathématique, que chaque enseignant puisse chaque année assister à trois cours de collègues. Car le transfert de connaissances horizontal entre collègues est très efficace ; il est à la base de quantité de progrès en recherche, et certains laboratoires ont d'ailleurs mis en place des séminaires internes où un membre explique à ses collègues les sujets sur lesquels il travaille (ne pas croire qu'être voisins de bureau suffit à se connaître !).

Connaissance des opinions et des options politiques : les démarches de porte-à-porte, les sondages de proximité font partie de la construction même d'En marche, de même que la volonté de comprendre des valeurs de gauche comme de droite, de tradition comme de modernité. Pour préparer une élection, un projet, on commence par aller activement au contact et on sonde, afin d'avoir des informations aussi fines et pertinentes que possible.

Connaissance des communautés variées, à travers toutes sortes de rencontres. Le monde médiatique a bien compris l'importance de ces rencontres qu'il met en scène dans quantité de films, mais aussi de plateaux de télévision pour décloisonner les esprits. C'est ce que j'ai vécu sur LCP dans mon face-à-face avec le chanteur Abd al Malik (entre nous ce fut un vrai coup de foudre !). Et bien sûr, c'était aussi l'esprit quand la République en marche a investi pour les législatives des profils aussi variés !

Et j'ajouterai qu'à l'heure de l'intelligence artificielle et des statistiques toutes-puissantes, la connaissance des autres est un enjeu d'autant plus grand. Sans elle, nous nous laisserons piéger par toutes sortes de biais, nous tirerons des conclusions hâtives, nous tomberons dans le panneau de l'information surabondante et pas assez pertinente.

Et pour conclure, je dirai avec une pointe d'emphase que souvent, on a besoin de comprendre pour aimer et que, dans ce monde où la solidarité humaine doit être rappelée sans cesse, une bonne connaissance mutuelle sera indispensable. Si une chose peut sauver notre monde en déglingue, bien plus que la rationalité, c'est la conscience d'avoir quelque chose de beau à partager par-delà les différences.

Chapitre 21

LA FABRIQUE DE L'AVENIR :
EXPERTISE, EXPÉRIENCE, ÉCOSYSTÈMES

> « Voyez-vous […] dans la vie, il n'y a pas
> de solutions. Il y a des forces en marche : il
> faut les créer, et les solutions les suivent. »
> Antoine de Saint-Exupéry, *Vol de nuit*.

Dès le début, le mouvement En marche s'est placé sous le signe de l'attachement au progrès, thème qui m'est cher et que j'ai mis en avant dans ma campagne.

Le progrès est une aspiration, ou une croyance, relativement récente ; c'est à la Renaissance qu'il s'impose, quand on souhaite dépasser les textes scientifiques et philosophiques redécouverts des auteurs de l'Antiquité. On définit alors les grands axes du progrès : amélioration de la relation entre les humains et la nature (ou de la domination de la nature par les humains), amélioration de la relation entre les humains, bien-être et conscience de soi…

Le concept de progrès ne va pas forcément de soi, cela dépend beaucoup du point de vue et de la culture dans laquelle on baigne. Lors d'un échange avec mon ami compositeur Karol Beffa il y a quelques années, nous confrontions nos points de vue et il défendait l'idée qu'il n'y a pas de progrès en musique, mais des tendances et des modes, des cycles… À l'opposé, s'il est un domaine où le progrès est incontestable, c'est celui des sciences et de la technologie : on construit toujours à partir des concepts et

333

objets existants pour les améliorer dans un mouvement très international. Certes, il arrive que certaines découvertes soient oubliées ou se révèlent être des erreurs (ou des fraudes), mais globalement le progrès scientifique est incontestable.

Le progrès technologique l'est tout autant, et se fait sentir de façon spectaculaire à partir de la Révolution industrielle : grands progrès de la mécanique, de la pharmacie, de la médecine, puis de l'informatique, tous se sont traduits dans notre quotidien.

Ce progrès technologique a cependant son ambivalence dès l'origine : la révolution industrielle vantée dans les musées des sciences de Manchester et de Londres est allée de pair avec la création d'un prolétariat misérable, avec sa cohorte d'enfants travaillant dans les mines obscures toute la journée quand ils ne se faisaient pas déchiqueter par les machines… Le progrès social n'est pas une évidence, il ne faut pas compter sur l'ordre économique et sur le progrès technologique pour l'instaurer naturellement !

Le début du XXe siècle incarne bien cette ambivalence : à cette époque, on glorifie le progrès triomphant, on lui dédie de gigantesques expositions universelles, on lui consacre de monumentaux traités, comme celui d'Henri Gilbault qui trône dans ma bibliothèque – édition originale, cadeau de Marc Giget, l'un des meilleurs experts français en histoire de l'innovation. Et pourtant, c'est aussi l'époque où l'on s'apprête à faire entrer le monde dans trente années de chaos et d'horreur !

En économie, il y a encore vingt ans, on dédaignait la notion de progrès en affirmant qu'elle était relative et mal définie, on lui préférait des indicateurs objectifs tels que celui de croissance… mais la croissance a perdu de sa superbe et le progrès est bel et bien de retour, revenu à la mode dans une époque confuse en quête de sens !

Au-delà des approches historique et thématique, on peut aussi s'intéresser à la façon dont le progrès se fait : par nécessité (lutter contre une épidémie), par rêve (si nous allions sur la Lune), par curiosité (que se passe-t-il si on dope un semi-conducteur avec tel métal rare), ou par hasard (tiens, cette boîte de Petri abandonnée a réagi différemment !).

Le progrès peut se concevoir à l'échelle de la société, mais aussi comme une façon pour l'individu de se réaliser. En fait, la fierté de participer au progrès a souvent été une motivation supérieure à bien des récompenses financières – ainsi des employés des Bell Labs, l'une des entreprises les plus innovantes de tous les temps, qui ont abandonné tous leurs droits à brevet pour 1 dollar symbolique.

Aujourd'hui est une autre période de progrès technologique très intense. On pense en priorité au développement de l'informatique : gain de puissance et de mémoire par des facteurs de plusieurs milliers, voire millions, à l'échelle d'une seule génération ; miniaturisation, ergonomie, sophistication en croissance exponentielle. Mais les révolutions scientifiques et technologiques en cours sont bien plus diversifiées. Des millions de scientifiques et d'ingénieurs à travers le monde continuent de développer cette gigantesque aventure avec des horizons plus vastes que jamais. L'ordinateur quantique est en train de se développer ; la nouvelle définition du mètre repose sur la mécanique quantique et la relativité : signe des temps ! La traduction automatique va révolutionner la communication entre les peuples. Mathématiciens, algorithmiciens, physiciens, ingénieurs, neuro-scientifiques collaborent sur des projets qui semblent aussi impossibles que de rendre la vue à des non-voyants. Aventure passionnée s'il en est !

Le progrès entraîne de grands bouleversements, parfois voulus et parfois subis ; ils peuvent s'imposer avec violence. Cela a été vrai à toutes les époques. Socrate lui-même a plaidé contre la généralisation de l'écriture, progrès majeur qui venait avec son lot de catastrophes annoncées – source de malentendus, de paresse dans l'apprentissage, de perte de mémoire. Toutes ses prédictions se sont réalisées, mais rien n'aurait de toute façon pu arrêter la propagation de l'écriture avec son extraordinaire pouvoir de transformation, à l'origine d'une diffusion sans précédent du savoir.

Certains de ces changements modifient nos comportements, notre être parfois, pas toujours en bien, et s'imposent à nous ; il n'est pas toujours facile de savoir comment s'en saisir pour ne pas se perdre soi-même. Si les politiques publiques ne se saisissent pas du sujet, les changements pourront être violents et douloureux.

Comme le disait Gilbert Chesterton : « Tout conservatisme repose sur l'idée que si vous laissez les choses telles qu'elles sont, elles resteront ce qu'elles sont. Mais c'est faux. Si vous laissez quoi que ce soit tel quel, vous donnerez naissance à un total bouleversement. » Ainsi que l'écrit Lampedusa dans *Le Guépard* : « Il faut que tout change pour que rien ne change. » Si nous voulons nous préserver, nous devons activement canaliser le cours des choses.

Prenons l'intelligence artificielle : si l'Europe ne parvient pas à agir assez vite, elle sera dépassée en efficacité par les continents américain et asiatique, et sa perte de compétitivité sera calamiteuse pour notre économie.

Dans le domaine de la médecine, si nous souhaitons conserver une bonne qualité de relation et de confiance avec les médecins à l'avènement du diagnostic automatique, du séquençage complet, des analyses génomiques de contrebande, il faudra une sérieuse réflexion sur le partage des rôles entre médecin et algorithme, une révolution de nos formations, un partage d'information entre citoyens.

Et si nous voulons éviter de voir les fausses nouvelles envahir l'Internet, la violence déstabiliser nos enfants, nous devrons apprendre à filtrer, à modérer nos propres capacités, à brider les possibilités que nous offrent les nouvelles technologies. Comme le dit Scott Galloway : « Je crois que ce qui met réellement le feu aux poudres, c'est l'équivalent du tabac pour notre génération, les réseaux sociaux, et les algorithmes qui ont déterminé que la colère était le chemin le plus sûr menant à plus d'engagement, de clics et de publicité Nissan. » (Nissan ou autre, bien sûr.) Au cours des quelques dernières années, le monde politique a appris à ses dépens la force de ce feu.

On dit souvent que la technologie est neutre, et c'est vrai : elle peut être utilisée en bien ou en mal. Mais en pratique, une technologie nouvelle est rarement neutre : la façon dont les humains, collectivement, se l'approprient, de façon souvent inattendue, détermine une évolution que personne n'a forcément prévue et qui s'impose. Ainsi des réseaux sociaux, qui ont bien engendré de nouvelles opportunités de communication, mais aussi un déferlement de violence verbale et de haine virtuelle que personne, je pense, n'avait prévu. Il suffit de comparer les commentaires de l'action politique « dans la vraie vie » et ceux qui se font virtuellement pour voir que la technologie, en l'occurrence, n'est pas neutre : elle a fortement déplacé le curseur du commentaire politique vers la violence.

Et dans le même temps, les progrès de la traduction automatique ont accru de façon spectaculaire les possibilités de communication entre les humains, préfigurant pour le futur une révolution dans nos rapports internationaux.

Les évolutions rapides de notre société ne sont pas seulement technologiques, elles sont aussi sociales, comme évoqué dans le chapitre précédent. Les inégalités à l'échelle de l'humanité sont en rapide augmentation à travers le monde. La démographie monte en flèche dans la moitié du monde pendant qu'elle s'effondre dans certains pays. Les biais et clichés progressent insidieusement dans tous les secteurs de la société ; par exemple, en dépit des actions publiques en la matière, on observe une aggravation des déséquilibres entre garçons et filles pour ce qui est des études scientifiques, en particulier en informatique. Les entreprises ont tendance à la concentration et on a vu apparaître des géants économiques portés par de toutes petites équipes : voyez Instagram, sept cents employés pour un milliard d'utilisateurs et 4 milliards de dollars de revenus publicitaires ! (À titre de comparaison, Renault a des résultats nets comparables, mais pour deux cent cinquante fois plus d'employés…) Est-ce que ce sont des progrès ou des régressions ? Dans certains cas, la réponse est claire, dans d'autres, elle est laissée à l'appréciation de chacun.

Dans ce contexte, la définition de nos politiques publiques n'est pas facile : il s'agit tout à la fois de favoriser les usages technologiques en faveur du bien commun, de favoriser les forces de progrès nationales et européennes dans un contexte de compétition internationale plus féroce que jamais, sans perdre de vue le progrès social et la protection de l'environnement.

Il s'agit de croire au progrès en politique, même si l'Histoire est ambiguë à ce sujet ! Dans son célèbre ouvrage sur les abeilles, Maeterlinck consacre un chapitre à la notion de progrès de l'espèce, venant avec le partage des rôles dans la société. L'émergence de la sophistication sociale est aussi l'un des thèmes de prédilection d'auteurs comme Jared Diamond et apporte systématiquement sa dose de controverse. Quand on regarde à l'échelle des siècles et que l'on compare les mœurs d'antan à celles d'aujourd'hui, on semble observer l'émergence de plus de paix et de respect. Les peines infligées il y a encore deux à trois siècles en Occident nous semblent d'une cruauté inouïe. Quand Napoléon lut le testament de Charlemagne, il griffonna dans une marge la question : « Est-ce un cannibale qui parle ? » Mais d'un autre côté, nous avons un recul terrible : les témoignages de barbarie récents comme ceux des guerres mondiales, du génocide rwandais et bien d'autres exemples à peine imaginables, parfois dans des nations que l'on croyait parmi les plus raffinées du monde. Tout cela nous rappelle que la bête sauvage au sein des humains n'est qu'endormie et se réveille à l'occasion.

Au-delà de l'analyse, il s'agit aussi de regarder vers le futur et de consacrer des ressources et de la stratégie à la fabrique harmonieuse de la société émergente.

Les freins sont nombreux, et surtout internes : manque de coordination, manque d'investissement, excès de concentration ou de saupoudrage dans l'action, lourdeur administrative qui freine l'action publique ou paralyse la recherche, incapacité à faire évoluer la formation. Tout cela peut ruiner une belle vision : c'est ainsi qu'a fait long feu la « stratégie de Lisbonne » par laquelle les États de l'Union européenne s'engageaient à d'importants investissements de recherche et de développement pour faire de notre continent un clair meneur en la matière.

Plus insidieuse est notre propension à sous-estimer la mise en œuvre : ce n'est pas tout de définir une vision et des buts, il faut aussi esquisser des plans d'action pratique, sans quoi on se fait rattraper par la réalité.

Quelle doctrine adopter pour mener une politique destinée à favoriser le progrès ? Je développerai trois ingrédients qui sont bien présents « chez les Marcheurs » ; plus présents, me semble-t-il, que chez n'importe quelle autre formation politique. Le premier, c'est l'introduction de l'expertise au cœur de la sphère politique ; le second, c'est l'expérimentation ; le troisième, qui rejoindra le thème de la « conscience des autres », c'est la vision écosystémique et l'écoute de tout ce qui bouge. Expertise, expérience, écosystèmes : trois E qui se complètent.

Commençons par les experts. Ils n'ont pas forcément bonne presse. Léo Ferré se moquait d'eux quand il chantait narquoisement : « Faut laisser faire les spécialistes » ; on les a raillés en les décrivant comme ceux qui vous disent que tout est impossible... D'un autre côté, les citoyens ont souvent une grande confiance dans les experts qui ont passé leur carrière à maîtriser une science, un art, un sujet technique – à condition du moins qu'ils ne soient pas perçus comme étant en collusion d'intérêts avec la sphère économique.

Le débat sur le rôle politique de l'expert s'est posé de façon aiguë à partir de l'explosion atomique à Hiroshima, qui ouvre ma bande dessinée *Les Rêveurs lunaires*. C'est un débat indémêlable.

D'un côté, on peut argumenter que l'expert connaît la technologie mieux que quiconque et qu'il a participé à son développement, donc à une responsabilité morale pour prendre des décisions et vérifier son bon usage. De fait, la liste des technologies qui ont été utilisées hors de leur contexte avec des effets néfastes, en dépit des avertissements des experts, est longue – dans l'actualité récente, on peut penser aux formules dites « de copule » utilisées en mathématique financière ou de façon moins tragique à l'algorithme d'Admission post-bac.

D'un autre côté, le progrès est un bien commun que les experts développent plus souvent par amour de la curiosité que de l'utilité ; son application affecte tout le monde, et les experts ne sont pas toujours les plus doués pour gérer les affaires humaines. Cela incite à confier les manettes au politique plutôt qu'à l'expert. Et c'est la solution qui a le plus souvent été adoptée sans pour autant donner vraiment satisfaction.

Quoi qu'il en soit, les politiques comme les experts doivent avoir leur mot à dire. C'était le premier rôle dévolu aux Académies des sciences créées pendant la révolution scientifique du XVIIe siècle. Mais c'est au milieu du XXe siècle que sont apparues d'autres formes de conseil scientifique plus systématique, dont le célèbre poste de conseiller scientifique en chef des États-Unis qui remonte à Roosevelt. Après le choc technologique de la Seconde Guerre mondiale, ces institutions se sont systématisées en même temps que l'on voyait se développer les premières grandes politiques scientifiques modernes. Pour autant, les gouvernements en général restent mal conseillés par les scientifiques ; l'offre de conseil correspond rarement à la demande, se concentre plus sur les diagnostics que sur les solutions et n'arrive pas forcément aux bonnes personnes ; la sphère politique et la sphère scientifique souffrent d'incompréhension mutuelle et fonctionnent selon des rythmes différents. La France ne fait pas exception à la règle : la plupart des institutions consacrées à ce thème, comme le Conseil stratégique de la recherche, sont dysfonctionnelles et le transfert d'informations utiles y est largement insuffisant.

La loi sur la transition énergétique est un exemple parfait de texte politique où les aspects scientifiques et technologiques ont été négligés. L'étude d'impact, indigente en ce qui concerne les sciences et technologies, ne permettait pas de mise en œuvre effective de la loi ; cela a mené aux reports que l'on sait. La rénovation énergétique est un autre sujet : mal conçue dans l'évaluation de sa mise en œuvre, elle a abouti à des résultats scandaleusement faibles par rapport aux ambitions initiales, comme le rappelle une note de l'OPECST présentée par Jean-Luc Fugit et Loïc Prud'homme. La liste est longue.

Réciproquement, la science au service de la politique, tout en luttant pour garder objectivité et indépendance, ne doit pas se concevoir sans valeurs morales ni sans la connaissance de la société : c'est une argumentation développée systématiquement par la philosophe Heather Douglas dans son remarquable traité *Science, Policy and the Value-Free Ideal ;* elle y rappelle aussi que l'association bien pensée entre experts et usagers peut donner des résultats bien plus pertinents que l'approche scientifique bercée d'un idéal inaccessible d'étanchéité entre l'analyse scientifique et la société. Cela est aussi en phase avec tout un mouvement sur l'implication des citoyens dans les arbitrages techniques : expériences de budgets participatifs, consultation de panels citoyens, travail des associations de patients avec la recherche médicale… Dans certains cas, les « non-experts » se révèlent avoir une connaissance intime d'éléments importants qui auraient échappé aux experts ; dans d'autres, c'est la variété de leurs points de vue qui apporte une plus-value, comme dans les exemples de *La Sagesse des foules* analysés par James Surowiecki.

Dans son ouvrage *The Honest Broker,* Roger A. Pielke analyse plusieurs types de rapports entre scientifique et politique : en fonction des situations, le scientifique peut rester dans la position du « pur » scientifique, ou défendre une position politique, ou répondre à une commande du politique, ou encore présenter au politique une palette cohérente d'actions, en distinguant l'instruction technique de l'arbitrage stratégique. Le choix entre ces différentes options se réduit à quelques questions cruciales : y a-t-il consensus des valeurs et faible incertitude ? Y a-t-il un lien direct entre science et intervention politique ? Le choix est-il large ? Les nombreux exemples qu'il analyse démontrent bien que la démarche de l'expert ne peut être absolue, mais dépend du contexte et du problème qui lui est soumis.

La dernière option parmi les quatre développées par Pielke – préparation d'une palette pour préparer l'arbitrage scientifique – est le modèle prédominant de l'OPECST, dont le nom comprend bien la notion d'« évaluation des choix » laissant au politique convenablement instruit le soin de prendre des décisions éclairées.

En pratique, ce contact entre science et politique doit être étroit et favoriser les échanges réguliers entre les uns et les autres. Pour avoir traîné dans quantité d'institutions de conseil du scientifique au politique, depuis le Conseil stratégique de la recherche au Conseil scientifique de la Commission européenne, c'est une vision dont je suis convaincu depuis longtemps. De la même façon que les réussites dans l'industrie se font par mélange d'expertises technique et commerciale (Steve Wozniak et Steve Jobs), les politiques publiques du XIIe siècle devront se faire par mélange d'expertises technique et politique (Steven Chu et Barack Obama, si seulement le contexte avait été plus favorable).

Au passage, le rôle de l'expert doit porter non seulement sur la vision, l'évaluation, l'analyse, mais aussi sur le plan de mise en œuvre, de la même façon qu'un médecin doit non seulement analyser la maladie, mais aussi proposer un remède. Si un rapport au gouvernement ne propose pas un plan de mise en œuvre pratique, il perd une large partie de sa pertinence. Et cela demande une expertise renforcée du côté des sciences humaines et politiques faisant l'interface avec le monde, si difficile à manier, des humains.

C'est ce modèle de coopération entre experts et politiques que nous tâchons de renforcer à l'OPECST par exemple, en recrutant davantage de scientifiques au contact des parlementaires.

Ce mélange entre experts et politiques a aussi été mis en œuvre dans la composition du gouvernement qui n'a jamais compté autant d'experts ; sur certains sujets particulièrement sensibles comme l'éducation ou le travail, cela a été salué comme ouvrant la voie à de grandes réformes complexes. Et ce mélange a encore eu lieu au niveau des parlementaires : au-delà de mon propre profil, on a vu une assemblée très enrichie en experts venus de l'ingénierie, de l'entreprise ou d'autres compétences plutôt rares en politique. Avec la possibilité pour les experts de disciplines variées de s'informer les uns les autres : ainsi ai-je reçu sur les bancs de l'Hémicycle des cours particuliers précieux sur des sujets aussi divers que la répression des fraudes internationales ou la robotique.

En 2017, j'ai fait campagne en insistant sur l'intérêt qu'il y aurait pour la sphère politique d'avoir *en son sein* quelqu'un qui soit bien acculturé aux enjeux de mathématique et d'information ; après un an de mandat, j'en avais reçu toutes les confirmations du monde.

Dans le futur, je l'espère, nous renforcerons encore cette expertise à disposition du Parlement : c'est le but de notre projet tant débattu d'agence qui devra aider les parlementaires à obtenir des réponses à toutes sortes de questions hautement politiques et hautement techniques, mélangeant sciences exactes, sciences humaines et sociales, technologie, économie, etc. L'économie de la Chine doit-elle être considérée comme sous-développée du fait du faible PIB par habitant, ou surdéveloppée du fait de la concentration presque unique au monde d'investissements qu'elle parvient à débloquer pour les technologies de pointe ? Et au-delà des arguments politiques, quels arguments objectifs pour étayer ? Quel est l'impact économique à court et long termes des migrations ? Quelles sont les options publiques pour la recherche nucléaire ? Quels sont les scénarios de productivité d'une agriculture sans engrais de synthèse ? Comment analyser l'échec de nos politiques de rénovation thermique des logements ?

Chaque sujet peut ouvrir des tiroirs de complexité insoupçonnée quand on le passe à la moulinette de l'expert, et même ceux qui ne semblent pas demander des analyses scientifiques pointues. Permettez-moi juste un exemple qui a été mentionné dans le débat sur la loi pour la croissance et la transformation des entreprises (PACTE) : le bon sens des politiques et des économistes dit que les seuils d'obligations légales (à dix employés, à cinquante, etc.) ont un impact notable sur l'activité économique en décourageant les entreprises de grandir quand elles atteignent certains seuils. Si cela est vrai, cela doit se voir sur la distribution des tailles des entreprises, avec une accumulation juste en dessous de la taille du seuil. L'analyse des déclarations des tailles d'entreprise confirme pleinement cela. Mais la recherche universitaire sur le sujet le dément, en montrant que les entrepreneurs ont tendance à sous-déclarer la taille de leur entreprise au voisinage du seuil... Si l'on considère les données Urssaf pour estimer la taille des entreprises en tenant compte du fait que cette taille varie au cours de l'année, on trouve que l'effet des seuils sur la taille réelle des entreprises est presque négligeable. Cela ne veut pas dire qu'il ne fallait pas simplifier : la loi a bien fait d'y veiller, mais que le besoin d'expertise pointue se cache partout, et qu'il ne faut pas toujours se fier aux apparences ni au bon sens. Pour avoir la bonne analyse, il fallait des compétences aussi bien en économie qu'en sociologie et en interprétation statistique.

Les statistiques, justement, sont parmi les outils les plus précieux et les plus remplis de chausse-trappes qui soient en politique. Mark Twain rangeait dans un même sac « les mensonges, les sacrés mensonges et les statistiques ». Les marges d'erreur, la formulation des questions, la subjectivité des réponses sont autant de facteurs qui peuvent gravement distordre un sondage. La méconnaissance du sujet peut mener les meilleurs statisticiens à des erreurs – et d'ailleurs Ronald Fisher, le plus grand statisticien de tous les temps, se retrouva englué dans un mauvais débat sur les travaux de Gregor Mendel, handicapé par son manque de familiarité avec la reproduction des plantes. En France comme dans la plupart des pays développés, la société savante de statistique est distincte de la société savante de mathématique et de celle de mathématique appliquée et industrielle : c'est bien qu'il y a une spécificité dans cette branche de la mathématique. Pour les institutions nationales qui doivent sans cesse brasser des statistiques, une grande vigilance est de mise.

Si le Parlement doit analyser des données complexes, il doit aussi *expliquer* ces données pour motiver ses prises de position. J'en ai déjà parlé au moment de la communication : on en vient parfois à se dire qu'il faudrait un service de vulgarisation (expert, non partisan) attaché au Parlement ! En particulier pour aider les citoyens à lire les budgets incompréhensibles…

Après l'expertise, parlons de l'expérience ; et de son corollaire, l'évaluation. C'était le thème qui m'avait été attribué lors du colloque organisé par En marche sur le progressisme, et c'est un autre des marqueurs que revendiquent les Marcheurs.

Les expériences, en 2019 comme en 1600, constituent une composante indispensable de la connaissance scientifique ; elles permettent d'aborder la complexe réalité, aux côtés de la modélisation et de la déduction logique.

L'expérience, c'est une nécessité et c'est un art. Certaines expériences sont si emblématiques qu'on les enseigne pour leur beauté, les trouvant même plus élégantes, plus importantes que les théories qu'elles corroborent. C'est Galilée observant que, contrairement à l'intuition, un pendule lourd oscille exactement à la même fréquence qu'un pendule léger ; Spallanzani démontrant que les aliments ne sont pas broyés, mais dissous par l'organisme ; Pasteur prouvant l'efficacité de la vaccination ; Millikan mesurant la charge de l'électron en vaporisant de petites gouttes d'huile entre des électrodes ; ou encore Jean Perrin mesurant le nombre d'atomes dans 1 litre d'air à partir des statistiques de particules errant dans l'eau.

Parfois, une expérience suffit à provoquer une révolution scientifique. L'expérience de l'interféromètre de Michelson, en prouvant que la lumière se propage à la même vitesse dans toutes les directions, a permis de réfuter l'existence de l'éther et ouvert la voie à la théorie de la relativité. L'expérience du rayonnement du corps noir a ouvert grande la brèche par où s'est engouffrée toute la mécanique quantique.

Certaines des actions scientifiques les plus spectaculaires de ces dernières années ont été des expériences, de plus en plus collaboratives et internationales. La mise en évidence du boson de Higgs au CERN, fierté européenne s'il en est, qui a occupé les esprits bien au-delà des sphères scientifiques (je me souviens de ce courriel de quelqu'un me demandant pourquoi tout le monde parlait du « besoin de X » !). Encore plus incroyable : la découverte des ondes gravitationnelles dans les observatoires géants LIGO et VIRGO. Pendant un siècle, on s'est demandé si l'on arriverait à mesurer ces infimes variations d'espace et de temps qui nous traversent en souvenir d'un phénomène violent et nous agrandissent ou rapetissent d'une quantité infinitésimale, à peine un millième du diamètre d'un proton... Ces ondes correspondaient EXACTEMENT à la signature de la collision de deux trous noirs il y a plusieurs milliards d'années, faisant encore résonner l'Univers ; elles ont démontré de la manière la plus convaincante et la plus subtile l'existence des trous noirs.

Il y a quelque chose de fascinant, d'extraordinaire dans de telles observations, qui vont bien au-delà de la confirmation théorique. Je me souviens d'une fois où j'animais un débat sur les ondes gravitationnelles pour un public d'étudiants africains rassemblés à Limbé, Cameroun. Et de l'un me disant : « Professeur, comme je serais fier que l'on puisse réaliser de telles expériences ici en Afrique ! » Car l'expérience, ce n'est pas qu'une partie d'un processus : c'est un moment de suspension, voire de rêve, où l'on retient son souffle dans l'attente d'un verdict. Et se dire que son continent participe au rêve collectif, cela n'a juste pas de prix, c'est une nécessité vitale.

Si certaines expériences nécessitent des centaines de millions d'investissements pour comprendre la structure de l'Univers, d'autres ne nécessitent aucun matériel et nous apportent des informations incroyables sur nous-mêmes. Les illusions d'optique bien connues, qui ont été si riches d'enseignement pour les neuroscientifiques ; l'expérience de l'effet Floride, démontrant que le simple fait de penser à la vieillesse sans même en avoir conscience vous fait ralentir le pas ; la célèbre expérience Linda qui causa tant de controverses : en demandant aux participants de reconstituer une probable identité sociale à partir de traits de personnalité, elle mettait en évidence l'incapacité des humains à apprécier même les plus simples des règles des probabilités. De telles expériences psychologiques ont compté parmi les faits d'armes des économistes Dan Kahneman et Amos Tversky, grands experts des biais cognitifs et de l'asymétrie des récompenses ressenties ; il y avait un prix Nobel à la clé, et des enseignements précieux pour quiconque s'intéressait à la subjectivité des réactions humaines.

On voit par ces exemples que l'expérience est bien plus qu'un simple maillon dans la chaîne théorie/expérience/conclusion que l'on apprend à l'école. L'expérience permet de trouver une voie bien avant que l'on ait formulé une théorie. Dans bien des cas, pour les sciences humaines et sociales, et en politique à plus forte raison, c'est souvent le seul moyen que nous ayons de juger de l'efficacité d'un mécanisme, que ce soit en matière fiscale ou démocratique, depuis un barème d'impôt jusqu'à un mode de scrutin. La longue expérience menée pendant quatre ans à Dauphin (Manitoba, Canada) sur le revenu universel reste la seule source d'information notable sur ce sujet toujours débattu et encore en attente d'approfondissement. Parmi les expériences modernes réalisées dans notre pays, on peut citer l'expérience Territoire zéro chômeur de Laurent Grandguillaume ou encore les expériences récentes de la région Île-de-France sur la mobilité partagée : sans démarche expérimentale, impossible de déterminer les bons modèles économiques incitant efficacement les usagers à partager... eux-mêmes ne savent pas dire ce qui les motivera !

Il y a plus encore : l'expérience est un moyen de se maintenir en forme ; cela vaut pour un individu, pour un centre de recherche, pour une institution. Elle force à se dépasser, à utiliser des technologies de pointe, et peut d'ailleurs être un formidable levier pour maintenir de telles technologies (c'est vrai au CERN, et aussi pour les ondes gravitationnelles : la détection de ces dernières n'a été rendue possible, entre bien des ingrédients, que par les miroirs très haut de gamme, les mieux polis du monde, fournis par une entreprise lyonnaise spécialisée).

Pour un enfant, l'expérience, ce sont les exercices imposés par le maître ou le jeu, la chose la plus importante qu'un jeune enfant puisse faire pour progresser. La belle action de la fondation La main à la pâte, l'association des Petits Débrouillards sont des exemples de programmes pédagogiques qui ont construit leur succès au travers des jeux, manipulations, exercices, projets collectifs. Et le pédagogue néerlandais Jan de Lange montre que des enfants confrontés à de complexes dispositifs mécaniques expérimentaux font parfois preuve d'une intuition supérieure à celle des scientifiques couronnés : c'est un vecteur scientifique très fort.

En fait, c'est l'un des principaux enseignements pédagogiques de ces dernières décennies : sans expérimentation, l'enseignement n'imprime pas. *A contrario*, les méthodes Montessori, Singapour, Freinet, Cuisenaire… tirent leur succès du recours à l'expérimentation et à la manipulation combiné avec des efforts de classification et d'abstraction. C'est l'abandon annoncé des fiches et des résumés de cours, et Socrate en eût été bien aise : ce qui vous marque, c'est moins ce que l'on vous enseigne que ce que vous découvrez par votre propre expérience.

C'est pourquoi nous avons besoin d'institutionnaliser le rapport entre théorie et expérimentation. Dans l'histoire des sciences, ce furent certaines collaborations célèbres comme Maxwell, le génie de la physique théorique, formant avec Faraday, le génie de l'expérimentation, un duo invincible ; ou encore Claude Shannon, le père de la théorie de l'information, travaillant aux Bell Labs aux côtés des expérimentateurs qui découvrirent le transistor, la base de l'informatique moderne.

Mais c'est à partir du milieu du XXᵉ siècle que se construisent de grands instruments dédiés tout entiers à l'expérimentation – synchrotrons, cyclotrons, chambres blanches... jusqu'à d'incroyables cathédrales technologiques comme le National Ignition Facility ou son homologue bordelais le Laser mégajoule. Voient également le jour des institutions dédiées à organiser l'expérimentation sur la base de compétitions, comme la célèbre DARPA américaine qui organise sans relâche des concours internationaux sur des thèmes variés, prenant la suite de grands concours d'innovation comme la coupe Schneider.

Aujourd'hui, les plus grandes entreprises disposent soit d'un laboratoire de recherche adossé, soit d'un écosystème de jeunes pousses (start-ups) qui leur permet de mener des expérimentations.

C'est aussi en grande partie par l'expérience que la pratique administrative, la pratique pédagogique pourront progresser, avec le défi constant de « faire passer à l'échelle » la petite expérience. Fondée sur le volontariat de quelques-uns, une expérience à succès pourra se retrouver lessivée par la normalisation à grande échelle et les contraintes ; pour éviter cela, il faut distinguer différentes tailles d'expérimentation et travailler avec des administrations fournies.

C'est dans cet esprit que la mission sur l'enseignement mathématique que j'ai menée avec Charles Torossian proposait la mise en place d'expérimentation à grande échelle et d'évaluation de méthodes pédagogiques. C'est aussi dans cet esprit que le ministre Jean-Michel Blanquer a instauré de multiples évaluations, pour dessiner une cartographie aussi fine que possible des réussites et des errements de notre système ; il est allé jusqu'à mettre en place, de façon emblématique, un laboratoire pédagogique tenant de l'incubateur et du « fab lab », le « 110 bis », en plein ministère de l'Éducation nationale, 110 rue de Grenelle.

Mais au fait, que devient l'expérience à l'ère de l'algorithmique ?

On aurait pu penser que la société moderne, avec ses moyens de calcul extraordinaires, donnerait plus de place à la prédiction. Or, c'est presque le contraire : avec l'intelligence artificielle, l'expérience est redevenue reine. Car cette révolution s'est faite surtout en faisant appel au pragmatisme.

Des expérimentateurs de génie comme Yann Le Cun ou Yoshua Bengio ont fait la preuve de la force de leurs réseaux de neurones qu'ils fignolaient depuis trente ans sans que personne n'y croie. Eux-mêmes avouent sincèrement qu'ils ne savent pas pourquoi cela fonctionne et, pour les théoriciens de l'algorithmique, c'est un fascinant (et vexant) défi.

Demis Hassabis, aux manettes de DeepMind, prouva que l'on pouvait construire un algorithme qui battait tous les humains au jeu de Go alors même que les humains ne savent pas vraiment théoriser leur art dans la pratique de ce jeu. Son algorithme dépassait même le niveau que les humains pensaient être celui de la perfection absolue ! Finalement, Hassabis a prouvé par l'expérience que les humains sont simplement beaucoup moins bons au jeu de Go qu'on le croyait.

Quant aux histoires à succès de l'intelligence artificielle dans l'industrie, elles se font toujours de la même façon : par mise au point pragmatique, expérimentale, itérative, en aller-retour constant entre les experts de l'algorithmique et les experts du métier, avec leurs compétences respectives.

Il y a quelque temps, on s'est dit que Pôle Emploi pouvait s'améliorer considérablement par des algorithmes d'IA. Qui sait ? On fait l'expérience. Des algorithmes que l'on pensait efficaces se sont avérés décevants, et inversement. C'est toujours en expériences – pas faciles, comme l'ont appris les grands cabinets de conseil – que l'on trouve les bons processus par lesquels l'humain et l'algorithme se renforcent plutôt que de se gêner. Pour identifier ce nouveau partage des tâches, et les règles pour l'encadrer, il faudra expérimenter aussi – cela vaut à l'échelle d'une entreprise, d'une société ou d'une nation.

Pour toutes ces raisons j'avais choisi, lors de la restitution de ma mission intelligence artificielle, le mot « expérimentation » comme l'un des trois mots clés de l'IA de 2018. Ce mot clé devra aussi être un mot phare d'un projet politique moderne.

Après l'expertise et l'expérimentation, parlons écosystèmes.

Il y a quelques décennies, on pouvait envisager les grands projets innovants comme pilotés de bout en bout ; le Minitel en est l'emblème.

Aujourd'hui, ce modèle est bien souvent caduc pour plusieurs raisons : rapidité des évolutions technologiques, économiques et sociales ; agressivité économique des innovations ; grand nombre de contributeurs à l'échelle internationale ; apparition constante de nouveaux acteurs pointus. Pour s'adapter, il ne s'agit pas de démanteler les grands laboratoires experts, mais de profiter des incomparables souplesse et inventivité que confère un écosystème de partenaires innovants.

Parfois, c'est l'agilité et la réactivité de l'acteur extérieur qui apporte le dynamisme : la manière dont SpaceX a pu ranimer la technologie de la NASA est un exemple parlant. Et parfois, c'est l'intégration de technologies bien connues dans un nouveau modèle d'économie ou de confiance : penser à la façon dont Uber est venue déranger l'industrie du taxi. Pour ces exemples et bien d'autres, les acteurs classiques et même les commentateurs extérieurs étaient incrédules au départ et n'auraient pas misé lourd sur le succès des « disrupteurs ».

Les historiens ont largement commenté le rôle des écosystèmes innovants, réseaux d'acteurs divers en coopération-compétition, avec leurs points de vue variés. Cela a été invoqué pour expliquer le succès de la Grèce antique ou celui de l'Europe de la Renaissance. Marc Giget a étudié les villes innovantes depuis l'Antiquité jusqu'à nos jours pour en dégager certaines caractéristiques comme l'ouverture internationale.

A contrario, les Bell Labs, qui furent peut-être le laboratoire le plus inventif de tout le XXᵉ siècle, représentent un modèle d'innovation dirigée se faisant dans le cadre d'une très grande structure tout en entretenant bien sûr une variété de projets et de discussions. Un modèle dirigé qui sut laisser une grande liberté en son sein.

On peut argumenter qu'en fonction des périodes et du contexte, le modèle d'innovation le plus efficace est plutôt écosystémique ou plutôt dirigé ; dans son fascinant ouvrage sur les Bell Labs, Jon Gertner analyse le passage du modèle dirigé des Bell Labs à celui, non dirigé, de la Silicon Valley. Il argumente que ce passage de flambeau, non souhaité, correspond à une transition vers une nouvelle époque, avec un changement de contexte et de valeurs. Aujourd'hui, l'histoire semble pencher plus du côté des écosystèmes ; mais il ne faut pas oublier que les ruptures radicales viennent plus souvent des grands systèmes de recherche. Les écosystèmes se chargent, dans leur contexte compétitif et inventif, de mettre au point les détails, de trouver les façons de mettre les choses en œuvre, de réaliser l'interface avec la société humaine.

Pour ma part, j'ai pu tâter des deux modèles simultanément dans ma formation. Dans les grands plans scientifiques européens, j'ai participé à de grands projets planifiés ; mais en même temps j'ai profité des écosystèmes foisonnants et variés que constituaient l'environnement mathématique parisien, les réseaux européens de recherche et les grandes universités américaines, où les hasards des rencontres faisaient plus que les plans.

Pour ce qui est de l'innovation, la France a fait un travail énorme au cours des dernières années pour renforcer son écosystème de jeunes pousses : grands programmes d'incubateurs dont le plus célèbre est celui de Station F ; programmes de logement des jeunes pousses innovantes ; mécanismes d'aide et de subvention comme la Banque publique d'investissement ou Business France ; opérations de publicité et émergence d'un sens de communauté, en particulier à travers la French Tech qui est très respectée sur la scène internationale. Tous ces projets ont été suivis de près par En marche, au point de susciter les remarques moqueuses sur la « start-up nation » (expression périlleuse, j'en conviens)… Mais ce n'est pas juste une mode, c'est aussi dans le monde actuel une des façons par lesquelles l'avenir se fabrique, à grands coups d'expériences faites par de petites équipes indépendantes et très engagées ! On y trouve d'ailleurs des pépites et de superbes projets qui n'auraient jamais pu se développer par les voies habituelles. Il faut considérer ces acteurs comme complémentaires des autorités.

Pour le développement de l'intelligence artificielle, par exemple, un rôle majeur de l'État est d'assurer ou de susciter la création des quatre ingrédients critiques à partir desquels se fait l'IA moderne : des moyens de calcul (centralisables et mutualisables) ; de grandes bases de données sectorielles (obtenues par interconnexion de nombreuses sources que seul l'État peut mettre à table simultanément), des ressources humaines (formées dans les universités et grandes écoles), des capitaux à l'occasion (c'est l'un des rôles de la Banque publique d'investissement). S'y ajoute de la recherche fondamentale, que les entreprises n'ont pas (ou plus) vocation à effectuer. Mais pour le reste – développement des applications, solutions logistiques, interfaces, modèles économiques – l'inventivité issue de la diversité des acteurs privés fera toujours mieux que les plans étatiques.

En ce qui concerne le partage du temps, c'est à l'État de penser sur le long terme, sur la structure ; aux écosystèmes de penser sur le court terme, l'adaptation, les virages technologiques.

Il en va de même de la haute technologie appliquée à la démocratie et à l'administration, secteur qui a fleuri ces dernières années et pour lequel les pouvoirs publics sont appelés à être clients plutôt que développeurs.

Mais aussi pour la politique en tant que telle, l'importance de l'écosystème et de la communauté est aujourd'hui plus forte que jamais : c'est bien l'écosystème qu'il faut créer, ainsi que la possibilité de développement. Le groupe varié, multiforme, sera toujours plus efficace pour faire émerger des solutions adaptées que le responsable seul, si compétent soit-il. Ou sans doute est-ce l'interaction entre responsable politique et écosystème qui est la plus productive, de même que dans les parties d'échecs collabo-ratives, le plus efficace est parfois le partage de décision entre un responsable bien identifié et un groupe aussi large que possible.

Le partage des tâches entre pouvoirs publics et écosystème ne fonctionne bien que s'il y a de la confiance mutuelle. Cela implique d'abord la régulation de l'écosystème ; un soin particu-lier a été pris pour cela dans le domaine de l'innovation. Cela veut dire aussi la fidélité de l'écosystème aux pouvoirs publics, et en l'occurrence une dose de patriotisme... Un excellent contre-exemple, ce sont les start-ups de la première vague en France (et ailleurs), dont le but majeur semblait être de revendre la jeune pousse à un riche acteur étranger dès qu'elle atteignait une bonne valorisation ; de sorte que tout l'investissement public (visible ou invisible, par exemple à travers l'éducation) dans l'écosystème finissait par s'évanouir à l'étranger. Même si elle n'a pas que des conséquences négatives, cette attitude s'est révélée dévastatrice sur le long terme... Comme me le disait tout récemment un cadre d'un grand groupe international : « Les start-ups ne sont pas là pour gagner de l'argent, mais pour transformer leur pays. »

Enfin, tous ces rapports doivent s'effectuer autant que possible dans un jeu entre la sphère politique, la communauté experte et la société tout entière, y compris au niveau des débats. C'est ce que nous nous efforçons de mettre en œuvre à l'OPECST, et c'est aussi à la base d'un projet politique du XXIe siècle, à l'heure où la défiance demande que l'on associe sans relâche les citoyens aux discussions et réflexions politiques.

Place renforcée des experts, expérimentation des politiques, partage des rôles entre puissance publique et écosystèmes à entre-tenir : pour décliner ces ingrédients, il faudra de la persévérance et de la confiance, deux qualités qui semblent se faire rares et qui seront pourtant indispensables.

Science et politique

Ceci est une traduction et une adaptation du discours que j'ai donné le 5 juillet 2018 devant l'assemblée générale fondatrice du Conseil international de la science réunie à la Maison des Océans à Paris.

C'est un grand plaisir pour moi d'intervenir à l'occasion de cet événement magnifique, en présence de nombreux collègues et amis avec qui j'ai interagi au cours des dernières années dans plusieurs institutions.

Je remercie particulièrement sir Peter Gluckman qui m'a invité à venir m'exprimer devant vous. Mais j'ai plaisir à retrouver aussi d'autres figures familières, que j'ai connues dans ma carrière scientifique ou au sein d'institutions de conseil.

Ce lieu aussi m'est très familier : pendant des années, j'ai dirigé l'Institut Henri-Poincaré à quelques pas d'ici. J'ai travaillé pour l'étendre et en faire une institution pleinement ouverte vers la société.

D'ailleurs, c'est dans cet amphithéâtre que le mécène Lanford Clay a décerné le prix Clay à Grigori Perelman en son absence. Le million de dollars dédaigné par Perelman a servi, des années durant, à financer une chaire à l'Institut Henri-Poincaré.

Durant ma vie professionnelle, j'ai été chercheur en mathématique, parfois à l'interface avec la physique. J'ai été très impliqué dans le contact entre la science et la société au travers de conférences publiques, retransmissions, ouvrages ; et très impliqué aussi dans le contact entre science et politique. J'ai été membre du Conseil scientifique de la Commission européenne, plus précisément du « Groupe de haut niveau » du Mécanisme de conseil scientifique de la Commission ; je vois qu'il y a dans cette salle un autre membre de ce Conseil, Pearl Dykstra.

En tant que membre du Parlement, j'ai été élu président de l'Office parlementaire scientifique ; aujourd'hui, je suis très impliqué dans la rénovation et transformation de cet office.

Ces rôles variés m'ont rendu bien au fait de certaines évolutions capitales dans la science de nos jours.

Nous sommes parfaitement conscients que l'action de la science est plus nécessaire que jamais à la marche du monde, mais en même temps nous voyons toute la complexité de cette action aujourd'hui. Et quand nous évoquons, comme le fait le titre de cet événement, une « voix globale pour la science dans le monde », chaque mot compte. Quelle est la situation de la science dans le monde, qu'est-ce que cela veut dire que faire entendre une voix globale ?

Premièrement, j'insisterai sur la complexité qu'il y a à être un scientifique aujourd'hui et à gérer des organisations et programmes scientifiques. Complexité due à l'internationalisation des projets qui dépendent de si nombreuses institutions et décisions ; due à ce que de grands financements sont plus nécessaires que jamais et si difficiles à obtenir ; due aussi à ce que de plus en plus de progrès scientifiques résultent de la rencontre de champs qui sont connectés.

Prenez le secteur de l'énergie : nous avons mené de nombreux débats sur ce thème à l'Office parlementaire scientifique. L'énergie en France, en Europe, dans le monde. Les discussions sur l'énergie sont si incroyablement compliquées aujourd'hui ! Elles dépendent de gigantesques programmes de recherche à l'intersection de la science et de l'industrie, et les solutions sont liées à la révolution numérique et à l'économie de l'interaction humaine. Cette complexité pose des problèmes considérables, même à nous autres scientifiques.

Tout récemment, à l'Office, nous avons parlé du transport à ultragrande vitesse par sustentation magnétique, aussi appelé programme Hyperloop : c'est fascinant de plonger dans les discussions, de voir le nombre de sujets en jeu. Pas seulement des questions de physique : aussi des débats sur l'économie et même sur le modèle de pilotage de l'innovation… À la fin c'est très difficile de faire une bonne évaluation de ces technologies. Nous avons dû prendre en compte des opinions nombreuses, via les académies des technologies de plusieurs pays, mais aussi des experts en économie des transports, etc.

Deuxièmement, j'insisterai sur notre relation aux citoyens en général. L'opinion publique. Le volume de débats a crû fortement dans les années passées, en particulier vis-à-vis des rumeurs, *fake news*, et tout ce qui va avec.

Et dans bien des cas, ce qui semble être un débat technologique finit par être un débat sur la société et l'acceptation. Bien souvent, si vous ne prenez pas en compte l'irrationnel, vous êtes cuit ! Et cela maintenant est arrivé à un point plus critique que jamais. Nous le voyons en France, quand un changement de politique amène d'incessants débats.

Savez-vous, mes amis, que nous sommes dans le pays où le niveau de scepticisme vis-à-vis des vaccins est le plus élevé au monde, de très loin ! Et c'est un débat qu'il est si difficile de gérer, parce que l'opposition à la vaccination a de nombreuses formes : parfois opposition idéologique naïve, parfois bien plus experte. Et si vous tentez de répondre à cette opposition avec de simples mots rassurants, vous obtiendrez le résultat opposé de ce que vous souhaitez, les contradicteurs répliqueront avec des articles, des faits, parfois ils connaissent les expériences mieux que vous, et vous réalisez que c'est bien plus compliqué que vous ne le pensiez. Je suis certain qu'une partie de nos problèmes en la matière est due à ce que nous avons trop longtemps répondu à ces questions avec légèreté ou condescendance. Nous devons prendre ce débat très au sérieux !

J'ai été en charge d'un rapport sur l'intelligence artificielle pour le gouvernement, pour mettre sur pied la stratégie d'intelligence artificielle en France et réfléchir à la stratégie européenne. Il est devenu clair qu'un enjeu clé de ce rapport était la façon dont nous menions le débat de façon publique, répondant aux questions encore et encore. Et si vous laissez la discussion aux experts, c'est cuit ! Il faut mettre ce débat sur la place publique, même si cela veut dire répéter les choses des centaines de fois. Quand nous réussissons à impliquer les gens dans le débat de la façon la plus active et positive, c'est bien mieux que si nous agissons en mode défensif.

J'ai aussi pu voir que sur ce sujet, bien des choses que l'on pense être des problèmes de physique, mathématique, informatique, industrie, technologie… en fait posent des difficultés du côté des sciences sociales, des sciences humaines, des modèles économiques, de l'interaction entre ordinateur et humain… Complexité de communication, complexité d'analyse, et plus que jamais besoin de mettre l'humain au cœur de la discussion !

En troisième point, je conclurai par l'articulation entre science et politique. Je suis très honoré d'avoir sir Peter Gluckman ici en auditeur de grande valeur ; au cours des dernières années, nous avons eu bien des conversations sur ce sujet.

Aujourd'hui la politique a besoin de la science plus que jamais, mais le dialogue entre les deux s'avère particulièrement compliqué, autant hier qu'aujourd'hui. Et j'ai vu que dans les institutions françaises, la plupart de ces contacts sont non fonctionnels. Nous avons des conseils qui ne se réunissent pas, des rapports qui ne sont pas lus, etc.

Durant les dernières années, j'ai beaucoup travaillé à améliorer la situation au niveau de l'Office parlementaire scientifique. Ce conseil faisait un excellent travail que bien peu de monde utilisait ou lisait. À l'Office, nous souhaitons avoir davantage d'influence. Le fait que je sois identifié à la fois en tant que scientifique et en tant que politique est une arme très efficace en la matière. Je peux être reconnu comme un collègue par les scientifiques, et comme un collègue par les politiques. Et je peux parler librement et tâcher de convaincre.

Pour convaincre, il est important que quelques-uns d'entre nous autres scientifiques prenions des responsabilités politiques pour être au cœur de la machine !

Une étape que nous avons franchie à l'Office est le raccourcissement des délais : l'écriture des rapports en quelques semaines permet de les proposer à temps aux autres parlementaires et d'offrir notre aide. Nous sommes prêts à nous saisir, sur demande, de sujets techniques dans l'actualité politique pour les traiter en trois semaines.

Une autre évolution importante est la prise de contacts personnels avec différentes institutions, comme les académies, à qui nous offrons un relais leur permettant de prendre en compte les évolutions scientifiques dans la loi, dans les processus politiques. Travailler avec des contacts personnels bien en amont, avant même l'identification claire des problèmes, est important, de même que le lien étroit entre scientifiques et administrateurs. Auparavant, les scientifiques étaient tous à l'extérieur de l'Office ; maintenant, nous allons recruter quelques jeunes scientifiques que nous mettrons au contact direct des administrateurs et des politiques. À la fin, ce seront les politiques qui prendront la responsabilité des rapports, mais avec l'aide de scientifiques en interne et en externe.

Je conclurai en affirmant ma conviction que la science doit être au cœur des actions et des programmes politiques. Il y a quelques jours, j'assistais à un débat sur le futur de l'Europe : débat classique mené par des collègues respectés qui évoquaient les thèmes de la paix, de l'immigration, de la Sécurité sociale, de l'économie. Le débat était bon ! Mais après une heure de discussion, j'ai eu mes cinq minutes pour évoquer la construction de l'Europe scientifique, l'importance que cela avait pour le positionnement de notre continent dans le futur, dans des secteurs comme l'énergie, l'algorithmique, les biotechnologies, et d'autres sciences clés. Et tant de monde est venu me voir pour me dire à quel point ils ont apprécié cette intervention !

Mes chers collègues, la politique de demain devra avoir la science comme ingrédient clé, et c'est à nous, scientifiques, d'aider à l'émergence de cela.

Chapitre 22

HUMAIN PARMI LES HUMAINS

> « Tout changeait de pôle et d'épaule
> La pièce était-elle ou non drôle
> Moi si j'y tenais mal mon rôle
> C'était de n'y comprendre rien
> Est-ce ainsi que les hommes vivent »
>
> Aragon, « Bierstube Magie allemande »,
> *Le Roman inachevé.*

« Le progrès ne vaut que s'il est partagé. » C'était un refrain du colloque sur le progressisme organisé par La République en marche en octobre 2018. Un refrain proche du slogan que j'avais choisi pour ma campagne législative : « Marchons ensemble vers le progrès. »

Le thème du progrès à partager ne date pas d'hier ; d'ailleurs, au XVIII\e siècle, Thomas Jefferson l'appliquait au progrès des idées nouvelles, insistant sur la nature humaine qui voulait que l'on partage librement les idées.

Nous avons tous connu l'arrivée dans nos vies de la micro-informatique, d'Internet puis des « smartphones », exemples de progrès technologiques massivement partagés avec des conséquences économiques et sociales qui sont toujours l'objet de discussions.

À mon échelle de scientifique, j'ai été aux premières loges pour un autre exemple remarquable de progrès partagé : la démocratisation de l'écriture des articles de recherche mathématique.

Même s'il concerne une communauté restreinte, je vais en dire quelques mots tant il est exemplaire.

À l'origine de cette aventure, il y a un homme remarquable, Don Knuth, informaticien vedette de Stanford, auteur des traités les plus respectés du monde sur l'algorithmique ou l'« Art de la programmation ». En découvrant la piètre qualité des outils d'impression de formules mathématiques (conséquence d'une tendance à la réduction de coûts dans un contexte internationalement compétitif), il décida de construire ses propres outils pour cela, et de les faire partager au monde entier. Son rêve était que chacun puisse écrire ses articles de mathématique avec des formules parfaitement ciselées, maîtrisées, des fontes personnalisées, des réglages qui satisferaient les plus pointilleux des plus pointilleux. Ce fut TeX (prononcer *Tekh*), l'un des programmes les plus célèbres de l'histoire ; c'est avec lui et ses dérivés que tous les mathématiciens du monde, aujourd'hui, mettent leurs articles en forme. Cela a révolutionné l'écriture des formules, mais aussi les rapports entre auteurs et éditeurs avec une réappropriation de moyens de production par les « citoyens ». Pour mes propres ouvrages de mathématique, j'ai employé toutes les ressources de TeX en modifiant les formats proposés par l'éditeur, ajoutant des tables thématiques (table des énoncés des théorèmes, par exemple), fignolant les formules au micro-espace près. Tout cela aurait été impossible sans l'initiative de Knuth et son interaction avec une communauté fidèle et confiante qui s'est approprié ses outils et les a perfectionnés.

Nous avons d'autres beaux exemples à raconter ; mais il y en eut d'épouvantables. Et le principe du progrès partagé ne va pas de soi. Il est bon de le rappeler, aujourd'hui plus que jamais ! Car nous vivons dans une ère de grandes transitions technologiques et de montée des inégalités à travers le monde, que ce soit entre individus ou entre nations ; et parce que la transmission d'informations et la mondialisation de la culture et des moyens de décision ont fait prendre conscience de façon douloureuse de la disparité avec laquelle les progrès récents ont été répartis. Que ce soit pour le vote du Brexit, pour la dernière élection présidentielle américaine ou dans le polymorphe mouvement des Gilets jaunes, une expression s'est manifestée pour rejeter l'injustice, réelle ou ressentie, d'un progrès qui n'avait profité qu'à une fraction de la population.

Et le monde va passer à travers de nouveaux tests qui vont mettre à l'épreuve sa capacité à répartir équitablement : d'abord la solidarité face aux catastrophes naturelles issues des prévisibles dérèglements environnementaux (qui à l'échelle mondiale affecteront beaucoup plus le Sud que le Nord, de façon injuste puisque le Nord est un bien plus gros pollueur) ; ensuite la solidarité face à la transition des technologies numériques et de l'intelligence artificielle.

En apportant plus d'efficacité, de productivité, de personnalisation, les nouvelles techniques algorithmiques vont améliorer le niveau de service et la qualité de vie… mais quelle influence sur les relations humaines, sur notre bonheur ? Si toutes sortes de tâches sont mécanisées, comment trouvera-t-on sa place dans la société ? Verra-t-on resurgir des mouvements comme celui des luddites, qui détruisaient les métiers à tisser dans l'Angleterre du XIXe siècle pour lutter contre la mécanisation ? Qui croire entre ceux qui prédisent un armageddon de l'emploi et ceux qui pensent à l'IA comme à un moyen de développer de nouveaux métiers ? L'IA va-t-elle ringardiser toutes les filières classiques, ou au contraire raviver l'intérêt dans des secteurs toujours d'actualité, mais en crise de vocation, qui pourront en profiter (bâtiment, aide à la personne, logistique, etc.) ? Comment évoluera la responsabilité : serez-vous effrayé de confier votre santé à un médecin qui s'appuie sur un algorithme d'IA au risque de se déresponsabiliser ? ou intenterez-vous un procès au médecin qui, n'ayant pas voulu s'équiper du dernier logiciel, aura échoué à détecter la maladie rare qui aurait pu être soignée si elle avait été traitée à temps ? Quand on prédira avec précision les aléas de votre santé, serez-vous d'accord pour continuer à participer à l'assurance maladie basée sur l'incertitude et le partage du risque ?

En bref, comment allons-nous nous adapter, en tant qu'individu, en tant que société, aux progrès de la technologie ? L'Internet, instrument de liberté, de fraternité et d'information, celui qui nous a offert Wikipedia et des trésors de culture en ligne, est maintenant craint comme un espace de flicage, de violence, de harcèlement et de manipulation… Les communications instantanées, qui nous permettaient de gagner tant de temps, ont envahi notre intimité et menacent notre équilibre. La « fée clochette », selon l'expression de Laurence Devillers, algorithme qui joue le rôle d'un être aimé en vous envoyant des SMS attentionnés au travail et en vous disant de belles choses avant de vous endormir, est-elle un soutien à des personnes en manque affectif ou un leurre qui détourne des aventures humaines ? Comme évoqué dans un précédent chapitre, la technologie qui s'invite dans notre quotidien n'est finalement pas neutre, elle est orientée dans un sens qui est spontanément bon ou mauvais en fonction de notre rapport à elle ; et quand cette orientation est plus mauvaise que nous ne l'avions souhaité, c'est notre devoir de combattre activement cette tendance.

La mathématicienne, informaticienne et activiste américaine Cathy O'Neil a développé dans un célèbre ouvrage l'idée selon laquelle l'IA a naturellement tendance à saper la démocratie et à accroître les inégalités. En effet, ces technologies bénéficient en priorité aux individus et aux entreprises qui ont des moyens (financiers, de calcul), de la connaissance (des bases de données, des ressources humaines, une bonne information). Ses exemples frappants, disséqués avec rigueur, mettent en évidence d'autres facteurs de non-neutralité de la technologie, en particulier le fait qu'elle vient s'inscrire dans un contexte d'inégalités préexistantes. Son raisonnement se transpose aussi à l'échelle des nations, toujours plus compétitives, cherchant à faire croître leurs plus grands champions, à faire grossir encore leur capital de données, d'influence, de ressources humaines. Un ministre étranger me parlait de l'IA comme d'un extraordinaire « inégaliseur » ! Et dans le même temps, porteur de promesses considérables si on sait bien l'utiliser.

Si l'on fait de la politique, c'est précisément pour ne pas forcément laisser les choses se faire spontanément ; et ce sera un travail du politique que de réguler et d'accompagner ce mouvement vers plus de justice et plus d'harmonie – sans angélisme ni cynisme. Bref, de veiller à ce que le progrès technologique se traduise aussi par un progrès social. Et pour cela, il faudra penser à tous les aspects du problème : de l'industrie aux sciences humaines, du citoyen à l'entreprise, en passant par la protection, la formation, l'adoption, l'inclusion...

Que ce soit pour les idées ou pour les biens matériels, le partage devrait avant tout être le partage des bienfaits ; mais aussi le partage de l'implication : l'idée, insaisissable et capitale, que le projet de société est commun, que l'on partage un point de vue, une part de décision, que l'on participe à la mise en œuvre.

Par exemple, autour de l'IA, un enjeu majeur est la place des femmes : comment faire en sorte qu'une proportion importante d'entre elles soit impliquée dans la conception et l'application de ces technologies dont on pressent le pouvoir de transformation du monde ? Mais on peut aussi s'intéresser à la place des jeunes issus de l'immigration ; à la façon dont la technologie est pensée aussi pour et avec le monde du handicap.

Cette question de l'implication, on la retrouve à toutes les échelles : dans la mise en œuvre d'une réforme, dans une simple conférence, dans une transformation de la société. Si le partage du progrès vient comme une aumône, en sens unique, il peut être dévastateur et produire l'effet contraire de celui escompté.

Quand on vous dit, à la fin d'un exposé : « Je n'ai rien compris, mais que c'était impressionnant », c'est que votre exposé est raté : il a accru la distance entre le public et vous. Mais si on vous dit : « Je n'ai pas tout compris, mais j'ai eu l'impression d'être plus intelligent », alors vous avez marqué un point, l'interaction vous a fait progresser ensemble. Et si vous n'avez pas fait rire votre auditoire, cela veut dire que vous n'avez pas vraiment réussi à les impliquer – car le rire partagé est l'un des ciments les plus importants qui soient.

Il m'est arrivé bien des fois de rencontrer des enseignants engagés, motivés, occupés à transmettre du savoir, du savoir-faire, du savoir-être, de la passion à leurs étudiants. Les mêmes activités qui faisaient merveille quand elles étaient placées sous le signe du volontariat et de l'engagement personnel font souvent un « flop » quand elles sont imposées par les institutions. Et si l'enseignement mathématique est si malade en France, c'est avant tout par manque de transmission du sens de ce que le mathématicien et essayiste Paul Lockhart considérait comme « avant toute chose, un art », et qui fut « avant tout, un jeu » pour des générations de mathématiciens. Si l'éducation ne parvient pas à inclure l'élève dans une démarche active d'engagement, l'affaire est perdue.

Pour ce qui est du dépérissement par manque d'implication, l'un des exemples les plus tragiques de l'histoire humaine est à chercher outre-Atlantique. Quand les colons européens ont supplanté les Indiens d'Amérique, ils apportaient avec eux de nouvelles technologies (après avoir apporté de nouveaux germes mortels, hélas), de nouveaux horizons. Mais cela n'a pas aidé les populations natives, qui sont entrées dans une profonde dépression avec la sensation d'être mises sur la touche, sorties du jeu. C'est tout récemment que ces peuples ont retrouvé leur fierté, comme le philosophe canadien John Ralston Saul l'a analysé dans son ouvrage *Comeback*.

Un autre exemple issu de notre propre histoire : un collègue vietnamien me rapportait les paroles d'un membre de sa famille pour décrire le supplice que représentait la colonisation, même pour une famille vietnamienne aisée. Ce n'était pas une question de moyens ni de biens matériels ni de contraintes : mais il faut imaginer l'injure et la dévalorisation que cela représentait de se faire traiter de haut en permanence. De se faire tutoyer par quelqu'un de plus jeune que soi, dans une société qui, traditionnellement, mettait tant de pudeur dans les formes de politesse en fonction des âges respectifs des interlocuteurs.

Ces exemples l'illustrent : le partage équitable du progrès repose aussi sur l'implication et le respect, et d'autres éléments intangibles qui participent à la dignité.

Il est temps d'évoquer la place des humains les uns par rapport aux autres à travers les notions de liberté, d'équité, de dignité, de solidarité. Le sujet mériterait un traité entier, bien plus que la place disponible dans cet ouvrage.

Le désir de liberté est une aspiration naturelle et bien sûr biologiquement ancrée : il n'y a qu'à voir l'enfer psychologique dans lequel se retrouvent bien des animaux en captivité. Au fur et à mesure des époques, d'une société à l'autre, ce désir s'incarne en des combats variés : lutte pour la liberté de parole, la liberté d'entreprendre, la liberté de se marier ou pas, la liberté de disposer de son corps… Aujourd'hui l'un des principaux combats en la matière est le combat pour le temps libre, contre la dictature ressentie non pas d'un régime, mais de l'ensemble des processus chronophages de la société. Si la technologie a démultiplié les possibles, la loi est de plus en plus tatillonne, mais surtout la société est toujours prisonnière de chaînes invisibles, de préjugés, de clichés qui ont la vie dure. « Il est plus simple de casser un atome qu'un préjugé », disait Albert Einstein.

Le besoin d'équité n'est pas une construction sociale, c'est aussi un principe ancré biologiquement chez les humains et au-delà. Les expériences réalisées sur nos cousins biologiques le montrent : un petit primate préférera recevoir une friandise si son voisin en a une, que deux si son voisin en a quatre. Dans ce dernier cas il pourra entrer dans une fureur terrible, à peine moindre que la grande colère de la petite fille dans la nouvelle *L'Œuf* de Dino Buzzati…

Les choses se compliquent tout de suite quand on distingue l'égalité de l'équité, cette dernière notion consistant à attribuer davantage à certains en fonction de leur mérite ou de leur condition (on donne plus à quelqu'un qui est défavorisé, à quelqu'un qui a fait des efforts particuliers).

La solidarité aussi a des bases biologiques : les sciences cognitives nous enseignent qu'offrir est, au-delà du partage, une efficace source de bien-être personnel.

Bien sûr, les aléas de la naissance, de la vie, du monde apportent leur lot d'injustices ; comment doit s'effectuer la solidarité publique pour les corriger ? Comment concilier efficacité et équité au niveau des individus comme du groupe ? C'est le débat classique et ancien où l'on pourra opposer les points de vue plus libéraux (on laisse faire) et plus régulatoires (on compense, on contrôle, on redistribue).

Dans ce débat, la ligne des Marcheurs est claire : être plutôt dans le laisser-faire (libéralisme) tout en essayant de corriger le plus en amont possible (corriger les inégalités de naissance, les conditions de départ). On parlera volontiers de libéralisme égalitaire, cher à John Rawls et à Amartya Sen, tous deux cités comme influences du macronisme (et adversaires intellectuels l'un de l'autre, car leurs pensées diffèrent dans les détails, où se cache le Diable comme chacun sait).

On pourra noter que le libéralisme est dans l'air du temps : peut-être est-ce lié à notre époque complexe où la régulation devient elle-même complexe, parfois autodestructrice, voire étouffante. L'État se prend les pieds dans son propre tapis quand il veut trop bien calculer, et il y a une certaine humilité à ne pas chercher à encadrer trop précisément.

Cependant, on a bien pu constater aussi que la « main invisible » d'Adam Smith n'a pas grande poigne en ce moment : il suffit de voir la quantité de maux qui frappent la planète et les sociétés, la croissance inéluctable des inégalités. On pourra aussi invoquer la crise de 2008 pour prouver que le système, laissé à lui-même, peut mener droit au gouffre. Ne pas encadrer du tout, c'est prendre le risque de graves accidents économiques mondiaux ; c'est aussi laisser les injustices croître hors de tout contrôle.

Le libéralisme affiché par En marche est mesuré ; un libéral assumé comme l'éditorialiste Philippe Manière ne s'est pas gêné pour le qualifier de « timoré », en notant que le gouvernement ne privatisait qu'au compte-gouttes, et encore (paradoxalement) seulement des entreprises comme Aéroports de Paris et Française des jeux, qui sont en situation de monopole.

On peut ajouter que, sur certains sujets, le gouvernement s'est montré friand d'aides et d'interventionnisme : fonds de soutien à l'innovation, intervention active et répétée en faveur de l'égalité homme-femme, bataille pour la taxation de Google et d'autres géants américains. Les recommandations issues de mes propres rapports mélangeaient libéralisme (plus d'initiative pour les enseignants, plus de liberté dans la coopération public-privé) et interventionnisme, avec un fort pilotage étatique de la transformation, des appels à projets directifs...

Dans ces recommandations, l'éducation et la formation tenaient aussi une large place, de même que dans le programme national. Ce sont des notions omniprésentes dans le libéralisme égalitaire : rien de mieux que l'éducation pour corriger les inégalités à la racine. De même pour l'accès à la culture dès le plus jeune âge. Et dans une tradition française, l'éducation reste sous le contrôle de l'État, soit que l'école soit publique, soit que l'établissement privé ait un contrat clair avec l'État. On est ici loin des habitudes britanniques avec des écoles d'initiative privée, mais aussi le financement de formations entières par les entreprises.

C'est ainsi que l'on peut analyser le débat qui a émergé sur la politique sociale du gouvernement et l'analyse des systèmes de redistribution existants. D'un côté, le système français est efficace (par comparaison avec d'autres pays) pour atténuer les inégalités de revenus. Mais d'un autre, il est inefficace (là encore, par comparaison à d'autres) contre les déterminismes : la France est un pays très déterministe, demandant en moyenne six (!) générations pour sortir de la pauvreté et accéder au revenu moyen (autant qu'en Allemagne, mais deux fois plus que dans les pays nordiques). Tâcher de transférer des moyens publics depuis la redistribution vers l'éducation, c'est tâcher de remédier à la racine des inégalités, aux causes plutôt qu'aux symptômes.

Sur ce sujet précis, un travail de recherche est paru le 25 septembre 2018 pour comparer les redistributions en France et aux États-Unis. Conclusion : le système américain, de manière surprenante, redistribue plus efficacement que le système français (cela a à voir avec le fort poids de l'impôt direct dans la fiscalité américaine par rapport aux taxes), mais la société américaine reste quand même, au bout du compte, plus inégalitaire que la société française. En bref, l'analyse de l'équité est un sujet complexe qui suscite encore des débats, même chez les experts !

Et avec l'équité, il y a ce problème complexe que l'injustice ressentie n'est pas forcément lisible sur une statistique, sur une liste, sur une comparaison objective ; elle incorporera forcément des éléments subjectifs et il faut en être conscient. Par définition subjective, la douleur ressentie n'en est pas moins réelle.

Liberté et équité ne suffisent pas comme valeurs constitutives d'une société. Il faut y ajouter, comme on l'a évoqué plus haut, un certain nombre d'autres valeurs : protection, fierté, respect, capacité d'agir, liens sociaux, confiance, droit à la vie privée (à la confidentialité)… On peut regrouper tout cela dans la notion de « dignité ».

Enfin, n'allons pas pour autant prendre « liberté, équité, dignité » comme nouvelle devise nationale : il manquerait la notion de fraternité qui va au-delà des liens sociaux. La fraternité, dont le Conseil constitutionnel a récemment tranché qu'elle devait être présente parmi les droits fondamentaux, nous invite à reconnaître pour frères et sœurs tous les membres de la nation (ou de l'humanité, ou de la société), au-delà des âges, des milieux, des origines, des éducations.

Ces valeurs peuvent être envisagées comme relevant de l'individu dans une société, ou de la société par rapport aux autres sociétés. La fierté de soi, de sa famille, de son entreprise, de sa nation… la solidarité au sein de la famille, entre pays d'un même continent… Tout cela compte !

Et toutes ces valeurs sont aussi liées : on pourra dire que la liberté est illusoire si l'on n'est pas protégé ou si l'on n'a aucune capacité d'action. On pourra ajouter que la fierté repose aussi sur la capacité à agir et sur des liens sociaux de confiance. Qu'une certaine confidentialité est indispensable aux liens sociaux (« Si tous les hommes savaient ce qu'ils disent les uns des autres, il n'y aurait pas quatre amis dans le monde », disait Blaise Pascal). On pourra encore regrouper protection, capacité d'agir, fierté, respect, liens sociaux, confiance dans la notion de dignité, qui pourra aussi inclure la notion de liberté. On pourra argumenter que l'on n'est jamais libre si on a peur (la peur, maladie qui ronge et qui entrave).

Et comme dans toutes les affaires humaines, tout cela est à nuancer : une dose raisonnable de peur permet de faire de grandes choses (j'ai rarement été aussi productif que durant la période de peur mémorable où mon théorème sur l'amortissement Landau partait en lambeaux). Une dose raisonnable de contrainte est indispensable à l'éducation, et plus généralement à la bonne marche de la société. Un respect maladif de la vie privée peut mener à l'isolement. Et ainsi de suite : l'humilité nous force à reconnaître que toutes les valeurs humaines doivent être consommées sans excès.

Les valeurs humaines subissent aussi, à partir d'un fonds commun, des variations importantes d'une société à l'autre. Ainsi, la confidentialité de la vie privée est une notion bien plus aiguë dans le monde occidental que dans le monde oriental.

Et ces valeurs ont aussi leurs contradictions inhérentes, qui imposent des compromis – raison de plus pour chercher les bons équilibres. Par exemple, la protection va souvent à l'encontre de la liberté en imposant des règles, des interdictions. La démocratie garantit les droits des plus faibles et installe aussi toutes sortes de murs protecteurs dans la société : séparation des pouvoirs, prévention des conflits d'intérêts, indépendance des universitaires vis-à-vis du pouvoir politique, censure des discours de haine, etc. Un défaut de protection suscite de la peur paralysante, mais il ne faut souvent pas beaucoup pour transformer cela en excès de protection qui provoque de l'inertie paralysante (c'était tout le débat pour le Règlement général de protection des données, mais aussi la censure de l'Internet, les règlements des cahiers des charges des marchés publics qui étaient hier trop laxistes et aujourd'hui trop rigides…)

Finalement, les définitions précises ne sont pas si importantes : on a là tout un ensemble de valeurs significatives pour les humains, tournant autour de la liberté, de l'équité, de la dignité, de la solidarité, qui sont en partie matérielles (les ressources financières apportent protection et capacité d'agir), et en partie non (la protection peut aussi provenir d'une solidarité non matérialisée, la capacité d'agir peut venir du respect et de la célébrité, etc.). Toutes ces valeurs, sans exception, doivent s'insérer dans le débat public et dans les politiques publiques. Les comparaisons internationales montrent bien que le niveau de bien-être d'une société ne dépend pas que du niveau de richesses matérielles. Après tout, le modeste Bhoutan passe pour l'État le plus heureux de la planète, et certains pays riches (du moins sur le papier) sont minés par la dépression et la tension.

Souvenons-nous aussi qu'au plus fort de la montée de la tension des Gilets jaunes, les revendications (de la part des manifestants sincères, pas des milices qui s'y sont greffées) faisaient revenir en boucle, sous des formes variées, les termes ÉQUITÉ, DIGNITÉ. « De la solidarité pour tout le monde. » « On est dans une triple misère : matérielle, affective, culturelle. Si en plus on ressent du mépris, cela explose. » « On demande juste de l'équité. » « Le partage équitable, et de l'argent pour ce qui compte : santé, éducation, solidarité. »

Et toutes ces valeurs ont des ressorts culturels et biologiques qui sont encore l'objet de recherches, comme en témoignent les travaux sur l'économie et les biais cognitifs. Une expérience entendue dans une conférence TED 2017 par Rutger Bregman m'a fasciné : menée sur des peuples de pêcheurs dont les revenus fluctuent considérablement au cours de l'année, elle suggère que les capacités intellectuelles varient largement en fonction des ressources matérielles. On parle ici de pas moins de dix points de quotient intellectuel ! Pour le dire brutalement, la pauvreté pèse sur l'intelligence [1]. Et pourtant, on sait bien, en science et ailleurs, les immenses apports des milieux modestes où l'on doit se battre pour acquérir une position sociale... Ils voient parfois juste là où les classes sociales plus proches du pouvoir sont dans l'erreur [2]. Encore une fois, rien n'est simple et tout est affaire de juste équilibre.

Une fois la grille d'analyse posée, que dire de l'action ?

Pour influer sur la société, certains leviers sont plus efficaces que d'autres, ou agissent sur un plus ou moins long terme.

Le levier préféré des Marcheurs, je l'ai déjà dit, c'est l'éducation ; elle joue sur la capacité d'agir, mais aussi sur les liens sociaux et la fraternité. Mal portante, elle renforce ces inégalités : quelques rares études montrent que c'est hélas le cas (statistiquement) en France pour les inégalités issues de l'immigration. Bien portante, elle apporte de l'équité, corrige les inégalités sociales et culturelles. Quand elle apporte la maîtrise de l'anglais (ô combien vacillante en France), elle permet d'aller à la rencontre du monde. Bien menée, avec des initiations aux projets, elle apprend à apprendre et prépare aux transformations du monde.

L'histoire américaine, pleine de laisser-faire, a su se forcer au moins en deux occasions pour lancer de grandes vagues réussies d'intégration par l'éducation : les écoles paroissiales pour les

---

1. La formule est si dure qu'on pourrait la croire méprisante ; qu'il soit clair, pour éviter les malentendus, que Bregman est un écrivain et historien célèbre pour ses visions d'« utopie réaliste » et situé politiquement à gauche, dont la vie politique est consacrée au partage plus juste des ressources. Par ailleurs, il est toujours bon de rappeler que l'intelligence est multiforme, dépend fortement du contexte et que le QI ne la résume en aucun cas.

2. Voici mon exemple favori, rapporté par un collègue australien. En colloque aux États-Unis juste après la guerre du Golfe de 2003, il était monté dans un bus qui, à part lui, était occupé exclusivement par de modestes Noirs américains. Quand la radio parla de la recherche des armes de destruction massive, le conducteur demanda aux passagers leur opinion, et tous répondirent en chœur que ces armes n'existaient pas. Comme le disait mon collègue : « *Poor black people knew better than the government* ».

migrants, et le « GI Bill » pour insérer les anciens combattants dans les universités. En revanche, la mixité ethnique dans les écoles américaines n'a jamais réussi à dépasser le stade des bonnes intentions, et ce n'est peut-être pas étranger au fait que les États-Unis sont toujours aux prises avec de si fortes tensions « raciales ».

Après l'éducation, il y a la culture. Elle apporte bien plus que du divertissement : elle fournit des liens sociaux, participe à la fraternité par l'émerveillement commun. Rien de plus efficace que les intérêts culturels partagés pour commencer à nouer une relation de confiance ! La culture apporte aussi la fierté par la compréhension et la maîtrise, elle peut donner une puissante sensation de participer à la marche du monde.

La communication est un moyen d'informer ; mais quand elle est fluide, elle tisse aussi des liens sociaux et renforce la capacité d'agir. On entend dire dans la communauté des entrepreneurs « high-tech » que la communication, en interne et en externe, est la première qualité des entreprises qui réussissent.

Et bien sûr, la communication peut influer de façon majeure sur les valeurs sociales non marchandes. Les citoyens sont bien plus sensibles à l'insécurité *ressentie* qu'à celle qui est réelle ; et les chaînes d'information en continu, avec leur traitement de plus en plus émotif de l'actualité, ont pris toute leur part au sentiment d'insécurité mondial. Dan Kahneman et ses collègues ont réalisé des expériences montrant à quel point notre perception des risques est distordue par le traitement médiatique. Dans l'ère de la communication massive, les statistiques sont parfois en flagrante contradiction avec le ressenti de terrain ; pour autant, on ne peut pas balayer le ressenti de terrain, car l'angoisse et la souffrance qu'il engendre sont bien réelles.

À l'opposé, le manque de communication contribue à dévaloriser des services importants. Certains métiers dont on ne parle pas se retrouvent délaissés. Certains services invisibles se retrouvent oubliés, ou considérés comme acquis – en France, ce sont des subventions aux soins médicaux, des diplômes universitaires presque gratuits dont personne ne ressent les bienfaits.

Dans le vote sur le Brexit, ce sont des régions recevant le plus de subventions européennes qui se sont déclarées en masse contre l'Union européenne, mal informées sur ces bénéfices. On pourrait dire la même chose de certains pays d'Europe de l'Est subventionnés par l'Union : incapable d'obtenir l'adhésion par la culture et la confiance, l'Europe a perdu le bénéfice de ces subventions.

La participation est un outil incontournable d'adhésion à un projet – c'est évident, mais il faut le rappeler tant il est facile de l'oublier. La participation de toute une communauté à un projet est une façon de collecter les bonnes idées et donc de gagner en efficacité, mais elle permet aussi de partager la fierté et la capacité d'agir. Il faut garder à l'esprit que le suffrage universel a été introduit pour permettre à tous et à toutes de se sentir impliqués ! Certains des votes les plus durs et les plus surprenants de ces dernières années peuvent se décrypter en fonction du sentiment des citoyens d'être participants à la société, ou spectateurs passifs ; et cela allait souvent avec des symptômes dépressifs (perte de confiance en l'avenir, suicide, désespoir, etc.). Brexit en Grande-Bretagne, élection du Président Trump aux États-Unis, parti italien des « Cinque Stelle », mouvement des « Gilets jaunes » en France : chaque fois, l'on a vu les mêmes ingrédients, avec une concentration de la contestation sur des territoires qui se sentaient oubliés, mis sur le côté de la route du progrès et du débat public. Le fait qu'à quelques années d'intervalle les trois archétypes de démocratie moderne se soient retrouvés aux prises avec des difficultés de même nature suggère qu'il s'agit là d'un fait caractéristique de notre époque, s'inscrivant dans un contexte politique et technologique précis.

On voit à travers ces exemples que le partage de l'engagement n'est pas seulement une nécessité morale, c'est aussi une condition incontournable de l'efficacité ; car un cataclysme comme le Brexit se paie rapidement, au sens économique du terme. Pour des évolutions technologiques souhaitées, l'adhésion et la participation à l'expérience sont parfois plus difficiles à résoudre que la mise au point du produit. Et sur le long terme, la participation à la décision est l'alliée de l'efficacité. Cela vaut à l'échelle des individus ou des nations.

La participation à la démocratie elle-même a besoin de se réinventer, de ne pas rester confinée dans le vote classique où elle se manifeste de plus en plus souvent de façon traumatique et par déception. Une dose de démocratie participative, rendue possible par la communication numérique, si les infrastructures sont bien couvrantes, pourra améliorer le lien entre citoyens et gouvernants. Nombreuses sont les jeunes entreprises qui aujourd'hui travaillent sur ce créneau, et j'espère que certaines trouveront le succès. Organiser la participation, c'est tout un art : un débat public ne sera pas réussi s'il est trop technique et s'il attire seulement les experts du sujet ; il devra comporter un angle suffisamment ouvert pour attirer un public large ; il devra comporter un bon dosage d'éléments concrets et de rêve. Ces mêmes ingrédients se retrouvent aussi bien dans un colloque scientifique que dans une consultation sur un enjeu de société.

Finissons par le travail, l'un des piliers du programme présidentiel et de l'action du gouvernement (baisse des cotisations salariales, accent sur la formation en alternance, actions destinées à ce que le « travail paie mieux »). Le travail n'est pas seulement un moyen de redistribution économique, c'est aussi un puissant générateur de liens sociaux, de fraternité (si l'équipe est suffisamment inclusive), de protection (rarement évoquée, la médecine du travail peut être d'une grande efficacité comparativement à d'autres leviers médicaux), de fierté, de respect. *Laborare est orare*, « Travailler c'est prier », disaient les moines bénédictins ; encore aujourd'hui, les religions insistent sur la façon dont le travail participe à la dignité humaine – quand il n'est pas excessif bien sûr.

L'une des plus célèbres révoltes liées à l'organisation du travail est celle qui ébranla la colline de la Croix-Rousse à Lyon dans les années 1830. Les canuts, artisans de la soie, travaillaient dur pour un art qu'ils mettaient des années à maîtriser. Ils ne réclamaient pas de travailler moins mais de pouvoir continuer à vivre dignement de leur travail, dans un monde où la concurrence internationale montante de l'industrialisation mettait leur modèle économique en péril. J'ai moi-même habité pendant des années sur les pentes de la Croix-Rousse où l'on mourut, en 1831 puis en 1834, aux cris de « Vivre en travaillant, ou mourir en combattant ! »

Si le travail subi s'assimile à l'esclavage, le travail assumé participe à la dignité. Toute discussion sur l'avenir du travail et de la société doit prendre cela en compte.

Éducation, culture, communication, participation, travail : cinq piliers de l'action telle que nous la concevons. Tous très présents dans mon parcours personnel aussi : j'ai passé la majeure partie de ma vie à enseigner (ce qui est d'ailleurs, de loin, la meilleure façon d'apprendre), à transmettre de la culture, à communiquer sur ma discipline, à faire participer des publics à l'aventure scientifique. Et pour ce qui est du travail, je n'ai jamais arrêté, j'en ai certainement fait trop, mais cela a été la base de ma façon de découvrir le monde et d'établir des connexions.

Pour ne pas rester trop abstrait, voici quelques exemples tirés de ma vie personnelle ou publique. Mais chacun, certainement, aura d'autres exemples à invoquer.

Depuis 2010, j'ai enseigné chaque année en Afrique francophone – le Sénégal, le Bénin, le Cameroun, l'Algérie me sont familiers et sont chers à mon cœur. Je l'ai fait surtout à travers des aventures collectives (le réseau des African Institutes of Mathematical Sciences fondé par Neil Turok, les projets de la Banque mondiale). Chaque fois j'ai insisté pour y être associé à des enseignants locaux (universités de Dakar, de Yaoundé, Institut de mathématique et sciences physiques à Dangbo). Au-delà de certaines séances de cours inoubliables, les relations de travail régulières qui en sont nées ont créé des liens irremplaçables. Ces liens sont à coup sûr les trésors les plus précieux que j'ai ramenés d'Afrique : je pense particulièrement à mes collègues Mama Foupouagnigni au Cameroun et Diaraf Seck au Sénégal ; avec ce dernier, plus tard, nous avons monté tout un long MOOC exigeant (formation en ligne ouverte à tous). En Algérie, c'est toute une généreuse bande que je retrouve à chaque visite pour des tournées de conférences et des séances de cours préparées en commun, et un projet de palais de la Découverte algérien auquel j'espère bien pouvoir apporter ma contribution. Avoir fait participer les institutions locales, avoir travaillé avec les enseignants locaux est bien plus efficace pour développer des relations de confiance dans la fierté mutuelle qu'un cours que j'aurais donné tout seul, ou un projet dont j'aurais été le seul porteur.

Dans mes cours en Afrique, j'ai connu des élèves remarquablement doués qui n'ont pas eu les moyens de se réaliser : je pense en particulier à Merlin, un jeune issu d'une famille extrêmement pauvre, tant qu'il ne pouvait pas suivre d'études régulières, obligé de travailler un an sur deux pour les siens. Handicapé d'une jambe à la suite d'une vaccination ratée, il garde cependant une joie de vivre inoxydable. Malgré ses talents remarquables, Merlin a eu le plus grand mal à trouver un sujet et une place dans le mouvement de la recherche internationale. Bien plus que l'argent, ce qu'il aurait fallu à un profil comme Merlin, c'est une chance de réaliser ses dons, une place, aussitôt que possible, dans une université stimulante. Et qu'il me soit permis de dire ici que dans nos relations avec l'Afrique, nous devrions être beaucoup plus ambitieux quant au nombre d'étudiants que nous formons et accueillons, et que cela vaut bien des aides matérielles.

En matière de politique liée au handicap, on pense immédiatement à la façon de faciliter la vie des personnes qui le vivent, mais il ne faut jamais oublier l'autre volet qui consiste à leur donner des moyens d'action, d'expression, de participation, et pas seulement par l'emploi. Je pense à ce jeune homme avec qui j'ai eu l'occasion de discuter, Thomas Mordant, atteint de la grave maladie des os de verre, dont les parents bravèrent tous les obstacles administratifs et culturels pour qu'il puisse avoir une scolarité complète et finalement réussir le concours d'entrée à l'École normale supérieure. Je me rappelle aussi l'épuisante interview à laquelle m'a soumis la remuante foule des autistes rédacteurs du *Papotin*, ce magnifique et singulier journal coordonné par Driss El Kesri.

Et je pense aussi tout naturellement à une association que j'ai présidée pendant des années, Musaïques. Fondée et animée par le talentueux compositeur-ingénieur Patrice Moullet, elle œuvre à l'interface entre recherche artistique, technologie et inclusion. Les instruments novateurs et multiformes de Patrice permettent à tout le monde de jouer : c'est ainsi qu'il a pu organiser des concerts publics dans des salles de spectacle ou des monuments historiques, donnés par des jeunes atteints de polyhandicap ou de variantes sévères d'autisme. Il s'agissait de leur donner des possibilités d'agir, jouer, se dépasser, sous le regard ravi de leurs parents et aides-soignants, mais aussi d'un public qui ne cachait pas son émotion... Je me souviens du directeur de l'institut qui les accueillait : il les traitait avec respect et n'hésitait pas à leur faire des reproches constructifs, à la façon d'un coach, pour leur permettre de se transcender sur scène. Et quand je montrais des vidéos à des experts de sciences cognitives au MIT (Boston), le mot qui leur venait spontanément pour décrire ce que provoquaient les instruments de Patrice, c'était *empowerment* (donner du pouvoir). Donner des moyens d'expression à ceux qui en ont besoin, c'était le thème d'un colloque que nous avons organisé autour de ce projet à la Maison des Métallos.

La question de l'engagement est aussi au cœur de l'éducation, à la fois pour l'enseignant et pour l'étudiant. Dans ma mission sur l'enseignement mathématique, avec Charles Torossian, nous n'avons que très peu abordé les programmes, car nous avions la conviction que ce n'était pas le plus important. (Et peut-être aussi parce que les enseignants qui m'ont le plus marqué étaient ceux qui respectaient le moins le programme...) Mais nous avons insisté sur la formation des enseignants, sur la création d'écosystèmes (groupes de travail), sur la cohésion et la conscience des autres (incitation des enseignants à aller assister à des cours de leurs collègues), sur la liberté pédagogique (« les programmes ne sont pas des carcans ni même des feuilles de route »), sur l'incitation des enseignants à s'impliquer, à expérimenter et à participer. À retrouver de la fierté ! Car ce n'est pas l'enseignant-robot appliquant les instructions à la lettre qui sauvera l'Éducation nationale, c'est l'enseignant motivé, fier de sa mission, suffisamment éclairé pour mettre lui-même au point la méthode, les récits et les exercices qui feront partager sa passion.

Concernant l'IA, dans le cadre de ma mission, j'ai parlé relativement peu de ce qu'elle doit faire... Mais il était question de formation, d'infrastructures ; et au-delà des enjeux technologiques, beaucoup d'enjeux de communication, d'inclusion et de fierté, aussi bien pour les citoyens que pour notre nation et notre continent. La mission en elle-même a été placée sous le signe de la communication médiatique, de la participation citoyenne. Et l'accent sur la notion de bien commun, sur celle d'IA pour le bien, sur celle de l'humain au cœur du système : c'est une problématique omniprésente maintenant dans le sujet, qui va bien au-delà de la notion d'efficacité.

Pour l'IA, mais aussi pour d'autres sujets d'économie haute technologie, une question clé pour la France (et pour d'autres pays) est la lutte contre la fuite des cerveaux, qui trouvent dans certains grands établissements étrangers des conditions matérielles bien supérieures. « Une des raisons pour lesquelles j'ai quitté la France », me disait récemment une chercheuse hong-kongaise de grand talent, « c'est que les salaires des chercheurs étaient si bas ! » (sous-entendu : par rapport aux standards de la recherche internationale). Un collègue allemand, en une autre occasion, me disait que le salaire d'un postdoc allemand était au niveau d'un directeur de recherche français... Mais les salaires des chercheurs des grands laboratoires privés d'algorithmique, battant pavillon américain ou chinois, sont encore bien au-dessus des standards universitaires américains ! À ce niveau de salaire, il n'est même pas envisageable de lutter avec des armes économiques. Sans écarter l'amélioration des conditions matérielles pour nos chercheurs les plus engagés, c'est d'autres leviers qu'il faudra actionner : les missions que l'on confie à nos jeunes innovants, la confiance qu'on leur témoigne, la fierté d'agir pour une société et un cadre de vie qui leur sont chers. Moi-même, j'ai décliné des salaires américains qui étaient jusqu'à cinq fois supérieurs à ceux que je recevais en France – attiré par la possibilité de rester dans ma culture, mais aussi par la perspective d'avoir une influence sur la vie publique française.

Et je conclurai par deux exemples issus de politiques publiques récentes, où la volonté de l'inclusion par l'action a été bien mise en avant. L'inclusion des seniors : en facilitant l'équipement en prothèses auditives, dentaires, visuelles, on jouait non seulement sur le volet matériel, mais aussi sur la solidarité entre générations et la capacité à tisser des liens sociaux. Et les contrats avec les collectivités locales : ils venaient d'une volonté de faire participer plutôt que de décider.

Dans tout cela, quand on exécute, on doit trouver la bonne façon de communiquer. En parlant vrai, certes, mais aussi en expliquant avec simplicité, en trouvant les ressorts communs, en replaçant l'action dans un récit où les valeurs sont bien mises en scène. Elles sont légion, les bonnes politiques et les bonnes réformes gâchées par des communications insuffisantes !

Prenons une innovation phénoménale : l'introduction du mètre ; c'est l'un de mes épisodes favoris en termes de progrès technologique. Au confluent de la politique et des sciences, il s'inscrit aussi à merveille dans la culture française et je l'ai évoqué dans la bande dessinée *Ballade pour un bébé robot*. Mais c'est aussi un merveilleux exemple de progrès avorté, ou du moins retardé, pour cause de communication insuffisante et d'adoption insuffisante par la population.

Initiée en fanfare par Talleyrand et la Convention, la nouvelle définition du mètre, unité universelle que la France tenait à inventer toute seule, était la quarante-millionnième partie de la circonférence terrestre. Mesurer précisément cette circonférence demandait des trésors d'investissement scientifique, avec le dévouement de deux héros mathématiciens de l'époque,

Delambre et Méchain. Accomplissement extraordinaire, bourré de péripéties que je passe sous silence ici. Le gouvernement français pensait que les citoyens seraient heureux d'employer une unité universelle, facilitant ainsi les échanges entre toutes les provinces françaises, et par la suite avec le monde entier ; heureux même d'avoir symboliquement un petit morceau de la Terre pour faire les mesures. Napoléon lui-même fit le meilleur accueil au rapport des savants, conscient d'un progrès historique qui survivrait aux régimes politiques.

Pourtant, l'adoption du mètre fut un fiasco.

Les citoyens peu éduqués, parlant à peine le français dans certaines provinces, prirent très mal l'irruption de cette nouveauté, « venue de Paris », qui bousculait leurs habitudes et mettait à bas des modèles économiques fondés sur la variabilité des normes et des conversions. Les foules qui avaient fait le pire accueil à Delambre et Méchain n'en firent pas un meilleur à leur enfant. Le mètre devint si impopulaire que Napoléon finit par y renoncer pour soigner son image avant la périlleuse expédition russe. Première nation à adopter le mètre, la France fut le premier pays à y renoncer, et il fallut presque un demi-siècle avant que le contexte politique y soit de nouveau favorable !

Aujourd'hui, la nouvelle subversion technologique dont tout le monde parle, suscitant espoir et crainte, ce n'est pas le mètre, mais l'intelligence artificielle. Mais si elle n'est pas adoptée par la société, elle n'apportera pas la moindre révolution ! Et en la matière, l'obstacle le plus difficile à surmonter, ce sont nos propres barrières psychologiques.

À ce sujet, voici une petite anecdote très révélatrice.

En 2018, un service du Quai d'Orsay lançait une expérimentation maison à base d'intelligence artificielle pour aider au processus des visas, en laissant l'algorithme gérer le tout-venant et l'humain se concentrer sur les parties les plus délicates du processus. L'expérimentation, lancée dans deux consulats, suggérait un gain d'efficacité d'un facteur 10 ! Pourtant, l'une des deux expériences fut vite interrompue et la seconde mise en difficulté... Il s'en est fallu de peu que tout ne soit arrêté ! Pourquoi ? Par défiance des personnels concernés, crainte du changement, manque d'assurances (je serai bientôt remplacé par l'algorithme, ou tenu pour responsable de ses erreurs, ou je vais perdre mes missions…).

Alors, comment présenter l'IA pour permettre son adoption ? Pas simple, bien sûr ; mais voici deux exemples de discours possibles.

Le premier, inspiré de ce que l'on entend depuis quelque temps dans la Silicon Valley : les nouveaux algorithmes vont arriver et rendre, peut-être, votre travail obsolète… La compétition sera de plus en plus féroce entre les entreprises, entre les territoires… Pas d'inquiétude ! Cela restera un débat d'experts, une compétition *cutting-edge* (mettez des mots en anglais pour impressionner) et vous n'avez pas besoin d'être impliqué. Nous allons vous verser un revenu même si vous ne travaillez plus, ainsi vous serez protégé. Et une taxe sur l'automatisation du travail viendra contribuer à ce revenu. Faites-nous confiance !

Le second : les nouveaux algorithmes vont arriver et rendre, peut-être, votre travail obsolète… Franchement, personne ne sait comment cela va se passer, mais on va surveiller et expérimenter et vous associer à l'expérimentation. On va aider cette révolution pour que notre nation soit à la pointe et fournisse des algorithmes à d'autres, construits avec nos valeurs. On va mettre en place un comité éthique, un contrôle algorithmique pour que tout cela ne se dérègle pas. Au fur et à mesure, il y aura à coup sûr moins de postes à pourvoir pour des tâches répétitives, mais on va trouver ensemble les nouveaux processus pour que les gains de productivité soient reconvertis en d'autres postes plus humains. Et ces algorithmes vont eux-mêmes aider à l'émergence de nouveaux modes de fonctionnement : certains vont dialoguer avec les citoyens pour mieux les informer de leurs droits et devoirs, comme le projet MarIAnne en France. Des plateformes collaboratives « intelligentes » aideront à faire les choix de société, comme pour la négociation entre la cité de Taipei et Uber. Vos enfants, d'où qu'ils soient, seront initiés à ces techniques et des initiatives seront prises spécifiquement pour les mettre au service de la cohésion entre territoires – pour la mobilité, pour les soins, pour le confort de vie. Tout cela sous la responsabilité de l'État.

Il est facile de percevoir que le second discours est bien plus riche en valeurs de cohésion et d'engagement. Bien plus subtil à mettre en place, bien sûr, et demandant un bien meilleur niveau de compréhension par le politique, de coordination dans l'action aussi. Mais les problèmes complexes n'ont d'habitude pas de solution simple… Et, avec humilité, il ne faut pas fermer la voie à une combinaison des discours. Dans l'adoption de la technologie, le plus complexe n'est pas l'élément technique, mais bien l'élément humain.

Aujourd'hui, les humains sont face à de nouvelles vagues technologiques pleines d'imprévu, de dangers et de rêves mêlés ; c'est à eux de fièrement affirmer leurs valeurs humaines et de préserver leur cohésion.

Face à une vague qui se lève et peut vous emporter, le plus urgent n'est pas tant de fixer la vague que de regarder autour de vous pour savoir à qui vous pouvez vous accrocher, avec quels matériaux vous pourrez flotter ou surfer. La fraternité n'est pas une option.

Nul doute que dans le processus, nous apprendrons beaucoup sur nous-mêmes.

Chapitre 23

LA FRANCE AU CŒUR

> « Chaque homme a deux patries, la sienne propre et la France. »
>
> Thomas Jefferson

La France !

Ce n'est pas parce qu'on est très ouvert sur le monde extérieur que l'on oublie la France, bien au contraire ; elle est centrale dans le projet des Marcheurs.

Par quel angle l'aborder ? Par son territoire ? Par son agriculture et ses terroirs ? Par le grand récit de sa conquête, par sa belle construction politique ? Par ses arts, par sa sophistication et son raffinement ? Par sa singularité ? Par ses errances confuses, par son arrogance ? Par son vent de liberté tumultueux, par son rêve d'universalité ?

Et par sa langue, pourquoi pas ?

Le président de la République ne manque pas une occasion de rendre hommage à la langue française, ce marqueur si fort de notre identité.

Marqueur fort de mon identité aussi. Fils d'enseignants de lettres, j'ai grandi au milieu des romans et des recueils de poésie.

Et les chansons françaises sont une part de moi. Quand je suis parti loin du giron familial, « montant à Paris » pour mes études supérieures, le trésor le plus précieux que j'ai emporté avec moi était une collection de chansons repiquées sur des cassettes audio ; aux côtés de quelques sacro-saints chanteurs anglo-saxons (Beatles, Simon & Garfunkel, Melanie, Leonard Cohen), il y avait quantité de chansons françaises – les Frères Jacques, Barbara, Sheller, Pigalle, Le Forestier, Ferrat, Ferrer, Ferré, Brel, Cabrel, Sylvestre, Brassens, Ogeret, Allwright, Peyrac, Mano Negra, Lavilliers, Renaud, Goldman…

Il y en eut bien d'autres dans le quart de siècle qui a suivi ! J'ai eu la chance d'être en contact avec d'ardents combattants de la chanson française – Yves Jamait, Jeanne Cherhal, Juliette Noureddine, Corbier, Christian Olivier, Julien Clerc, Hugues Aufray, Claude Lemesle, Catherine Ribeiro, Guy Béart, Béatrice Tékielski, Fishbach, Marc Lavoine, Serge Utgé-Royo… Certains ont été des interlocuteurs d'un soir, d'autres sont devenus des proches. Et c'est ma passion pour la chanson française, texte et mélodie, qui m'a amené à disséquer une chanson de Catherine Ribeiro dans *Théorème vivant*, à préfacer la pochette d'un album de Christian Olivier, à me faufiler dans une retraite musicale organisée autour de Juliette Noureddine ou encore à faire de Béatrice Tékielski un personnage central dans la bande dessinée *Ballade pour un bébé robot*.

Si l'on cherche à introduire la France par une chanson, c'est *La Marseillaise* qui vient tout de suite à l'esprit. Elle nous renvoie à l'un de nos mythes fondateurs, nous rappelle le sang de nos aïeux et une période chaotique, fascinante à bien des titres, où la porosité entre les sciences, les arts et la politique était plus forte que jamais.

Mais je préfère commencer l'hommage par une autre chanson, superbe et pourtant interdite en son temps. Paroles et musique, Jean Ferrat ; et pour ceux qui ne connaissent pas, c'est tellement plus beau en musique.

De plaines en forêts de vallons en collines
Du printemps qui va naître à tes mortes-saisons
De ce que j'ai vécu à ce que j'imagine
Je n'en finirai pas d'écrire ta chanson
Ma France

Au grand soleil d'été qui courbe la Provence
Des genêts de Bretagne aux bruyères d'Ardèche
Quelque chose dans l'air a cette transparence
Et ce goût du bonheur qui rend la lèvre sèche
Ma France

Cet air de liberté au-delà des frontières
Aux peuples étrangers qui donnaient le vertige
Et dont vous usurpez aujourd'hui le prestige
Elle répond toujours du nom de Robespierre
Ma France

Celle du vieil Hugo tonnant de son exil
Des enfants de cinq ans travaillant dans les mines
Celle qui construisit de ses mains vos usines
Celle dont monsieur Thiers a dit qu'on la fusille
Ma France

Picasso tient le monde au bout de sa palette
Des lèvres d'Éluard s'envolent des colombes
Ils n'en finissent pas tes artistes prophètes
De dire qu'il est temps que le malheur succombe
Ma France

Leurs voix se multiplient à n'en plus faire qu'une
Celle qui paie toujours vos crimes vos erreurs
En remplissant l'histoire et ses fosses communes
Que je chante à jamais celle des travailleurs
Ma France

Celle qui ne possède en or que ses nuits blanches
Pour la lutte obstinée de ce temps quotidien
Du journal que l'on vend le matin d'un dimanche
À l'affiche qu'on colle au mur du lendemain
Ma France

Qu'elle monte des mines descende des collines
Celle qui chante en moi la belle la rebelle
Elle tient l'avenir serré dans ses mains fines
Celle de trente-six à soixante-huit chandelles
Ma France

Jean Ferrat, *Ma France.*
© 1969 Productions Alleluia-Gérard Meys

Le chanteur de gauche célèbre la Commune, la mobilisation populaire, le Front populaire et la contestation de Mai 68, les poètes communistes, mais aussi presque tous les ingrédients qui ont fait la légende française.

La géographie pour commencer : territoire béni, avec ses terres magnifiques, variées, fertiles, son agriculture domptée dans sa considérable diversité ; et le tour de force politique que représentait, à peine sortis du joug romain, l'alliance progressive de territoires si divers autour d'une construction si centralisée. Pour une autre chanson emblématique, *Terre de France*, Étienne Roda-Gil et Julien Clerc avaient choisi de partir de l'amour d'un pays dont les territoires forment tant de visages différents.

L'histoire française ensuite avec sa violence, sa soif de liberté, ses paradoxes, qui n'ont pas fini de s'inviter dans l'actualité. Une nation qui se déchire dans les guerres de religion et finit par devenir l'emblème de la tolérance religieuse. Un peuple qui, pour se libérer de l'arbitraire du roi, affirme sa souveraineté devant le monde angoissé des princes avant de s'imposer une terreur inouïe. Une révolution aux allures de guerre civile, qui prend plus d'un siècle pour trouver ses marques – depuis Paris fusillant Lyon et la Vendée en 1793 jusqu'à Versailles marchant sur Paris en 1871. Une révolution qui continue d'être une référence pour toutes les révolutions du monde.

Le rôle du métissage culturel, des Picasso de tous bords et de tous rêves, des étrangers venus en un point carrefour de l'Europe et du monde, phare qui attire les artistes, les intellectuels, les scientifiques, les idéalistes en tout genre.

En 1994, coup de théâtre ; alors que la France est déjà depuis des siècles, aux yeux du monde entier, le symbole des arts et du raffinement idéaliste, on y découvre la grotte Chauvet, le plus émouvant peut-être de tous les témoignages de génie artistique préhistorique, objet d'un film extraordinaire de Werner Herzog.

Les artistes célébrés par Ferrat sont prophètes, car la France s'est toujours vue en pays prophétique montrant le chemin aux peuples, depuis l'étendard de la démocratie moderne jusqu'à la construction européenne en passant par le système métrique, l'impressionnisme, l'école maternelle, le Familistère de Guise ou la Cité idéale de Clairvivre. Comptant comme siennes les idées du futur et choyant les esprits innovants où qu'ils soient ! Un général du XVIIIᵉ siècle parlait de « la France, qui protège les savants du monde entier », et cette tradition se retrouve dans le programme « *Make Our Planet Great Again* » conçu pour attirer les scientifiques en mal de patrie.

Mais l'emploi du mot « prophète » dans un contexte non religieux nous rappelle aussi que la France a été le premier grand pays de gouvernance chrétienne à oser séparer l'Église et l'État… une révolution qui cause encore aujourd'hui des convulsions intellectuelles et des débats confus, depuis la définition de la laïcité jusqu'au périmètre des représentants d'intérêts. « Sois forte et nucléaire, ma France », disait l'artiste prophète Leonard Cohen, « flirte avec tous les bords, et ne cesse jamais de parler de la façon de vivre sans D*eu ».

Aujourd'hui encore, la France a gardé une aura issue de son glorieux passé ; mais elle a appris que pour continuer à jouer son rôle de prophète, il lui faut dépenser des trésors de diplomatie et de discussion et jouer aussi collectif que possible, comme en témoigne le succès récent de la COP21. Acquis fragile, qu'il faudra lui rappeler sans relâche.

La France de la chanson, c'est aussi une terre de lutte, de grogne, de contestation, de revendication attachée au quotidien, à la qualité de vie. Toujours d'actualité, et même plus que jamais.

La France du Front populaire et de Mai 68, c'est celle qui devient si forte quand elle parvient à se retrouver dans le débat et dans l'action sans pour autant verser le sang. Celle qui réussit à faire émerger au premier plan la conscience sociale et le désir de progrès partagé.

La France s'est construite sur des idées et des idéaux, et sur la puissante culture qui en est née. Elle a mis cette culture au service de ses rêves de conquête, pour le pire et le meilleur. Un dicton énonce que pour asseoir leur colonisation, les Anglais construisaient une banque, les Espagnols une église, les Français un théâtre. Comme tous les dictons, il est exagéré, et la France a construit son empire avant tout par la force ; mais il traduit bien la volonté de notre nation d'être une puissance culturelle.

Ce rêve d'empire et de grandiose révèle d'autres facettes de la France ; pour les évoquer, je citerai une autre chanson, venant cette fois d'une icône de la droite, Michel Sardou (qui, comme Jean Ferrat, a aussi été censuré à l'occasion) : *Le France*, texte de Pierre Delanoë. Cette chanson, c'est le dernier cri de rage du paquebot *France*, le plus grand du monde en son temps ; construit dans les chantiers de Saint-Nazaire, fièrement mis à l'eau en 1960 en présence du général de Gaulle, mais finalement abandonné et revendu dans les années soixante-dix. La carcasse misérable pense à son fameux homologue britannique le *Queen Mary*, et demande solennellement à être débaptisée, honteuse finalement de son pays d'origine qui renie sa propre grandeur.

La chanson de Sardou fait la part belle au vertige de conquête, aux dimensions de l'océan et du monde, la tentation de l'empire mondial. Un empire qui fut immense, déchiré entre l'idéal d'être un phare pour les civilisations et la mesquinerie de l'exploitation. Un empire dont il reste aujourd'hui un réseau diplomatique incomparable ; et quelques si précieuses bribes qui ont souhaité demeurer françaises. La France comprend des morceaux d'Amérique, d'Afrique, d'Asie, d'Océanie ; de petits bouts des océans Pacifique, Atlantique et Indien qui font de notre pays le plus épars du monde, avec des trésors de diversité biologique et culturelle dans ses territoires d'outre-mer.

La chanson évoque aussi la rivalité avec l'Angleterre, qui dura plus de huit cents ans et joua un rôle structurant de part et d'autre pour les institutions politiques et techniques. Quand le Royaume-Uni fonde une Académie des sciences, inaugure un métro, ou invente l'Exposition universelle, chaque fois la France réplique qu'elle doit occuper ce créneau. Et que dire de la terrible bataille d'influence entre la France et l'Angleterre, entre Paris et

Greenwich, pour avoir le méridien de référence ? La France, c'est ce pays qui a à cœur de travailler pour le bien du monde et pour l'universalité, mais entend bien être reconnu comme le seul à faire ainsi !

Au-delà de la compétition historique avec la Grande-Bretagne, il y a eu la compétition avec l'Italie, avec l'Espagne, avec l'Allemagne : elles se sont toujours inscrites non seulement dans la force, mais aussi dans les réalisations culturelles, scientifiques, artistiques. Au lendemain de la défaite de 1870 contre la Prusse, le consensus se fait en France : si nous avons perdu, c'est parce que nous nous sommes endormis sur nos lauriers, parce que la science, la technologie, l'industrie française ne se sont pas assez développées ! Et derechef la France se mit en train pour relancer son industrie, sa recherche, sa science, jusqu'à ce qu'elle fût, au début du XXᵉ siècle, en compétition avec l'Allemagne pour occuper la première place mondiale.

Aujourd'hui, dans une société globalisée, la compétition se fait avec le monde entier. Et tout particulièrement avec les États-Unis, pour éviter de perdre à leur profit nos scientifiques les plus brillants. Mais l'objectif, l'ambition, dans les politiques des responsables et dans les rapports au gouvernement, reste le même, souvent formulé explicitement – être le meilleur du monde.

Ces valeurs sont incarnées dans celui qui reste sans conteste le personnage le plus célèbre de l'histoire de France aux yeux du monde, Napoléon Bonaparte. Celui qui trônait sur un tableau de la maison de mes grands-parents, avec l'inscription : « Un Français toujours chez lui en Europe. "Je veux porter le nom de la France si haut qu'il devienne l'envie des nations." » Conquérant mais aussi bâtisseur d'institutions (le trait que l'historien anglais Andrew Roberts préfère retenir entre tous), ubiquitaire (partout présent, comme cela frappe dans les ouvrages de Tulard), nourri d'idéaux et d'universalisme, fervent promoteur de l'unité européenne. Excellent scientifique au demeurant et s'appuyant sur des scientifiques et ingénieurs au point que son buste, à l'Académie des sciences, incarne encore une présence imposante.

La France, c'est aussi le goût pour les grandes constructions sophistiquées, qui a toujours été une marque distinctive française, bien avant Napoléon, bien avant Vauban, et encore aujourd'hui dans ses réalisations administratives et technologiques de pointe. Dans la construction de sa Sécurité sociale, de son Éducation nationale, de ses entreprises, le mot d'ordre semble le même : grand comme un paquebot ! « Nous ne savons pas construire petit », disait un jour Jean-Louis Borloo. Et pourtant ce serait un piège de se laisser fasciner uniquement par la grandeur, et d'oublier nos artisans géniaux et nos petites entreprises innovantes.

Que ce soit le paquebot *France*, la première carte de précision sous Louis XIV, le château de Versailles ou le *Concorde*, les grandes constructions se sont faites avec des ingénieurs très qualifiés, issus d'une méritocratie exigeante. « Nous avons fait la France », m'a dit un jour un polytechnicien X-Mines devenu chef d'entreprise. Derrière l'arrogance suprême, il y avait un fond de vérité.

Mais rien n'aurait pu se faire sans la force de travail populaire, sans le dévouement des serviteurs de l'État, des hussards de la République, des médecins, enseignants, avocats, notaires, soldats qui ont protégé et fait prospérer une idée à laquelle ils tenaient.

Aujourd'hui, le paquebot France a bien du mal à continuer de voguer. Sa grande Éducation nationale, bien malade, nourrit de l'insatisfaction et de la frustration parmi les élèves et les enseignants ; sa grande Sécurité sociale est passée près de la banqueroute ; sa grande industrie disparaît à vive allure ; la grande Administration dont elle était si fière, pleine de fonctions d'appui et d'équilibres subtils, aujourd'hui paraît dispendieuse et inefficace. Le spectre de la désindustrialisation érode implacablement son savoir-faire. Le mille-feuille territorial qui a permis d'administrer le pays au plus près des besoins semble maintenant un cauchemar de lenteur et d'inefficacité, et chacun de ses multiples étages crie faillite ; les tentatives de rafistolage ne sont pas convaincantes, depuis les régions mal redécoupées aux communautés d'agglomération en mal de légitimité. Les enseignants, les médecins français se font rares et se sentent mal aimés. Les brillants experts issus de ses grandes écoles élitistes sont vilipendés pour leur spécialisation et leur étroitesse d'esprit. Les partis politiques ne font plus recette, mais les syndicats ne vont pas mieux ; où organiser les débats ? Par bien des côtés, le paquebot France, comme celui de la chanson, conçu pour se mesurer aux plus grands défis et engloutir le monde, semble prêt à s'échouer, victime de lui-même.

Et la France oscille entre la volonté de maintenir un modèle unique en son genre et la tendance à l'autodénigrement. Ses soins et ses diplômes subventionnés, ses infrastructures de qualité ne suffisent plus à apporter de la fierté. En France, on ne paie pas grand-chose pour les frais médicaux (3 000 euros par an en moyenne de subvention pour une hospitalisation, soit 90 % des frais réels) ; on peut obtenir pour une bouchée de pain un diplôme universitaire qui coûterait 50 000 euros aux États-Unis ; on a des routes secondaires d'une qualité presque unique dans le monde occidental… et tout cela semble être considéré comme acquis et insuffisant, à plus forte raison parce que tous ces dispositifs sont inégalement disponibles, ont perdu en efficacité et que le manque d'équité a tué le sentiment de solidarité.

La sensation d'aventure partagée, l'aspiration à la grandeur s'est effacée devant la non moins célèbre propension des Français à grogner et à protester !

« La France contient trente-six millions de sujets, sans compter les sujets de mécontentement », disait au XIXe siècle le polémiste enragé Henri Rochefort. Aujourd'hui, il n'y a plus de « sujets » mais les sujets de mécontentement sont toujours là. Et quand on se fait prendre à partie, on doit se dire que cela aussi est une tradition française, et qu'elle a accompagné notre pays dans de grandes aventures, où le sublime et le médiocre se sont mêlés.

Pour lancer ma conférence TED à Vancouver en 2016, j'avais choisi l'autodérision en me demandant à voix haute quelles étaient les trois choses pour lesquelles les Français étaient les plus célèbres... et en suggérant la réponse : « *love, wine and whining* » (« amour, vin et pleurnicheries »). Franc succès.

Le chanteur Renaud l'a rimé avec la plus grande impertinence dans son mythique *Hexagone* (1975), en forçant le trait sur les mesquineries, l'égoïsme, les contradictions, le chauvinisme de mauvais aloi. À écouter bien fort, pour faire catharsis, et pour se rappeler combien la parole des artistes a pu être libre à certaines époques.

Bien sûr, l'auditeur moderne pourra être choqué par certains propos de cette chanson, même prononcés sur un mode humoristique, comme le couplet qui dénonce la violence meurtrière des forces de l'ordre, « matraqueurs assermentés ». Mais la France a été, à l'occasion, le théâtre de violences internes spectaculaires. Et Renaud a aussi chanté *La Ballade de Willy Brouillard*, éloge d'un « flicard », ce qui montre bien qu'il est plus nuancé que cela !

Derrière la caricature, se cache aussi de la tendresse envers les Français et leur arrogance bon enfant, leur attachement à la proximité, leur incohérence.

Renaud se moque aussi de notre amour immodéré pour certains produits emblématiques de consommation courante : « Leur pinard et leur camembert, c'est leur seule gloire à ces tarés. » Mais, de fait, les vignobles et fromages de France sont, avec le pain, des domaines où la France reste de très loin la nation la plus experte, avec des quantités, variétés, infinies nuances qui se sont exportées dans le monde entier et constituent pour bien des Français une nécessité. Ajoutons qu'en quarante ans la qualité de ces produits a progressé extraordinairement, dans un sursaut de fierté. Moi-même, dans *Théorème vivant*, j'ai invoqué ces ingrédients vitaux, en plaisantant à peine, pour décrire le mal du pays de la famille française installée dans le New Jersey :

« Il est vrai que [les Américains] ont une faiblesse au niveau du pain, et que la baguette craquante ne se trouve guère à Princeton ;

mais la lacune la plus flagrante au niveau des produits de première nécessité, celle qui fait souffrir toute la famille, c'est le piètre niveau du fromage ! Où sont les comtés fruités, les roves délicats, les échourgnacs parfumés, les brillat-savarin moelleux ? Où trouver tendres navettes, piquantes olivias et indestructibles mimolettes ? »

Alors oui, c'est « notre gloire à nous tarés »… et on assume ! Et pour le reste, quoi qu'en dise la chanson… on progresse !

Difficile de cerner la France avec ces éclairages contradictoires. Avec les Français, on se retrouve sans cesse à osciller entre le pire et le meilleur, sur tous les sujets. Et après l'autodérision caustique, par symétrie il nous faut une chanson où résonne la noblesse d'âme.

Finissons donc avec l'une des plus belles chansons de tout notre répertoire. Comme les autres citées dans ce chapitre, c'est un texte que j'ai su par cœur ; un poème d'Aragon mis en musique par Léo Ferré pour sa chanson *L'Affiche rouge*. (Parmi les nombreuses interprétations, ma préférée est celle de Jacques Bertin.) Savoir que l'affiche rouge, l'affiche de propagande nazie qui cherchait à éveiller chez les passants des sentiments xénophobes, eut l'effet contraire de celui qui était recherché, voilà de quoi vous réchauffer le cœur dans vos pires moments de doute sur la France.

Vous n'avez réclamé la gloire ni les larmes
Ni l'orgue ni la prière aux agonisants
Onze ans déjà que cela passe vite onze ans
Vous vous étiez servis simplement de vos armes
La mort n'éblouit pas les yeux des Partisans

Vous aviez vos portraits sur les murs de nos villes
Noirs de barbe et de nuit hirsutes menaçants
L'affiche qui semblait une tache de sang
Parce qu'à prononcer vos noms sont difficiles
Y cherchait un effet de peur sur les passants

Nul ne semblait vous voir Français de préférence
Les gens allaient sans yeux pour vous le jour durant
Mais à l'heure du couvre-feu des doigts errants
Avaient écrit sous vos photos MORT POUR LA FRANCE
Et les mornes matins en étaient différents

Tout avait la couleur uniforme du givre
À la fin février pour vos derniers moments
Et c'est alors que l'un de vous [1] dit calmement
Bonheur à tous, bonheur à ceux qui vont survivre
Je meurs sans haine en moi pour le peuple allemand

Adieu la peine et le plaisir Adieu les roses
Adieu la vie adieu la lumière et le vent
Marie-toi sois heureuse et pense à moi souvent
Toi qui vas demeurer dans la beauté des choses
Quand tout sera fini au soir en Erivan [2]

Un grand soleil d'hiver éclaire la colline
Que la nature est belle et que le cœur me fend
La justice viendra sur nos pas triomphants
Ma Mélinée [3] ô mon amour mon orpheline
Et je te dis de vivre et d'avoir un enfant

Ils étaient vingt et trois quand les fusils fleurirent
Vingt et trois qui donnaient leur cœur avant le temps
Vingt et trois étrangers et nos frères pourtant
Vingt et trois amoureux de vivre à en mourir
Vingt et trois qui criaient la France en s'abattant

Aragon, « Strophes pour se souvenir »
in Le roman inachevé, Gallimard, 1978.
© Éditions Gallimard

Ces résistants font partie de nos fondateurs, au même titre que ceux qui ont donné leur vie pour leur idée de la France, révolutionnaires de 1789, grognards de Napoléon, fusillés de 1871, soldats morts pour la France dans l'une ou l'autre de nos grandes

1. Missak Manouchian, tête du groupe de vingt-trois résistants dit « groupe Manouchian ».
2. Yerevan : l'Arménie était la patrie d'origine de Manouchian.
3. Le prénom de la fiancée de Manouchian.

guerres. Des sacrifices qui sont apparus, avec le temps, comme absurdes ou comme indispensables, mais qu'il nous faut tous regarder avec émotion. Ils nous rappellent aussi que la France est avant tout une idée, une construction rassemblant une myriade d'origines et d'idéaux.

Nous avons tous dans nos histoires personnelles des morceaux de cette grande construction aux multiples facettes.

Pour ma part, j'ai dans mon sang des origines de tous les coins de France (sauf la Bretagne, qui sait pourquoi) ; mais aussi d'Allemagne, d'Italie, d'Espagne, de Grèce, comme pour me rappeler que la France est un carrefour européen.

Et j'ai vécu dans des territoires aussi variés que la Corrèze, l'Indre, le Var, le Rhône, l'Essonne, Paris.

Mon histoire familiale porte la marque de l'histoire coloniale française, pleine d'aventure et de douleur ; et si mes parents sont nés en Algérie, ma relation avec ce pays va bien au-delà d'une simple affaire personnelle.

Pour ce qui est de mon parcours international, il s'inscrit dans l'héritage des grandes explorations françaises.

Membre de ce que certains appellent la « puissante école mathématique française », j'ai tâché de représenter, aux quatre coins du monde, la richesse intellectuelle et la sophistication dans l'abstraction et l'idéal qui a été la marque française la plus sûre. Sait-on que parmi toutes les sciences, c'est en mathématique que nous, Français, avons l'impact international le plus élevé ?

En tant que pur produit de l'enseignement public, je suis également fier de porter haut les couleurs de la qualité de service que nous avons pu construire à travers les générations et que nous devons préserver à tout prix.

Quant à la riche et belle langue française, elle m'a accompagné dans toute ma carrière, en cours, en discours, en ouvrages de toute sorte, comme une partie incontournable de mon identité et jamais gênée ou effacée par le besoin d'écrire et de m'exprimer aussi en anglais.

Désormais député de la nation, je ne conçois mon action européenne et internationale qu'avec la France en étendard, et je sais que toute action politique en France ne pourra se faire qu'avec la connaissance et l'amour de la France dans toutes ses composantes.

Il est arrivé que l'on raille les prœuropéens comme des ennemis de la France, des gens déracinés, mais rien n'est plus faux, pour moi comme pour tout le mouvement des Marcheurs. Nous avons la fierté et l'affection de la France profondément ancrées et nous travaillerons, avec pacifisme et détermination, à la porter aussi haut que nous pourrons.

Discours aux États de la France

Créés en 2006 par Denis Zervudacki, les États de la France rassemblent chaque année plusieurs centaines de chefs d'entreprise installés en France pour une journée de débats consacrée à l'attractivité de la France, en présence de hauts responsables français (membres du gouvernement, président du CESE, etc.) En 2014, j'étais invité à y donner le discours de conclusion au moment du dîner.

Chers amis, chers collègues, Mesdames et Messieurs,

Merci, cher Gérald, pour la présentation ; c'est un honneur de parler devant cet auditoire, rassemblé par les soins de notre ami Denis Zervudacki.

L'assemblée est impressionnante, mais aucune foule ne sera si impressionnante pour moi que celle qui se tenait devant moi le 19 août 2010 à Hyderabad. Et pourtant, c'étaient tous mes collègues, mais ils formaient à cet instant le plus grand rassemblement de mathématiciens du monde – et surtout c'était une situation si particulière, j'étais ce jour-là l'un des quatre lauréats de cette médaille que vous évoquiez, décernée tous les quatre ans lors du Congrès international des mathématiciens. [...]

Sur la médaille, je pouvais lire la célèbre inscription en latin, *Transire suum pectus mundoque potiri* (« se dépasser soi-même et conquérir le monde »). Conquête au sens figuré, bien sûr : conquête par la théorie, par le succès, par le respect.

Ce jour-là, les interviews se sont succédé par dizaines. J'ai passé des heures à expliquer aux journalistes la théorie cinétique des gaz, l'amortissement Landau non linéaire dans les plasmas, et autres merveilles du monde à la fois inaccessible et familier de la physique statistique, en me demandant ce qu'ils en diraient dans leurs articles ; et en me demandant bien aussi ce que l'avenir me réservait. Car je changeais de statut.

Cette récompense me faisait accéder de fait à une double fonction de représentation : ambassadeur de ma discipline, la mathématique, auprès de toute la société ; et ambassadeur à ma façon de mon pays, la France, auprès du monde entier. J'ai depuis joué ces deux rôles avec fierté, et de bonne grâce, d'abord parce que je suis un pur produit du système mathématique français, ensuite parce que mathématicien, c'est un bon métier, tout juste confirmé par l'entreprise américaine CareerCast comme le « meilleur métier du monde » ; et parce que français, c'est une nationalité qui fait rêver, quoi qu'on puisse en dire. Et enfin parce que la combinaison des deux est détonante, puisque les mathématiciens français ont raflé environ 1/5 de toutes les médailles attribuées depuis la création de ce prix !

Sur les talents français, on entend beaucoup de choses, et régulièrement revient comme une antienne la question de la fuite des cerveaux ; certes, elle est tangible dans certains domaines, mais en général on exagère beaucoup son importance, dans un élan d'autodénigrement. À coup sûr, en mathématique, nous n'en souffrons pas ; si certains d'entre nous partent à l'aventure dans le vaste monde, il faut voir cela, bien sûr, comme une force pour la France [1]. Très souvent, ces voyageurs reviennent, et il est sain de faire de tels allers-retours. Ainsi, il y a quelques semaines, je rendais visite à l'une de mes anciennes collègues lyonnaises, prestigieuse professeure au MIT, elle m'a dit : « Ça y est, je rentre à Lyon. » Et moi-même, l'an passé, après un semestre en Californie, je suis aussi rentré en France, comme je l'ai toujours fait après mes séjours de professeur invité à Atlanta, à Berkeley, à Princeton, à Brown University et ailleurs.

Pourquoi je suis rentré ? Alors qu'il m'aurait suffi de rester de l'autre côté de l'Atlantique pour tripler ou quadrupler mon salaire ? C'est simple, et la

---

1. Ce texte a été écrit en 2014 ; en quatre ans la situation a sensiblement changé. D'une part, la multiplication des laboratoires américains et asiatiques en intelligence artificielle, qui attirent énormément et nous mettent vraiment en péril si nous ne relevons pas le défi ! Et au-delà de ce domaine, la concurrence renforcée au niveau international met notre recherche en réelle difficulté pour l'attractivité.

réponse on la voit à la maison. Il y a quelques mois, tôt le matin, je ramenais la miche de pain fumante, tout droit sortie du four du boulanger, avec sa croûte craquante, mon fils a fermé les yeux de bonheur en tenant le pain ; ma compagne a dit : « Rien que pour cette raison, nous avons bien fait de rentrer. » Et mon fils a ajouté : « Ce n'est pas la seule raison. »

Eh bien, oui ! On peut voyager partout pour voir les merveilles du monde tant que l'on sait où est son foyer, où l'on se sent vraiment chez soi. Chez soi, ce sont les habitudes, les racines, le cadre de vie, la culture, les compatriotes, et beaucoup d'autres choses qui définissent l'environnement.

Pour ce qui est de mes racines, vous avez eu l'amabilité, cher Gérald, de rappeler mes origines italienne et grecque, au passage c'est une petite satisfaction personnelle de pouvoir se dire apparenté au pays, la Grèce, qui a inventé toute la mathématique et, plus généralement, la philosophie et la science. [...] [E]t j'aime bien l'idée que je reflète l'une des caractéristiques les plus importantes de la France, celle d'être une terre historique de mélange et d'immigration.

Pour ce qui est de la culture, j'ai grandi, j'ai baigné dans la culture française, qui plus est avec deux parents professeurs de lettres classiques. Mais souvent, la culture, c'est aussi dans le regard des autres qu'on l'apprécie le mieux, soit qu'on aille à l'étranger, soit que l'on accueille chez soi des confrères étrangers.

Laissez-moi vous raconter un de ces épisodes. Il y a quelques mois j'avais la tâche d'accueillir à Paris des amis entrepreneurs rencontrés en Californie, les Meyer, l'une des deux ou trois plus réputées des entreprises spécialisées dans le son, la haute-fidélité la plus parfaite et innovante qui soit. Ils sont venus avec leur petit-fils passionné de sciences ; je les ai accueillis dans ma base habituelle, le 5e arrondissement parisien ; leurs yeux ont brillé devant la Sorbonne, le symbole de l'université dans le monde entier ; à quelques pas de là, nous sommes passés devant le lycée où j'ai fait mes classes préparatoires, qui affiche quatre cent cinquante ans d'histoire, et leurs yeux brillaient de plus belle. Puis nous sommes allés à l'École normale supérieure, je leur ai expliqué qu'aucune institution dans le monde n'a formé plus de médailles Fields, et on les voyait rêver devant les colonnes de cet héritage de la Révolution. Et puis encore quelques mètres plus loin, nous sommes allés à l'Institut Henri-Poincaré rendre visite à l'amphithéâtre où Albert Einstein a enseigné la relativité générale, et voir le monde qui se rassemble ici.

Le petit garçon était tout excité en visitant notre collection de formes mathématiques. Je lui ai expliqué que bientôt nous allions construire ici un musée mathématique unique au monde, où se côtoieraient aussi bien des chercheurs, des écoles, des entreprises, des témoignages de la magie moderne que la mathématique insuffle dans notre quotidien. Un musée qui ferait honneur à Paris, capitale mondiale de la mathématique depuis deux cent cinquante ans.

De là, nous sommes allés à pied à un restaurant qui leur a tiré des cris d'admiration.

Et puis, après le repas, nous avons visité l'atelier de mon ami Patrice Moullet ; Patrice est le frère d'un célèbre cinéaste de la Nouvelle Vague, un mouvement qui a influencé l'esthétique du monde entier ; lui-même est musicien et ingénieur, et mes amis californiens ont admiré ses nouveaux instruments de musique dont l'ergonomie inédite se prête si bien à la communication avec de jeunes handicapés. Dans leur regard quand ils sont repartis, on voyait tant de rêves mélangeant tradition, inventivité et absolu.

La culture, c'est tout cela – l'histoire, les institutions, la dynamique, l'environnement, l'esprit qui souffle.

La culture, c'est aussi le langage, bien sûr. Et malgré ce qu'on en dit, et les réflexes de peur que l'on peut entendre de la part même des Français, notre langue a la cote, de même que la littérature qui va avec. Là aussi, c'est en voyageant qu'on s'en rend compte le mieux, ou bien en écrivant. Et je dois dire que j'ai rarement été aussi fier que quand mon ouvrage *Théorème vivant* a été examiné et relu pour les besoins de la traduction en anglais, que le relecteur ou la relectrice anonyme a dit : « *It is a VERY FRENCH novel* » et a continué avec des appréciations enthousiastes. L'ouvrage a été sélectionné par la BBC comme « Livre de la semaine » pour sa sortie à venir. Et, comble de fierté, le traducteur a dû avouer, la mort dans l'âme, que certaines expressions étaient impossibles à traduire avec la même concision. Le français, quelle langue magnifique !

Enfin, la culture se transmet avec l'éducation, et tout en étant le premier à reconnaître que notre système d'Éducation nationale traverse depuis de longues années une crise grave, je rappellerai que partout dans le monde, nombre de parents parmi les plus soucieux de l'éducation de leurs enfants les inscrivent à l'école française locale !

Alors, vous pourrez me dire, Villani, merci de ce témoignage, et si la culture française est si belle, la langue française aussi magique, la recherche française aussi performante, pourquoi ne restons-nous pas entre nous, on n'a pas besoin des autres ? Et la réponse est non. On a toujours besoin du monde.

D'abord pour attirer les talents parmi nous. L'importance de l'immigration pour faire avancer un pays, c'est considérable. Pour rester strictement dans ma partie mathématique, je citerai quelques noms.

En 2006, Wendelin Werner a reçu la médaille Fields : né en Allemagne, naturalisé français.

En 2010, Ngô Bao Chau la reçoit en même temps que moi : né au Viêtnam, naturalisé français.

En 2014, c'est le tour d'Artur Ávila : né au Brésil, naturalisé français.

Il en a toujours été ainsi, et nous ferons en sorte que cela continue [1]. En 2014, à Séoul, la France était le pays le plus représenté dans les invitations au Congrès international des mathématiciens, et cela en grande partie grâce aux Français issus de l'immigration.

Nous avons besoin des étrangers qui viennent ; et nous avons aussi besoin d'aller à l'étranger. Pour se former, pour découvrir, pour apprendre. Moi-même, j'ai beau avoir été un produit français, j'ai aussi été formé en Europe et aux États-Unis, certaines des rencontres que j'y ai faites ont changé ma carrière, ont changé ma vie.

Aller à l'étranger, c'est bon aussi pour entendre ce que l'on dit de vous, et retrouver le moral si vous avez cédé à la morosité. En Chine, quand vous dites que vous êtes français, vous pouvez avoir droit au petit cri d'admiration ; lors de mon dernier séjour à Shenzhen, on louait les designers français, et la télévision dans le taxi était branchée sur Paris Styles. Au Japon, vous découvrirez que la moitié des boulangeries ont des noms français... À Atlanta, un jour, une serveuse m'a expliqué que le français, est, paraît-il, la plus *sexy* de toutes les langues ; et c'est aux États-Unis aussi qu'un chauffeur de taxi iranien m'a fait une fois une longue tirade comprenant tous les écrivains français imaginables.

Si multipolaire qu'il soit devenu, le monde regarde encore vers la France. Parfois pour la railler ; le dernier numéro du *Courrier international* recense tous ces clichés sur les Français – paresseux, arrogants et ainsi de suite. Mais bien sûr, si la France ne comptait plus du tout, on n'en parlerait plus, or force est de constater qu'on en parle encore. Et réciproquement ; historiquement, la France, c'est un pays qui regarde vers le monde entier. Vers l'universel – comme les mathématiciens, tiens ! Vous savez, ce n'est pas un hasard si l'esprit français s'accommode bien de la mathématique – car la mathématique, c'est l'ambition de l'absolu et le désir de l'universalité, comme l'esprit français. [...]

---

1. En 2018, mon ancien élève Alessio Figalli recevait la médaille Fields... Italien, mais aux yeux de la communauté française où il a fait une grande partie de sa carrière, il est des nôtres !

Et puis, il y a la compétition internationale. Soyons clairs, il n'y a aucune raison que tout le monde doive subir la compétition internationale ; mais il est normal et important qu'une partie travaille sur une scène internationalement très compétitive, participant au rayonnement et à la santé du pays. Le dernier numéro d'*Enjeux-Les Échos* passe en revue quelques secteurs dans lesquels la France est mondialement reconnue – le luxe, l'ingénierie, l'architecture, la cuisine, la médecine, et quelques autres, dont la mathématique, merci chers amis journalistes !

Certes, même dans ces secteurs, rien n'est gagné d'avance. Le monde est affaire de batailles. On dit que la France est actuellement en net recul en parts de marché ; c'est bien le signe qu'il faut se battre davantage, car l'économie, cela évolue plus vite que la culture !

Pour revenir à mon modeste niveau, le concours que j'ai réussi à vingt ans avait beau être l'un des plus difficiles d'Europe, ce n'était rien par rapport aux quinze années qui ont suivi, de travail acharné et de confrontation incessante avec la compétition internationale. Et beaucoup d'entre nous ont des expériences similaires : refuser la compétition internationale, ce sera le meilleur moyen de nous perdre.

Cela étant dit, il est des dossiers où l'on ne va pas tout seul au front quand on pèse un poids négligeable dans la grande lutte d'influence économico-scientifico-politico-culturelle. Là encore, pour refaire le parallèle avec mon expérience personnelle, je n'aurais jamais eu la médaille Fields sans des alliés fidèles – mon ancien élève Clément Mouhot et les collaborateurs, issus d'une dizaine de pays différents, qui m'ont accompagné dans ma carrière.

Et pour revenir à la France, face aux mouvements géants qui s'organisent dans le monde, que ce soit du côté des pays émergents ou ailleurs, nous avons besoin d'alliés fidèles qui se sentiront des intérêts communs et des attaches avec nous. C'est ici que la place de la France dans l'Europe compte tellement. La France en soi, si belle, inspirante et performante qu'elle soit, elle ne pèse pas lourd face aux géants actuels. Mais l'Europe, c'est une vraie équipe prête à peser dans ce combat d'un poids inégalé. […]

Si Européen que vous soyez, que je sois, il ne faut pas croire que l'Europe va venir sauver la France quand elle est en difficulté, même grave, sur tel ou tel dossier. D'abord parce que, au contraire, c'est à la France de sauver l'Europe. En Allemagne, on mettra beaucoup en avant l'idée d'Europe comme facteur d'efficacité, tant mieux ! Mais historiquement, l'Europe, c'est l'enfant de la France, la vision de Montesquieu et de Hugo ; c'est une idée d'universalisme, d'idéalisme, de grandeur ; avec tout cela, si les Français ne la défendent pas, où va-t-on !?

Ensuite, la France supporte très mal de ne pas être leader et a besoin de se faire aimer. Combien de fois est-ce arrivé que la France, en tant que nation, se retire d'un projet européen parce qu'elle avait l'impression de ne pas être en leadership ! Si la France se retire, tout le monde est en difficulté ; mais si la France souhaite être leader, il faut l'apprendre, et un leader de nos jours, ce n'est pas juste le meilleur ou le plus fort, il doit faire plein de choses. Choses sur lesquelles nous avons des progrès à faire – du moins c'est mon sentiment, nourri par mon expérience de chercheur, de directeur d'institution, de président d'association, de militant, et mes voyages dans une petite cinquantaine de pays.

Le leader doit écouter les coéquipiers, les connaître et apprécier leurs forces, et savoir que dans l'équipe chacun a son rôle.

Le leader doit laisser aux uns et aux autres son individualité, et ne pas penser que tout le monde va faire comme lui.

Le leader doit aussi savoir parler à ses coéquipiers, et pour cela avoir passé du temps avec eux. Est-il besoin de rappeler au passage que les Français sont parmi les plus mauvais anglophones d'Europe ?

Le leader doit être humble, sinon il se fait vite renverser.

Le leader doit savoir encourager et complimenter.

Et le leader doit avoir en soi de grandes ressources de confiance et d'efficacité. Là, il y a, sans conteste, un gros travail à faire sur la France ; un travail technique et culturel que nous devons collectivement faire, qui demandera de grands efforts, et c'est seulement au prix de ces efforts internes que la France pourra prendre sa part de leadership dans une équipe européenne invincible. Se dépasser soi-même, et conquérir le monde.

Au sens figuré, bien sûr.

Chapitre 24

J'ATTENDS UNE BELLE

> « Un jour viendra où vous France, vous Russie, vous Italie, vous Angleterre, vous Allemagne, vous toutes, nations du continent, sans perdre vos qualités distinctes et votre glorieuse individualité, vous vous fondrez étroitement dans une unité supérieure, et vous constituerez la fraternité européenne, absolument comme la Normandie, la Bretagne, la Bourgogne, la Lorraine, l'Alsace, toutes nos provinces, se sont fondues dans la France. »
>
> Victor Hugo,
> Discours au congrès de la Paix, 1849.

« J'attends une belle, une belle enfant... »

C'était une chanson d'Eugène Pottier écrite sous l'Empire, appelant de ses vœux la République ; il existe une superbe interprétation de Mouloudji. Pour contourner la censure, la chanson politique était travestie en chanson d'amour.

Pour moi, la belle, c'est l'Europe.

C'était la motivation première de mon engagement politique, c'est aussi, certainement, le plus important dénominateur commun chez les Marcheurs.

Peut-on prendre au sérieux une Europe qui tente d'accorder des pays tout en dissonance – Europe du Sud, du Nord, de l'Ouest, de l'Est, Europe du centre et de la périphérie, Europe du Brexit et de la crainte, Europe de la mosaïque balkanique – avec des outils dérisoires tels que des normes désincarnées ? Une Europe défaussoir de responsabilité, symbole de la bureaucratie broyante et déconnectée, dont un grand responsable politique français m'a dit en privé, riant à moitié : « Il faudrait mettre une bombe à Bruxelles. »

Une Europe qui, plus que tout autre continent, craint les progrès technologiques alors qu'elle les a presque tous initiés. Une Europe où la culture, les arts et les sciences, la gastronomie sont les plus développés du monde, et pourtant en déprime. Une Europe qui craint les migrations, alors qu'elle y a puisé tant d'énergie, depuis les débuts de sa civilisation. Le mythe grec de l'enlèvement d'Europe n'est-il pas une célébration de la vitalité tirée de l'indomptable Asie Mineure ?

Une Europe qui se fait moquer pour son inertie par les entrepreneurs internationaux, vilipender pour son libéralisme par les acteurs sociaux, railler pour son manque d'unité par les tenants du patriotisme traditionnel. Une Europe qui a voulu dominer le monde et qui aujourd'hui dépend plus que jamais du monde, elle qui a oublié comment fabriquer téléphones et médicaments. Une Europe craignant de devenir un musée, quand elle attire la moitié du tourisme mondial, mais seulement le dixième des investissements en intelligence artificielle.

Une Europe entre deux rives, qui ose se doter d'une monnaie commune sans créer de gouvernance budgétaire, qui ne sait plus si elle doit chercher sa légitimité dans la volonté des peuples européens ou dans leur intérêt supérieur. Une Europe qui est peut-être l'institution politique la plus régulée – la plus entravée, diraient certains – par des contre-pouvoirs démocratiques, et qui pourtant passe pour le projet le moins démocratique qui soit, symbole aux yeux des citoyens de bureaucratie et d'opacité politique.

Une Europe dont les économies vont et viennent, à la hausse et à la baisse. De l'Allemagne 2000 « homme malade de l'Europe » à l'Allemagne 2015 dénoncée comme hégémonique. De l'Islande terrassée par la crise financière à l'Islande ressuscitée. Du Tigre celtique à la crise grecque en passant par la bulle immobilière espagnole, la fameuse « union économique » pourrait passer pour une « série de téléréalité internationale économique » où les acteurs, tous interconnectés, ont chacun leurs moments d'enthousiasme et de dépression. Et où parfois, belle surprise, un mécanisme de solidarité européenne joue pleinement son rôle, comme avec la Banque centrale européenne de Mario Draghi aux prises avec la crise de 2008.

Une Europe qui a tant de mal à se poser les vraies questions qui la minent. À quand la véritable intégration Ouest-Est ? À quand la préférence d'achat européenne pour les commandes publiques stratégiques (Buy European Act) ? Voulons-nous garder notre indépendance dans la conquête de l'espace ? Comment humidifier la poudrière balkanique toujours prête à se rallumer sur les cendres chaudes des conflits culturels et religieux, culminant avec la paralysie de la Bosnie-Herzégovine ? Qui sauvera les universités du sud de l'Europe de la fuite des cerveaux ? L'OTAN finira-t-il par se résumer à un club de soutien aux nations traumatisées par la Russie, et si oui, comment conjurer cette caricature au profit d'une véritable défense européenne ? Comment garantir la souveraineté européenne dans la conquête de l'espace à l'heure où SpaceX semble marcher sur l'eau pour révolutionner l'industrie des lanceurs ? Quelle politique européenne pour la stabilité climatique et environnementale ? pour la justice fiscale et sociale ?

Une Europe où les grands débats prennent vite un tour traumatique et parfois hystérique depuis le statut juridique des organismes obtenus par génie génétique jusqu'à la fiscalité des GAFAM [1] en passant par l'accord du Brexit.

Une Europe qui passe pour coûter cher alors que son budget est dérisoire – 1 % du PIB des États qui la composent [2]. Une

---

1. Acronyme désignant les géants américains du numérique : Google, Apple, Facebook, Amazon, Microsoft.
2. Pour comparaison : budget fédéral des États-Unis, 30 % du PIB ; budget de l'État français, 15 % du PIB ; budget de l'État fédéral allemand, 11 % du PIB.

Europe dont les dirigeants débattent des années durant pour en augmenter le budget de quelques pour cent, quand il faudrait le tripler ou le quadrupler pour répondre aux vrais besoins.

Une Europe incapable même de faire la publicité de ses succès, que ce soient les réseaux thématiques scientifiques dont j'ai profité ou les alliances d'innovation occupés à concevoir la technologie de demain. Une Europe dont la diversité de cultures représentera un extraordinaire atout dans l'adoption de ces nouvelles technologies, mais qui pour l'instant ne parvient pas à se coordonner, échouant même à introduire un passeport européen, un droit des entreprises européennes, une politique fiscale européenne.

Une Europe qui s'arrête à juste titre aux portes de la Turquie, mais qui devrait d'urgence s'étendre dans les Balkans et qui, pour des raisons culturelles et historiques, ne sera complète que lorsqu'elle comprendra toute l'Europe géographique, y compris l'Islande, la Grande-Bretagne et la Russie. Nous en sommes bien loin.

Une Europe encore insaisissable, en limbes ou en lambeaux, dont on considérait généralement qu'il fallait éviter d'en parler ! Et que pourtant nous n'avons pas eu peur d'évoquer dans l'élection présidentielle de 2017 comme un enjeu majeur pour la France. Une Europe qui est devenue un ciment pour les Marcheurs, rêvant d'un continent plus structuré, assumant un protectionnisme économique raisonné, une protection sociale résolue, une convergence fiscale, mais aussi des projets éducatifs, culturels, entrepreneuriaux, scientifiques et technologiques. Bâtie autour d'un couple franco-allemand si peu spontané et cependant indispensable, un couple dont la réconciliation était le but premier de la construction européenne.

Une Europe qui prend son temps pour s'imposer, mais qui a besoin de temps comme toutes les grandes constructions politiques. N'a-t-il pas fallu compter plus de quatre-vingts ans entre la proclamation de la République française en 1792 et son avènement effectif en 1875 ? Entre la Déclaration d'indépendance des États-Unis en 1776 et leur stabilisation en 1865 ?

Une Europe encore en gestation, à laquelle certains des politiques français les plus visionnaires n'ont jamais cessé de croire, qu'ils s'appellent Jean Monnet, Jacques Delors ou Simone Veil, et qui vibrait toujours, en septembre 2017, à l'occasion du beau discours d'Emmanuel Macron à la Sorbonne.

Mais l'Europe, pour moi, ne date pas de mon engagement national. Ce fut mon premier engagement politique, dès 2010, au sein du laboratoire d'idées (think tank) EuropaNova.

Pendant sept ans, pour l'Europe, j'ai écrit des tribunes, organisé des conférences, prononcé des discours, sans craindre de me définir comme un fédéraliste. J'ai parlé de l'Europe politique, de l'Europe des sciences, de l'Europe du sens et des valeurs, de l'Europe sociale, de l'Europe des grands projets, de l'Europe de l'histoire, de la culture et des talents, de l'Europe qui tente de maintenir sa souveraineté face à l'Amérique, à l'Asie, aux gigantesques géants de l'économie numérique.

J'ai profité de mes invitations scientifiques pour arpenter toute l'Europe, de Reykjavik à Athènes, en visitant systématiquement tous les pays ou presque. Pour bien connaître mon sujet, j'ai fréquenté tous les lieux européens imaginables, depuis le festival culturel d'Édimbourg à celui de Bregenz, du Web Summit de Lisbonne au Forum économique de Saint-Pétersbourg.

J'ai siégé au premier Conseil scientifique de la Commission européenne ; je l'avoue, j'ai rarement eu autant l'impression de travailler en vain, entre inertie et intrigues, et je crois que pas une de nos recommandations n'a été suivie d'effet.

Malgré cela, j'ai été partant pour siéger au second Conseil scientifique de la Commission européenne dont la construction administrative, le secrétariat et le positionnement avaient été repensés en profondeur : cette fois ce fut un succès, et j'ai eu le plaisir, aux côtés de scientifiques de nationalités variées, d'approfondir des sujets aussi riches que la cybersécurité ou les nouvelles techniques de génie génétique.

J'ai plongé dans les arcanes de Bruxelles, travaillé avec des commissaires européens, au premier chef le jeune et brillant commissaire de l'Enseignement supérieur et de la Recherche, Carlos Moedas.

Pour les besoins de débats et discours, j'ai chargé la barque d'un emploi du temps déjà saturé, frôlant parfois le déraisonnable. Ainsi en 2017, pour la célébration des soixante ans du traité de Rome, la Commission m'avait invité à être l'un des trois orateurs du dîner de clôture : j'ai mis un point d'honneur à participer à cet anniversaire emblématique malgré les contorsions auxquelles cela me forçait pour le retour – quatre heures de taxi de nuit de Rome à Gênes, puis le premier vol pour Paris, puis une moto-taxi qui me déposa pile à l'heure pour un rendez-vous incontournable au lendemain de mon intervention.

Sept années à défendre l'Europe.

Tout le monde s'en foutait. Ou presque.

Le débat européen était quasi inaudible au sein de la politique nationale. C'est à peine si l'Europe fut considérée comme un enjeu sérieux pour la présidentielle de 2012.

Maintenant que la politique nationale m'a apporté davantage de résonance, je vais prendre une petite revanche et redire pour une audience plus vaste ce que j'ai dit sur tous les tons, au fil des ans, dans des cercles bien plus restreints.

Pour les amoureux de l'Europe, il y a urgence à faire passer les messages : les prochaines élections européennes s'annoncent à haut risque, et l'un des enjeux en est de savoir si l'on continue six décennies d'intégration européenne ou si l'on jette l'éponge !

Parmi mes thèmes favoris, il y a d'abord le nécessaire passage d'une Europe simplement régulée à une Europe coordonnée, capable de définir une politique étrangère, une politique de recherche et d'innovation, une politique tout court ; sans quoi elle ne pèsera guère dans le monde qui se prépare. C'est le thème du discours que j'ai prononcé aux états généraux de l'Europe en 2012, reproduit en complément à ce chapitre.

Un autre thème qui m'est cher depuis des années est celui des grands projets à l'échelle européenne ; cela était aussi au cœur du programme du candidat Macron. L'Europe a commencé par le grand projet de l'industrie du charbon et de l'acier, mais aussi avec le Conseil européen pour la recherche nucléaire (CERN), fondé dans l'idéal du fédéralisme européen tout autant que celui de la recherche scientifique. Aujourd'hui, le CERN est la plus grande collaboration scientifique du monde, la plus internationale, sans doute aussi la plus respectée. L'Agence spatiale européenne a fait des miracles en envoyant la sonde *Rosetta* sur la comète Tchouri. L'entreprise européenne Airbus a bouleversé le paysage de l'aviation, et le programme de recherche européen Clean Sky conçoit l'aéronautique innovante de demain à faible empreinte carbone. Le Conseil européen de la recherche (ERC) soutient l'excellence en recherche scientifique à travers toute l'Europe. Aucun de ces grands programmes n'aurait pu se faire à échelle nationale.

Pour bien des grands problèmes à venir, la taille de l'Europe sera indispensable aussi. Dans le domaine de l'IA, aucun pays européen ne pourra concurrencer l'aigle américain ou le dragon chinois : question de taille de marché intérieur, de budget disponible, mais aussi de réservoir de talents et de diversité des compétences. En revanche, pour une Europe unie, c'est un défi qui peut se relever et qui est en train de progresser. Une action emblématique est la création toute récente d'une agence européenne de calcul intensif, EuroHPC, qui fournira aux laboratoires d'IA européens une précieuse puissance de calcul.

Parlons de la cybersécurité : un défi majeur de demain, pour lequel nous nous préparons bien trop frileusement ! À l'été 2017, une cyberattaque venue de Russie a dévasté l'Ukraine : les dégâts collatéraux en France se sont comptés en centaines de millions d'euros, perdus en quelques heures, et nos experts nous indiquent que c'est seulement un avant-goût ! Sur ce thème, le Conseil scientifique de la Commission européenne avait consulté près d'une centaine d'experts ; nous sommes allés de surprise en surprise. La grande vedette du sujet, Adi Shamir, a montré comment déchiffrer une clé secrète rien qu'en écoutant le bruit d'un ordinateur. Une équipe de recherche a prouvé qu'un seul saboteur dans une usine de microprocesseurs peut suffire à organiser leur piratage futur. Lors de certaines attaques spectaculaires, des caméras de surveillance ont uni leurs efforts par milliers pour attaquer un serveur. La liste des miracles pourrait continuer ! Et un thème qui se dégageait était que la cybersécurité n'est pas vraiment une science : expériences rarement possibles, menaces mal connues et changeantes, sécurité jamais parfaite... la culture, l'engagement citoyen, l'économie, le juridique, le politique y sont étroitement imbriqués. Si bien qu'un expert suggérait d'intituler notre rapport « De la souveraineté européenne » ! Nous avons opté pour un plus classique « Cybersécurité dans le marché unique numérique », mais le message était passé. Et ce qui était frappant aussi, c'était de réaliser que pour bien aborder le sujet, il y avait besoin de toute la panoplie d'expertises et d'expériences dans l'Union européenne – avec l'Estonie, la meilleure expertise en e-gouvernance ; avec la France, la recherche de pointe en certification automatique ; avec la Suisse, les techniques les plus avancées de confidentialité modulaire ; sans oublier les experts du plus haut niveau qui résident en Allemagne, en Angleterre, aux Pays-Bas, en Israël et ailleurs. Sans aucun doute, la cybersécurité de demain devra se penser non seulement aux échelons nationaux, mais aussi à l'échelle européenne.

Pour la souveraineté numérique européenne, l'Union a su mettre en mouvement ce qu'elle sait faire le mieux : la régulation. Et cette fois en bien ! Le Règlement général de protection des données (RGPD), dont j'avais amplement discuté dans le cadre de ma mission européenne sur la cybersécurité, s'est retrouvé aussi au cœur des débats de ma mission française sur l'IA, né du besoin de protéger la vie privée des citoyens, d'éviter le fichage massif et le profilage, de limiter la manipulation des opinions et des comportements. Les Européens ont eu beaucoup de mal à s'entendre sur ce texte, et c'est bien le scandale lié à l'affaire Snowden qui a permis de faire converger les négociations tant la peur est un puissant levier d'union... Aujourd'hui, le RGPD offre à l'Europe le plus haut niveau de protection légale des individus ;

il vient avec de fortes sanctions *a posteriori*, qui n'empêchent pas l'initiative entrepreneuriale ; il a été accepté par tous les grands acteurs, y compris les multinationales américaines qui s'y sont très vite adaptées après avoir rechigné ; il fait école puisque d'autres pays en dehors de l'Europe, comme le Canada, s'apprêtent à le reprendre.

Le RGPD est une de ces réalisations qui peuvent nous rendre fiers de l'Europe, même dans son état actuel inachevé : issu de l'initiative d'un parlementaire européen allemand (Parti écologiste), ce règlement s'est finalement imposé à toute l'Union, en quelques années ; il aurait fallu attendre des décennies si on avait laissé les différents pays faire évoluer leur réglementation indépendamment ! Et en même temps, le RGPD nous incite à la prudence : c'est sa mise en œuvre par les entreprises et les administrations, c'est la jurisprudence et l'évaluation qui permettront de vérifier qu'il ne se développera pas de façon paralysante, ne pèsera pas sur les petits acteurs inoffensifs, qu'il ne subira pas les mêmes confusions que le principe de précaution (adopté comme principe d'action et aujourd'hui de plus en plus invoqué comme principe d'inaction).

Pour mieux protéger, une étape indispensable sera le juste traitement des géants américains que sont les Google, Apple, Facebook, Amazon, Microsoft, si gigantesques qu'ils défient les lois de la concurrence, si internationaux que l'on ne peut plus savoir où ils créent de la valeur, si bien implantés qu'ils ont pu organiser, à l'occasion du vote de la directive sur les droits d'auteur et les droits voisins par le Parlement européen, la plus grande campagne de lobbying jamais vue. La France porte un combat pour une taxation mieux appropriée à ces êtres économiques singuliers, mais qu'il est difficile de se faire entendre avec une Allemagne politiquement affaiblie et une Europe nordique qui craint que cela n'envoie un message anti-innovation ! Réguler et encourager en même temps, c'est tout l'enjeu dans le monde actuel… Et c'est en ces occasions que l'on ressent, toujours aussi durement, le besoin de passer de la régulation à la coordination structurelle.

Ce ne sera qu'une étape parmi toute une longue liste à venir. La souveraineté européenne passera aussi par la relance d'une industrie informatique (*hardware*), sans quoi il sera impossible de garantir la sécurité des machines sensibles. Par la création d'une industrie de batteries et peut-être de panneaux solaires, sans quoi nous resterons dépendants de l'Asie dans tout notre secteur énergétique. Là encore, les besoins d'investissement et de marché nous forceront à les envisager en tant qu'Européens.

Est-il besoin de continuer la liste ? Pour relever le défi climatique au moment où il est si dur de convaincre les nations, évidemment, nous aurons besoin plus que jamais de coordination européenne. Pour accompagner l'évolution des biotechnologies. Pour réguler les grandes migrations. Pour assurer la sécurité et la protection des Européens. Pour leur garantir un approvisionnement en énergie propre. Pour accompagner le formidable défi de la croissance économique africaine. Pour défendre ce en quoi nous croyons et à quoi nous tenons.

Pourtant, ce serait une erreur que de se lancer dans tous ces combats techniques en négligeant les aspects humains, la cohésion entre Européens.

Un des thèmes que je ressasse depuis des années est justement le besoin de parler de l'Europe, de la faire connaître et de la faire vivre à travers des campagnes d'information et de communication. Après le Brexit, on a bien compris que c'était une urgence vitale que de parler d'Europe au quotidien à ses citoyens, car on n'aime pas ce que l'on ne connaît pas, et ce qui n'est pas aimé disparaît. En France, j'ai d'ailleurs participé à une campagne de communication pour l'Europe organisée par le ministère des Affaires européennes, pour dire en quelques mots, à partir d'expérience vécue, combien il est important de participer au débat européen.

Un autre de mes refrains est le besoin de communication entre Européens, au-delà des barrières linguistiques et culturelles : rencontres, voyages, événements culturels, dès l'enfance. Une très notable avancée, tout récemment, a été la possibilité de téléphoner d'un coin à l'autre de l'Europe sans payer de surcoût. Le programme Erasmus+ en était une autre : il insistait sur la formation des étudiants, mais aussi de multiples corps de métiers ; pour le bien de l'Europe, il aurait dû être encore plus ambitieux. Pour le reste, les progrès n'ont pas été légion. À titre personnel, toutes les initiatives que j'ai vu se discuter au Conseil scientifique de la Commission européenne (par exemple un programme de traductions systématiques d'œuvres inspirantes d'une langue à l'autre, ou bien la distribution subventionnée d'un recueil d'histoires scientifiques créées par un panel de scientifiques européens) se sont brisées sur les écueils de la Machine administrative, de la Viscosité ou de l'Inertie. Et la grande question reste posée : dans quelle mesure la traduction automatique va-t-elle bouleverser l'Europe, elle dont on a dit que sa langue EST la traduction ?

Aucun projet politique ne se monte sans slogans, sans valeurs répétées inlassablement, sans récits fondateurs partagés, sans hymnes. J'ai toujours été sceptique devant l'hymne européen (n'est-ce pas une joie à marche forcée ?), mais je n'ai aucune réserve sur la belle devise de l'Union, choisie par consultation auprès de jeunes Européens. Elle reflète à merveille le projet européen : Unité dans la Diversité. Nos jeunes, dans toute l'Europe, doivent la connaître et la comprendre tout aussi naturellement que les petits Français savent « Liberté, Égalité, Fraternité ».

Et aucun projet politique ne se monte sans une part de rêve et de fierté ; c'est bien pourquoi, dans mon discours aux états généraux de l'Europe, j'ajoutai le mot « rêve » aux mots d'« unité » et de « diversité ».

La communication politique passe aussi par les symboles, et nous ne les utilisons pas assez. Paris regorge de symboles d'unité nationale, mais où sont les monuments qui symbolisent l'unité européenne ? Combien de Français ont visité la modeste et très inspirante maison de Jean Monnet ? Combien de drapeaux européens dans nos rues ? Voici une anecdote : en voyage en famille aux États-Unis avec deux jeunes enfants à occuper pendant de longs trajets en voiture, j'avais découvert que compter les drapeaux américains est un excellent jeu, car les « Stars and Stripes » se présentent par centaines sur votre chemin ! En revanche, si vous comptez les drapeaux européens dans vos déplacements en France, vous n'irez pas loin… D'ailleurs, même les drapeaux français ne sont pas légion. Pour ma part, c'est avec fierté que j'ai fait réinstaller sur la façade de l'Institut Henri-Poincaré le drapeau de la France et celui de l'Europe.

Un des textes les plus inspirants que je connaisse sur l'Europe est dû à l'écrivain roumain Mircea Cartarescu : *L'Europe a la forme de mon cerveau*. Il nous rappelle que le plus important combat dans une union politique est celui de la culture, de l'intégration, des récits partagés, du respect entre les citoyens ; et que nous n'avons pas réussi, hier comme aujourd'hui, cette intégration multinationale dans l'Europe. En particulier pour l'Europe de l'Est : combien de trésors d'intelligence y sont sous-exploités ? Combien d'étudiants brillants y voient leurs carrières freinées par le manque d'opportunités, ou par le conservatisme universitaire local, ou au contraire choisissent d'aller directement faire carrière en Amérique ? « Si nous faisions pour les matières premières la même politique de captation de ressources que pour les cerveaux », disait un jour un collègue américain à un diplomate français basé en Roumanie, « ce serait la guerre ». De fait, ce sont des gisements entiers de richesse humaine que l'Europe n'a pas encore su exploiter et laisse échapper par manque de connaissance ou par myopie. Et ce que je dis pour les étudiants vaut aussi pour la culture : l'Est a tant à nous apprendre, et encore plus si nous cessons de les considérer comme juste des Européens de l'Est.

Et ce débat est encore plus important maintenant, à l'heure où l'Europe de l'Est se retrouve plus tiraillée que jamais entre les pays du groupe de Visegrad qui semblent acquis à une ligne antieuropéenne et les États baltiques, effrayés par le grand voisin russe, plus proeuropéens que l'Europe de l'Ouest !

Et si ce combat politique est si difficile, c'est bien aussi parce que tous les États européens ont une vision différente de ce que doit être l'Union européenne. N'est-ce pas, à l'échelle des nations, le même problème qu'en politique en général ? Tous les citoyens ont des visions différentes, et il faut bien s'organiser pour faire quelque chose. Et le remède est le même : en parler, encore et toujours.

Alors, en second complément à ce chapitre, je vous proposerai un autre texte, plus récent et plus libre dans son écriture, intitulé *En quête d'Europe*, inspiré de mon expérience de militant européen et des discussions en porte à porte que j'ai pu avoir durant la Grande Marche européenne organisée par notre mouvement pour prendre le pouls des citoyens.

Gageons que, pour évoquer ce projet politique inédit dans l'histoire des humains, les rares moments de discussion prévus par le rythme politique déjà en place – Conseils européens, élections européennes – ne suffiront pas.

Cela aussi était dans notre programme : nous avons besoin de bien plus d'espaces de discussion sur le sens de l'Europe.

Régulation et coordination

Voici le texte de mon discours au dîner de clôture de l'édition 2012 de l'État de l'Union européenne. Cet événement, destiné à des acteurs économiques et décideurs, est le pendant européen des états généraux de la France. À l'issue de mon discours, des participants m'ont demandé si j'étais prêt à aller le répéter à Bruxelles… Oui, bien évidemment, mais il en faut bien plus pour faire valoir son point de vue !

Chers collègues, chers amis,

Hier, je donnais une conférence à Grenoble, devant près de mille personnes. Jeunes et vieux, scientifiques et non-scientifiques, ils m'ont écouté avec leur cœur et leur esprit grands ouverts pendant près de deux heures. Je parlais d'Henri Poincaré, qui est mort il y a cent ans, le plus grand mathématicien de son temps, et l'un des plus grands de l'histoire. Je parlais aussi de ce qu'il représentait. Un grand mathématicien, un grand physicien, un ingénieur, et aussi un homme qui s'adressait à tous, écrivant pour la société entière et en particulier pour les enfants. Un symbole de lien et d'unité – entre les sciences, entre science et société, entre générations – un symbole unificateur.

Et hier, tous ces gens étaient aussi unis et concentrés alors que je parlais de Poincaré. J'ai lu des pages entières de ses réflexions philosophiques sur la créativité et l'intelligence, des pages que tout étudiant devrait connaître, et tout cadre aussi d'ailleurs. Il parlait de la pensée, qui est une question éternelle, et c'est pourquoi le travail de Poincaré sera encore étudié dans cent ans.

« La pensée n'est qu'un éclair dans une longue nuit, mais c'est cet éclair qui est tout. »

À l'époque de Poincaré, des temps sombres se profilaient, et les meilleures pensées ne parvinrent pas à éviter le désastre. Henri Poincaré avait connu la guerre et l'Occupation dès l'âge de seize ans. Il avait appris l'allemand, qu'il parlait parfaitement, et beaucoup de son travail serait en forte résonance avec la célèbre école mathématique allemande. Mais il partageait avec sa génération le dur ressentiment de ce qui se passait alors en territoire occupé et de l'autre côté du Rhin.

À peine deux ans après la mort de Poincaré, la France, sous la présidence de son cousin Raymond, se précipita dans le suicide que nous connaissons. Les deux nations qui étaient sans doute les plus avancées et innovantes dans le monde à cette époque, se sont jetées au conflit, en partie forcées par les alliances, en partie ravies de pouvoir enfin en découdre. L'un des plus absurdes et horribles massacres que nous ayons jamais vu.

Aujourd'hui, il y a un grand lycée Henri-Poincaré à Nancy en l'honneur du grand homme et, près de l'entrée, on trouve, comme dans tant de lycées de France, un monument avec la si longue liste de victimes de la Première Guerre mondiale, tous morts pour des raisons que personne ne peut se rappeler.

C'était le début d'une longue période de ténèbres. Une guerre, deux guerres, et l'on se dit, plus jamais. On se dit que l'on voulait sécuriser la paix, et l'on comprit que l'ennemi n'est pas l'étranger, l'ennemi est en nous. L'ennemi, c'est la peur et l'isolement ; et nous devons donc accepter et connaître l'autre, et travailler avec lui, car connaître et aimer sont intimement liés, et travailler ensemble à un projet commun est l'un des meilleurs moyens de créer des liens. Vinrent les pères fondateurs de l'Europe qui changèrent le monde avec un plan soigneusement préparé pour favoriser le commerce entre pays.

Et ils avaient un rêve : que les peuples de toute l'Europe commerceraient pacifiquement et échangeraient des biens, des idées et des citoyens. Qu'il n'y aurait plus de barrières à travers l'Europe, de même que la science ne connaît pas de frontières.

Et c'est vrai qu'elle ne connaît pas de frontières ! Dans mes exposés scientifiques, il y a des contributions de mathématiciens de France, d'Allemagne, du Canada, des États-Unis d'Amérique, de Hongrie, de Grande-Bretagne, d'Autriche, de Russie, de Suède, d'Italie, de Suisse... de partout ! Contrairement à ce que les gens voulaient croire il y a cent ans, en temps de guerre, la science et l'art ne connaissent pas les frontières. Ce qui ne veut pas dire qu'ils sont les mêmes partout, bien au contraire. Ils diffèrent de pays en pays et de culture en culture, et les scientifiques diffèrent aussi. Et les scientifiques et les artistes voyagent pour échanger des idées et parler de leurs différences et d'autres choses. Je connais cela dans mon cœur, j'ai visité toute l'Europe ou presque, et un jour je l'aurai visitée entièrement, pour travailler, discourir, rencontrer. Des rencontres en Italie, en Allemagne, aux États-Unis ont changé ma vie et m'ont enrichi.

Une partie du rêve européen s'est réalisée quand on instaura des échanges d'étudiants. C'était les étudiants Erasmus, à travers toute l'Europe. Pour les gens de ma génération, c'est sans doute le meilleur de l'Europe ; certains pensent même que c'est, à ce jour, la seule vraiment bonne chose qui a émergé de l'Europe. Avec un nom plein de sens, Érasme, symbole de la Renaissance, qui avec ses pensées a aidé à construire une ère de progrès et à définir les valeurs avec lesquelles nous vivons. On dit qu'au moment de la mort d'Érasme, ses écrits représentaient 15 % de toutes les ventes de livres, imaginez l'impact qu'il a eu par la force de sa pensée ! Construisant, à travers des échanges d'idées, quelque chose de beau.

Les voyages Erasmus sont un moyen de bâtir par les échanges, de bâtir une communauté d'idées. Et une construction belle dans sa diversité – car la beauté vient presque toujours de la rencontre de plusieurs points de vue – et puissante, car la diversité est puissante.

La diversité est une force, c'est une loi générale du monde. Les villes innovantes sont diverses, comme l'était Paris déjà en 1900, la cité la plus innovante et la plus internationale du monde, organisant le rassemblement le plus international de l'histoire de l'humanité, l'Exposition universelle de Paris.

La diversité est une force en science, et c'est toujours par confrontation de points de vue différents que la science progresse. Rien d'étonnant à ce que, après la Première Guerre mondiale, quand le temps vint de rebâtir la science française et la splendide école mathématique française tombée en ruines, les mathématiciens de France et des États-Unis d'Amérique purent convaincre les gouvernements et les banquiers de créer un nouvel institut à Paris. Un institut dont le but principal serait d'attirer des invités venus du monde entier pour des conférences ; car ce mouvement et cette agitation sont nécessaires pour la santé de la science. L'institut fut naturellement nommé Institut Henri-Poincaré, et j'en suis le fier directeur.

La diversité est certainement une force dans les êtres vivants, si importante pour résister aux épidémies. La diversité d'expériences et de cultures est une force. Je suis fier de mes origines génétiques variées, et de mes racines scientifiques variées – analyse, probabilité, mécanique statistique, géométrie… Les travaux qui m'ont valu des récompenses ont surgi quand mes collaborateurs et moi-même avons pu faire des liens entre des champs et des idées variées des sciences mathématiques.

La diversité est encore une force dans le système éducatif, aussi, avec des gens formés de façons différentes et par des habitudes variées. En France, nous avons la chance d'avoir l'université et les grandes écoles. Que de complications ! Mais quand c'est bien utilisé, c'est si puissant ! La tradition des grandes écoles, fondées après la Révolution, est l'une des explications des grands succès de la France en sciences.

La diversité est aussi une force dans une entreprise ; je pense que beaucoup d'entre vous dans cette audience tomberont d'accord avec moi pour dire que le plus important trésor d'un patron, c'est les ressources humaines qu'il ou elle a pu rassembler pour collaborer sur un projet commun, avec leurs compétences variées, dans un même but, et c'est bien plus puissant que d'avoir des gens identiques.

Ce qui m'amène au point suivant : oui, la diversité est une force et une richesse, mais seulement quand elle est unifiée dans un but commun. Des valeurs communes, comme en sciences ; ou la reproduction, pour une espèce. Ou la confiance dans une entreprise, l'enthousiasme dans un projet. Quand les messages sont rappelés encore et encore pour donner sens aux actions.

Même chose en Europe. Nous avons la diversité, les compétences, la richesse, des citoyens éduqués, l'innovation, l'expérience du passé, tout ! Mais tout cela ne peut fonctionner que si chaque citoyen en Europe comprend son sens et son but, et la place qu'il ou elle a dedans.

Nous en sommes si loin !

Où est le but commun, où est la politique commune, où est la coordination, où la voyons-nous ?

Je ne parle pas des règles et des accords, c'est de la régulation, pas de la coordination. Ce sont des vérifications et des sanctions, et des règles à la fin, qui sont appliquées littéralement plutôt que dans l'esprit. Comment cela peut-il fonctionner ?

Pensez à votre entreprise si elle n'a pas de plan commun mais que tout le monde suit un plan personnel, à sa guise, et vous imposez juste qu'ils ne doivent pas faire moins de ceci, plus de tant d'heures comme cela, et ainsi de suite.

Ou pensez à votre propre organisme s'il n'est pas coordonné. Seulement régulé. Avec des règles qui disent que tel organe ne peut envoyer plus de tel ou tel signal chimique. Ou que, si votre main se brûle dans un brasier, vous commencez par la punir avant de la retirer du feu !

Un organisme non coordonné ne survivrait pas longtemps dans un environnement agressif, dangereux. Ce qui nous permet de survivre, c'est bien la coordination, la politique globale que nos organes adoptent avec le cerveau, le cœur, les muscles, jouant tous leur rôle, et c'est bien ainsi que nous survivons à la pression externe et aux changements d'environnement, aux prédateurs.

Et aujourd'hui, l'Europe, je le sens comme ce corps non coordonné. Le monde autour d'elle change radicalement, avec un environnement très agressif. Le leadership économique américain est en train de basculer vers la Chine. La révolution numérique a changé notre monde. En science aussi, tout a changé. Alors qu'il y a un siècle, le pays dominant en sciences expérimentales était l'Allemagne, c'est devenu ensuite les États-Unis, cela l'est encore maintenant, mais avec tant d'étudiants chinois que l'avenir est peut-être entre leurs mains. La surpopulation, la crise énergétique sont là plus que jamais.

Pour cela et bien d'autres problèmes globaux, certainement l'échelle des pays n'est plus suffisante. Nous avons besoin du niveau supérieur, ou bien les décisions ne seront pas effectives. Même quand les nations s'accordent, cela ne suffit pas. Voyez la stratégie de Lisbonne ! Un jour, les nations d'Europe se sont entendues pour augmenter leurs investissements de R&D, avec un plan et une ambition. Est-ce qu'ils l'ont fait ? Non. Et de même pour les règles qu'elles se sont imposées sur les déficits. Et de même pour presque toute bonne résolution qu'elles ont prise !

Sans modèle intégré de coordination, nous mourrons. Et il nous faut travailler sur la structure, car tout le reste a échoué. Mais pour cela, nous avons besoin du soutien des citoyens. Nous pouvons les inciter, mais il faut *a minima* les informer du plan et du but, et leur permettre de se former une image, de se représenter le bien qu'ils peuvent tirer de la construction européenne.

Où en sommes-nous en Europe avec le débat public ? Avec les valeurs ? Aux élections présidentielles de 2012, presque personne n'a parlé d'Europe. Ils sont si rares, les politiciens que l'on identifie à l'Europe ! La tendance est au conservatisme et à la peur. Les mouvements européens sont inaudibles. On m'a passé une liste d'associations et de partis proeuropéens : plus de trente, dont aucun n'est visible du grand public. Le débat proeuropéen n'est pas dans la rue !

Et une fois le sens perdu, les gens ne voient plus le plan. Comme une maladie auto-immune, l'Europe s'attaque elle-même. Avec des barrières qui sont dans nos propres cerveaux, et avec la bureaucratie.

La semaine dernière, je discutais avec le secrétaire général de l'IHES, une institution extrêmement prestigieuse près de Paris, il m'a dit : « L'Europe, il faut s'en méfier comme de la peste. » Quoi !

Rien d'étonnant : le contrôle qu'il a subi de l'Union européenne a été l'expérience la plus douloureuse qu'il ait jamais connue. Des inspecteurs intelligents, examinant tout, traumatisant le personnel, commandant plus de cent mémos, réclamant à la fin le remboursement de presque 10 % du budget annuel ! Pour aucune raison valable de fond – juste des régulations inadaptées, des formulaires manquants, des étudiants qui travaillaient trop !

Que cela prend du temps, de l'énergie, de l'influence, pour réparer tout cela ! Est-ce l'Europe que nous voulons ? Bien sûr que non. En tant que directeur d'institut, je n'ai même pas tenté de candidater pour des fonds européens : trop compliqué, trop dangereux [1]. Il me faudrait des experts pour candidater. Et la possibilité de voir l'argent réclamé ensuite, parce que, qui sait, un étudiant financé par l'argent européen a commis le crime de discuter, lors d'un colloque, avec des gens qui ne sont pas dans le même groupe !

Pas brillant ! Et où est le message de solidarité ? On a parlé de la solidarité entre Allemagne de l'Est et Allemagne de l'Ouest. Je me souviens il y

---

1. Depuis lors, des progrès ont été faits, je dois le reconnaître, et l'Europe a su simplifier les mécanismes de candidature !

a dix-huit ans, d'avoir passé un peu de temps en Allemagne, j'étais fasciné par de grands panneaux publicitaires pour la solidarité. *Kaum war die Mauer geoffnet, haben wir Freundschaft geschlossen.* À peine le mur était-il ouvert, nous avons fermé l'amitié. J'étais touché, et si je m'en souviens, dix-huit ans plus tard, cela veut dire quelque chose. La réunification allemande ne s'est pas faite facilement, on le sait, mais elle s'est faite ! Et maintenant, où sont les publicités pour la solidarité entre pays européens, pour toutes les nations européennes dans le besoin ?

Le travail à faire, il est dans les plans des dirigeants, et dans la tête de tout le monde. Car tout le monde en Europe doit pouvoir rêver d'Europe. Rien ne se fera si les citoyens ne croient pas en l'Europe et n'aiment pas l'Europe, et ne se pensent pas comme Européens. Comme la course pour la Lune n'aurait pas fonctionné si elle n'avait pas fait rêver les citoyens américains – tous les citoyens américains, quel que soit leur État.

Et ce rêve doit être stable dans le temps. Comme chaque employé d'une entreprise doit avoir en soi l'image de l'entreprise et de sa stratégie d'ensemble. Comme chaque scientifique se fait une image mentale de sa théorie, comme chaque individu se fait une image mentale d'un être aimé.

Et si l'image n'est pas belle, elle ne survivra pas. Elle doit venir avec des histoires, car nous aimons tous entendre des histoires. Elle doit venir avec des symboles, des objets, des emplacements qui pourront nourrir l'imagination et l'intuition des citoyens. Et quelques concepts pour expliquer le sens de l'Europe. La diversité, le développement durable, le progrès, l'unité, nous devons le répéter et le dire à nos enfants. Un rêve partagé plutôt que des normes et standards.

Je rêve qu'un jour, tous les enfants de toutes les écoles d'Europe s'entendront dire qu'ils sont européens, qu'ils rencontrent et jouent avec les enfants de partout ailleurs en Europe. Car les enfants n'ont pas besoin de mots pour jouer et interagir. Les enfants ne sont-ils pas l'état supérieur de l'humanité ? Ils peuvent devenir tout, ils n'ont pas de préjugés, ils peuvent sentir la fraternité sans les mots. Et je crois que nous devons agir dans les écoles qui feront l'Europe de demain. Quand nos enfants se rencontreront dans des endroits symboliques qui ont façonné l'Europe, dans la joie ou dans le sang. Et ils pourront jouer ensemble, éliminer la peur de l'autre, faire partie du plus grand rêve commun partagé par tous les peuples d'Europe.

*

421

En quête d'Europe

Ce texte a été composé pour la Fête de l'Europe, le 8 mai 2018, dans la foulée de la Grande Marche européenne. Dans la forme, il s'inspire librement d'un magnifique texte du chanteur italien Giorgio Gaber, Qualcuno era comunista, dans un de ses spectacles uniques en leur genre qui mêlaient art, politique, humour, humanisme. J'espère que mes collègues communistes, conscients du respect que je leur porte, ne me tiendront pas rigueur de ce détournement au profit de l'idéal européen.

Bonjour… C'est votre député !

Non, on ne veut absolument pas vous déranger, je sais que c'est le week-end… J'habite pas loin, et mon collègue est de Verrières. Aujourd'hui, c'est la Grande Marche européenne. Vous avez bien quelques minutes ?

Voilà, c'est pour vous parler d'Europe. Ou plutôt pour vous écouter parler d'Europe ! Vous savez qu'il y a bientôt des élections européennes ? Non ? Eh voilà, c'est l'occasion ! Il s'agira d'élire vos représentants au Parlement européen… Non, ce n'est pas la Commission… Vous connaissez des parlementaires européens ? Des commissaires européens ? Ou le président de la Commission ? Non ? Bruxelles ? Ah oui, vous connaissez Bruxelles.

Bon, en tout cas, ce qui nous intéresse, c'est surtout de savoir quelle est VOTRE vision, quel est VOTRE rêve européen !

On a déjà entendu vos voisins. Sur l'Europe, ils ont tous des avis divers… Y a pas deux Europes pareilles !

Ah non, je ne suis pas naïf, je suis bien conscient qu'il y a tant de soucis : la qualité de services, l'administration, les écoles, les hôpitaux, les impôts. Je sais ! Moi aussi… je vais pas me plaindre, bien sûr, mais j'ai droit à de lourds impôts sur mon autoentreprise et, comme vous, je galère dans les transports en commun.

Mais si on ne pense pas plus large, on va se faire rattraper par la grisaille et on va se faire imposer notre futur… Ce sont les autres continents qui définiront le monde !

Vous pensez que l'Europe, c'est impossible ? Qu'on est trop de pays et qu'on n'arrive plus à décider ? Qu'on est tous différents, qu'on n'y arrivera jamais ?

Mais quand même, pour vous protéger ? Vous avez vu le scandale des vols de données en Amérique ? Vous savez que la loi qui nous protège a été initiée par le Parlement européen ? Ah, vous trouvez normal que l'Europe nous protège ? Il le faudra bien ? Donc c'est quand même nécessaire ?

Vous voulez savoir ce que j'en pense... ? Mais je suis là pour vous écouter, vous savez, pas pour parler ! Je passe déjà tant de temps à parler, ahahah.

Vous voulez vraiment que je vous dise ?

Bon, si vous insistez...

En fait, l'Europe, c'est de là que je viens. Mon engagement politique a commencé parmi les Européens.

Les Européens... je veux dire, ceux qui croient en l'Europe politique. Ceux qui croient qu'on DOIT la faire.

Les Européens ont bien des motivations.

Certains sont européens car ils se sentent héritiers d'un tourbillon culturel multimillénaire.

Certains sont européens parce que leurs ancêtres ont vécu dans leur chair la folie meurtrière de l'Europe et qu'ils veulent juste la paix.

Certains sont européens parce qu'ils rêvent des États-Unis d'Europe de Victor Hugo.

Certains sont européens parce qu'ils voient la Russie comme une menace, les États-Unis comme une cage et la Chine comme un incendie surgissant. Et parce qu'ils veulent construire le futur aux côtés des empires.

Certains sont européens parce qu'ils ressentent un grand besoin de protection.

Certains sont européens parce qu'on leur a appris, à l'école, qu'il fallait être européen.

Certains sont européens parce que l'Europe a été leur école, et qu'ils espèrent un programme Erasmus pour tous leurs petits-enfants.

Certains sont européens parce que la littérature l'exige, la musique l'exige, le théâtre l'exige, la peinture l'exige, le cinéma l'exige, la science l'exige... le monde entier l'exige.

Certains sont européens parce que « l'Histoire est de notre côté ! »

Certains sont européens parce qu'on leur a dit.

Certains sont européens parce qu'on ne leur a pas tout dit.

Certains sont européens parce que leurs aïeux ont été nationalistes.

Certains sont européens parce qu'ils ont compris que les échanges ont besoin d'être favorisés et encadrés.

Certains sont européens parce que Jacques Delors était quelqu'un de bien.

Certains sont européens parce que Charlemagne n'avait pas confié son empire à des gens bien.

Certains sont européens parce qu'ils sont fiers de leur culture mais qu'ils aiment la diversité.

Certains sont européens parce qu'ils aiment boire du vin, de la bière, du pastis, du champagne, du raki, du xérès, de la rakia, de la vodka, du limoncello, de la grappa, de l'ouzo, du kirsch, du boza, et tant d'autres nuances d'alcools qui sont au moins vingt fois plus nombreux en Europe que dans tous les autres continents réunis.

Certains sont européens parce qu'ils ne croient plus en la politique et ont besoin d'un nouvel air.

Certains sont européens parce qu'ils sont tellement fascinés par les explorateurs qu'ils veulent eux-mêmes apprendre en se baladant.

Certains sont européens parce qu'ils n'en peuvent plus d'être baladés.

Certains sont européens parce qu'ils tiennent au respect de la vie privée et aux droits de l'individu face au pouvoir.

Certains sont européens parce que la droite contre la gauche, la guerre médiatique de positions, y en a marre !

Certains sont européens parce que la grande Europe aujourd'hui non, demain peut-être, mais après-demain sûrement...

Certains sont européens parce que Vive Karl Adenauer, Vive Jean Monnet, Vive Robert Schuman !

Certains sont européens pour faire enrager leurs parents.

Certains sont européens parce qu'ils aiment regarder Arte et France 24.

Certains sont européens parce que c'est la mode, certains le sont par principe, certains par frustration.

Certains sont européens parce qu'ils veulent tout organiser par l'Europe.

Certains sont européens parce qu'ils ne connaissent pas les fonctionnaires européens et les froides salles de réunion du palais Berlaymont.

Certains sont européens parce qu'ils ont échangé le « Manifeste européen » contre « l'Évangile selon Schuman ».

Certains sont européens parce qu'ils sont convaincus d'avoir les jeunes avec eux.

Certains sont européens parce qu'ils sont plus européens que les autres.

Certains sont européens parce qu'il y a le Mouvement européen.

Certains sont européens malgré le Mouvement européen.

Certains sont européens parce qu'il n'y a rien de mieux.

Certains sont européens parce que nous avons les pires eurosceptiques du monde !

Certains sont européens parce qu'ils n'en peuvent plus de quarante années de gouvernements de postures et de gestion des urgences.

Certains sont européens parce que le Parthénon, la tour Eiffel, le Festival d'Édimbourg, la gare d'Anvers, les aurores d'Islande, la Piazza San Marco, *Le Livre de Kells*, le folklore bulgare, les musées de curiosités londoniens, la côte Adriatique, les brûlantes sources hongroises, les fjords norvégiens, les marcheurs de Saint-Jacques-de-Compostelle, le théâtre d'ombres tchèque, les châteaux baltes, le Centre européen de recherche nucléaire de Genève, le rock anglais et le hard-rock scandinave, les lacs d'Allemagne, les étourdissantes filles ukrainiennes des chansons, les geeks estoniens, l'université de Coimbra, les bars interlopes de Sarajevo...

Certains sont européens parce que ceux qui rêvent sont européens.

Certains sont européens parce qu'ils ne supportent plus cette chose dégradée que nous appelons débat national.

Certains croient être européens et peut-être sont-ils quelque chose d'autre.

Certains sont européens parce qu'ils rêvent d'un modèle différent des modèles américain et chinois.

Certains sont européens parce qu'ils pensent pouvoir être vivants et heureux seulement si les autres le sont aussi.

Certains sont européens parce que aucune nation prise séparément ne semble pouvoir infléchir la désastreuse trajectoire écologique du monde.

Certains sont européens parce qu'ils ont besoin d'être poussés vers quelque chose de nouveau, parce qu'ils sont prêts à changer chaque jour, parce que c'est peut-être seulement une force, un vol, un rêve, seulement un élan, un désir de changer les choses, de changer la vie.

Certains sont européens parce que, à côté de cet élan, chacun est comme plus que lui-même, comme deux personnes en une. D'un côté, la sensation quotidienne et tangible de sa nationalité, et de l'autre, le sentiment d'appartenir à un continent qui veut prendre son envol pour transformer le monde.

Pendant longtemps, les Européens ont rongé leur frein, ouvrant leurs ailes sans être capables de voler, comme des mouettes hypothétiques. Ils n'osaient même plus s'avouer européens. Le mot fédéraliste était un mot usé, naïf, sclérosé.

Ils se sentaient comme deux personnes encore, d'un côté, le citoyen qui traverse avec force courbettes la misère quotidienne de sa survie, empêtré dans la mélasse nationale chaque jour plus étriquée, et de l'autre, la mouette piteuse, qui n'avait même plus l'intention de voler parce que le rêve s'était rabougri, parce que personne ne semblait plus y croire vraiment en dehors du petit cercle de convaincus ; comme deux misères dans un seul corps.

Ils avaient fini par perdre tout espoir de vol, bien conscients que finalement on ne pourrait pas faire l'Europe sans refaire la France, que l'une et l'autre étaient clouées au sol comme deux oiseaux attachés par la patte.

En 2017, contre toute attente, leur espoir d'Européens s'est vu renaître, sous les traits d'un mouvement qui avait nom En marche.

Certains l'aiment et d'autres pas, mais en France et dans toute l'Europe il a été perçu comme le renouveau de l'espoir européen.

Un espoir que tous les Européens ont dès maintenant l'impérieux devoir de saisir, quel que soit leur pavillon. Car la Grande Europe, ce n'est pas après-demain qu'il faut la faire, c'est demain. Un peu pour le rêve, un peu pour la nécessité…

Un peu pour ne pas mourir, et peut-être un peu par jeu.

Chapitre 25

GRAND QUE PAR CETTE CITÉ

> « La gloire de la France et l'un des plus
> nobles ornements du monde. »
>
> Michel de Montaigne, *Les Essais*,
> Livre III, chapitre IX.

> « Une très ancienne ville est comme une
> mare, avec ses couleurs, ses reflets, ses fraî-
> cheurs et sa bourbe, ses bouillonnements,
> ses maléfices, sa vie latente. »
>
> Jacques Yonnet, *Rue des Maléfices*.

Je ne peux conclure cet ouvrage sans consacrer ce dernier chapitre à un personnage emblématique de la vie politique française,
le seul à faire mieux que Napoléon en termes de prestige et de
volume de littérature (plus d'un ouvrage par jour !) : Paris.

Paris, siège du Parlement et des ministères, a abrité une bonne
partie de l'action de cet ouvrage, mais c'est aussi en soi une cité-
monde, emblématique, qui incarne toutes les tendances, tous les
combats, tous les enjeux – économiques, culturels, techniques,
sociaux, politiques.

À l'approche des municipales, tout le monde se demandera ce que
l'on veut faire de Paris ; mais en attendant ces grands débats, la ville-
monde vaut bien un chapitre en forme de déclaration d'amour.

Chacun, chacune a son Paris. J'ai couché sur le papier, pour les
besoins d'une préface d'un livre consacré au lycée Louis-le-
Grand, les souvenirs de mon arrivée dans la capitale :

« C'est en 1990 que j'ai découvert le lycée Louis-le-Grand. Sur la pente abrupte de la rue Saint-Jacques, des générations de voitures vrombissantes avaient généreusement contribué à la noirceur de la façade, si bien que la prestigieuse institution en était réduite à un prolongement de l'asphalte. Mais dès que l'on franchissait le seuil, on était frappé par les gigantesques espaces sous plafond, les pas qui résonnaient, les interpellations gouailleuses des étudiants les plus âgés. De quoi intimider le lycéen timide et fluet que j'étais, venu de sa province sans plans précis, retrouvant d'autres jeunes venus d'un peu partout en France et d'ailleurs. Pour ma première nuit d'internat, je me suis réchauffé le cœur en écoutant une chanson précieusement repiquée sur une cassette audio (vous vous souvenez des cassettes audio ?) – peut-être *Gérard Lambert* ou *Il changeait la vie*. »

Dans les premiers temps, mon horizon parisien se limita surtout à un quadrilatère délimité par la rue Saint-Jacques, la rue des Écoles, le boulevard Saint-Michel et la rue Soufflot.

Petit à petit, l'horizon s'est élargi à travers ma vie d'étudiant, ma vie d'enseignant, ma vie de chercheur, ma vie de directeur, ma vie de citoyen. Tout en aller-retour, et avec de longues interruptions, puisque ma carrière professionnelle et ma vie personnelle se sont construites en France entre Paris, Lyon et l'Essonne, mais aussi entre l'Europe et l'Amérique.

Il y eut le 5ᵉ arrondissement que j'ai arpenté en tous sens : le quartier de l'École normale supérieure où j'ai étudié puis enseigné pendant huit ans, de l'université Pierre-et-Marie-Curie que j'ai connue comme étudiant et comme directeur de composante, de la Sorbonne, de l'Institut Henri-Poincaré que j'ai dirigé pendant tout aussi longtemps…

Mais le 5ᵉ est aussi le quartier du marché Mouffetard, de mes sandwicheries libanaises fétiches, du bar de la Gueuze avec son incroyable choix de bières, de la gelateria Grom rue Soufflot, des cinémas de la rue des Écoles que j'ai hantés avant de finir par y coorganiser un ciné-club, de l'hôpital Cochin où j'ai été soigné, des librairies et disqueries d'occasion que j'ai dévalisées, de la rue Pascal où j'ai habité pendant quatre ans, du « Petit Journal Saint-Michel » où mon oncle faisait pianiste de jazz, du Muséum d'histoire naturelle cher à tous les amoureux des sciences ;

Le 13e arrondissement, où un club de ping-pong m'a accueilli pendant quelques années ;

Le 6e arrondissement du quartier Saint-André-des-Arts, du jardin du Luxembourg ; l'arrondissement de mes éditeurs – Grasset, Cherche-Midi, Flammarion – celui de l'Académie des sciences et de l'Académie de médecine, où j'ai écouté et parlé bien des fois ;

Les salles de concert du 8e, du 16e, du 1er – salle Pleyel, Théâtre des Champs-Élysées, théâtre du Châtelet, où j'ai écouté tous les pianistes vedettes des années quatre-vingt-dix et dont j'ai redistribué sans relâche les places du temps que j'étais responsable du club spectacles à l'ENS ;

Et les salles de cinéma de tout Paris... Il y eut une période, quand j'étais étudiant, où j'y allais tous les jours, laissant souvent la chance guider mes pas. J'avais l'embarras du choix, car aucune ville au monde n'a plus d'écrans de cinéma. J'ai rêvé devant les chefs-d'œuvre des Lynch, Chaplin, Kubrick, Demy, Almodóvar, Tarkovski, Welles, Wong, Mizoguchi, Bresson, Lang... mais je faisais aussi partie de la douzaine d'enragés qui, en 1994, ont tenu bon pour assister à l'intégralité de la « Nuit des Shadoks ». Un soir, j'ai reconnu dans *Talons aiguilles* une allusion explicite au Bergman qu'un sort bienveillant m'avait emmené voir le matin même : c'est le genre de belle coïncidence que seul Paris peut offrir ;

Le 1er arrondissement du Louvre et des Halles, comme une réponse ultime aux questions « où faire une sortie culturelle » et « où aller faire des emplettes » ; c'est aussi pour moi un arrondissement où j'ai été impliqué dans plusieurs mariages des sciences et des arts – depuis la présentation de la collection Poincaré par Issey Miyake jusqu'au lancement de mon livre avec la photographe Lisa Roze, *La Parade colorée*, chez agnès b ; mais le cinéphile y pense aussi comme à l'arrondissement du Forum des images aux Halles, où l'on trouve des trésors enfouis (l'unique moyen de visionner le chef-d'œuvre maudit d'Eustache, *La Maman et la Putain* !) ;

Le 2e arrondissement où j'ai déniché mes premières lavallières dans une boutique du beau passage couvert Choiseul, guidé par une publicité rencontrée par hasard dans le métro ; elles m'ont accompagné dans toutes les circonstances, depuis l'Élysée jusqu'aux pogos des fosses de concerts de Hadji-Lazaro ;

Le 4e arrondissement du Centre Pompidou et du romantique pont de l'Archevêché, que j'ai choisi entre tous pour accrocher un cadenas quand on m'a demandé de trouver un lieu inspirant pour parler de sciences à Paris... la Seine qui coule près de Notre-Dame de Paris, la multitude des cadenas, les jeux optiques de la grille, tout cela fournissait de belles métaphores pour évoquer mon travail ;

L'Île Saint-Louis que j'avais découverte dans la chanson de Ferré bien avant de connaître Paris... j'y emmenais mes invités étrangers, pour la promenade et pour Berthillon ;

Le 16e où j'ai pris des cours de piano avec une enseignante hors pair, dans la minuscule rue Désaugiers ; où j'ai fait ma thèse, à l'université Paris-Dauphine ; où je suis revenu bien plus tard pour des conférences et visites à la Fondation Louis Vuitton ;

Le 3e arrondissement de l'Hôtel de Ville et du Conservatoire national des arts et métiers, où j'ai coordonné une exposition sur Claude Shannon et la théorie de l'information ;

Le 14e de la Fondation Cartier où j'ai été contributeur d'exposition puis animateur de nombreux débats (Nuit de la chauve-souris, Nuit du miel, Nuit du vent, Nuit du nuage...) où artistes, intellectuels, scientifiques, curieux de tout poil se rencontraient ; cher 14e des Catacombes et du quartier Denfert, où j'ai côtoyé mon coauteur Edmond Baudoin et où je me suis installé quand il a fallu chercher un appartement en tant que député ;

Le 11e du quartier Oberkampf et de la Maison des Métallos, rue Jean-Pierre Timbaud (rue emblématique de mixité sociale), où j'ai donné quantité de conférences ;

Le 18ᵉ qui fut un lieu de rencontres artistiques inspirantes ;

Le 20ᵉ où je suis allé dénicher Tamara, la jeune créatrice, amie d'ami d'ami, qui a accepté avec gentillesse de me confectionner un manteau selon mon goût ;

Et d'autres bonnes adresses de vêtements où j'ai pris mes habitudes – Hackett dans le 6ᵉ, Blandin & Delloye dans le 17ᵉ, Anthony Garçon dans le 8ᵉ, Church aux Galeries Lafayette, Pauline Brosset dans le 3ᵉ ;

La Défense, avec son architecture labyrinthique, dans les entrailles de laquelle est tapi le *Monstre de Moretti*, sculpture monumentale aux allures de dragon qui est un peu l'âme secrète du quartier. À quelques mètres du dragon réside le siège de l'association Musaïques que j'ai longtemps présidée, le lieu où j'emmenais tous les visiteurs et sponsors éventuels, avant qu'elle ne s'installe à Nationale, comme pour me faire revenir dans le 13ᵉ ;

Le 12ᵉ, siège de la gare de Lyon où j'ai le sentiment d'avoir passé une partie de ma vie ; du ministère de l'Économie et des Finances, que j'ai fréquenté pour des groupes de travail, des conférences, des inaugurations ;

Le 8ᵉ de la Madeleine, où se tenaient les réunions d'Europa-Nova ; du Club Interallié, où j'ai participé à quantité de débats sur l'innovation et la politique ; des grandes institutions et des emblèmes de la république ; du palais de la Découverte où j'ai emmené mes enfants, reçu des classes, participé au Conseil scientifique ;

Le 7ᵉ, avec son cortège de ministères et institutions, où je me suis finalement installé dans mes habits de politique…

Et tous les établissements d'enseignement supérieur de Paris en grand, où j'ai forgé mes connaissances mathématiques ;

Et le métro parisien, lieu d'histoire en soi. Lieu de mémoire, baigné du souvenir de Fulgence Bienvenüe, mais aussi mouvant au gré des restaurations, avec son plafond qui se couvre de signatures célèbres à Cluny-Sorbonne et se mue en peau de cuivre à Arts & Métiers, avec ses œuvres d'art et expositions cachées dans les recoins, depuis les gigantesques photographies de Reda à

431

Luxembourg jusqu'à la statue *Énergies* d'Yves Trémois aux Halles, avec sa gueule de raie décorée d'équations mathématiques. Métro illuminé d'innombrables publicités de spectacles, empli par le bruissement de ses millions de passagers et par les sons d'accordéon, de claviers, de flûtes et d'autres instruments, jusqu'au fameux orchestre des musiciens de Lviv aux voix graves, qui font résonner les couloirs de la station Châtelet de refrains slaves, juifs ou tziganes.

En 2015, j'ai travaillé pour un projet en partenariat avec la RATP : construire un jeu de piste à travers le métro parisien à base d'indices et de petits jeux mathématiques – opérations, associations d'éléments, géométrie, sudokus, célébration du progrès, etc. Travail fait à trois avec un créateur mandaté pour cette mission et avec un ami, Jean-Pierre Crauser, pilier de la Société Sherlock Holmes, passionné d'énigmes. Cela a été l'occasion pour moi de redécouvrir certaines stations du métro parisien, passant en revue les vitraux d'inspiration russe de la station Madeleine, les textes de Montesquieu rangés en matrice dans la station Concorde, les alphabets antiques de la station Saint-Germain-des-Prés ou encore les plans et symboles de la station Montparnasse ; à la recherche de mots, rébus, symboles, lettres, chiffres, qui pourraient servir de trame à la résolution de l'énigme. Plein d'enthousiasme à la pensée des visiteurs qui viendraient en famille se prendre au jeu, explorant ce monde souterrain à la recherche de leur récompense : une entrée dans une exposition à la Gaîté Lyrique.

Impossible d'explorer Paris avec tout ce qu'il recèle, à tous les étages ; et pourtant, Paris est si compact ! Quelque part entre un disque de dix kilomètres de diamètre et un carré de dix kilomères de côté, il se traverse à pied en deux heures de part en part, passant d'un monde à un autre.

Étudiants, nous mettions cette exiguïté à profit dans le jeu de la TRAQUE, qui se courait tout au long de la nuit dans Paris par petites équipes d'une à trois personnes. Un jeu d'une autre époque, de l'époque des cabines téléphoniques ! À la date choisie, à minuit, toutes les équipes s'installaient aux portes de Paris, à un endroit qu'elles avaient choisi en secret ; alors, depuis une cabine téléphonique, elles signalaient leur présence au standard du jeu qui leur avait attribué à toutes un numéro, décidant ainsi des liens de chasse (l'équipe 1 poursuit la 2 qui poursuit la 3… jusqu'à la dernière qui poursuit la 1). À intervalles réguliers, chaque équipe renouvelait son appel pour indiquer sa position (tout retard dans l'appel est puni d'une pénalité, forçant à rester sur place quelque temps), recevant en échange la position de l'équipe qu'elles étaient chargées de retrouver. Il fallait alors attraper votre proie pour la tuer symboliquement dans une cabine téléphonique… avant de vous faire attraper vous-même ! Au fur et à mesure, le nombre d'équipes en lice diminuait, et cela se terminait invariablement dans notre 5e arrondissement, au pas de course, vers 6 heures du matin, entre une poignée de finalistes qui, dans cette virée nocturne, avaient vu bien des visages de Paris, depuis le plus cossu jusqu'au plus modeste.

Paris, c'est cette petite cité qui nous vient du fond des âges, que l'on peut traverser trois fois en une nuit, et qui pourtant contient tous les milieux, toutes les spécialités, tous les arts !

Une citation sur une statue de Montaigne, tout près de la Sorbonne, le dit :

« Paris a mon cœur depuis l'enfance. Je ne suis français que par cette grande cité. Grande surtout et incomparable en variété. La gloire de la France et l'un des plus nobles ornements du monde. »

Paris a vu vivre le luxe et la fange, le développement anarchique et les grands plans. Au cours des siècles, elle a vu construire un ensemble de merveilles architecturales qui, dès 1800, faisait l'admiration du monde. Elle a été encore améliorée par les grands travaux haussmanniens : dix-sept années continues d'aménagement à la serpe ! Pour ramener à Paris un peu d'air et de lumière, à grands coups de percements de grands boulevards et aménagements de parcs.

Paris, ville-tourisme emblématique, doit lutter aujourd'hui pour ne pas devenir une ville-luxe comme Beyrouth-centre, ou une ville-musée comme Venise. Étouffant sous le poids de ses monuments de l'histoire politique, littéraire, artistique, depuis la place de la Bastille jusqu'à Montmartre en passant par Notre-Dame de Paris et le Café de Flore.

Le Paris historique, c'était l'avenue des Champs-Élysées qui ont fait dire à Woody Allen qu'on avait là ce que la civilisation avait produit de plus raffiné ; mais c'était aussi les sombres logements de fortune du prolétariat, l'assommoir de Zola, les villages de Belleville, de Mémilmontant, les taudis des communards de la Butte-aux-Cailles. Aujourd'hui, la poétique recyclerie du 20e arrondissement est l'héritière des biffins d'antan.

Paris historique, c'étaient aussi les somptueux salons des académies emplis de marbre et de bustes élevés à la gloire des sciences et des arts ; à deux pas de là, c'étaient les actes de sorcellerie décrits avec tendresse par Jacques Yonnet – envoûtement, prières inversées et guérisons à distance, qu'une cour des miracles semblant surgie d'une ballade de François Villon pratiquait encore, rive gauche, jusque dans les années quarante, avec un argot d'une incroyable poésie populaire. (Et certaines rencontres nocturnes surréalistes dans le 5e arrondissement me laissent penser que la pratique de la magie n'a pas complètement disparu de Paris.)

Et pour ce qui est de la langue, Paris a vu se côtoyer les argots les plus fleuris, ceux que Jean Vautrin a ressuscités dans *Le Cri du peuple*, avec la langue la plus précieuse, celle de l'Académie française, des Flaubert et des Goncourt ; a connu les plus émouvants poètes de salon et la plus grande tradition de poètes de rue qui ait jamais été.

Paris, c'est aussi la ville emblématique de la politique, qui a connu dans sa chair le massacre de la Saint-Barthélemy, les tourments de la Terreur, le Printemps des peuples, la Semaine sanglante, la fièvre de Mai 68 qui fit retenir au monde son souffle.

Les accès de fièvre reviennent périodiquement à Paris, jusqu'à nos jours... Qui aurait cru, il y a seulement un an, que les blindés s'inviteraient en 2018 pour contenir les casseurs qui comptaient bien parasiter le mouvement des Gilets jaunes !

Paris, ville d'État, a été une ville-État le temps de la Commune de Paris, qui vit se succéder les rêves de Vallès et les massacres de Galliffet. C'était il n'y a pas si longtemps, et la guerre civile la plus sanglante faisait rage dans ce qui était à l'époque, sans conteste, la plus belle capitale du monde !

Maintenant, la Commune est pleinement réhabilitée, ou presque. Malgré ses débordements qui terrorisèrent même un Zola, on l'admire pour son souffle d'idéal et de progrès. La Commune rêva l'égalité, instaura les droits civiques pour les femmes, l'éducation pour tous, la protection des enfants naturels ; c'était un projet utopique, que des militants venus de bien des pays vinrent défendre, combattant sous les ordres de l'héroïque général polonais Dombrowski. En 2015, aux côtés de Jean Vautrin, Jolie Môme, Étienne Davodeau, Renaud ou Francesca Solleville, je faisais partie du collectif de quatre-vingts intellectuels et personnalités qui ont lancé un appel au Conseil de Paris pour faire compléter le nom de la station de métro Belleville par les mots « Commune de Paris 1871 ».

Pourtant la « gentrification » à l'œuvre chasse tranquillement les héritiers de Louise Michel des portes de Paris. « On assassine Belleville » chantait fort à propos Pigalle, groupe emblématique entre rock-musette alternatif et ska multi-instruments, qui semblait concentrer dans ses textes et sa musique la vigueur, l'internationalisme, la grandeur et la rugosité de Paris. Chantant le bar-tabac interlope de la rue des Martyrs, la vivacité de la Goutte-d'Or et de Pigalle-Tour de Babel. S'attendrissant devant l'abondance rafraîchissante de Rungis, et faisant revivre la Commune dans un songe futuriste d'Insurrection 2034.

Paris, ville des cinémas, ville des lettres, ville de la mode, ville des beaux-arts, ville du raffinement, a fait rêver le monde entier. Les jeunes Japonaises l'ont découverte en manga à travers les tribulations de Lady Oscar ou de Nodame Megumi, l'étudiante de piano de manga qui se pâme en dégustant des macarons quand elle débarque dans le Paris rêvé des Asiatiques. Quant aux Américains, ils l'ont tellement fantasmé qu'un autre Oscar, Wilde cette fois, bien qu'irlandais, a appelé Paris « la ville où vont les Américains après leur mort quand ils ont été bons ».

Paris, ville de l'amour et des ponts ; quelque part il y a peut-être encore mon cadenas, abandonné sur une grille du pont de l'Archevêché, grimé en chat par mes enfants, accroché avec décorum devant l'œil d'une caméra avant que la clé n'en fût jetée énergiquement dans la Seine ! Ou peut-être mon bibelot a-t-il disparu dans l'une de ces campagnes de nettoyage de cadenas qu'il a fallu entamer pour protéger la ville contre son propre succès.

Paris, qui fut longtemps le symbole de l'architecture futuriste, celle de la tour Eiffel et du Centre Pompidou (emblématique rencontre entre deux mondes architecturaux, à l'image d'un Paris carrefour des cultures). Celle du quartier de la Défense, dont on est si heureux aujourd'hui qu'il n'ait pas envahi toute la ville avec sa logique de béton, de parallélépipèdes corbusiens et de routes labyrinthiques.

Aujourd'hui encore, d'incroyables bâtiments surgissent de terre, comme la Fondation Louis-Vuitton de Frank Gehry ; mais les architectes sont déboussolés pour imaginer la géométrie du Paris futur : faut-il le penser en trois dimensions, en souterrain, en arcs organiques à la Ishigami ? Plus petit, plus grand, plus chaotique, plus écolo, plus boisé ? Un panel d'architectes interrogés pour l'exposition « Revoir Paris » il y a quelques années frappait par la diversité de ses réponses.

Paris, tout simplement ville-monde, qui a voulu représenter le monde au point d'accueillir pas moins de cinq expositions universelles entre 1855 et 1900, fière d'incarner le progrès du XXe siècle naissant ! Marc Giget le rappelle dans ses cours d'histoire de l'innovation : Paris 1900 était l'écosystème le plus créatif jamais vu ! Si elle s'est appelée Ville lumière, c'est avant tout pour la débauche d'éclairages que l'on y installa pour célébrer l'électricité à l'Exposition universelle de 1900 ; et Paris se retrouvait bien dans cette mission d'éclairer le monde. Aujourd'hui encore, accueillant les Jeux olympiques, et gardant en tête une possible candidature à l'Exposition universelle.

Impossible de boucler cette énumération sans évoquer une facette dont j'ai profité entre toutes – Paris, c'est l'incontestable ville des mathématiciens ! Paris est célèbre pour ses philosophes, ses gens de lettres et ses artistes, ceux du Flore, des Deux Magots et de Montparnasse ; mais depuis le XVIIᵉ siècle, c'est aussi la plus forte concentration de mathématiciens du monde. C'est ici que se tint le premier colloque mathématique de l'histoire, à l'orée du XIXᵉ siècle, pour la définition internationale du mètre. C'est aussi ici qu'eut lieu le plus célèbre Congrès des mathématiciens de tous les temps, en 1900.

Écoutons ce qu'en disait le britannique Andrew Wiles, lui qui devint, au milieu des années quatre-vingt-dix, pour sa résolution de la conjecture de Fermat, le plus renommé des mathématiciens. Les paroles qui suivent ont été prononcées en 2010 à l'hôtel de ville de Paris, dans un salon superbement décoré, au cours de la célébration de la résolution de la conjecture de Poincaré par Grigori Perelman. J'étais aux premières loges : en tant que directeur de l'Institut Henri-Poincaré, j'étais co-organisateur de ce congrès, avec le directeur du Clay Mathematics Institute qui avait offert 1 million de dollars pour la résolution de la conjecture (million de dollars refusé par Perelman et que j'ai pu négocier pour l'Institut Poincaré au service d'une chaire de recherche).

« Ce n'est pas une coïncidence si le premier colloque de l'annonce du prix Clay, et ce colloque aujourd'hui, se sont tous les deux déroulés à Paris. Quand vous voyez ces muses autour de vous, quand vous savez que l'on a toujours écrit des histoires qui parlent de venir à Paris pour la musique, pour les arts, pour la poésie, pour la littérature... mais peu de gens, peut-être même parmi les Français, ont conscience que depuis plusieurs siècles les mathématiciens sont venus ici sans relâche. Ils viennent pour les mathématiciens français, pour les conférences françaises de mathématique.

« Aucune autre cité dans le monde, j'en suis persuadé, n'a autant de rues portant des noms de mathématiciens. Et sur un plan plus personnel, j'ai connu plusieurs mathématiciens qui ont trouvé les plus merveilleuses preuves de leur carrière dans cette ville. Et si vous voyez des mathématiciens revenir encore et encore dans les mêmes cafés, vous savez que c'est parce qu'ils ont trouvé quelque chose dans ce café, et ils reviennent pour la prochaine pépite.

« Il y a tant de trésors mathématiques encore cachés dans cette ville, attendant d'être découverts !

« Quelle expérience merveilleuse que de revenir ici pour célébrer ce qui a été jusqu'à présent le plus grand accomplissement de la mathématique du XXIᵉ siècle ! »

Après un tel discours, on pourrait s'arrêter et se dire que Paris suivra sa voie toute seule, portée par son histoire et son attractivité.

Et ce serait une erreur ! Certes, il faut s'appuyer sur la communauté, l'histoire, l'attraction, et laisser les forces vives agir… mais même en mathématique, Paris a dû s'organiser et se réorganiser, pour lutter contre le morcellement, pour faciliter la formation. C'est ainsi qu'a été créée une Fondation des sciences mathématiques de Paris, dont la construction a été coûteuse en énergie administrative, mais qui s'est avérée précieuse. Je me suis moi-même battu pour modifier le paysage mathématique parisien au travers de son centre névralgique, l'Institut Henri-Poincaré qui, sous la tutelle de l'université Pierre-et-Marie-Curie et du CNRS offre un écrin commun, une base logistique, un point de rassemblement, un pôle de communication et pédagogie pour la mathématique de Paris et du monde. À la puissance publique le soin d'organiser les infrastructures, aux forces vives de s'en emparer.

La liste est longue des problèmes parisiens qui ne pourront être résolus qu'avec une combinaison d'action déterminée de la part des pouvoirs publics et d'animation par les forces vives !

En fait, Paris concentre tous les grands défis du moment ou presque, tous ceux que j'ai évoqués dans les chapitres précédents ; tous les thèmes chers aux Marcheurs ou presque s'y incarnent. Pour faire vivre Paris, il faudra les prendre à bras-le-corps et leur appliquer des méthodes bien pensées, sur le long terme.

Et en premier lieu s'attaquer au défi de l'environnement. L'actuelle maire de Paris a eu raison d'en faire un des marqueurs forts de son action, et c'était aussi une raison majeure de mon soutien dans la campagne de 2014. Ce qui n'empêche pas d'y réfléchir de façon encore plus énergique !

L'environnement, c'est d'abord le besoin de lieux où l'on peut se reconnecter à la nature dont chacun a besoin. Mais Paris est incroyablement compact ! Pas de visite de Londres sans passer par Hyde Park, pas de visite de Lyon sans une déambulation au parc de la Tête d'or ; mais à Paris, ce n'est pas si facile d'aller traîner tranquillement aux bois de Boulogne ou de Vincennes… Alors, qu'est-ce qui permettra aux Parisiens de vivre sans se sentir trop coincés « entre béton et bitume » ?

L'environnement, c'est aussi la lutte contre la pollution, contre la prolifération des déchets, contre l'invasion des rats, qui sont en recrudescence pour des raisons pas si simples. C'est encore l'exemplarité par rapport au réchauffement climatique, le besoin d'inventer une urbanité respectueuse et décarbonée, en travaillant sur les transports en commun, sur les circuits de chauffage et d'approvisionnement en énergie. En pensant à toute la chaîne complexe du système, au mariage technologie-humain.

Après l'environnement, vient la conscience du monde, et aucune ville peut-être ne sent plus que Paris ses soubresauts, car c'est le monde entier qui se reflète dans ses yeux. Migrations, tensions culturelles ou religieuses, affrontements politiques mondiaux ; et une valeur de symbole qui attire les actions violentes, comme le tragique attentat du 13 novembre 2015. Mais aussi concentration des intérêts financiers mondiaux qui participe à faire flamber les prix de l'immobilier, récupération de demeures chic par les Airbnb et autres plateformes de location pour en faire un commerce parallèle organisé, dévoyant l'esprit de ces mêmes plateformes.

Aujourd'hui, Paris a toujours beaucoup à faire pour accueillir le monde, dans l'intérêt de tous ; mais aussi beaucoup à apprendre du monde à l'heure où quantité de nouveaux modèles internationaux émergent. Depuis Pittsburgh qui invente un partenariat inédit avec sa grande université Carnegie Mellon pour résoudre ses problèmes technologiques, jusqu'à Taipei qui met au point des formes innovantes de négociation avec Uber, en passant par San Francisco qui soigne son poste de chef officier (*chief officer*) des données ; ou Singapour, Barcelone, Moscou et autres métropoles qui développent leurs armes de « ville intelligente »…

Avec Paris, c'est le défi de fabriquer la vie urbaine du futur, où Paris de jour et Paris de nuit coexistent, où l'on ne se gêne pas, où l'on rencontre et on innove, où les services utilisent les meilleures ressources de la technologie moderne tout en préservant le patrimoine unique.

J'ai vécu ce défi à l'échelle modeste de l'Institut Henri-Poincaré. D'un côté, la merveilleuse histoire scientifique du Campus Curie, avec des héros qui se nomment Émile Borel, Jean Perrin, Marie Curie ; avec des invités de marque aussi prestigieux qu'Albert Einstein ; avec une belle brique qui fleure le Front populaire, des tableaux noirs à l'ancienne que les mathématiciens chérissent comme la prunelle de leurs yeux… De l'autre, le besoin d'installer un système ultrarapide d'échanges de données, de la visioconférence, des ateliers de communication et de création audiovisuelle de pointe, de la réalité augmentée, des projets d'avenir, de nouvelles formules de coopération scientifique, de nouveaux contacts entre la science, l'entreprise et la société !

À chaque instant, à chaque scénographie, il fallait se demander comment tirer parti du glorieux passé pour mieux aborder l'audacieux futur. C'est le problème de Paris, c'est aussi d'ailleurs le problème de toute l'Europe ! Et l'on se rend vite compte que le défi le plus important, c'est l'évolution des cultures, et le décloisonnement des habitudes, vital pour le défi de la naissance des idées et de la fabrique de l'avenir.

Un décloisonnement qui est consubstantiel à la notion de métropole, peut-être.

Un jour le préfet Carenco, grand serviteur de l'État, m'a donné sa définition d'une métropole. Si juste que je me suis empressé de la noter. « Une zone de forte densité de population, avec un métissage qui crée : de la valeur, de l'émotion culturelle, de la connaissance et de la solidarité, dans un état d'insurrection permanente ; une zone rayonnante où se crée le monde, incarnée par un chef rassembleur. »

Une métropole, c'est comme une grande fabrique de la nouveauté par le contact. Et de fait, j'ai expérimenté une partie de ce que la métropole parisienne, génératrice de rencontres, pouvait faire pour engendrer de nouveaux projets. Mon livre *Théorème vivant* : issu d'une rencontre parisienne impromptue à la Fondation Cartier avec Olivier Nora, le patron des éditions Grasset. Mon ouvrage à quatre mains, *Coulisses de la création* : issu d'une complicité avec mon camarade de promotion parisienne, le compositeur Karol Beffa. Et *La Parade colorée*, collaboration avec la photographe Lisa Roze : elle aussi issue d'une magnifique rencontre parisienne impromptue. Sans parler des contacts qui m'ont recommandé telle ou telle personne à embaucher, telle source à consulter, tel projet à démarrer.

Dans ce jeu productif de rencontres où le hasard règne en éminence grise créative, pas de salut sans le trio expérimentation/expertise/écosystème que les pouvoirs publics se doivent de favoriser dans toutes ses composantes.

Et avant tout s'inquiéter de ce que Paris perd sa jeunesse (deux à trois mille enfants scolarisés en moins chaque année), perd ses classes moyennes (c'est l'histoire de la « gentrification » omniprésente dans les promenades des époux Pinçon-Charlot), perd sa vitalité, perd ses jeunes innovants. Si les étudiants, les jeunes artistes intermittents, les inventifs audacieux ne peuvent plus se loger à Paris, les idées nouvelles n'en émergeront pas. « Des diamants jamais rien ne naît, de la tourbe naissent les fleurs » – un Paris diamant sera stérile.

Dans un monde où le progrès s'écrit aussi en jeunes entreprises innovantes, Paris a su recréer un bel écosystème, sans doute le meilleur d'Europe, avec l'Arc de l'innovation, la Station F, et bien d'autres enseignes et programmes de soutien aux jeunes pousses.

Mais il faudra aller plus loin ! Multiplier les lieux d'échange. Favoriser les expérimentations dans l'espace urbain pour revoir tous les grands défis logistiques – mobilité, propreté, sécurité, services sociaux, inclusion. En prenant bien soin de poser ces défis dans l'échelle urbaine.

Par exemple, pour la mobilité, cela sera la mise au point simultanée des véhicules autonomes adaptés, des infrastructures de captation de données, des plateformes de partage de données, des bornes de recharge des véhicules ; avec des services de livraison automatique propres et non gênants ; avec la cohabitation harmonieuse des VTC et autres formes de mobilité ; sans oublier les vélos électriques ; avec le défi relevé de définir la nouvelle technologie dans l'écrin ancien. Comme l'explique bien l'ouvrage de Missika et Musseau *Des robots dans la ville*, en matière de mobilité urbaine innovante, il s'agit de penser la technologie dès le départ dans son cadre de vie.

La barrière entre innovation et science doit ici s'effacer ; c'était d'ailleurs l'une des recommandations fortes du rapport que j'ai coordonné pour l'intelligence artificielle dans le cadre de nouveaux instituts. Pour Paris, ce sera le projet PRAIRIE, labélisé 3IA (Institut interdisciplinaire d'intelligence artificielle) qui devra prendre un rôle central. S'impose aussi comme une évidence la mise à contribution des magnifiques universités parisiennes et la perle que constitue l'École supérieure de physique et chimie industrielles (ESPCI), chapeautée par la Ville de Paris.

Le mélange des cultures est vital pour la genèse des idées, mais aussi pour la cohésion. Rien de mieux que l'étonnement partagé, les références communes pour tisser des liens solides. Encore faut-il que la culture ne soit ni cantonnée à des silos ni uniformisée ! J'ai vu de près le combat des cinémas indépendants regroupés en fédération, entraînés par Isabelle Gibbal-Hardy du Cinéma Grand Action. Pour les aider à maintenir leur qualité et leur indépendance, Isabelle a créé une carte d'abonnement pour cinémas d'art et d'essai parisiens : quel meilleur symbole de cette résistance active contre la vague de standardisation culturelle stérilisante ?

Le mélange des cultures, c'est aussi la reconquête du spectacle vivant, les projets de partage incongrus ; le ciné-club que nous avons fondé au Grand Action, le festival de films scientifiques Pariscience dont j'ai présidé le jury en 2011, le cycle de conférences que j'ai accompli à la Maison des Métallos ou encore le cycle de conférences mathématiques de la Bibliothèque nationale de France participent à cet idéal, et il reste encore tant à faire pour que les trésors de savoir et de savoir-faire de Paris communiquent les uns avec les autres, pas seulement ceux des intellectuels, mais aussi ceux des artisans !

Faire vivre Paris, ce sera tout simplement garantir la coexistence harmonieuse des citoyens, la sécurité (sans laquelle la liberté est illusoire et avec laquelle on ne peut transiger), le respect, la fierté de tous et toutes. La gestion cartésienne des finances, pour se garder de la dette qui paralyse. La lutte contre la drogue, à l'heure où sa consommation connaît une incroyable recrudescence. La lutte pour la tolérance, au moment où la défiance entre communautés s'accroît. Partout dans le monde, les barrières se recréent et la défiance s'installe ; Paris a un devoir d'exemplarité. Et d'autant plus après les violences de l'automne 2018.

À tous ces enjeux parisiens s'ajoutent les enjeux des territoires que Paris incarne, et dont la capitale a vocation à être tête de pont.

L'enjeu du Grand Paris, ou « Paris en grand » selon l'expression de Roland Castro. Revisitant les rêves de Prost interrompus par la Seconde Guerre mondiale. Un espace où l'on peut penser à la redistribution des inégalités, encore plus flagrantes dès que l'on passe le périphérique. Où l'on peut penser à la compétitivité économique, quand tant d'entreprises et de pôles économiques et innovants, tant d'universités et de centres de recherche se retrouvent en Petite ou en Grande Couronne. Mais aussi organiser la mobilité sans monter les Parisiens contre les banlieusards, organiser la sécurité dans le 75 sans perdre de vue les enjeux encore bien plus grand dans le 93, dompter la pollution globalement. Mais encore organiser l'espace et la vie, quand tant de Parisiens désertent la capitale pour s'installer dans la Couronne (rien d'étonnant à ce que l'Essonne connaisse une croissance démographique spectaculaire dans les écoles !). À la recherche de confort, de respiration, de loyers abordables, ils se retrouvent tributaires des transports en commun, aujourd'hui les RER et demain le Grand Paris Express qui révolutionnera la mobilité de Paris en grand.

Le Grand Paris sera-t-il la Région avec des compétences revues ? Paris élargi ? Ou, comme le préconise Castro pour limiter sagement l'empilement de structures, juste un ensemble de règles et de projets éphémères ? Quelle que soit sa nature, il devra viser à réconcilier Paris et son voisinage, définir de nouveaux parcours, de nouvelles synergies. Permettre le passage à l'échelle supérieure dans un monde où tout devient plus grand !

Paris, c'est aussi la tête de la France – tête politique, économique, financière, culturelle – et sa vitrine, comme le rappelle Montaigne. La France hésitant entre centralisation et décentralisation, Paris se retrouve l'objet d'attractions et de répulsions, avec un équilibre à trouver pour s'assumer en chef de file non écrasant.

Paris, c'est aussi l'enjeu de l'Europe ! Car il est hors de question de laisser à Bruxelles toute la lourde tâche d'incarner le continent. Or, les cadres parisiens ne sont pas légion à s'impliquer dans la gouvernance européenne et à en connaître les enjeux… Je l'ai expérimenté au Conseil scientifique de la Commission européenne : depuis Bruxelles, Paris est inaccessible, trop lointain, on ne sait pas quel numéro de téléphone appeler pour débloquer une situation ! Et pourtant, c'est à Paris que l'on a pensé l'Europe politique depuis deux siècles. Victor Hugo disait : « Ce que Paris conseille, l'Europe le médite ; ce que Paris commence, l'Europe le continue. » Certains ajouteraient que Paris se charge ensuite d'arrêter ce que l'Europe a continué… ou de le laisser, dédaigneusement, aux autres dès que cela ne correspond plus exactement à ses plans ! C'est bien la preuve que la relation de confiance doit se renforcer. Si le couple franco-allemand est central dans l'Europe politique, le couple Paris-Berlin doit avoir son mot à dire pleinement en politique comme il le fait déjà dans les arts.

Mais c'est aussi le réseau des capitales européennes qui est à renforcer, sur tous les plans. Le Brexit éloigne Paris de Londres, alors que le Tunnel sous la Manche les avait rendues si proches. Saurons-nous contrer le mouvement ? Utiliser les liens entre métropoles, les infrastructures de collaboration, pour lutter en faveur de la cohésion européenne qui en a tant besoin ? Il le faudra bien.

Solidarité Paris-Couronne, Paris-France, Paris-Europe, Paris-monde… Paris, c'est à peine dix kilomètres de diamètre, et tous les enjeux du monde moderne ou presque. À faire vivre avec amour, rigueur, ambition, responsabilité, imagination, solidarité.

Épilogue

C'est au bout d'un an de vie parlementaire que j'ai mis cet ouvrage en chantier. En un an, je n'avais pu explorer qu'une petite partie du sujet ; mais je m'étais déjà suffisamment immergé dans les rouages institutionnels pour témoigner, pour dresser un premier bilan des réussites, des échecs, des enseignements.

Un acquis important de cette première année a sans doute été la conquête de ma légitimité. À mon arrivée, beaucoup se sont demandé ce qu'allait bien faire le « matheux » dans ce bazar… Déjà pendant la campagne, la concurrence insistait sur le fait que je n'étais « pas fait pour ça ». Mais un an après, j'avais suffisamment de témoignages d'appréciation, publics ou privés, de la part de collègues ou d'administrateurs pour me prouver que j'avais trouvé ma place. Les statistiques montrent aussi que je suis l'un des députés qui a été le plus invité par ses collègues, y compris parfois par l'opposition – pour des débats, pour des rencontres en circonscription, pour faire vivre la politique et la science.

Au cours de cette année, il y a eu des missions accomplies, et toujours en cours d'accomplissement, sur l'intelligence artificielle, sur l'enseignement mathématique, sur l'affaire Maurice Audin. Dans ces trois cas, les positions que je portais ont été reprises au plus haut niveau et ont aidé à résoudre des blocages anciens.

Mais j'ai pu aussi prendre ma part de changements structurels, que ce soit au Parlement avec la mutation de l'Office parlementaire scientifique et l'évolution de la Constitution, ou en circonscription avec la mise en place d'outils et de groupes de travail qui tiendront leur rang dans les grands projets.

Sur aucun de ces dossiers je n'avais d'assurance, et rien ne se serait passé si certains interlocuteurs clés ne m'avaient fait confiance. Rien ne se serait passé non plus si je n'avais pas trouvé autour de moi, pour m'accompagner, des collaborateurs extra-ordinaires, tous recrutés en cours de chemin, et quelques parle-mentaires motivés. L'aventure a été collective, ou elle n'aurait pas été.

Bien sûr, les complications et les difficultés sont venues et il a fallu s'adapter au fur et à mesure. La traversée de cette première année, j'aime bien la comparer avec la traversée piétonne d'une route fréquentée en Chine : vous vous lancez avant d'attendre que la voie soit libre, vous avancez de façon prudente et déterminée, vous restez concentré et observez les voitures qui foncent sur vous, parfois en klaxonnant furieusement ; vous faites face et adaptez votre chemin à ces projectiles, sans jamais reculer ni courir, en tenant compte de tous les paramètres. La rive d'en face ? On ne sait pas vraiment quand on l'atteindra, mais on continue à avancer. Et si l'on est plusieurs à traverser, on le fait ensemble, sans être collés les uns aux autres, sans se perdre de vue, avec le même objectif.

Je suis venu en politique avec quelques convictions fortes issues de ma carrière scientifique : besoin de la coopération entre expert et politique, ouverture sur le monde, pouvoir de la confrontation des points de vue, valeur de l'équipe humaine. Toutes ces convic-tions se sont trouvées justifiées. En ce sens je suis resté fidèle à mes principes ; et pas une fois il ne m'est arrivé de soutenir dans mes rapports de missions une position à laquelle je ne croyais pas sin-cèrement.

Mes nouveaux collègues ont aussi dit qu'ils m'ont vu me trans-former, et je crois que c'est vrai. Au fur et à mesure que se dérou-laient les milliers d'heures de vie parlementaire commune, que les visages inconnus devenaient familiers, les conversations de plus en plus libres et de mieux en mieux informées, je m'imprégnais de ce nouveau bain comme cela a déjà été le cas à différentes époques de ma vie. En fait, par certains côtés, j'ai eu l'impression de revenir en classe préparatoire ! Le rassemblement en un même lieu de personnes sélectionnées dans des territoires variés ; les places qui sont attribuées et fixées dans la classe, pardon, dans l'Hémicycle ; les horaires de dingue, la solidarité devant les difficultés ; les passages réguliers devant les médias qui jouent le rôle de colleurs… C'est drôle de se retrouver à nouveau étudiant, à un quart de siècle d'écart !

J'ai cité plus tôt un extrait du fameux discours sur l'idée de l'Europe de Victor Hugo. Ce discours ne plaît pas à tous, et certains aiment bien faire remarquer qu'il contenait, au-delà de l'idéal politique, des idées plus clivantes sur la place de la religion et de la colonisation – fût-on un génie, on n'est pas à l'abri de l'air du temps, ni des préjugés. Mais il y a un autre passage de ce même discours que je trouve particulièrement inspirant :

« Si quelqu'un, il y a quatre siècles, à l'époque où la guerre existait de commune à commune, de ville à ville, de province à province, si quelqu'un eût dit à la Lorraine, à la Picardie, à la Normandie, à la Bretagne, à l'Auvergne, à la Provence, au Dauphiné, à la Bourgogne : Un jour viendra où vous ne vous ferez plus la guerre, un jour viendra où vous ne lèverez plus d'hommes d'armes les uns contre les autres, un jour viendra où l'on ne dira plus : Les Normands ont attaqué les Picards, les Lorrains ont repoussé les Bourguignons. Vous aurez bien encore des différends à régler, des intérêts à débattre, des contestations à résoudre, mais savez-vous ce que vous mettrez à la place des hommes d'armes ? Savez-vous ce que vous mettrez à la place des gens de pied et de cheval, des canons, des fauconneaux, des lances, des piques, des épées ? Vous mettrez une petite boîte de sapin que vous appellerez l'urne du scrutin, et de cette boîte il sortira, quoi ? une assemblée ! une assemblée en laquelle vous vous sentirez tous vivre, une assemblée qui sera comme votre âme à tous, un concile souverain

449

et populaire qui décidera, qui jugera, qui résoudra tout en loi, qui fera tomber le glaive de toutes les mains et surgir la justice dans tous les cœurs, qui dira à chacun : Là finit ton droit, ici commence ton devoir. Bas les armes ! Vivez en paix ! »

Et en effet, c'est la beauté à multiples facettes du Parlement : un endroit où tout le monde parle, où chacun a son opinion, où l'on s'affronte sans cesse, mais où les tensions se résolvent, où les échanges se font, où l'on se voit et se revoit. Un lieu si singulier, si formateur, si méconnu, né de la volonté de résoudre les conflits et d'assurer en même temps la solidarité entre territoires. Une institution dont je suis persuadé qu'elle pourrait être bien mieux utilisée qu'elle ne l'a été au cours du dernier demi-siècle, et dont j'espère qu'on pourra la réformer pour le bien commun.

Pour quelqu'un qui vient de l'extérieur, se plonger dans ce bain est une formation extraordinaire, aussi parce que le conflit et sa résolution font partie de la nature humaine et font progresser.

Et pour avoir accepté de franchir le pas vers l'inconnu, par solidarité pour l'idéal de transformation du pays, je suis infiniment et durablement reconnaissant à mes collègues Marcheurs. Ceux que j'ai côtoyés à l'Assemblée, les militants qui m'ont fait confiance en circonscription, ceux que j'ai rencontrés, par milliers, dans mes nombreux déplacements à l'étranger, ceux sans qui je ne me serais jamais lancé dans l'arène nationale.

Le premier anniversaire de notre entrée à l'Assemblée était hautement symbolique, puisque c'était le premier conflit politique sérieux que nous affrontions – la période tourmentée de l' « affaire Benalla », dont il n'était pas encore clair si elle penchait plus du côté du fait divers ou du dysfonctionnement étatique. C'est un moment où les discours entre groupes parlementaires se sont durcis, où l'on se disputait sur la fonction même de l'Assemblée, et où certains collègues d'opposition estimaient que, enfin, nous entrions dans le vif de la politique (ce dont on peut discuter !).

Ironie du sort, pour moi, c'était aussi le moment de me replonger, brièvement, dans ma vie précédente de chercheur : le temps du Congrès international des mathématiciens, le rendez-vous majeur de toute la communauté, qui se tenait cette fois à Rio de Janeiro. De l'extérieur, on aurait pu croire que j'allais, dans une période de trouble, chercher refuge dans une communauté bienveillante, mais c'était une pure coïncidence – le Congrès ne revient qu'une fois tous les quatre ans !

C'est donc entre deux colloques internationaux – TED Vancouver au printemps 2017, Congrès international des mathématiciens à l'été 2018 – que ma première année parlementaire a pris place.

Ce Congrès de Rio a été une expérience extrêmement forte : l'occasion de retrouver bien des anciens collègues que je n'avais pas vus depuis longtemps ; l'occasion aussi de rediscuter avec mon ancien élève et collaborateur Clément Mouhot, avec qui nous avons vécu des aventures intenses entre toutes, et qui avait reçu l'honneur, plus que mérité, de donner une conférence à ce congrès. Mais aussi l'occasion de faire le point avec mes amis allemands Günter Ziegler et Andreas Matt, merveilleux vulgarisateurs de mathématique, à la fois sur le débat public à venir en intelligence artificielle en Allemagne et sur le projet Holo-Math de transmission mathématique par réalité augmentée, que j'ai fondé avec Andreas.

L'occasion, surtout, d'assister au couronnement de mon ancien élève, le jeune Italien Alessio Figalli, par la médaille Fields !

Voir son élève pareillement décoré est une chance que peu de scientifiques ont eue. Même si les talents exceptionnels d'Alessio m'avaient fait espérer, déjà il y a dix ans, qu'il décrocherait cette récompense un jour, le voir monter sur le podium, scruté par les caméras du monde entier, était une émotion parmi les plus fortes de ma vie.

Et pour moi qui crois tant à l'Europe et aux croisements de culture, c'était encore plus émouvant du fait qu'Alessio a été mon élève en cotutelle avec Luigi Ambrosio de la Scuola Normale

Superiore de Pise (création napoléonienne qui s'est établie comme un monument scientifique italien). Luigi et moi-même nous sommes énormément influencés mutuellement, et Alessio est comme notre fils scientifique, fruit d'un mariage entre les écoles d'analyse française et italienne.

Pour renforcer encore cette émotion, il faut rappeler que mon propre directeur de thèse, Pierre-Louis Lions, avait lui-même reçu la médaille Fields en 1994, de sorte qu'Alessio est la troisième génération d'une rare « lignée » de médaillés. En fait, c'est seulement la deuxième lignée de la sorte dans toute l'histoire de ce prix ! Symbole de transmission, l'une des valeurs auxquelles je me suis le plus consacré, une tradition familiale.

C'est pour ses travaux en théorie du transport optimal qu'Alessio a été récompensé. En 1998 j'ai eu la chance, suite à un magnifique concours de circonstances, d'être l'un des initiateurs d'une nouvelle tendance dans ce sujet. Avec quelques collègues, en particulier venus d'Allemagne et du Canada, nous avons découvert des liens profonds entre transport optimal, physique mathématique et géométrie non euclidienne… c'était un démarrage ! Seule une poignée de personnes comprenait de quoi il était question. Deux décennies plus tard, ce sont des milliers de personnes qui en ont entendu parler, des centaines qui y ont contribué, des dizaines qui en sont devenues des experts reconnus.

Voir Alessio couronné à Rio pour ce domaine que j'avais contribué à initier, voir Clément continuer à tenir haut le flambeau de nos recherches en théorie cinétique des gaz, voir Andreas présenter fièrement le projet Holo-Math en démonstration, c'était comme un signe du destin pour me dire que mes contributions mathématiques étaient dans les meilleures mains possible et que je pouvais continuer mon propre chemin vers d'autres horizons. Sans couper le contact, bien sûr, avec mes racines scientifiques.

En marge du colloque de Rio, j'ai pu passer quelques jours en exploration, et cela n'a pas été moins inspirant. Au Brésil, j'ai rencontré un sociologue de renom, une photographe qui a gagné ses galons en capturant en images des tribus du fin fond de la forêt amazonienne. Je me suis retrouvé face à face avec la pauvreté et la richesse à des niveaux que j'avais rarement vus, la déchéance des ghettos urbains et le raffinement des plus belles collections privées d'art contemporain.

Au Brésil, j'ai aussi rencontré la politique en capilotade dans un climat de corruption et de tension qui semblait avoir fait de la prison un passage obligé des carrières politiques. J'en suis revenu plein d'effroi sur l'état politique du monde, et la peur ne s'est pas calmée avec l'élection présidentielle qui a suivi. Raison de plus pour approfondir mon engagement politique et travailler, avec un sentiment d'urgence renforcé, sur la confiance.

Et dans le Chaco, l'ouest rural du Paraguay, à plusieurs centaines de kilomètres de toute métropole, avec une petite équipe d'amis, j'ai aussi eu la chance d'aller à la rencontre d'Indiens ayoreos et nivaclé – des artistes survivant dans des quartiers indigents, des communautés faisant vivre des réserves et un poste avancé dans la nature. J'étais accueilli avec fierté, comme le premier parlementaire étranger à jamais mettre les pieds dans ces lieux, et en retour j'étais fier de représenter la nation française dans un espace si fragile.

De ces rencontres, j'ai rapporté des bouteilles de miel corsé, des pièces d'artisanat indien et des dessins d'une incroyable poésie, tout entiers réalisés au stylo-bille, dépeignant des êtres vivants peuplant la forêt avec un art naïf empreint de symbolisme. J'ai été bouleversé par les familles animales dessinées par Esteban Klassen : silencieux, malade et tourmenté, ce fils de chaman d'une infinie douceur vivant dans une misère insondable rappelle combien le besoin universel d'expression artistique peut sublimer la souffrance.

Avec quelques Indiens, nous avons même pu arpenter la forêt jusqu'à la frontière du monde civilisé – jusqu'à l'endroit où d'infimes traces alertaient nos guides sur la présence voisine de leurs quelques cousins qui sont restés à l'état de nature, de chasseurs-cueilleurs comme il y a plusieurs milliers d'années, sans le moindre contact avec la civilisation, sans même l'idée qu'il existe des télévisions, des épidémies, des ordinateurs, des pays. Possédant quand même ce que l'humanité a de plus précieux à partager peut-être : les récits, la poésie, le sens de l'harmonie.

Et quoi qu'il en soit, il était hors de question de prendre le risque de les rencontrer fortuitement : dangereux pour nous, dangereux pour eux surtout – la rencontre avec nos germes microbiens, le choc des cultures, peuvent déstabiliser.

L'un de nos guides, un ancien chef de clan, portait encore les marques des griffes du jaguar qu'il avait tué pour gagner ses galons de chef. Jusqu'à il y a quinze ans, lui non plus n'avait pas eu le moindre contact avec la civilisation. Il parlait en langue ayoreo, un interprète traduisait en espagnol.

Lui et son groupe sont sortis contraints et forcés sous l'action de la déforestation suraiguë du Paraguay, sous la pression de la civilisation qui provoquait sécheresse et destruction.

Mais s'ils avaient su, eux qui ne connaissaient ni la maladie ni l'envie, ce que cela serait de sortir dans la civilisation – la perte des plus fragiles par épidémie, le poison de la frustration qui s'insinue partout, les besoins de propriété devenus irrépressibles, le sentiment de dévalorisation – ils ne seraient jamais sortis. Ils seraient restés dans la forêt, heureux malgré toutes les difficultés.

C'est le genre de récit qui vous fait réfléchir, de ceux que j'ai partagés avec bien des interlocuteurs en éveillant des réflexions dérangeantes, en ouvrant des horizons. Un sociologue brésilien m'a expliqué que la vision du monde par les chasseurs-cueilleurs, et jusqu'à leur conception de l'espace-temps, est différente de la nôtre. Nous sommes des êtres différents évoluant dans un même univers, eux sont un seul être dans une multitude de réalités. Peut-être est-ce lié à l'empathie du chasseur pour sa proie ? Et peut-être, avec le développement des réseaux sociaux, sommes-nous en Occident en pleine transition vers un nouveau paradigme d'espace-temps collectif, avec un esprit qui se divise en plusieurs lieux abstraits à la fois, chacun avec sa tension et son humeur particulières.

Progrès, subjectivité, réalité, rapports entre les humains, liens avec la nature : des questions universelles qui se posent si fort à travers de telles rencontres, et qui finalement sont au cœur de la politique actuelle.

Et puis l'on passe des grandes interrogations aux petits détails : en reprenant le cours de ma vie politique à la rentrée 2018, le Tetris coloré qui me tient lieu d'agenda électronique, soigneusement annoté par mon équipe, débordait de détails et d'échéances – exposés, rendez-vous téléphoniques, repas de travail, ordres du jour à définir... Pas facile de trouver l'équilibre entre l'urgence imposée par le moment et les combats que l'on veut porter ; pas facile non plus de trouver la bonne articulation entre les idées et les actions, en s'adaptant au contexte changeant et souvent inattendu.

Des petits détails, retour aux grands projets : c'est aussi à la rentrée 2018 que je me suis décidé, après un voyage intérieur de plusieurs mois, à afficher ma volonté de me porter candidat, au nom des Marcheurs, à la mairie de Paris. Une ville que j'ai tant vécue et tant aimée, pour laquelle je tâcherai d'incarner les valeurs de l'écologie, de l'ouverture internationale, du mélange des cultures, de l'innovation, de la solidarité, de l'humanisme, du progrès, de la rigueur. Toutes valeurs qu'il faudra, de toute façon, combiner pour faire « vivre Paris » à la hauteur des enjeux.

Cette annonce, précipitée par une fuite imprévue, n'a pas été de tout repos. En fait, j'ai eu l'impression de revivre une partie de mon chaotique début de campagne législative, quand il fallait travailler tout à la fois à expliquer la démarche, gagner la confiance des référents, monter une équipe. Il y a un an, je n'aurais pas été capable de réussir ce démarrage, mais le plongement m'a aguerri. La réunion publique que j'ai organisée à Orsay pour expliquer la démarche « en circo » s'est bien déroulée : deux heures d'explications franches où j'ai tout mis sur la table et où la salle a été plus en soutien qu'en regret. Six maires sont venus participer à cette réunion : un signe que j'ai réussi à travailler en confiance avec eux, et cela continuera.

Mon premier événement politique dédié à la capitale s'est tenu le 30 novembre : renouant avec l'identité des Marcheurs, avec la tradition multiséculaire des promenades instructives dans Paris ou peut-être avec mes anciennes virées nocturnes dans cette cité, il s'agissait d'une promenade de vingt-quatre heures. De 5 heures du matin, comme dans la chanson de Dutronc, à 5 heures du matin. Petit déjeuner au bar, visite de maternité, rencontre avec un boulanger « Meilleur Ouvrier de France » aux aventures internationales inspirantes, errance sur un marché, visite de crèche, réunion publique avec les Marcheurs du 5ᵉ arrondissement, promenade vers l'École normale supérieure, rencontre avec le service d'ordre de la RATP, débat écologique en déambulant sur les quais, découverte du Samu social puis de la recyclerie de la Porte de Montreuil, passage à la Philharmonie, réunion publique au café Frog sur le thème de l'intelligence artificielle, dîner convivial, commissariat de nuit, cocktail, boîte de nuit. Un parcours soigneusement préparé avec une petite équipe bénévole très bien organisée ; et qui pourtant a laissé la place à de belles improvisations.

Cette première plongée dans le Paris des arrondissements numéros 2, 5, 6, 12, 13, 14, 19, 20, émaillée de quelques moments exceptionnels au contact des personnels dévoués et des militants passionnés, m'a prouvé, s'il en était besoin, à quel point la capitale recèle des trésors humains insoupçonnés ; elle m'a donné des pistes pour travailler sur ses grands enjeux avec les Marcheurs.

Aux grands projets se sont superposées les grandes interrogations : c'est au lendemain de ma « promenade » que la crise des Gilets jaunes est venue s'inviter sans crier gare dans l'agenda politique. Ou sans doute avait-elle crié gare sans que nous l'entendions... Au moment de l'explosion de colère, je me suis souvenu de l'ambiance hystérique d'avant l'élection présidentielle, je me suis rappelé les paroles d'un de mes collègues, qui, dès 2015, prédisait des violences physiques à brève échéance.

Avec les Gilets jaunes, on renouait avec le spectre du chaos à la française, plein d'autodestruction. Les militants d'extrême gauche et d'extrême droite, malgré la haine qu'ils se vouent, se sont retrouvés dans la même manifestation, aux côtés de tout le spectre de la contestation. En quelques semaines, entre les dégâts, le manque à gagner économique et le déficit d'image, c'est plusieurs centaines de millions, voire plusieurs milliards qui sont partis en fumée – peut-être autant que tout le budget que le gouvernement a alloué à l'ensemble des investissements publics en intelligence artificielle pour les quatre années à venir. (Je ne parle pas ici de l'aide sociale mise en œuvre à la suite de cet épisode, mais juste de ce qui a été détruit sans que personne n'en profite.) Paris inflammable a connu les incendies, puis les blindés, sous les yeux ébahis du monde entier. Certains de mes collègues députés ont encaissé des menaces de mort, reçu des balles dans leur courrier, vu leurs propriétés personnelles envahies ou leur voiture incendiée. D'autres ont connu de beaux moments de dialogue avec des contestataires.

Et simultanément, la crise provoquait quantité d'interrogations sur le modèle social, la politique économique, l'acceptabilité, la cohésion territoriale, la crise de l'environnement, la singularité française, le dangereux vide institutionnel causé par la fragilité des corps intermédiaires. J'avais l'impression de n'avoir jamais autant entendu parler de problèmes politiques de fond !

Presque en même temps, un collectif d'intellectuels européens publiait, à la surprise générale, un projet européen progressiste, ambitieux (quadruplement du budget européen), social, politique et économique à la fois, faisant la part belle au combat écologique ; un projet qu'il faudra peut-être bouleverser, qui sera peut-être irréalisable, mais qui a le grand mérite d'exister et d'appeler à commentaires et à débat.

Ce projet-là, mené par Thomas Piketty et ses collègues, était ancré à gauche ; mais un pendant de droite paraissait aussitôt, sous la forme d'un ouvrage clair et pédagogique de Louis Vogel, également porteur d'une vraie ambition européenne. Sans oublier les discussions qui continuent sur d'autres projets ambitieux centrés sur la lutte pour la stabilité climatique. Comme un symbole de ce que l'idée européenne vibre encore.

Le droit de manifester a participé au progrès de la nation, le débat d'idées ardent au progrès de l'humanité. La violence, symbolique ou physique, n'est JAMAIS la solution. L'atmosphère actuelle nous oblige à la contenir sans l'attiser. Il est de notre responsabilité d'apaiser. C'est le tweet que j'ai publié à la veille de la manifestation du 8 décembre dont on craignait les possibles débordements. Tweet bien réfléchi avec mon équipe, chaque mot ayant fait l'objet d'arbitrages ; l'un de mes tweets les plus suivis, à la hauteur de la gravité de la situation.

À la suite du 8 décembre, le président Macron a pris des mesures fortes en réponse à une situation d'exception ; d'une part, des actions de justice sociale, à hauteur d'une dizaine de milliards d'euros ; d'autre part, la mise en œuvre d'un temps de consultation et débat politique national foisonnant qui durera plusieurs mois. Ce sera le moment d'examiner les fractures en face : fracture entre territoires, fractures sociales, fracture entre citoyens et politique, fractures entre visions du monde.

Le débat politique, c'est celui où l'on transforme la violente confrontation entre humains en une violente confrontation des idées. La politique, c'est l'organisation même de ce débat, puis sa combinaison avec l'expertise et le pilotage pour tenter de manœuvrer au mieux la barque. Il faudra bien de l'énergie et de l'engagement pour la faire avancer avec fluidité, et sans sombrer, dans ce XXIe siècle si difficile à saisir.

Cela ne sera possible que si le politique parvient à gagner, et à préserver, contre toutes les immenses difficultés, ce qui constitue peut-être le plus grand défi humain de ce siècle débutant, déjà maintes fois évoqué dans ces pages :

La confiance.

Extraits de comptes rendus

Tous les débats en Hémicycle sont soigneusement consignés et consultables en ligne ; cela couvre des dizaines de milliers de pages pour chaque année. J'en présente ici deux brefs extraits, à titre d'exemple.

Voici pour commencer le texte de l'amendement que j'ai présenté au projet de loi Parcoursup en décembre 2017, dans la droite ligne des auditions organisées à l'OPECST. Un amendement est loin d'être une rareté : chaque année en Hémicycle, il s'en discute plusieurs dizaines de milliers, d'importance extraordinairement variable. Celui-ci a effectivement été adopté par l'Assemblée et le Sénat (en mon absence, c'est le rapporteur, Gabriel Attal, qui l'a proposé au vote de l'Assemblée), et il est entré en vigueur avec trois mois d'avance sur le calendrier imposé. En novembre 2018, nous avons pu contrôler son application grâce à une audition dédiée par l'OPECST à Parcoursup.

ART. PREMIER
N° 245 (Rect)
ASSEMBLÉE NATIONALE
8 décembre 2017

ORIENTATION ET RÉUSSITE DES ÉTUDIANTS – (N° 446)
Adopté

AMENDEMENT N° 245 (Rect)
présenté par M. Villani

ARTICLE PREMIER

I. – Après l'alinéa 6, insérer l'alinéa suivant :

« I bis. – La communication, en application des dispositions du code des relations entre le public et l'administration, du code source des traitements automatisés utilisés pour le fonctionnement de la plateforme mise en place dans le cadre de la procédure nationale de préinscription prévue au I s'accompagne de la communication du cahier des charges présenté de manière synthétique et de l'algorithme du traitement. »

II. – En conséquence, après l'alinéa 18, insérer l'alinéa suivant :

« I bis A. – Le I bis de l'article L. 612-3 du code de l'éducation entre en vigueur au plus tard six mois après la promulgation de la présente loi. »

EXPOSÉ SOMMAIRE

L'ouverture des codes sources est prévue, dans le droit commun, par les dispositions du code des relations entre le public et l'administration, tel qu'il résulte de la loi n° 2016-1321 du 7 octobre 2016 pour une République numérique.

Le rapport d'Etalab sur APB comme les auditions de l'OPECST sur APB et les algorithmes publics qui ont eu lieu le 16 novembre dernier à l'Assemblée nationale, ont souligné le manque de transparence qui a affecté la plateforme APB notamment quant à la publication des codes sources.

Il importe que l'occasion soit saisie du remplacement d'APB pour rendre les codes sources publics, sous une forme analysable, de façon à contribuer à garantir sa transparence des règles d'affectation des élèves, et la correspondance entre les règles affichées et le code informatique. La transparence des codes, ainsi qu'il résulte des auditions précitées, doit inclure la publication du cahier des charges synthétique du traitement et celle de l'algorithme lui-même, en supplément des codes sources du logiciel.

Il est proposé que cette publication s'impose dès que possible mais au plus tard six mois après la promulgation de la loi.

*

Voici maintenant un extrait du registre des débats. Le dimanche 27 mai 2018, j'étais en transit entre deux voyages : arrivé le matin de Saint-Pétersbourg, je repartais le soir même vers Mexico. C'était dimanche, mais l'Assemblée fonctionnait toute la journée, elle étudiait la loi sur l'alimentation et l'agriculture ; le bien-être animal faisait partie des thèmes de débat. Je suis passé deux heures à l'Assemblée – pas suffisamment de temps pour participer aux votes clés, mais assez pour m'insérer dans la discussion par une intervention.

Mme la présidente (Carole Bureau-Bonnard) : La parole est à M. Cédric Villani.

M. Cédric Villani : Comme nous le savons et comme l'ont déjà dit certains de nos collègues, le bien-être animal est une question qui touche de plus en plus de nos concitoyens. Quelles sont leurs motivations ?

Certains associent, souvent à raison, le bien-être animal à une meilleure qualité d'alimentation. Il y a encore quelques jours, un éleveur me parlait de la façon dont il mettait en œuvre, dans son élevage de cochons, de bonnes pratiques, afin que ses animaux engraissent mieux et soient plus rentables, plus efficaces du point de vue économique.

Pour d'autres, c'est simplement une question d'empathie : on reconnaît en l'animal quelque chose de proche, et de plus en plus proche au fur et à mesure que les années passent. Dans notre distinction entre les comportements cognitifs des humains et des animaux, beaucoup de barrières sont tombées, au fur et à mesure des recherches. On en vient à se dire que, même si l'on s'autorise à prélever la vie des autres animaux sensibles, on doit le faire en leur portant un grand respect, tout autant dans leur vie que dans leur mort.

L'un de nos collègues a ainsi évoqué tout à l'heure le besoin de traiter l'abattage avec le moins de souffrances possible. Je me suis alors rappelé ce beau documentaire sur Temple Grandin, une célèbre autiste Asperger qui a consacré sa vie professionnelle à la confection d'abattoirs, dont le design permet aux animaux de n'être conscients de rien et de rester, jusqu'au bout, aussi sereins que possible. Il y a de la noblesse dans la démarche où l'on ne prend la vie que de la façon la plus humaine possible, si j'ose dire.

Il y a quelque temps, comme beaucoup d'entre vous, j'ai pris connaissance des images extrêmement choquantes dérobées dans un abattoir. Je les ai regardées encore et encore, je vous le jure, si bien que, lorsque je me suis trouvé à devoir préparer de la viande, je me suis demandé si cet animal avait été traité correctement ou s'il était mort en hurlant de douleur. On me dit que les maltraitances sont très rares. Mais même si elles n'étaient de l'ordre que de 1 %, elles ne seraient pas acceptables. Il ne s'agit pas de réguler cette situation de manière brutale, mais de le faire de façon énergique.

En ce qui concerne la vidéosurveillance, évoquée pour répondre à ces problèmes, on a dit qu'elle révélerait un soupçon à l'égard des paysans et des personnes qui travaillent dans les abattoirs. Il ne faut pas voir ce projet comme l'effet d'un soupçon, mais comme celui d'un désir de transparence, qui permettra d'ôter tout soupçon. Nous savons bien, en tant qu'hommes politiques, à quel point la transparence est importante pour éviter que les uns et les autres ne nourrissent des soupçons. Une nouvelle fois, cela ne signifie pas qu'il faille appliquer des mesures de façon brutale, mais il faut traiter ce sujet avec énergie.

M. Olivier Falorni : Absolument !

M. Cédric Villani : On me dit encore qu'il y a toutes sortes de raisons économiques pour agir avec une grande précaution. N'oublions pas que les évolutions économiques se font à court mais aussi à long terme ! Si nous ne nous saisissons pas du problème, la filière de la viande continuera de voir son image se dégrader. Si nous ne nous saisissons pas du problème, l'Europe continuera d'agir *a minima*. C'est historiquement à la France d'agir pour donner l'exemple à l'Europe – je veux du moins le croire. Évidemment, un jeu s'établit entre les uns et les autres pour éviter des concurrences trop faussées, mais il est de notre rôle de travailler pour favoriser des pratiques de montée en gamme. La France est vue, dans le monde, comme un modèle économique et attractif pour ses produits de qualité et sa démarche qui cherche la haute valeur ajoutée et non le tout-venant. Qualité, respect et hauteur de vue caractérisent sa production. Sur le long terme, nous avons tout intérêt à nous inscrire, dès que possible, dans cette démarche.

C'est pourquoi j'ai cosigné certains amendements de collègues qui vont dans le sens d'une amélioration énergique des pratiques en termes de bien-être animal. Bien sûr, cela ne veut pas dire qu'il faille réguler brutalement. Pour autant, mes chers collègues, je vous engage à agir énergiquement en la matière. (Applaudissements sur les bancs des groupes LREM, LR, MODEM, FI et parmi les députés non-inscrits.)

CLINS D'ŒIL

En cadeau, voici deux textes cités dans le corps de l'ouvrage.

Le premier, intitulé « Ni gauche ni centre ni droite », est signé de Henri Tachan, chanteur iconoclaste, provocateur et poétique, plus d'une fois censuré, admiré par Brel et Reggiani, particulièrement actif dans les années soixante et soixante-dix, intégralement réédité par Naïve. Les chansons de Tachan m'ont marqué dans ma jeunesse ; j'ai repris l'une de ses plus belles, « Je suis venu, j'ai vu, j'suis vaincu », dans une bande dessinée en collaboration avec Edmond Baudoin. Une autre de ses chansons, « Je ne veux pas d'enfant », que j'ai écoutée sans relâche, m'a paradoxalement aidé à être un père heureux. Tachan est, à n'en pas douter, bien plus cité à gauche qu'à droite, mais lui-même refusait toute étiquette. Au-delà de ce rejet, son poème (enregistré en concert en 1982) nous parle d'engagement fait avec tout son cœur. À celles et ceux qui seraient choqués de voir Tachan dans un ouvrage politique, je les prie de me pardonner en songeant que je fais découvrir son texte superbe à un public potentiellement large !

Le second texte, *L'Europe a la forme de mon cerveau*, a été composé en 2006 par le célèbre écrivain roumain Mircea Cartarescu, dont un ouvrage entier, *Travesti*, a aussi été mis en bande dessinée par Baudoin. En octobre 2013, avec mes collègues militants d'EuropaNova, nous organisions un colloque européen intitulé Conférence EUROPA, au Campus des Cordeliers ; j'avais alors recruté Mircea comme membre du Conseil scientifique, et nous avions alors eu la chance de pouvoir traduire son superbe texte en français. Outre la vision de l'Europe, je suis très sensible au refus des cases qu'il exprime lui aussi, de façon si plaisante.

Ni gauche ni centre ni droite, (Henri Tachan)

Quand je suis au micro ce n'est pas un « meeting »,
Dans mes chansons, crénom, ni messages ni consignes,
J'veux pas refaire votre monde, je veux rêver le mien
Et quand j'vous raconte mes révoltes, mes chagrins,
Ne vous croyez donc pas obligés d'adhérer :
Dans mon parti y a qu'moi et c'est déjà l'merdier !
Ni gauche ni centre ni droite
Je suis seul sur le « ring »
Avec ma gauche ma droite
Sans soigneur ni « doping »,
Ni gauche ni centre ni droite
Je suis seul sur le « ring »
Avec mon corps qui boite
La Mort qui me fait signe !

Croyez moi, ce choix-là n'est pas des plus faciles :
Les moutons de Panurge me traitent d'inutile,
Les miliciens rasés de révolutionnaire,
Les militants de choc de rêveur littéraire,
Y a rien qui irrite tant tous les troupeaux honnêtes
Que de ne pas pouvoir me coller d'étiquette !
Ni gauche ni centre ni droite
Ni blabla ni béquilles
Ni rouge ni blanc ni noir
Ni fusil ni faucille,
Ni gauche ni centre ni droite
Je suis seul sur le « ring »
Avec mon corps qui boite
La Mort qui me fait signe !

L'engagement politique, pour moi, c'est comme la Foi :
Tu crois en Dieu, Bon Dieu, ou bien tu n'y crois pas,
Je crois parfois en l'homme dans mes moments de fièvre
Mais dedans mon terrier, mi-sanglier mi-lièvre,
Loin des meutes de chiens, des cors et des clameurs,
Je suis gibier d'abord, vous n'êtes que chasseurs !
Ni gauche ni centre ni droite

Ni slogans ni insignes
Ni rouge ni blanc ni noir
Ni complice ni consigne
Ni gauche ni centre ni droite
Je suis seul sur le « ring »
Avec mon corps qui boite
La Mort qui me fait signe !

Voilà onze bientôt que je chante « au secours ! »
Que je chante « ma révolte ! » que je chante « mon amour ! »
Voilà onze bientôt, que d'hivers en automnes,
Je me bats par instinct à côté de ma lionne,
Que je remets cent fois sur le papier l'ouvrage
Que cent fois sans raison je refais le voyage !
Ni gauche ni centre ni droite
Je suis seul sur le « ring »
Avec ma gauche ma droite
Sans soigneurs ni « doping »
Ni gauche ni centre ni droite
Je suis seul sur le « ring »
Avec mon corps qui boite
La Vie qui me fait signe !

*

L'Europe a la forme de mon cerveau (Mircea Cărtărescu)

Il y a plus d'un siècle, quand l'on ignorait encore que l'Europe était un concept culturel, un rêve éveillé, « *a heap of broken images* », une copie dans un monde dépourvu de ses originaux, les artistes tentaient de s'évader de cette grande forteresse couverte de fumée de charbon et déchirée par les guerres, les conflits sociaux, la médiocrité bourgeoise. Qu'était donc l'Europe pour Rimbaud ? Un marais saumâtre de fange réactionnaire et chauvine où s'enlisait son bateau ivre. Pour Gauguin ? Le pays des brouillards et du manque de couleurs. Mallarmé souhaitait « fuir », ayant lu tous les livres, pour vaincre la chair triste. Et pour Baudelaire, « *anywhere out of this world* » signifiait « n'importe où » tant que c'était hors d'Europe.

L'effrayante Europe. La cruelle Europe, vieille et blasée.

Où fuir, où trouver la vraie vie, la vraie sève, les vraies couleurs ? En Afrique, bien sûr, à Tahiti, bien évidemment. Dans le vin rouge. Dans le haschisch. Dans l'homosexualité. Dans le dérèglement de tous les sens. Le tout était de fuir ce qui faisait l'Europe de ce temps-là : le raisonnement mécaniciste, stupide et niveleur du monde bourgeois.

Quel hideux cauchemar ce monde de bons pères de famille, élevés dans la culture du progrès et de l'harmonie universelle, produirait-il ? Il suffirait de quelques dizaines d'années pour constater que Rimbaud avait fui en Afrique poussé par sa terrible prophétie : « qu'est-ce pour nous, mon cœur, que les nappes de sang… »

Je ne puis m'empêcher de penser que ces grands artistes *savaient*, chacun à sa manière, ce qui adviendrait au siècle suivant, à Ypres et Verdun ; qu'ils pressentaient Stalingrad, les plages de Normandie, les combats de chars d'assaut dans la steppe russe et la terrifiante chasse aux sous-marins, qu'ils avaient entrevu ces villes rasées, ces milliers de bibliothèques et cathédrales, monuments historiques ancestraux rayés de la surface de la terre. Ils connaissaient, pour les avoir connu *in nuce*, la « logique nazie » qui s'achèverait dans l'Holocauste et l'« harmonie » soviétique qui produirait les horreurs du camp socialiste.

Kafka, Trakl, Dostoïevski et Unamuno le surent tout autant.

Le crime froidement exécuté, scientifique, « pour le bien de l'humanité », l'ingénierie sociale, les expériences sur le dos très concret d'êtres humains et de gigantesques populations terrorisées, régnaient récemment encore en Europe ; et leurs échos ne se sont pas encore tus. Tant que nous n'assumerons pas ce visage de notre grand continent spirituel, nous n'aurons pas le droit de construire ou reconstruire, voir ou revoir, ni de nous souvenir ou nous ressouvenir de sa splendeur et de sa majesté.

Comprendre que nous, Européens, nous avons notre responsabilité dans les atrocités du siècle passé et le devoir de ne pas reproduire ni oublier, ne nous donne pourtant pas totalement le droit de célébrer notre européanité. En tout cas, pas de n'importe quelle manière.

Les vagues de relativisme culturel, de multiculturalisme et de politiquement correct de ces dernières décennies, produites par notre glissement inéluctable vers un monde postmoderne, nous ont appris, en dépit de leurs exagérations et de leurs aspects parfois caricaturaux, à devenir circonspects quant à l'affirmation de nos droits de fils aînés en matière de grande culture.

Si le philosophe grec cité par Diogène de Laërce pouvait se permettre d'affirmer avec arrogance : « Je suis heureux d'être né homme et non animal, mâle et non femme, grec et non barbare », ces délimitations semblent aujourd'hui l'attribut même de la barbarie.

En définitive, l'Europe est loin d'être cette solitaire île de l'esprit, cette Laputa de Swift ou cette Province pédagogique de Goethe dans laquelle la haute culture, « tout ce qui a été dit et pensé de plus élevé au cours de l'histoire » (d'après la définition de Matthew Arnold), éclairerait tout l'univers de sa lumière aveuglante. Et ce n'est pas non plus une utopie noocratique et récréative comme dans *Le Jeu des perles de verre* de Hesse. Notre tradition gréco-judaïque est, en réalité, tissée de plusieurs fils entrecroisés remontant aux mondes voisins ou se trouvant « par-delà terres et mers ». Notre écriture est phénicienne, notre calendrier est assyrien, nos « inventions » sont chinoises, nos cauchemars sont habités par le monstre mésopotamien Humbaba, nous sommes tous les enfants du déluge universel. L'Europe est un concept dense et relationnel, une construction mentale complexe, un sentiment contradictoire dans lequel l'amour et la haine de soi convergent. Mais il est tout aussi immature et stupide de tomber dans un relativisme total, de soutenir que toutes les cultures ont produit des valeurs équivalentes à Homère, Shakespeare et Cervantès que de se poser en européocentriste pur et dur ne jurant que, et seulement que, par ces « génies de l'esprit humain ».

Je suis fier d'être un homme parce que je suis *aussi* un animal ; d'être un mâle parce que je suis *aussi* une femme ; d'être grec *justement parce que* le barbare en moi déborde d'une telle vitalité. C'est ainsi que je suis aussi fier d'être européen. Être européen signifie pour moi non pas être bon (meilleur que les autres), mais être complexe, profond, plein de contradictions internes, et capable de les reconnaître et de les concilier. J'ai été guidé, tout au long de ma vie, aussi bien par la grande tradition européenne que par la révolte qu'elle suscitait.

Mais parler de l'Europe, c'est comme parler de l'Amérique ou de l'Asie : quelles phrases pour les étreindre dans toute leur réalité ? Quel livre, quelle monumentale encyclopédie ? Il existe plusieurs Europe, disséminées dans le temps et dans l'espace, une confédération multidimensionnelle des Europe. Desquelles suis-je solidaire ?

Quelles sont celles que je hais ? Certaines sont aussi réelles que la poignée de terre où poussent des brins d'herbe, d'autres sont virtuelles, fantomatiques et hantent notre imaginaire. Il a donc réellement existé, le monde antique où l'Europe n'était pas autre chose qu'une nymphe enlevée par Zeus sur l'échine de l'éternel taureau crétois – peut-être le plus durable symbole du vieux continent ? Il a donc réellement existé, le monde d'Arthur et de Lancelot, plein de Maures et de miracles, barbare et violemment coloré comme un jeu de stratégie sur ordinateur ? Le monde libertin de Fragonard ? Le monde héroïque de Napoléon, que l'on dirait peuplé de soldats de plomb ? Le monde sur pellicule en noir et blanc, embrumé et couvert de taches, de l'année 1900, avec des voitures à cheval et des hommes portant haut-de-forme ? Qui a écrit que le monde n'a que quelques minutes mais que nous sommes tous venus au monde avec des greffes de mémoire fausse ? Je ne vais pas m'égarer dans ces cavernes et labyrinthes, spécifiques, selon G. R. Hocke, de la pensée de l'*Homo Europaeus*. C'est avec l'Europe d'aujourd'hui que j'entretiens une relation et cette Europe n'est d'ailleurs pas plus réelle que les précédentes, mais elle est pour moi la plus concrète, car c'est la seule qu'il m'est donné de parcourir, en réalité comme en rêve.

Une Europe à plusieurs vitesses, a-t-on dit. Une Europe brisée en deux, pendant des décennies, par un stupide mur de béton et de fils barbelés, a-t-on dit. Mais quand le mur très concret (du moins dans sa portion divisant Berlin en deux parties) s'est écroulé, on a pu clairement voir qu'il ne séparait pas plus de zones géopolitiques qu'il ne scindait de zones mentales. La preuve qu'aujourd'hui encore l'Europe n'est pas une et ne le sera pas pendant longtemps encore, pas même quand tous les États de l'Est imaginaire auront intégré l'Ouest imaginaire. Car dans les fantasmes de notre esprit subsistent les Europe de Huntington, qui se heurtent et se fragmentent à la manière de plaques tectoniques le long de la frontière entre le catholicisme et le protestantisme ou l'orthodoxie, et les Europe de Goethe et de Thomas Mann, qui opposaient le Nord cérébral et austère à un Sud dionysiaque…

Trois clichés, trois tics verbaux, trois fantaisies presque sexuelles fleurissent aujourd'hui encore sur toute l'énorme péninsule issue des monts de l'Oural. Je ne sais pas si nous les sécrétons ou si nous les fabriquons en permanence, s'ils nous enferment dans d'autres « camps » infantilisants et lénifiants ou s'ils nous portent comme de salvateurs radeaux de la Méduse : Europe de l'Ouest, Europe centrale et Europe de l'Est.

La civilisation, la névrose et le chaos.

La prospérité, la culture et le chaos.

La raison, le subconscient et le chaos.

Un jour, un éditeur allemand, à la foire de Francfort, me dit qu'il était intéressé par les auteurs d'Europe de l'Est. Je lui rétorquai qu'en ce qui me concernait, je ne pensais pas en être. « Vous avez raison », se reprit l'éditeur, « vous, en tant que Roumain, vous êtes de l'Europe du *Sud-Est* »… Quelle merveilleuse précision ! De l'art de comparti-menter un sous-compartiment. « Reste à ta place », me signifiait l'éditeur affable. Reste dans ton ghetto. Exprime ton petit bout d'his-toire (sud)-est européenne. Écris sur ta Securitate, ton Ceauşescu, ta maison du Peuple. Tes chiens, tes enfants des rues, tes Tziganes. Drape-toi dans ta dissidence de la période communiste. Laisse-nous écrire sur l'amour, la mort, le bonheur, l'agonie et l'extase. Laisse-nous faire l'avant-garde, innover, respirer la normalité culturelle. Ta seule chance est d'exprimer ton petit monde exotique dans une petite maison d'édition qui, éventuellement, pourrait, chez nous, t'accep-ter. Car en définitive, qui s'en préoccupe ? Qui est-ce que cela inté-resse ? Tu as le choix : soit tu renforces nos chers clichés, soit tu disparais.

Je reprends, ici, la réponse que je lui fis alors : je ne suis *pas* un auteur de l'Europe de l'Est. *Non,* je ne reconnais la partition de l'Europe sur aucun de ces critères géopolitique, culturel, religieux ni d'aucune autre sorte. Je rêve d'une Europe diverse, mais pas schizo-phrène. Quand j'ai lu Musil, je n'ai pas vu en lui un ressasseur de la Cacanie mais un prince de l'esprit européen. Peu m'importe dans quel pays a vécu et écrit André Breton. Je ne sais pas où se trouve sur la carte la Kiev de Boulgakov. Je n'ai pas lu Catulle, ni Rabelais, Cantemir ou Virginia Woolf sur une carte mais dans une biblio-thèque, là où les livres sont posés les uns à côté des autres. Mes livres ne sont pas sillonnés par je ne sais quelles brebis du folklore roumain ou chapelets du rite orthodoxe, mais on y trouve les étoiles dan-tesques, le compas de John Donne, la lance de Cervantès, l'insecte de Kafka, la madeleine de Proust, le turbot de Günther Grass. Je ne me sens pas en concurrence seulement avec les auteurs roumains ou seulement bulgares, russes, serbes, tchèques ou polonais, mais avec ces écrivains du monde entier que j'admire et que j'aime. Bien entendu, mes sujets peuvent être, par la force des choses, roumains, le décor roumain, la langue et ses inflexions viennent de mon espace psycholinguistique, mais les thèmes que j'évoque ne peuvent être autres que les grands thèmes de la tradition européenne, semblables chez Euripide et Joyce. Les influences qui ont nourri ma poésie comme ma prose (mais en premier lieu ma *méditation* qui, écrivait George Enescu, est le premier talent de l'artiste) sont en premier lieu celles de la grande littérature moderne du siècle passé, aussi bien étrangère que roumaine, car la tradition de la modernité roumaine, heureusement, est aussi complexe et exubérante que toute autre en Europe. Les écrivains roumains qui ont réussi à traverser les barrières de mentalité entre l'Ouest et l'Est (en les confirmant, d'une certaine manière), se sont révélés être des étoiles de première grandeur au firmament de la culture européenne : Tzara, Ionesco, Cioran. Mais beaucoup d'autres – quelques-uns assurément meilleurs – sont restés pris dans le doux piège d'une langue à l'expressivité infinie et, justement pour cette raison, intraduisible : Urmuz, Arghezi, Blaga, de purs inconnus.

Avec tout le respect que je leur dois, je ne veux pas partager leur sort. Je ne veux pas non plus devenir « le Roumain de service », invité par réflexe pour représenter son pays dans des colloques et des symposiums. Je n'ai à représenter de la patrie de mes écrits que moi-même. Je pourrais être portugais, suisse ou letton. Je pourrais être homme ou femme, grec ou barbare. La texture de mes écrits serait, bien sûr, toujours autre, mais leur esprit resterait toujours inchangé. Car Valéry ne se trompait pas tout à fait quand il affirmait que tous les poèmes jamais écrits pourraient être attribués à un seul poète atemporel, l'esprit créateur. Je ne vais pas si loin, mais il me semble clair qu'elle existe, cette chose sous-tendant (tautologiquement) tous les écrits que l'on pourrait inclure dans la catégorie de la haute culture, quels que soient leur origine ou leur degré de contamination par d'autres types de culture : c'est l'esprit européen. De ce point de vue, Márquez est européen, Pynchon est européen, Kawabata est européen. Peut-être pas en raison de leur attitude ou de leur idéologie, mais assurément en raison de ce qui tisse le vaste subconscient collectif de l'œuvre d'art, en raison aussi de la « philosophie » de ce domaine de la connaissance tel qu'il a été fondé par les Grecs de l'Antiquité. Européens par les présuppositions, par ce qui n'est pas exprimé tout en se trouvant déterminant pour un texte littéraire.

La pensée postmoderne s'efforce de démontrer, depuis quelques décennies, ce qui ne va pas dans l'art élevé : son arrogance, son autarcie, son élitisme. L'enfermement dans les musées, l'éloignement de la vraie vie. Dans un essai brillant, Walter Benjamin montrait comment l'« aura » de l'œuvre d'art disparaît à l'époque de sa reproductibilité technique. C'est vrai. L'art avec un grand A, il a mérité les « affronts » de Duchamp – l'urinoir exposé sur un socle dans un musée et les moustaches de la Joconde – et mérite aujourd'hui les agressions des innombrables types d'art contemporain, de plus en plus « populaires » et plus randomisés. Mais l'esprit européen d'ancestrale tradition gréco-judaïque ne s'altère pas dans ces mésalliances, il reçoit au contraire un afflux de sang frais absolument nécessaire. La Joconde à moustaches n'a pas de sens si on ne la rapporte pas à la vraie, à l'éternelle Joconde, qu'elle n'abaisse pas mais dont elle sublime l'éclat. La déferlante de la culture populaire de l'« américanisation », qui en effraie tant, n'est pas la fin de l'art, car l'occasion lui est donnée de surfer sur la vague. En dépit des transformations de l'art en *showbiz*, en spectacle d'un jour, je soutiens avec obstination que jusque dans le monde actuel, une solide culture artistique vous donne un avantage incalculable sur les bataillons d'artistes médiocres et anonymes qui nourrissent un public drogué à l'*advertising* et à la télévision.

Il existe un grand nombre d'Europe dans l'espace et dans le temps, dans les rêves et dans les souvenirs, dans la réalité et dans l'imaginaire. Je n'en revendique qu'une seule, mon Europe, facile à reconnaître par le fait qu'elle prend la forme de mon cerveau. Et elle a cette forme parce qu'elle l'a modelé, dès le départ, à son image et à sa ressemblance. Sa surface est faite de fronces et de plis profonds, de zones motrices et sensorielles, d'aires du langage et d'aires de la compréhension. Mais nulle part on ne trouve de murs de béton, de rideaux de fer, de frontières.

(traduit du roumain par Laure Hinckel)

Table

Cet ouvrage a été mis en pages par

\<pixellence\>

Cet ouvrage a été achevé d'imprimer en janvier 2019
dans les ateliers de Normandie Roto Impression s.a.s.
61250 Lonrai
N° d'impression : 1900196
N° d'édition : L.01ELKN000735.N001
Dépôt légal : février 2019

Imprimé en France